MYSTIC RIVER

Dennis Lehane

MYSTIC RIVER

Traducción de Maria Via

Círculo de Lectores

Para mi mujer, Sheila

Agradecimientos

Quiero dar las gracias, como siempre, al sargento Michael Lawn, del Departamento de Policía de Watertown; a Brian Honan, concejal de la ciudad de Boston; a David Meier, jefe de la Sección de Homicidios de los fiscales de distrito del condado de Suffolk; a Teresa Leonard y a Ann Guden por detectar mis errores, y a Tom Murphy, de la funeraria James A. Murphy e Hijo de Dorchester.

Deseo expresar mi reconocimiento de forma especial al agente de policía Robert Manning, del Cuerpo de Policía de Massachusetts, por su cooperación y por responder a todas mis preguntas, por muy estúpidas que fueran, sin reírse.

Mi más sincero agradecimiento a una agente fabulosa, Ann Rittenberg, y a una editora estupenda, Claire Wachtel, por orientarme a lo largo del libro.

Él no comprendía a las mujeres. No del modo en que los camareros o los cómicos no entendían a las mujeres, sino de la forma en que la gente pobre no comprendía la economía. Uno podría pasarse la vida entera delante del edificio del Girard Bank, sin llegar jamás a imaginarse lo que pasaba allí dentro. Ésa es la razón por la que, en lo más profundo de sus corazones, siempre preferirían atracar un 7-Eleven.

PETE DEXTER, *God's Pocket* [El bolsillo de Dios]

No existe la calle sin piedras mudas ni la casa sin ecos.

GÓNGORA

I

Los niños que escaparon
de los lobos
(1975)

1

La colina y las marismas

Cuando Sean Devine y Jimmy Marcus eran niños, sus padres trabajaban juntos en la fábrica de golosinas Coleman; al llegar a casa, aún llevaban impregnado el hedor de chocolate caliente. Se convirtió en una característica permanente de su ropa, de la cama donde dormían y del respaldo de vinilo del asiento de sus coches. La cocina de Sean olía a crema de cacao, y el cuarto de baño a barrita de chocolate Coleman. Al cumplir los once años, Sean y Jimmy habían llegado a odiar tanto los dulces que, durante el resto de su vida, nunca volvieron a añadir azúcar al café ni a tomar postres.

Los sábados, el padre de Jimmy se dejaba caer por casa de los Devine a tomarse una cerveza con el padre de Sean. Solía llevarse a Jimmy y, cuando lo que en principio debía ser una cerveza se convertía en seis, más dos o tres chupitos de Dewar's, Jimmy y Sean se iban a jugar al patio de atrás; a veces, también se les unía Dave Boyle, un niño corto de vista y con muñecas de chica que siempre contaba chistes que había aprendido de sus tíos. Desde el otro lado del cristal de la ventana de la cocina, solían oír el siseo de las latas de cerveza al abrirse, estallidos de súbitas carcajadas y los fuertes chasquidos de los Zippos cuando el señor Devine y el señor Marcus encendían sus Lucky.

El padre de Sean, un capataz, tenía el mejor empleo. Era alto y rubio, y su sonrisa relajada y natural había calmado más de una vez la furia de su madre, como si apagase un interruptor dentro de ella. El padre de Jimmy cargaba camiones. Era bajito y por su frente caía una maraña de cabello oscuro; había algo en sus ojos que parecía impedirle dejarlos quietos. Se movía con demasiada rapidez; en un instante ya estaba en la otra punta de la sala. Dave

Boyle no tenía padre, sólo un montón de tíos, y la única razón por la que solía ir allí los sábados era porque tenía la habilidad de pegarse a Jimmy como si fuera una tirita; cada vez que le veía salir de casa con su padre, se plantaba junto al coche y, casi sin aliento, le decía: «¿Qué tal, Jimmy?», con una triste expresión de esperanza.

Todos ellos vivían en East Buckingham, al oeste del centro de la ciudad, un vecindario de tiendas de barrio estrechas, pequeños parques y carnicerías donde la carne, todavía rosada por la sangre, colgaba de los escaparates. Los bares tenían nombres irlandeses y había Dodge Darts aparcados junto a las aceras. Las mujeres llevaban pañuelos atados a la nuca y cajitas de imitación de piel para los cigarrillos. Hasta hacía un par de años, los chicos mayores habían sido arrancados de la calle, cual víctimas de una abducción por naves espaciales, para enviarlos a la guerra. Regresaban vacíos y tristes al cabo de un año más o menos, o sencillamente no regresaban. Durante el día, las madres examinaban los periódicos en busca de cupones de descuento; por la noche, los padres iban al bar. Uno conocía a todo el mundo; nadie se marchaba de allí, a excepción de aquellos chicos mayores.

Jimmy y Dave procedían de la zona de las marismas, un poco más abajo del Penitentiary Channel, en la parte sur de la avenida Buckingham. Sólo estaba a doce manzanas de la calle de Sean, pero los Devine vivían al norte de la avenida, en la colina, y la gente de las marismas y de la colina no solía mezclarse demasiado.

Tampoco es que la colina brillara por sus calles de oro y sus cucharas de plata. Se trataba de clase trabajadora, obreros, Chevys, Fords y Dodges aparcados delante de casas sencillas de una planta, y alguna ocasional casita de estilo victoriano. Sin embargo, la gente de la colina era propietaria de sus casas; la gente de las marismas solía vivir de alquiler. Las familias de la colina iban a la iglesia, permanecían unidas y aguantaban pancartas en las esquinas durante los meses previos a las elecciones. En cambio, la gente de las marismas, que sabía lo que hacía, vivía a veces como animales; diez en un piso, la basura por la calle –Sean y sus amigos de Saint Mike solían llamarlo Wellieville–. Esas familias vivían del desempleo, llevaban a sus hijos a la escuela pública y se divorciaban. Así pues, mientras Sean iba a la escuela parroquial Saint Mike con pantalones negros, corbata negra y camisa azul, Jimmy y Dave iban a la escuela Lewis M. Dewey de Blaxston. Los niños que iban a esta última escuela se podían poner ropa de calle, lo cual estaba muy bien; pero normalmente llevaban la misma ropa tres de cada cinco días, y eso ya no les gustaba tanto. Les rodeaba un halo grasiento: pelo graso, piel grasa, cuellos y puños grasientos. Muchos chicos tenían verdugones desiguales de acné y dejaban el colegio muy pronto. Algunas chicas llevaban vestidos de embarazada a la ceremonia de graduación.

Así pues, si no hubiera sido por sus padres, probablemente nunca se habrían hecho amigos. Durante la semana nunca salían juntos, pero tenían aquellos sábados; había algo en esa época, tanto si pasaban el rato en el patio trasero como si vagaban por las pilas de grava que había al final de la calle Harvest, como si se subían al metro de un salto y se iban al centro de la ciudad –no para ver nada, simplemente para atravesar los oscuros túneles y oír el traqueteo y los frenazos de los vagones a medida que tomaban las curvas de los raíles y las luces se apagaban y encendían– donde Sean se sentía como si aguantara la respiración. Cuando uno estaba con Jimmy, podía pasar cualquier cosa. Si sabía que había normas –en el metro, en la calle, en el cine–, nunca lo demostraba.

Una vez en South Station, cuando se lanzaban una pelota de hockey de color naranja de un extremo a otro del andén, la pelota fue rebotando hasta caer en los raíles sin tiempo a que Jimmy la recogiera. Antes de que a Sean ni siquiera pudiera ocurrírsele, Jimmy ya había bajado hasta las vías de un salto, con los ratones, las ratas y el tercer raíl.

La gente que había en el andén parecía haber enloquecido. Empezaron a gritarle. Una mujer se puso del color de la ceniza de cigarro mientras se arrodillaba y chillaba: «¡Haz el favor de subir, haz el favor de subir ahora mismo, maldita sea!». Sean oyó un ruido sordo y apagado que podía ser el de un tren que entrara por el túnel de la calle Washington o de los camiones que circulaban por la calle; la gente del andén también lo oyó. Agitaban los brazos y movían la cabeza de un lado a otro en busca de los guardias de seguridad del metro. Un hombre le tapó los ojos a su hija con el antebrazo.

Jimmy, con la cabeza baja, intentaba localizar la pelota en la oscuridad, debajo del andén. La encontró. Le quitó la mugre con la manga de la camisa y no hizo ni caso a la gente, que se había arrodillado en la línea amarilla y extendía las manos hacia las vías.

Dave le dio un codazo a Sean y le dijo: «¡Uf, eh!», en un tono de voz demasiado alto.

Jimmy empezó a andar entre las vías en dirección a las escaleras de uno de los extremos del andén, allí donde el túnel se abría y se volvía oscuro; un ruido más fuerte sacudió la estación, y en aquel momento la gente saltaba literalmente y se golpeaba las caderas con los puños. Jimmy se lo tomó con calma, andaba muy despacio; luego se volvió y mirando por encima del hombro, captó la mirada de Sean y le hizo una mueca.

–Sonríe. Sencillamente está loco, ¿saben? –declaró Dave.

Cuando Jimmy llegó al primer escalón de las escaleras de cemento, varias personas tendieron las manos y tiraron de él hacia arriba. Sean observó cómo sus pies se balanceaban hacia fuera y hacia la izquierda, cómo retorcía la cabeza y la inclinaba hacia la derecha; a pesar de tener una apariencia diminuta y ligera entre los brazos de aquel hombre, corpulento como si estuviera relleno de paja, Jimmy no dejaba de apretar con fuerza la pelota contra su pecho, incluso cuando la gente lo asió de los codos y se golpeó la espinilla contra el borde del andén. Sean sentía el nerviosismo de Dave junto a él, una sensación de desconcierto. Sean contempló las caras de la gente que tiraban de Jimmy y ya no vio ni miedo ni preocupación, ni ningún rastro de desesperanza como había visto hacía tan sólo un minuto. Avistó rabia, caras de monstruos con facciones tensas y feroces, como si estuvieran a punto de inclinarse hacia delante, arrancar un trozo de Jimmy a mordiscos y matarle a palos.

Subieron a Jimmy al andén y, sin soltarlo, apretándole los hombros con los dedos, miraban a su alrededor en busca de alguien que les dijera qué tenían que hacer. El tren atravesó el túnel y alguien gritó, aunque luego otra persona empezó a reír (una risotada ensordecedora que le hizo pensar a Sean en las brujas alrededor de un caldero), pues el tren apareció de repente al otro lado de la estación, en dirección norte; Jimmy miró los rostros de toda aquella gente que lo sujetaba, como diciéndoles: «¿Lo ven?».

Dave, que estaba junto a Sean, soltó su risilla aguda y vomitó en las manos.

Sean apartó la mirada, preguntándose qué pintaba él en todo aquello.

Esa noche el padre de Sean le obligó a sentarse en el cuarto de herramientas del sótano. Era un lugar repleto de tornos de banco negros y de latas de café llenas de clavos y tuercas; había montones de madera perfectamente apilados debajo del deteriorado tablero que dividía la habitación en dos; los martillos colgaban de los cinturones de carpintero, cual pistolas en sus fundas, y la correa de una sierra pendía de un gancho y se bamboleaba. El padre de Sean, que a menudo hacía trabajos de carpintería para los del barrio, bajaba allí a construir sus jaulas de pájaros y las repisas que colocaba en las ventanas para las flores de su mujer. Allí había ideado el porche trasero, que él y sus amigos construyeron a toda prisa un verano abrasador, cuando Sean tenía cinco años; también iba allí si buscaba paz y tranquilidad o cuando estaba enfadado con Sean, como bien sabía éste, o enfadado con la madre de Sean, o si tenía problemas de trabajo. Las jaulas de pájaros (maquetas de casas estilo Tudor, coloniales, victorianas y chalets suizos) acababan amontonadas en una esquina del sótano, y había tantas que habrían tenido que vivir en el Amazonas para encontrar suficiente cantidad de pájaros que las pudieran usar.

Sean se sentó en el viejo taburete rojo y se dedicó a manosear el torno negruzco, sintiendo la mezcla de aceite y de serrín, hasta que su padre le preguntó:

–Sean, ¿cuántas veces te lo tendré que repetir?

Sean sacó el dedo y se limpió la grasa con la palma de la mano.

Su padre cogió unos cuantos clavos sueltos que había encima del tablero y los colocó en una lata de café de color amarillo.

–Ya sé que Jimmy Marcus te cae bien, pero si queréis jugar juntos, a partir de ahora tendréis que hacerlo cerca de casa; de la tuya, no de la suya.

Sean asintió con la cabeza. Era inútil discutir con su padre cuando hablaba de forma tan lenta y pausada como lo estaba haciendo en aquel momento; cada una de sus palabras le salía de la boca como si tuviera una piedrecita enganchada.

—¿Ha quedado claro?

Su padre empujó la lata de café a su derecha y bajó los ojos hacia Sean. Sean volvió a asentir. Observó cómo su padre se frotaba los gruesos dedos para quitarse el serrín.

—¿Hasta cuándo?

Su padre levantó las manos y quitó una brizna de polvo de un gancho clavado en el techo. La amasó entre los dedos y luego la tiró a la papelera que había colocado debajo del tablero.

—Yo diría que durante mucho tiempo. Además, Sean...

—¿Sí, señor?

—No creas que esta vez puedes ir a pedírselo a tu madre; después del circo que habéis montado hoy, no quiere que vuelvas a ver a Jimmy nunca más.

—No es tan malo. Sólo...

—No he dicho que lo sea. Sólo es un insensato, y tu madre ya ha tenido que aguantar bastantes locuras en su vida.

Sean divisó cierto destello en el rostro de su padre al pronunciar «insensato», y supo que era al otro Billy Devine al que vio por un instante, ese que había tenido que reconstruir por medio de algunos fragmentos de conversaciones que había acertado a oír de sus tíos y de sus tías. Le llamaban el viejo Billy; el Peleón, le llamó una vez su tío Colm con una sonrisa. Era el Billy Devine que había desaparecido antes de que Sean naciera y que había sido reemplazado por aquel hombre tranquilo y cuidadoso, de gruesos y diestros dedos, que construía demasiadas jaulas.

—¿Te acordarás de lo que hemos estado hablando? —le preguntó su padre; después le dio una palmadita en el hombro para indicarle que ya se podía ir.

Sean salió del cuarto de las herramientas y atravesó el frío sótano mientras se preguntaba si lo que hacía que disfrutara de la compañía de Jimmy era lo mismo que hacía que a su padre le gustara pasar el rato con el señor Marcus, beber juntos los sábados por la noche hasta altas horas de la madrugada, reírse demasiado fuerte y bruscamente, y si era aquello lo que su madre temía.

Unos cuantos sábados más tarde, Jimmy y Dave Boyle fueron a casa de los Devine un día en que el padre estaba fuera. Llamaron a la puerta trasera cuando Sean estaba acabando de desayunar. Sean oyó a su madre abrir la puerta y decir: «Buenos días, Jimmy. Buenos días, Dave», con el tono de voz muy educado que usaba con la gente a la que no tenía muy claro que deseara ver.

Ese día Jimmy estaba muy tranquilo. Toda aquella energía tan desmesurada parecía estar enroscada en su interior. Sean casi notaba la fuerza con que golpeaba las paredes del pecho de su amigo y cómo éste se esforzaba por contenerla. Parecía más pequeño, más oscuro, como si uno pudiera reventarlo con un alfiler. Sean ya lo había visto así antes. Jimmy siempre había tenido cambios de humor repentinos. Aun así, éstos no dejaban de sorprender a Sean y se preguntaba si Jimmy tenía algún control sobre ellos, o si aparecían como el dolor de garganta o las primas de su madre, irrumpiendo inesperadamente tanto si a uno le apetecía como si no.

Dave Boyle se ponía muy pesado cuando Jimmy estaba así. Creía que era su deber asegurarse de que todo el mundo se sintiera feliz, lo cual hacía que todos se cabrearan al cabo de un rato.

Mientras permanecían de pie en la acera, intentando decidir qué hacer, Jimmy encerrado en sí mismo y Sean aún medio adormilado, nerviosos los tres por el día que les esperaba, aunque fuera dentro de los límites de la calle de Sean, Dave preguntó:

−¿Por qué los perros se lamen las pelotas?

Ni Sean ni Jimmy respondieron. Lo debían de haber oído unas mil veces.

−¡Porque pueden! −gritó Dave Boyle mientras se cogía el estómago como si le doliera de tanto reír.

Jimmy se encaminó hacia unas vallas, allí donde el personal del ayuntamiento se encargaba de sustituir algunos adoquines de la acera. Los trabajadores habían atado cintas amarillas con la palabra «PRE-CAUCIÓN» a las cuatro vallas dispuestas en rectángulo que forma-ban una barricada alrededor de los adoquines nuevos; sin embargo, Jimmy rompió la cinta al pasar. Se puso en cuclillas junto al borde, con los pies en la acera antigua, y usó una ramita sobre el cemento húmedo para grabar finas líneas que a Sean le recordaron los dedos de un hombre viejo.

–Mi padre ya no trabaja con el tuyo.

–¿Por qué? –preguntó Sean mientras se sentaba junto a Jimmy.

No tenía ningún palo, pero quería uno. Deseaba hacer lo que ha-cía Jimmy, aunque no supiera por qué y aunque su padre le azotara en el culo con una correa por ello.

Jimmy se encogió de hombros y contestó:

–Porque era más listo que los demás. Los asustó porque sabía de-masiadas cosas.

–¿Demasiadas cosas? –preguntó Dave Boyle–. ¿Tú crees, Jimmy?

«"¿Tú crees, Jimmy? ¿Tú crees, Jimmy?" Había días en que Dave era como un loro.»

Sean se preguntaba cuánto podía llegar a saber una persona sobre las golosinas y qué importancia podía tener esa información.

–¿Qué tipo de cosas?

–Cómo dirigir mejor la fábrica. –Jimmy no parecía estar muy con-vencido y se encogió de hombros–. Cosas, en cualquier caso. Cosas importantes.

–¡Ah, claro!

–Cómo dirigir la fábrica. ¿Tú crees, Jimmy?

Jimmy siguió ahondando en el cemento. Dave Boyle encontró su propio palo, se inclinó sobre el cemento húmedo y empezó a dibujar un círculo. Jimmy frunció el entrecejo y tiró su palo a un lado. Dave dejó de dibujar y miró a Jimmy como diciendo: «¿Qué he hecho?».

–¿Sabéis lo que estaría muy bien? –insinuó Jimmy, con un tono de voz ligeramente agudo que hacía que a Sean se le alterara la sangre, seguramente porque el concepto de lo que estaba bien de Jimmy era muy diferente al del resto de la gente.

–¿Qué?

–Conducir un coche.

–Sí –contestó Sean pausadamente.

–Quiero decir –Jimmy tenía las palmas de las manos hacia arriba, se había olvidado completamente del cemento y de la rama–, ir a dar sólo una vuelta a la manzana.

–Una vuelta a la manzana –repitió Sean.

–Sería estupendo, ¿no creéis? –sonrió Jimmy.

Sean sintió que una sonrisa se dibujaba en su rostro y se le iluminó la cara.

–Sí, sería estupendo –contestó.

–Sería lo más fabuloso que hemos hecho.

Jimmy levantó un pie del suelo de un salto. Miró a Sean, alzó las cejas y saltó de nuevo.

–Sería fabuloso.

Sean ya podía sentir el volante entre las manos.

–¡Sí, venga, venga!

Jimmy le dio un puñetazo a Sean en el hombro.

–¡Sí, vamos, vamos!

Sean le devolvió el puñetazo; algo se estremeció dentro de él, en un santiamén, y todo se volvió más rápido y más brillante.

–¡Sí, venga, venga! –repitió Dave, pero no consiguió darle al hombro de Jimmy con el puño.

Durante un momento, Sean incluso se había olvidado de que Dave estaba allí. Sucedía muchas veces con Dave, aunque Sean no sabía por qué.

–¡Va en serio! ¡Será de lo más divertido, joder!

Jimmy se rió y volvió a brincar.

Sean ya se podía imaginar qué estaba sucediendo: se encontraban en el asiento delantero (Dave estaba sentado atrás, si es que estaba) y se movían; dos niños de once años conduciendo por Buckingham, que daban bocinazos a sus amigos, retaban a los chicos mayores para hacer carreras por la avenida Dunboy, hacían chirriar los neumáticos entre nubes de humo. Sentía incluso el aire que entraba por la ventanilla, y le acariciaba el pelo.

Jimmy, recorriendo la calle con la mirada, preguntó:

–¿Sabes si alguien de esta calle tiene por costumbre dejar las llaves puestas?

Sean sí conocía a alguien. El señor Griffin las guardaba debajo del asiento; Dottie Fiore las dejaba en la guantera; y el viejo Makowski, el borracho que escuchaba discos de Sinatra a todo volumen las veinticuatro horas del día, casi siempre las dejaba puestas.

Sin embargo, a medida que seguía la mirada de Jimmy e iba enumerando los coches que sabía que tenían las llaves dentro, Sean sintió que un dolor sordo le crecía detrás de los ojos; bajo los fuertes rayos del sol que se reflejaban en los maleteros y en los capós de los coches, sentía el peso de la calle, de las casas, de toda la colina y de lo que se esperaba de él. No era un niño que robara coches. Era alguien que algún día iría a la universidad y que conseguiría convertirse en algo más grande y mejor que un capataz o un cargador de camiones. Ése era el plan, y Sean creía que los planes salían bien si uno andaba con cuidado, con cautela. Era como ver una película hasta el final, al margen de que fuera aburrida o desconcertante; porque al final, a veces, las cosas se explicaban, o el final en sí mismo era tan bueno que uno llegaba a pensar que había valido la pena tener que tragarse todos los trozos aburridos.

Estuvo a punto de decírselo a Jimmy, pero éste ya avanzaba calle arriba y miraba por las ventanillas de los coches; Dave corría junto a él.

–¿Qué te parece éste?

Jimmy colocó la mano encima del Bel Air del señor Carlton y su voz sonó estridente en la brisa seca.

–¡Eh, Jimmy! –Sean se dirigió hacia él–, tal vez podríamos dejarlo para otro momento, ¿vale?

Una expresión de abatimiento y rechazo apareció en el rostro de Jimmy.

–¿Qué quieres decir? ¡Vamos a hacerlo! ¡Será divertido! ¡Muy divertido! ¿Recuerdas?

–Muy divertido –repitió Dave.

–Ni siquiera somos lo bastante altos para ver por el cristal.

–¡Listines telefónicos! –Jimmy sonrió a la luz del sol–. Podemos cogerlos de tu casa.

–¡Listines telefónicos! –repitió Dave–. ¡Eso es!

Sean alargó las manos y exclamó:

–¡No! ¡Vamos a dejarlo!

La sonrisa de Jimmy desapareció. Observando los brazos de Sean como si quisiera cortárselos por los codos, le preguntó:

–¿Por qué no quieres hacer algo divertido?

Tiró de la manija del Bel Air, pero la puerta estaba cerrada con llave. Durante un segundo, las mejillas de Jimmy se estremecieron y el labio inferior le empezó a temblar, y miró a Sean con tal expresión de soledad que éste sintió lástima por él.

Dave miró a Jimmy y después a Sean. Extendió el brazo de forma inesperada y extraña y, asestándole a éste un golpe en el hombro, le preguntó:

–¿Por qué no quieres hacer cosas divertidas?

Sean no podía creerse que Dave le acabara de dar un golpe. ¡Dave! Le devolvió un puñetazo en el pecho y Dave se sentó.

Jimmy le dio un empujón y exclamó:

–¿Qué coño estás haciendo?

–Me ha pegado –respondió Sean.

–No lo ha hecho –replicó Jimmy.

Sean abrió los ojos con un gesto de incredulidad y Jimmy le imitó.

–Me ha pegado.

–Me ha pegado –repitió Jimmy con voz de chica propinándole otro empujón–. ¡Es amigo mío, joder!

–¡Y yo también! –protestó Sean.

–¡Y yo también! –repitió Jimmy–. Yo también, yo también, yo también.

Dave Boyle se puso en pie y empezó a reírse.

–¡Déjalo ya! –exclamó Sean.

–Déjalo ya, déjalo ya, déjalo ya. –Jimmy empujó a Sean de nuevo y le dio un codazo en las costillas–. ¿Me quieres zurrar?

–¿Le quieres zurrar? –Entonces fue Dave quien empujó a Sean.

Sean no tenía ni idea de cómo había empezado aquello. Ni siquiera recordaba por qué se había enfadado Jimmy ni por qué Dave había sido tan estúpido de pegarle en primer lugar. Hacía tan sólo un segundo estaban junto al coche. Ahora se encontraban en medio de la calle y Jimmy lo empujaba, el rostro arrugado y achaparrado, los ojos oscuros y pequeños; además, Dave empezaba a tomar parte en la pelea.

–¡Venga, zúrrame!

–Yo no...

Le propinó otro empujón y exclamó:

–¡Venga, nenita!

–Jimmy, ¿no podríamos tan sólo...?

–No, no podemos. Eres un marica, Sean, ¿no es verdad?

Tenía intención de empujarle de nuevo, pero se detuvo; aquella profunda (y también cansada; de pronto, Sean se percató) expresión de soledad le apuñeó la cara mientras miraba algo que subía por la calle.

Era un coche de color marrón oscuro, cuadrado y largo como los que suelen conducir los detectives de la policía, un Plymouth o algo así; el parachoques se detuvo junto a sus piernas y los dos policías los miraron a través del parabrisas, el rostro trémulo por el reflejo de los árboles que ondeaba en el cristal.

Sean sintió cómo la mañana se tambaleaba de repente, cómo la dulzura se desvanecía.

El conductor salió del coche. Parecía un poli: tenía el pelo rubio cortado al rape, la cara colorada, llevaba camisa blanca, corbata negra y dorada de nailon, y casi toda la barriga, desbordada, caía por encima de la hebilla del cinturón como si fuera un montón de hojuelas. El otro parecía enfermo. Era flaco, tenía aspecto de cansado y se quedó en el coche, con la cabeza, recubierta de oscuro pelo grasiento, apoyada en una mano y mirando fijamente por el espejo retrovisor mientras los tres chicos se acercaban a la puerta del conductor.

El hombre corpulento les hizo un gesto con el dedo y lo fue moviendo hacia su pecho hasta que se plantaron delante de él.

–¿Os puedo hacer una pregunta? –les dijo.

Se encorvó a la altura de su gran panza y, tapando la visión a Sean con su cabeza enorme, les preguntó:

–Eh, chicos, ¿creéis que está bien pelearse en medio de la calle?

Sean se percató de que el hombre corpulento llevaba una insignia de oro prendida en la hebilla del cinturón en la cadera derecha.

–No os oigo.

El poli ahuecó la mano detrás de la oreja.

–No, señor.

–No, señor.

–No, señor.

–Una panda de gamberros, eso es lo que sois, ¿verdad? –Movió el desmesurado dedo pulgar y señaló al hombre que estaba en el asiento de la derecha–. Mi compañero y yo ya estamos hartos de toda la gentuza de East Buckingham que va como vosotros, asustando a la gente decente por la calle, ¿sabéis?

Sean y Jimmy no dijeron nada.

–Lo sentimos mucho –dijo Dave Boyle; daba la impresión de que estaba a punto de echarse a llorar.

–¿Sois de esta calle, chavales? –preguntó el poli grandullón.

Examinó cada una de las casas del lado izquierdo de la calle como si conociera a todos los inquilinos, y pudiera saber si le estaban mintiendo.

–Claro –contestó Jimmy, y se volvió para mirar hacia la casa de Sean por encima del hombro.

–Sí, señor –respondió Sean.

Dave no dijo nada.

El poli lo miró y le preguntó:

–¿Has dicho algo, chaval?

–¿Qué? –Dave miró a Jimmy.

–No le mires a él. Mírame a mí. –El poli grandote respiró ruidosamente por la nariz–. ¿Vives aquí, chaval?

–¿Eh? No.

–¿No? –El poli se inclinó sobre Dave–. ¿Dónde vives, hijo?

–En la calle Rester –respondió, sin apartar los ojos de Jimmy.

–¡Basura de las marismas en la colina! –El poli movió los labios de color rojo cereza como si estuviera chupando una piruleta–. Eso no puede funcionar, ¿no crees?

–¿Cómo dice?

–¿Tu madre está en casa?

–Sí, señor.

Una lágrima rodó por la mejilla de Dave; Sean y Jimmy apartaron la mirada.

–Bien, tendremos que hablar con ella y contarle lo que ha estado haciendo el gamberro de su hijo.

–Yo no... no... –balbuceó Dave.

–¡Sube al coche!

El poli abrió la puerta de atrás y Sean percibió un olorcillo a manzanas, una intensa fragancia a octubre.

Dave miró a Jimmy.

–¡Sube! –repitió el poli–. ¿O prefieres que te ponga las esposas?

–Yo...

–¿*Tú qué?* –El poli parecía cabreado. Golpeó la parte superior de la puerta abierta–. ¡Haz el favor de entrar, joder!

Dave subió a la parte trasera del coche, desgañitándose.

El poli señaló a Jimmy y a Sean con un dedo rechoncho y les dijo:

–Id a contar a vuestras madres lo que habéis estado haciendo, y que no os vuelva a pillar otra vez con vuestras peleas de mierda en mis calles.

Jimmy y Sean dieron un paso hacia atrás; el poli entró de un salto en el coche y se alejó. Observaron cómo llegaba hasta la esquina y giraba a la derecha, mientras Dave volvía la cabeza, oscurecida por la distancia y las sombras, y los miraba. Entonces, la calle quedó otra vez vacía, como si hubiera enmudecido después del portazo del coche. Jimmy y Sean, de pie en el lugar donde había estado el coche, se miraban los zapatos y recorrían la calle arriba y abajo con la vista, miraban a cualquier sitio para evitar que sus ojos se encontrasen.

Sean notó otra vez aquella sacudida, pero esta vez acompañada por el sabor de peniques sucios en la boca. Tenía la sensación de que le habían vaciado el estómago con una cuchara.

Entonces fue cuando Jimmy lo dijo:

–Empezaste tú.

–Fue él quien empezó.

–Fuiste tú. Ahora está bien jodido. Su madre está un poco tarada; no me quiero ni imaginar qué le hará cuando vea que dos polis lo llevan a casa.

–¡Yo no empecé la pelea!

Jimmy le dio un empujón, y esta vez Sean se lo devolvió; al momento ya estaban en el suelo, rodando y dándose puñetazos.

–¡Eh!

Sean se apartó rodando de encima de Jimmy y los dos se pusieron en pie, esperando ver a los dos polis de nuevo, pero en vez de eso, vieron al señor Devine, que bajaba las escaleras principales y se dirigía hacia ellos.

–¿Qué demonios estáis haciendo?

–Nada.

–Nada. –El padre de Sean frunció el entrecejo acercándose a la acera–. ¡Haced el favor de salir de en medio!

Subieron a la acera y se colocaron junto a él.

–¿No erais tres? –El señor Devine miró calle arriba–. ¿Dónde está Dave?

–¿Qué?

–Dave. –El padre de Sean miró a su hijo y a Jimmy–. ¿No estaba Dave con vosotros?

–Estábamos peleándonos en la calle.

–¿Cómo?

–Que nos estábamos peleando en la calle y vinieron los polis.

–¿Cuándo?

–Debe de hacer unos cinco minutos.

–De acuerdo. Sigamos, vinieron los polis...

–... y se llevaron a Dave.

El padre de Sean volvió a examinar la calle y preguntó:

–¿Que hicieron qué? ¿Se lo llevaron?

–Para llevarlo a casa. Yo mentí y dije que vivía aquí. Dave dijo que vivía en la zona de las marismas y ellos...

–¿De qué estáis hablando? Sean, ¿qué aspecto tenían los polis?

–¿Eh?

–¿Llevaban uniforme?

–No. No, ellos...

–Entonces, ¿cómo supisteis que eran polis?

–No, ellos...

–Ellos, ¿qué?

–Llevaba una placa –respondió Jimmy–. En el cinturón.

–¿Qué clase de placa?

–De oro.

–Bien, pero ¿qué llevaba inscrito?

–¿Inscrito?

–Las palabras. ¿Pudisteis leer las palabras inscritas?

–No. No lo sé.

–¿Billy?

Los tres alzaron la vista al ver a la madre de Sean que estaba de pie en el porche, con el rostro tenso y expresión de curiosidad.

–¿Cariño? Llama a la comisaría, ¿de acuerdo? Intenta averiguar si unos policías se han llevado a un niño por pelearse en la calle.

–¡Un niño!

–Dave Boyle.

–¡Santo cielo! ¡Su madre!

–Esperemos a ver qué pasa, ¿de acuerdo? Veamos qué nos cuenta la policía, ¿vale?

La madre de Sean entró de nuevo en la casa. Sean miró a su padre. Parecía no saber qué hacer con las manos. Se las metió en los bolsillos, las volvió a sacar y se las secó en los pantalones.

–¡Que me cuelguen si...! –exclamó suavemente.

Examinó la calle de arriba abajo como si Dave le esperara a la vuelta de la esquina, un espejismo tembloroso que no alcanzara a ver Sean.

–Era marrón –añadió Jimmy.

–¿Qué?

–El coche. Marrón oscuro. Creo que era un Plymouth o algo parecido.

–¿Recuerdas algo más?

Sean intentó imaginarse la escena, pero no pudo. Lo único que podía recordar era que algo no le había dejado ver bien las cosas. Algo que había tapado el Pinto color naranja de la señorita Ryan y la parte inferior de los setos, pero Sean era incapaz de recordar el coche en sí mismo.

–Olía a manzanas –declaró.

–¿Cómo dices?

–Que olía como a manzanas. El coche olía a manzanas.

–Olía a manzanas –repitió el padre.

Una hora más tarde, en la cocina de Sean, otros dos polis hicieron un montón de preguntas a Sean y a Jimmy; después apareció un tercer tipo y se puso a dibujar unos esbozos de los hombres a partir de lo que Jimmy y Sean les habían contado. El policía grandote y rubio tenía una apariencia más desagradable en el bloc de dibujo y la cara parecía más grande; sin embargo, a pesar de eso, era él. El otro hombre, al que sólo habían visto de perfil, no se asemejaba a nada, en realidad era una mancha borrosa con pelo negro, ya que Sean y Jimmy no le recordaban muy bien.

Se presentó el padre de Jimmy y se quedó en un rincón de la cocina; parecía enfadado y aturdido, con los ojos lacrimosos, un poco intranquilos, como si la pared no dejara de moverse a sus espaldas. No habló con el padre de Sean y los demás tampoco le dijeron nada a él. Como reprimía su capacidad habitual de moverse de forma repentina, a Sean le parecía más pequeño, en cierta manera menos real; Sean tenía la sensación de que si apartaba la vista por un instante, al volver a mirarlo se habría fundido con el papel de la pared.

Después de haberlo repasado cuatro o cinco veces, todo el mundo se marchó: los polis, el tipo que había dibujado los esbozos, Jimmy y su padre. La madre de Sean se fue al dormitorio y cerró la puerta; unos minutos más tarde, Sean escuchó el sonido apagado del llanto.

Se sentó en el porche y su padre le dijo que no habían hecho nada malo, que él y Jimmy habían sido muy listos al no subir a aquel coche. Le dio una palmadita en la rodilla y le aseguró que todo saldría bien. «Ya verás cómo Dave está en casa esta misma noche.»

Después su padre enmudeció. Tomaba sorbos de cerveza y permanecía sentado junto a él, pero él era consciente de que la mente de su padre estaba muy lejos: tal vez estuviera en el dormitorio trasero con la madre de Sean, o abajo en el sótano construyendo jaulas para pájaros.

Sean alzó los ojos para contemplar la hilera de coches aparcados calle arriba y su resplandeciente brillo. Se dijo a sí mismo que aquello (todo aquello) debía de formar parte de un plan que tuviera sentido. En ese momento era incapaz de entenderlo; sin embargo, sabía que algún día lo comprendería. Había expulsado finalmente por los poros la adrenalina que había circulado por su cuerpo desde el momento en que se habían llevado a Dave en el coche y mientras se peleaba con Jimmy rodando por el suelo, como si se tratara de un desecho.

Observó el lugar donde Jimmy, Dave Boyle y él habían estado peleándose junto al Bel Air; esperó a que los nuevos espacios vacíos que se habían formado a medida que la adrenalina había abandonado su cuerpo se volvieran a llenar. Aguardó a que el plan se formara otra vez y cobrase sentido. Esperó y contempló la calle, percibió sus ruidos, y permaneció así hasta que su padre se puso en pie y volvieron a entrar en casa.

Jimmy regresó a las marismas detrás de su viejo. Éste andaba un poco torcido, apuraba totalmente los cigarrillos que se fumaba y le hablaba en voz baja. Con toda probabilidad, cuando llegaran a casa, su padre le daría una paliza, o tal vez no, era demasiado pronto para saberlo. Después de perder el trabajo, le había prohibido a su hijo volver a casa de los Devine; por lo tanto, Jimmy se imaginaba que tendría que pagar por haberse saltado dicha norma. Sin embargo, quizá no ese día. A su padre lo envolvía aquel aire de embriaguez soñolienta que solía indicar que, en cuanto llegaran a casa, se sentaría a la mesa de la cocina y bebería hasta caerse dormido con la cabeza sobre los brazos.

Aun así, Jimmy andaba unos pasos tras él, por si acaso, y lanzaba la pelota al aire y la recogía con el guante de béisbol que había robado de casa de Sean mientras los polis se despedían de los Devine; nadie se había dignado dirigirles la palabra mientras él y su padre se encaminaban pasillo abajo en dirección a la puerta principal. La puerta del dormitorio de Sean estaba abierta y Jimmy había visto el guante en el suelo, con la pelota dentro, y había entrado a cogerlo; después, él y su padre habían salido por la puerta principal. No tenía ni idea de por qué había robado el guante. No había sido porque su padre le hubiera guiñado el ojo con un gesto de extrañeza y orgullo al ver que lo cogía. ¡A la mierda con todo! ¡A la mierda con él!

Tenía algo que ver con el hecho de que Sean pegara a Dave Boyle, con el hecho de que se hubiera rajado en el momento de robar el coche y otras muchas cosas que habían sucedido durante aquel año en que habían sido amigos; Jimmy tenía la sensación de que cualquier cosa que Sean le diera (cromos de béisbol, media barrita de chocolate, lo que fuera) era como una especie de limosna.

Cuando Jimmy cogió el guante y se marchó con él, se sintió eufórico. Se sintió estupendamente. Un poco más tarde, mientras cruzaban la avenida Buckingham, notó aquella vergüenza y aquella turbación que solía experimentar cada vez que robaba algo, una furia contra cualquier cosa o persona que le hiciera obrar de ese modo. Poco después, mientras bajaban por la calle Crescent y se dirigían a las marismas, notó una punzada de orgullo al contemplar los bloques de tres plantas y luego el guante que llevaba en la mano.

Jimmy había cogido el guante, y se sentía mal por ello. Sean lo echaría en falta. Jimmy había cogido el guante, y estaba feliz por haberlo hecho. Sean lo echaría en falta.

Contemplaba a su padre tambalearse delante de él; el viejo de mierda tenía toda la pinta de ir a desplomarse en cualquier momento y convertirse en un charco; y Jimmy odiaba a Sean.

Odiaba a Sean y había sido lo bastante estúpido para creer que podían haber sido amigos; tenía la certeza de que conservaría aquel guante durante el resto de su vida, que lo trataría con cuidado, que nunca se lo enseñaría a nadie y que jamás, ni una sola vez, usaría el maldito guante. Preferiría morir a dejar que ello sucediera.

Jimmy miró cómo las marismas se extendían ante él a medida que él y su viejo caminaban bajo las profundas sombras del ferrocarril urbano y se acercaban al lugar donde la calle Crescent tocaba fondo y los trenes de mercancías circulaban a toda velocidad junto al viejo y destartalado autocine y, a lo lejos, Penitentiary Channel; sabía, en lo más profundo de su corazón, que nunca jamás volverían a ver a Dave Boyle. Donde Jimmy vivía, en Rester, robaban cosas continuamente. A Jimmy le robaron los patines cuando tenía cuatro años y la bicicleta cuando tenía ocho. El coche del viejo había desaparecido. Su madre había empezado a colgar la ropa mojada dentro de casa después de que se la hubieran robado un montón de veces del patio trasero. La sensación que uno tenía cuando le robaban algo era muy diferente de la que uno sentía cuando las cosas se extraviaban. Uno sentía en su corazón que nunca lo recuperaría. Era la misma sensación que tenía con Dave. Tal vez Sean, en aquel mismo momento, se sintiera igual respecto a su guante de béisbol, de pie junto al espacio vacío del suelo donde había estado antes, a sabiendas, más allá de toda lógica, de que nunca jamás lo recuperaría.

Mala suerte, porque Jimmy había sentido una gran simpatía por Dave, aunque la mayoría de las veces era incapaz de saber por qué. Había algo en él, tal vez el hecho de que siempre hubiera estado allí, a pesar de que la mitad de las veces uno ni siquiera notara su presencia.

2

Cuatro días

Tal como fueron las cosas, Jimmy se equivocaba.

Dave Boyle volvió al vecindario cuatro días después de su desaparición. Regresó en el asiento delantero de un coche de policía. Los dos polis que le llevaron a casa le permitieron jugar con la sirena y tocar la culata de la escopeta que estaba guardada debajo del cuadro de mandos. Le regalaron una placa honorífica y cuando lo dejaron en casa de su madre, en la calle Rester, había periodistas gráficos y de televisión para captar el instante. Uno de los polis, un agente llamado Eugene Kubiaki, sacó a Dave en brazos del coche patrulla haciendo que las piernas del chico se balanceasen sobre la acera hasta colocarlo delante de su temblorosa madre, que reía y lloraba a la vez.

Aquel día había una multitud en la calle Rester: padres, niños, un cartero, los dos hermanos regordetes propietarios de la carnicería que había en la esquina de las calles Rester y Sydney e incluso la señorita Powell, la maestra de quinto curso de Dave y Jimmy de la escuela Lewis M. Dewey. Jimmy estaba con su madre. Ésta reclinaba la nuca de su hijo contra su pecho y le pasaba la húmeda palma de la mano por la frente, como si quisiera asegurarse de que no había cogido nada de lo que Dave tuviera; Jimmy sintió una punzada de celos cuando el agente Kubiaki columpió a Dave por encima de la acera, riéndose ambos como viejos amigos mientras la atractiva señorita Powell aplaudía.

Jimmy quería contar a alguien que él también había estado a punto de subir a ese coche. Deseaba contárselo a la señorita Powell más que a nadie. Era guapa y muy aseada, y cada vez que se reía se descubría uno de sus dientes superiores que estaba un poco torcido, lo que la hacía parecer aún más bella a los ojos de Jimmy. Éste se moría de ganas de explicarle que él había estado a punto de subir al coche, para ver si le miraba de la misma manera que a Dave. Deseaba confesarle que pensaba en ella a todas horas, que en sus pensamientos él era mayor y sabía conducir un coche para llevarla a sitios donde ella le sonreiría sin parar e irían de picnic, que cualquier cosa que él le contara la haría reír y dejaría entrever aquel diente, y ella le tocaría la cara con la palma de la mano.

Sin embargo, la señorita Powell se sentía incómoda allí. Jimmy se dio cuenta de ello. Después de haberle dicho unas cuantas palabras a Dave y de haberle tocado la cara y besado la mejilla (le había besado dos veces), otros se acercaron a Dave; la señorita Powell se hizo a un lado y permaneció en la acera destrozada, observando los bloques torcidos de tres plantas y los desconchones de la capa de brea que dejaban al descubierto la madera que había debajo. A Jimmy le pareció más joven y más dura a la vez, como si de repente hubiera algo monjil en su aspecto; se tocaba la cabeza para sentir el tacto del hábito, movía su nariz de botón con nerviosismo y mostraba su actitud crítica.

Jimmy anhelaba ir hacia ella, pero su madre seguía asiéndole con fuerza, pasando por alto sus intentos de liberarse; luego la señorita Powell se encaminó hacia la esquina de Rester y Sydney, y Jimmy vio cómo saludaba a alguien con desesperación. Un tipo de aspecto hippy aparcó su descapotable amarillo de apariencia igualmente hippy, con pétalos descoloridos de flores púrpura pintadas sobre las puertas curtidas por el sol; la señorita Powell subió al coche y se alejaron. Jimmy se quedó pensando: «¡No!».

Por fin consiguió librarse de las garras de su madre. De pie, en medio de la calle, contempló la multitud que rodeaba a Dave, deseando haber subido al coche, aunque sólo fuera para sentir la atención que su amigo estaba recibiendo en aquel momento y notar que todos aquellos ojos le miraban como si fuera alguien especial.

La calle Rester se convirtió en una gran fiesta, todo el mundo corría de una cámara a otra con la esperanza de salir por televisión o en los periódicos de la mañana: «Sí, conozco a Dave, es mi mejor amigo, crecí con él, es un chico estupendo, ¿saben?, gracias a Dios que está bien...».

Alguien abrió una boca de riego y el agua salió a chorro por la calle Rester como un suspiro de alivio; los niños lanzaron los zapatos a la alcantarilla, se arremangaron los pantalones y empezaron a bailar entre los borbotones de agua. Apareció el camión de los helados y a Dave le dijeron que podía escoger lo que quisiera, gratis; incluso el señor Pakinaw, un viudo viejo y desagradable que solía disparar su carabina de aire comprimido a las ardillas (y a veces también a los niños, si los padres no miraban) y que se pasaba el día gritando a la gente que se callara, abrió las ventanas, apoyó los altavoces junto a los cristales, y al cabo de un momento estaban oyendo a Dean Martin cantar *Memories Are Made of This*, *Volare* y otras canciones igualmente horrorosas; en circunstancias normales Jimmy habría vomitado al oírlas, pero ese día eran apropiadas. La música flotaba por la calle Rester como relucientes serpentinas de papel de seda y se mezclaba con el chorro estridente del agua al salir de la boca de riego. Algunos de los tipos que organizaban las partidas de cartas en la trastienda de la carnicería sacaron una mesa plegable y una pequeña barbacoa; al poco rato, alguien acarreó unas neveras portátiles llenas de Schlitz y Narragansett, y el aire se hizo espeso por el olor de los perritos calientes y las salchichas italianas a la parrilla. El olor a humo y a carbonilla que flotaba por el aire y el olorcillo a latas de cerveza abiertas le recordó a Jimmy el Fenway Park, los domingos de verano y la profunda alegría que sentía uno en el corazón cuando los adultos daban patadas al balón y se comportaban un poco como niños, todo el mundo riendo, con apariencia más joven y más ligera y felices de estar todos reunidos.

Eso era lo que, incluso desde lo más profundo de su odio después de que su viejo le pegara una paliza o después de que le hubieran robado algo que le gustaba mucho, precisamente esos momentos eran los que hacían que a Jimmy le gustara tanto vivir allí. La forma en que la gente podía olvidarse de repente de un año de dolores y quejas, de labios agrietados, de preocupaciones laborales y de viejos rencores para dejarse ir, como si en su vida no hubiera sucedido nada malo. El día de San Patricio, el día de Buckingham, a veces el Cua-

37

tro de Julio, o cuando los Sox jugaban bien en el mes de septiembre o, como en aquel mismo momento, cuando se recuperaba algo colectivo que había desaparecido (especialmente en esos momentos), la gente del vecindario era capaz de irrumpir en una especie de delirio frenético.

Nada parecido sucedía arriba en la colina. Seguro que allí también organizaban fiestas de vecinos, pero siempre las planificaban con antelación, obtenían los permisos necesarios, todo el mundo se aseguraba de que los demás tuvieran cuidado con los coches y con el jardín; seguro que decían cosas del estilo: «¡Cuidado, acabo de pintar la valla!».

En las marismas, la mitad de la gente no tenía jardín y las vallas se caían a trozos, por lo tanto, ¡qué más daba! Cuando uno tenía ganas de celebrar algo, sencillamente lo hacía, porque no había ninguna duda de que se lo merecía, joder. Ese día no había ningún jefe, ni asistentes sociales ni guardaespaldas de algún prestamista explotador. Y con respecto a los polis, los dos agentes estaban celebrándolo con todos los demás; el agente Kubiaki se estaba sirviendo una salchicha picante de la barbacoa en un panecillo, mientras su compañero se guardaba una cerveza en el bolsillo para más tarde. Todos los periodistas se habían ido a casa y el sol empezaba a ponerse, revistiendo la calle de aquella luz que indicaba que era hora de cenar, aunque ninguna de las mujeres cocinaba y nadie entraba en casa.

A excepción de Dave. Jimmy se dio cuenta de que Dave se había ido cuando salió de debajo de la boca de riego; se bajó la vuelta del pantalón y se puso la camiseta de nuevo mientras se colocaba a la cola de los perritos calientes. La fiesta de Dave estaba en su máximo apogeo, pero Dave debía de haber entrado en casa, junto con su madre, y cuando Jimmy miró las ventanas de la segunda planta vio que las cortinas estaban corridas y solitarias.

Aquellas cortinas echadas, por algún motivo, le hicieron pensar en la señorita Powell y en el momento en que se subió al coche hippy; y al recordarse mirándola doblar la pantorrilla derecha y el tobillo para introducirlos en el coche antes de cerrar la puerta, se sintió sucio y triste. ¿Adónde habría ido? ¿Se encontraría en la autopista en aquel momento, con el viento entrando a raudales por su cabello del mismo modo que las notas musicales corrían por la calle Rester? ¿Estarían viendo anochecer desde aquel coche hippy mientras se dirigían... adónde? Jimmy deseaba saberlo, pero a la vez no lo deseaba. La vería en la escuela al día siguiente, a no ser que les dieran un día de fiesta a todos para celebrar el regreso de Dave, y aunque tendría ganas de preguntárselo, no lo haría.

Jimmy cogió el perrito caliente y se sentó en la acera de enfrente de casa de Dave para comérselo. Cuando ya había engullido más de la mitad, se percató de que descorrían una de las cortinas y vio a Dave de pie junto a la ventana, mirándole fijamente. Jimmy levantó su perrito caliente a medio comer en señal de reconocimiento, pero Dave no le devolvió el saludo, a pesar de que Jimmy lo intentó una segunda vez. Dave sólo le miraba fijamente. Le seguía mirando con atención y aunque Jimmy no alcanzaba a verle los ojos, podía notar en ellos vacío, vacío y culpa.

La madre de Jimmy se sentó junto a él en la acera y Dave se alejó de la ventana. La madre de Jimmy era una mujer delgada y pequeña con un color de pelo muy claro. Para ser una persona tan delgada, se movía como si llevara un montón de ladrillos sobre cada hombro, y suspiraba sin parar de una manera que Jimmy no sabía si se daba cuenta de que aquellos sonidos salían de su interior. Solía mirar sus fotografías de antes de que estuviera embarazada de él y parecía más delgada y mucho más joven, como una adolescente (de hecho, cuando hizo los cálculos, se dio cuenta de que lo era). En las fotografías tenía la cara más redonda, sin arrugas alrededor de los ojos o en la frente, y tenía esa sonrisa tan amplia y tan atractiva que la hacía parecer un poco asustada, o tal vez curiosa, aunque Jimmy nunca llegó a saberlo con certeza. Su padre le había contado mil veces que Jimmy casi la había matado al nacer, y que sangró tanto que a los médicos les preocupaba que no se detuviera la hemorragia. Su padre le había explicado que aquello casi acaba con ella y que, sin lugar a dudas, ya no habría más niños. Nadie querría tener que volver a pasar por lo mismo.

Colocó la mano encima de la rodilla de Jimmy y preguntó a su hijo:

–¿Cómo va todo, G. I. Joe?

Su madre siempre usaba motes diferentes para llamarlo, a menudo, recién inventados; por lo tanto, la mitad de las veces Jimmy no sabía a qué hacían referencia esos nombres.

Se encogió de hombros y exclamó:

–¡Ya ves!

–No le has dicho nada a Dave.

–Si ni siquiera me soltaste, mamá.

Su madre levantó la mano de la rodilla de su hijo y se abrazó a sí misma para protegerse del frío que, a medida que se hacía de noche, iba en aumento.

–Quiero decir después, cuando aún no había entrado en casa.

–Ya le veré mañana en el colegio.

Su madre se metió la mano en el bolsillo para coger el paquete de Kent, se encendió uno, expulsó el humo con rapidez y añadió:

–No creo que vaya mañana.

Jimmy se acabó el perrito caliente y afirmó:

–Bien, entonces pronto, ¿de acuerdo?

Su madre asintió con la cabeza y echó un poco más de humo por la boca. Se sostuvo un codo en la mano, siguió fumando y, mientras observaba la ventana de Dave, le preguntó:

–¿Cómo te ha ido hoy el colegio? –aunque no parecía estar muy interesada en la respuesta.

Jimmy se encogió de hombros y respondió:

–Bien.

–He conocido a tu maestra. Es mona.

Jimmy no pronunció palabra alguna.

–Muy mona –repitió la madre, a la vez que expulsaba una bocanada de humo gris.

Jimmy seguía sin decir nada. La mayor parte del tiempo no sabía qué decir a sus padres. Su madre siempre estaba cansada. Se quedaba mirando fijamente lugares que Jimmy no alcanzaba a ver y fumaba sus cigarrillos, y la mitad del tiempo ni le oía hasta que él no le había repetido las cosas dos veces. Su padre casi siempre estaba cabreado, e incluso cuando no lo estaba y podía llegar a ser amable y divertido, Jimmy sabía que en cualquier momento se podía convertir en un borracho cabreado que le pegaría por decir algo de lo que media hora antes quizá habían estado riéndose. Tenía el convencimiento de que por mucho que intentara hacer ver que era de otra forma, tenía a su padre y a su madre dentro de él: los largos silencios de su madre y los repentinos ataques de cólera de su padre.

Cuando Jimmy no se preguntaba qué significaría ser el novio de la señorita Powell, se preguntaba lo que sería ser su hijo.

Su madre lo estaba mirando en aquel momento, sosteniendo el cigarrillo junto a la oreja, los ojos pequeños y penetrantes.

–¿Qué? –preguntó, y le sonrió nervioso.

–Tienes una sonrisa maravillosa, Cassius Clay –confesó, devolviéndosela a su vez.

–¿De verdad?

–¡Y tanto! ¡Vas a ir rompiendo corazones por ahí!

–Pues muy bien –respondió Jimmy, y ambos se echaron a reír.

–Podrías hablar un poco más –le sugirió la madre.

«Y tú también», le hubiera gustado decir a Jimmy.

–Sin embargo, ya está bien así. A las mujeres nos gustan los hombres que no hablan mucho.

Por encima del hombro de su madre, Jimmy vio que su padre salía de la casa a trompicones, con la ropa arrugada y la cara hinchada por el sueño o por la bebida, o por ambas cosas. Observaba la fiesta que se estaba celebrando delante de sus narices como si no supiera de dónde había surgido todo aquello.

La madre siguió la mirada de Jimmy y cuando volvió a posar la vista en él, estaba otra vez agotada; la sonrisa había desaparecido de su rostro de forma tan repentina que era difícil imaginarse que fuera capaz de sonreír.

–¡Eh, Jim!

Le encantaba cuando le llamaba «Jim». Le hacía sentir que estaban haciendo algo juntos.

–¿Sí?

–Estoy muy contenta de que no subieras a ese coche, cariño.

Le besó la frente y Jimmy vio cómo le brillaban los ojos; después se puso en pie y se dirigió hacia el lugar donde estaban las otras madres y dio la espalda a su marido.

Jimmy alzó los ojos y se dio cuenta de que Dave volvía a observarle desde la ventana, pero entonces había detrás de él una tenue luz amarillenta en algún lugar de la habitación. Esta vez, Jimmy ni siquiera se esforzó en saludarle. Al haberse marchado ya la policía y los periodistas, y al estar la fiesta en pleno apogeo, era muy probable que nadie recordara qué la había motivado. Jimmy notaba que Dave estaba solo en su casa, a excepción de su madre desequilibrada, rodeado de paredes marrones y mortecinas luces amarillentas mientras la fiesta vibraba abajo en la calle.

Una vez más, él también estaba contento de no haber subido a aquel coche.

Mercancía dañada. Eso era lo que el padre de Jimmy le había dicho a su mujer la noche anterior:

–Aunque lo encuentren con vida, el niño será mercancía dañada. Nunca volverá a ser el mismo.

Dave alzó una mano. La mantuvo en alto junto al hombro, pero no la movió durante un buen rato, y mientras le devolvía el saludo, Jimmy sintió que le invadía una sensación de tristeza, que se iba haciendo más profunda y se extendía en pequeñas ondas. No sabía si la tristeza tenía algo que ver con su padre, con su madre, con la señorita Powell, con aquel lugar o con el hecho de que Dave, de pie junto a la ventana, mantuviera la mano alzada de una forma tan estática; pero cualquiera que fuera el motivo (alguna de esas razones o todas a la vez), estaba convencido de que nunca podría librarse de la sensación. Jimmy, sentado en la acera, tenía once años, pero ya no se sentía un niño. Se sentía viejo. Viejo como sus padres y como aquella calle.

«Mercancía dañada», pensó, y dejó caer la mano sobre su regazo. Observó que Dave lo saludaba con la cabeza antes de echar las cortinas y de adentrarse de nuevo en aquel piso demasiado tranquilo, de paredes marrones y relojes que hacían tictac; Jimmy sintió la tristeza arraigarse en él, acurrucarse en su interior como si buscara un cálido hogar, y ni siquiera se esforzó en desear que se fuera, porque una parte de él comprendió que era inútil.

Se levantó de la acera, sin saber durante un momento qué iba a hacer a continuación. Sintió aquella necesidad imperiosa y nerviosa de pegarle a alguien o de hacer algo nuevo e imprudente. Pero entonces las tripas empezaron a gruñirle y se dio cuenta de que aún tenía hambre, por lo que se fue a buscar otro perrito caliente con la esperanza de que todavía quedaran algunos.

Durante unos cuantos días, Dave Boyle se convirtió en una especie de celebridad, no sólo en el vecindario, sino en todo el estado. Los titulares del *Record American* de la mañana siguiente decían: «NIÑO PERDIDO/NIÑO ENCONTRADO». La fotografía sobre el pliegue del periódico mostraba a Dave sentado con los hombros caídos, a su madre ciñéndole el pecho con unos brazos delgados y a un montón de niños sonrientes de las marismas que hacían muecas ante la cámara a los lados de ambos; todo el mundo parecía feliz, a excepción de la madre de Dave, que tenía el aspecto de acabar de perder el autobús en un día gélido.

Los mismos niños que habían aparecido junto a él en la portada del periódico empezaron a llamarle «el bicho raro» a la semana de haber vuelto a la escuela. Si Dave les miraba a la cara, notaba un rencor que no estaba muy seguro de que ellos comprendieran mejor que él. Su madre le decía que seguramente provenía de sus padres y «no les hagas caso, Dave, tarde o temprano se cansarán, se olvidarán de todo y el año que viene volverán a ser amigos tuyos».

Dave asentía y se preguntaba si habría algo en él, quizá una cicatriz en la cara que él no viese, por lo que todo el mundo deseara hacerle daño. Como los tipos del coche. ¿Por qué le habían escogido a él? ¿Cómo habían sabido que él subiría en el coche, mientras que Jimmy y Sean no lo harían? Recordándolo, era la impresión que tenía. Esos hombres (sabía sus nombres, o como mínimo los nombres que habían usado para llamarse entre ellos, aunque nunca había tenido el valor suficiente para pronunciarlos) habían tenido la certeza de que Sean y Jimmy no habrían subido al coche. Con toda probabilidad, Sean habría salido corriendo hacia su casa, gritando, y Jimmy... A Jimmy tendrían que haberle dejado sin conocimiento para meterlo en el coche. Incluso el Gran Lobo lo había comentado cuando ya llevaban unas cuantas horas de coche: «¿Te fijaste en el crío ese que llevaba la camiseta blanca? Por la forma en que me miró, sin ningún rastro de miedo ni nada, está claro que algún día se va a cargar a alguien y que además eso no le quitará el sueño».

Su compañero, el Lobo Grasiento, le respondió con una sonrisa:

–Un poco de pelea no habría estado mal.

El Gran Lobo negó con la cabeza y añadió:

–Si hubiéramos intentado meterle en el coche, te habría arrancado el dedo pulgar a mordiscos. Hicimos bien en dejar a ese cabroncete en paz.

El hecho de ponerles motes estúpidos le servía de ayuda: el Gran Lobo y el Lobo Grasiento. Le ayudaba a verlos como criaturas, como lobos escondidos bajo la apariencia de humanos, y a verse él mismo como el personaje de una historia: el niño secuestrado por los lobos. El niño que consiguió escapar, atravesar los húmedos bosques y llegar hasta una gasolinera. El niño que no había perdido la calma ni la astucia, y que siempre buscaba una salida.

Sin embargo, en la escuela, era tan sólo el niño que se habían llevado, y todo el mundo dejaba volar la imaginación con respecto a lo que habría sucedido durante aquellos cuatro días en que estuvo perdido. Una mañana, en el lavabo, un alumno de séptimo curso llamado Junior McCaffery se acercó con cautela al urinario que había junto al de Dave y le preguntó:

–¿Te obligaron a chupársela?

Y todos sus amigos de séptimo empezaron a reírse y a hacer ruiditos, como si se besaran.

Dave se subió la cremallera con manos temblorosas, el rostro sonrojado y se dio la vuelta para ponerse de cara a Junior McCaffery. Intentó mirarle con malicia, pero Junior frunció el entrecejo y le abofeteó. El sonido retumbó por todo el cuarto de baño. Un chico de séptimo empezó a jadear como una chica.

–¿Tienes algo que decir, mariquita? ¿Eh? –le preguntó–. ¿Quieres que te vuelva a pegar, mariposón?

–¡Está llorando! –exclamó alguien.

–¡Es verdad! –chilló Junior McCaffery, y Dave empezó a llorar con más intensidad.

Sentía cómo el entumecimiento de su rostro se convertía en una punzada, pero no era el dolor lo que le preocupaba. El dolor nunca le había inquietado en lo más mínimo y nunca le había hecho llorar, ni siquiera cuando se cayó de la bicicleta y se torció el tobillo al clavarse el pedal, y eso que le habían tenido que dar siete puntos. Era toda aquella serie de emociones que expresaban tumultuosamente los chicos del lavabo lo que le dolía. Odio, aversión, ira y desprecio. Todo eso dirigido contra él. No comprendía por qué. No se había metido con nadie en toda su vida; aun así, le odiaban. Y ese odio le hacía sentir huérfano. Le hacía experimentar una sensación de putrefacción, culpa e insignificancia; lloraba porque no quería sentirse así.

Todos se burlaron de sus lágrimas. Junior bailó a su alrededor por un momento, haciendo contorsiones y muecas con el rostro mientras imitaba los lloriqueos de Dave. Cuando, al fin, Dave consiguió controlar la situación y reducir sus lágrimas a algunos ruidos nasales, Junior le abofeteó de nuevo, en el mismo lugar y con la misma fuerza.

–¡Mírame! –le ordenó, y Dave notó que le brotaba de los ojos un nuevo torrente de lágrimas–. ¡Mírame!

Dave alzó los ojos y le miró con la esperanza de ver compasión, humanidad o incluso lástima (él hubiera sentido lástima) en su rostro, pero lo único que atisbó fue una mirada feroz y sonriente.

–Sí –dijo Junior–, seguro que se la chupaste.

Le propinó otro bofetón a Dave y éste dejó caer la cabeza y se agachó; Junior se fue con sus amigos, que no dejaban de reír al salir del lavabo.

Dave recordó algo que le dijo una vez el señor Peters, un amigo de su madre que a veces se quedaba a pasar la noche: «Hay dos cosas que un hombre no puede permitir que le hagan: que le escupan o que le hagan un desaire. Ambas cosas son peores que un puñetazo; si alguien te hace alguna de esas dos cosas, mátalo si puedes».

Dave se sentó en el suelo del cuarto de baño y deseó sentir aquello en su interior: el deseo de matar a alguien. Se imaginó que empezaría con Junior McCaffery, y que continuaría con el Gran Lobo y con el Lobo Grasiento si se los volvía a encontrar alguna vez. Pero lo cierto es que dudaba de ser capaz de hacerlo. No sabía por qué cierta gente era mala con los demás. No lo entendía de ninguna de las maneras.

Después del incidente del cuarto de baño, se corrió la voz por toda la escuela de lo que había pasado; por lo tanto, todos los alumnos a partir del tercer curso se enteraron de lo que Junior McCaffery le había hecho a Dave y de la forma en que éste había reaccionado. Se llegó a un acuerdo, y Dave se percató de que incluso los pocos compañeros de clase que habían sido más o menos amigos suyos al volver a la escuela, empezaron a tratarle como si fuera un leproso.

No es que todos ellos susurraran la palabra «marica» cuando él iba por el pasillo o se pasaran la lengua por las comisuras de los labios. De hecho, la mayoría de sus compañeros sencillamente pasaban de él. Pero en cierto modo, era mucho peor. Se sentía aislado a causa de aquel silencio.

Si se encontraban por casualidad al salir de casa, Jimmy Marcus solía andar en silencio junto a él de camino a la escuela, ya que habría sido violento no hacerlo, y solía saludarle cuando se lo encontraba en el pasillo o cuando coincidía con él en la cola que se formaba para entrar en clase. Cada vez que sus miradas se cruzaban, Dave notaba una extraña mezcla de lástima e incomodidad en el rostro de Jimmy, como si éste deseara decirle algo y fuera incapaz de expresarlo con palabras; en el mejor de los casos, Jimmy nunca había sido muy hablador, a no ser que se le ocurriera alguna idea descabellada, como saltar a las vías del tren o robar un coche. Sin embargo, Dave tenía la sensación de que su amistad (en verdad, no estaba seguro de que hubieran sido realmente muy amigos; recordaba con algo de vergüenza todas las veces que había tenido que insistir en su camaradería con Jimmy) acabó en el momento en que él subió al coche y Jimmy se quedó inmóvil en medio de la calle.

Jimmy, tal como fueron las cosas, no seguiría en la misma escuela que Dave durante mucho tiempo; por lo tanto, los paseos que hacían juntos, a la larga, tocarían a su fin. En la escuela, Jimmy siempre había sido amigo de Val Savage, un psicótico bajito y con cerebro de chimpancé, al que expulsaron dos veces y que podía convertirse en una tormenta de arena repentina y violenta que hacía que todo el mundo, tanto profesores como alumnos, se cagara de miedo.

46

El chiste que circulaba acerca de Val (aunque nadie se atrevía a contarlo si él estaba cerca) era que sus padres no ahorraban para pagarle los estudios universitarios, sino para costearle la fianza. Incluso antes de que Dave subiera a aquel coche, Jimmy siempre andaba con Val en la escuela. A veces le dejaban que fuera con ellos cuando hacían alguna incursión en la cocina del colegio en busca de algún bocadillo o cuando habían descubierto algún tejado nuevo para escalar; después del incidente del coche, le excluyeron incluso de eso. Cuando no le odiaba por haberle exiliado de forma tan repentina, Dave se percató de que la oscura nube que a veces se cernía sobre Jimmy se había convertido en algo permanente, como un halo invertido. Jimmy parecía mayor y más triste últimamente.

Al final, consiguió robar un coche. Había pasado casi un año desde su primer intento en la calle de Sean y eso hizo que lo expulsaran para siempre de la escuela Lewis M. Dewey; tenía que atravesar media ciudad en autobús para llegar a la escuela Carver y averiguar cómo era la vida para un chico blanco procedente de East Buckingham en una escuela en la que casi todo el mundo era negro. Sin embargo, a Val le hacían ir en el mismo autobús que a él y Dave se percató de que bien pronto se habían convertido en el terror de Carver, dos chicos blancos que estaban tan locos que no le tenían miedo a nada.

El coche era un descapotable. Dave oyó rumores de que pertenecía a un amigo de uno de los profesores, aunque nunca se enteró de cuál. Jimmy y Val lo robaron del aparcamiento de la escuela mientras los profesores, junto a sus cónyuges y amigos, celebraban una fiesta de final de curso en la sala de profesores después de las clases. Jimmy se puso al volante, y él y Val dieron una buena vuelta alrededor de Buckingham; iban tocando la bocina, saludaban a las chicas y aceleraban, hasta que los vio un coche patrulla y acabaron destrozando el coche al chocar contra un contenedor de escombros que había detrás de la tienda Zayres en Rome Basin. Val se torció el tobillo al salir del coche, y Jimmy, que ya estaba subiendo por una valla que conducía a un solar, regresó para ayudarle; Dave siempre se lo imaginó como un fragmento de una película de guerra: el valiente soldado que vuelve atrás para rescatar a su compañero herido, con las balas zumbando a su alrededor (a pesar de que Dave dudaba de que los polis hubieran disparado, lo hacía parecer más emocionante). Los policías les pillaron allí mismo y tuvieron que pasar una noche en un centro de detención para menores. Les permitieron acabar sexto, ya que sólo quedaban unos días de clase; luego les dijeron a sus padres que tendrían que buscar otra escuela para la educación de sus hijos.

Después de aquel incidente, Dave apenas veía a Jimmy, tal vez una o dos veces al año hasta que llegaron a la adolescencia. La madre de Dave sólo le dejaba salir de casa para ir y volver de la escuela. Estaba convencida de que aquellos hombres aún seguían fuera, a la espera, en el coche que olía a manzanas y persiguiendo a Dave como misiles termodirigidos.

Dave sabía que no le perseguían. Al fin y al cabo, eran lobos y éstos olían la noche en busca de la presa más cercana y más débil; después la cazaban. Sin embargo, pensaba en todo ello más a menudo: en el Gran Lobo y en el Lobo Grasiento, junto con los recuerdos de lo que le habían hecho. Rara vez soñaba con ellos, pero se deslizaban hasta él entre la terrible calma del piso de su madre, entre los largos y tranquilos períodos de silencio en los que intentaba leer libros de cómics, ver la tele u observar la calle Rester desde la ventana. Se le aparecían y Dave cerraba los ojos con la intención de hacerlos desaparecer; intentaba olvidarse de que el Gran Lobo se llamaba Henry, y el Lobo Grasiento, George.

Henry y George, gritaba una voz junto con el torbellino de visiones que le aparecían en la mente. Henry y George, Henry y George, Henry y George, mierdecilla.

Dave solía decir a la voz que oía en su cabeza que él no era una mierdecilla. Él era el chico que había conseguido escapar de los lobos. A veces, para mantener aquellas visiones a raya, recordaba con todo tipo de detalles cómo se había escapado: la hendidura que había visto en la bisagra del tabique de la puerta, el sonido del coche al alejarse cuando se iban a tomar unas copas, el destornillador sin empuñadura que había utilizado para agrandar la grieta, cómo hizo saltar la bisagra oxidada junto con un trozo de madera en forma de hoja de cuchillo. Había conseguido salir por la puerta, él, aquel chico que

48

era listo, y se había abierto paso con dificultad a través del bosque, siguiendo el sol de última hora de la tarde, hasta llegar a una gasolinera que debía de estar a casi dos kilómetros de distancia. Le había impresionado mucho verla (el letrero redondo azul y blanco ya encendido pese a que aún había luz natural). Dave, al ver el neón blanco, sintió una punzada de dolor que le hizo arrodillarse allí donde acababa el bosque y empezaba el antiguo asfalto de color gris. Así es como lo encontró Ron Pierrot, el dueño de la gasolinera: de rodillas y con la mirada fija en el letrero. Ron Pierrot era un hombre delgado, pero tenía unas manos que parecían capaces de romper una tubería de plomo. Dave a menudo se preguntaba qué habría sucedido si el chico que escapó de los lobos hubiera sido en realidad el personaje de una película. Porque él y Ron se habrían hecho amigos y Ron le habría enseñado todas esas cosas que los padres enseñan a sus hijos; ensillarían los caballos, cargarían los rifles y habrían partido en busca de interminables aventuras. Se lo habrían pasado muy bien, Ron y el chico. Habrían sido héroes, en medio de la naturaleza, y habrían vencido a todos aquellos lobos.

En el sueño de Sean, la calle se movía. Observaba la puerta abierta del coche que olía a manzanas, y la calle le asía los pies y tiraba de él. Dave estaba dentro, acurrucado en uno de los extremos del asiento junto a la puerta, con la boca abierta y profiriendo un grito inaudible, mientras la calle se llevaba a Sean hacia el coche. Todo lo que alcanzaba a ver en el sueño era esa puerta abierta y el asiento trasero. No podía ver al tipo que tenía aspecto de poli. Tampoco podía ver al compañero que se había quedado sentado en el asiento de al lado. Era incapaz de ver a Jimmy, a pesar de que éste no se había movido de su lado ni un instante. Sólo podía ver en aquel asiento a Dave, la puerta y la basura que había en el suelo. Se dio cuenta de que aquél era el timbre de la alarma que no había oído: que había basura en el suelo. Envoltorios de comida rápida, bolsas arrugadas de patatas fritas, latas de cerveza y de gaseosa, tazas de poliestireno para el café y una camiseta sucia de color verde. Hasta que no se despertó y analizó el sueño no se percató de que el suelo del asiento trasero en el sueño era idéntico al suelo del coche en la vida real, y de que no se había acordado de la basura hasta ese momento. Ni siquiera cuando los polis fueron a su casa y le pidieron que hiciera todo lo posible para intentar recordar cualquier detalle que pudiera habérsele pasado por alto, se le ocurrió que la parte trasera del coche estaba sucia, pues no lo recordaba. Sin embargo, en el sueño le había vuelto a la memoria, y aquello, más que cualquier otra cosa, era lo que le había hecho percatarse, en cierto modo, de que había algo que no encajaba con el «poli», «su compañero» y el coche. Sean nunca había visto el asiento trasero de un coche patrulla en la vida real, al menos desde tan cerca, pero en cierta forma intuía que no estaría lleno de basura. Tal vez debajo de toda la basura había corazones de manzana a medio comer, y por eso el coche olía de aquel modo.

Un año después de la desaparición de Dave, su padre entró en su dormitorio para decirle dos cosas.

Lo primero que le dijo fue que le habían aceptado en la escuela Latin, y que empezaría allí los estudios de séptimo curso en septiembre. Le confesó que tanto él como su madre estaban muy orgullosos de él. Latin era la escuela a donde uno iba si quería llegar a ser algo en la vida.

Lo segundo que le dijo a Sean, como quien no quiere la cosa y cuando ya estaba saliendo por la puerta fue:

–Han cogido a uno, Sean.

–¿Qué?

–A uno de los tipos que se llevó a Dave. Le pillaron y ahora está muerto. Se ha suicidado en la celda.

–¿De verdad?

Su padre le miró de nuevo y añadió:

–De verdad. Ahora ya no tendrás más pesadillas.

Sin embargo, Sean le preguntó:

–¿Y el otro?

–El tipo al que cogieron –prosiguió su padre– contó a la policía que su compañero había muerto, que había perdido la vida en un accidente de coche el año anterior, ¿de acuerdo? –Le miró de tal forma que Sean tuvo la certeza de que aquélla sería la última vez que hablarían del tema–. Así que, arréglate un poco antes de bajar a cenar.

Su padre salió de la habitación y Sean se sentó en la cama; el colchón estaba un poco hundido en el lado en que había colocado su nuevo guante de béisbol con una pelota dentro, muy bien envuelto con gruesas cintas elásticas de color rojo.

El otro también había muerto. En un accidente de coche. Sean albergaba la esperanza de que hubiera ido conduciendo el coche que olía a manzanas, de que se hubiera caído por un precipicio y que, tanto él como el coche, hubieran ido a parar directamente al infierno.

II

Sinatras de ojos tristes
(2000)

3

Lágrimas en el pelo

Brendan Harris amaba a Katie Marcus con locura; era como un amor de película, con una orquesta que le hacía bombear la sangre y que le anegaba los oídos. La amaba cuando se despertaba, cuando se iba a dormir, las veinticuatro horas del día y segundo a segundo. Brendan Harris amaría a Katie Marcus aunque ésta fuera gorda y fea. La amaría aunque tuviera un cutis repugnante, vello sobre el labio superior y aunque careciera de pechos. Seguiría queriéndola incluso sin dientes y calva.

Katie. La vibración que le recorría el cerebro cada vez que pronunciaba su nombre era suficiente para que Brendan sintiera que sus miembros estaban repletos de óxido nitroso, como si fuera capaz de andar sobre el agua, levantar un tractor del suelo y lanzarlo al otro lado de la calle cuando hubiera acabado de usarlo.

En ese momento Brendan Harris amaba a todo el mundo porque él quería a Katie y ésta le quería a él. A Brendan le encantaba el tráfico, la niebla tóxica y el sonido de las taladradoras. Amaba a su viejo inútil, que no le había mandado ni una sola postal de felicitación por su cumpleaños ni por Navidad desde que abandonara a Brendan y a su madre cuando éste tenía seis años. Le gustaban los lunes por la mañana, las comedias que no harían reír ni a un retrasado mental y hacer cola en el Registro de Vehículos. Incluso adoraba su trabajo, aunque nunca pensara volver.

Brendan iba a dejar su casa a la mañana siguiente, iba a abandonar a su madre, iba a salir por aquella ajada puerta y a bajar por las escaleras resquebrajadas, subiría por la amplia avenida llena de coches aparcados en doble fila por doquier y en la que todo el mundo se sentaba en la entrada de las casas; tenía intención de salir de allí como si formara parte de una maldita canción de Springsteen, pero no el Springsteen de *Nebraska* o *Ghost of Tom Joad*, sino el de *Born to Run*, *Two Hearts Are Better Than One* o *Rosalita, Won't You Come Out Tonight?* El Bruce del *himno*. Sí, un himno. Eso es lo que sería cuando bajara por en medio del asfalto, por mucho que los parachoques le rozaran las piernas y la gente tocara la bocina; recorrería esa calle y llegaría al mismísimo centro de Buckingham para cogerle la mano a Katie, para dejarlo todo atrás para siempre y subirse a aquel avión con destino a Las Vegas y casarse, con los dedos entrelazados, Elvis leyendo la Biblia y preguntándole si aceptaba a aquella mujer, y Katie diciendo que aceptaba a ese hombre y después... Después a olvidarse de todo: estarían casados, se habrían ido y no tenían intención de regresar, de ningún modo, sólo serían él y Katie y el resto de sus vidas abierto y limpio ante ellos como un alma despojada de pasado, aislada del mundo.

Contempló su dormitorio. Ya había hecho las maletas. Había guardado los cheques de viaje de American Express, los zapatos, las fotografías de Katie y de él, el reproductor de CD portátil, los CD y el neceser.

Observó lo que dejaba atrás. El póster de Bird y Parrish. El de Fisk saludando a la gente del festival que habían organizado en el 75. El póster de Sharon Stone, enfundada en un vestido blanco de tubo (aunque enrollado debajo de la cama desde la primera noche en que él y Katie se habían acostado allí), la mitad de sus discos compactos. ¡Maldita sea! La mayoría sólo los había podido escuchar dos veces. ¡MC Hammer, por el amor de Dios! ¡Billy Ray Cyrus, santo cielo! Un par de altavoces Sony muy buenos que había usado para complementar un ordenador Jensen, que sumaban doscientos vatios, y que había comprado el verano anterior con el dinero que había ganado montando tejados para Bobby O'Donnell.

Aquello había sido lo que le permitió acercarse a Katie lo suficiente para iniciar una conversación. ¡Dios! ¡Sólo hacía un año! A veces le parecía que habían pasado diez años, en el buen sentido, mientras que otras tan sólo un minuto. Katie Marcus. Por supuesto, ya la había visto con anterioridad, al igual que toda la gente del barrio. ¡Era tan atractiva! Sin embargo, muy pocas personas la conocían en realidad. La belleza podía causar esos efectos: que la gente se asustara y que te mantuviera a distancia. No era como en las películas, en que la cámara hace que la belleza parezca algo que te invita a participar. En el mundo real, la belleza era como una valla que te dejaba fuera y que te hacía retroceder.

Pero Katie, curiosamente, desde el primer día que pasó con Bobby O'Donnell por la obra y éste se fue apresuradamente con algunos de sus chicos a la ciudad por asuntos urgentes, dejándola atrás como si se hubiera olvidado de su existencia, desde aquel primer día, ella se había convertido en una persona sencilla y muy normal; hablaba con Brendan con mucha naturalidad mientras éste colocaba láminas de metal en el tejado. Sabía incluso cómo se llamaba y le había dicho: «¿Cómo puede ser que un tipo tan majo como tú, Brendan, trabaje para Bobby O'Donnell?». *Brendan.* La palabra le salió de la boca como si la dijera cada día; y allí arriba, Brendan, arrodillado al borde del tejado, sintió que estaba a punto de desmayarse, sí, sí, de desmayarse, era algo serio. Así era como le hacía sentirse.

Al día siguiente, en cuanto le llamara, se irían; se marcharían juntos y para siempre.

Brendan, tumbado en la cama, se imaginaba que el rostro de Katie flotaba por encima de él. Sabía que no podría dormir, estaba demasiado nervioso. Sin embargo, no le importaba. Siguió allí echado, mientras Katie flotaba y sonreía, con los ojos resplandecientes en la oscuridad de detrás de sus ojos.

Aquella noche, después de salir del trabajo, Jimmy Marcus fue a tomarse una cerveza al Warren Tap con su cuñado, Kevin Savage. Se sentaron junto a la ventana y se dedicaron a observar a unos niños que jugaban al hockey en la calle. Eran seis y se batían contra la oscuridad; ésta hacía imposible vislumbrar los rasgos de su rostro. El Warren Tap quedaba enclavado en una calle lateral del antiguo barrio de ganaderos. Era un lugar estupendo para jugar al hockey, ya que no había mucho tráfico; sin embargo, por la noche era horrendo porque hacía muchísimo tiempo que las farolas estaban rotas.

Kevin era una compañía muy buena, ya que por norma general, al igual que Jimmy, no hablaba mucho; así que estuvieron allí sentados, tomando tragos de cerveza y escuchando la refriega y el roce de las suelas de goma y de los palos de madera, el ruido metálico y repentino de la pelota de goma dura al golpear el tapacubos.

A los treinta y seis años, había llegado a apreciar la tranquilidad de los sábados por la noche. Detestaba los bares ruidosos y abarrotados, así como también las confesiones de los borrachos. Hacía trece años que había salido de la cárcel; era el dueño de una tienda de barrio y en casa le esperaban su mujer y sus tres hijas. Creía que el chico malhumorado que fue una vez había dejado de existir para dar paso a un hombre que apreciaba un ritmo de vida tranquilo: una cerveza bebida a sorbos lentos, un paseo matinal, el sonido de los partidos de béisbol por la radio.

Contempló la calle. Cuatro de los niños ya habían dejado de jugar y se habían marchado a casa, mientras que los otros dos se habían quedado en la calle lanzando la pelota de un lado a otro, envueltos en la noche. Jimmy apenas alcanzaba a verlos, pero sentía el furor de su energía en los golpes que daban y en su alocada forma de correr.

Toda esa vitalidad juvenil tenía que salir de un modo u otro. Cuando Jimmy era niño (de hecho, hasta casi los treinta y tres años) aquella energía había dictado cada una de sus acciones. Y después... Después, uno sencillamente aprendía a canalizarla de algún modo, o a esconderla. Eso suponía él.

Su hija mayor, Katie, estaba pasando por ello en aquel momento. Tenía diecinueve años, una belleza fuera de lo normal y todas las hormonas agitadas y en estado de alerta roja. Sin embargo, se había percatado recientemente de que su hija tenía cierto aire de elegancia. No estaba muy seguro de dónde procedía (algunas chicas se convertían en mujeres elegantes, mientras que otras seguían siendo chicas el resto de sus vidas), pero Katie había adquirido de repente un aire de tranquilidad, incluso de serenidad.

Esa misma tarde, en la tienda, al marcharse, le había dado un beso a Jimmy en la mejilla y le había dicho: «Hasta luego, papá», y cinco minutos más tarde Jimmy se dio cuenta de que aún oía su voz en el pecho. Advirtió que era la misma voz de su madre, aunque le parecía recordar que su hija tenía la voz un poco más aguda y más segura; Jimmy se encontró preguntándose cuándo habrían ocurrido los cambios en las cuerdas vocales y por qué él no lo había notado hasta entonces.

La voz de su madre. Hacía casi catorce años de la muerte de la madre de Katie, y regresaba a él a través de su hija, y le decía: «Jim, ahora es una mujer. Es una adulta».

Una mujer. ¡Caramba! ¿Cómo había sucedido?

Dave Boyle ni siquiera se había propuesto salir esa noche.

Era sábado por la noche, claro, y había soportado una larga semana de trabajo, pero había llegado a una edad en que el sábado no le parecía muy diferente del martes, y beber en un bar no le parecía más divertido que beber en casa; allí, por lo menos, tenía el control del mando a distancia.

Así pues, más tarde, cuando hubo acabado todo, se dijo a sí mismo que el destino había tenido algo que ver. El destino ya había hecho acto de presencia con anterioridad en la vida de Dave Boyle, o como mínimo la suerte, aunque casi siempre mala, pero nunca había tenido la sensación de que fuera una mano que le guiara, sino más bien una mano colérica y caprichosa. Como si el destino hubiera estado sentado entre las nubes y alguien le hubiera preguntado: «¿Te aburres hoy, destino?», y éste hubiera respondido: «Sí, es cierto, pero creo que voy a ir a fastidiar un poco a Dave Boyle para ver si me animo. ¿Tú qué vas a hacer?».

Por lo tanto, Dave reconocía al destino cuando lo veía.

Es posible que aquel sábado por la noche el destino estuviera celebrando su cumpleaños o algo así, y decidiera por fin darle un respiro al viejo Dave, dejar que se desahogara sin tener que sufrir las consecuencias. Como si el destino le dijera: «Dale un golpe al mundo, Davey. Te prometo que esta vez no se desquitará». Como si Lucy sostuviera la pelota de fútbol de Charlie Brown, y se comportarse como es debido por una vez, y le permitiera darle un puntapié a sus anchas. Porque no fue premeditado, no lo fue. Dave, solo y a altas horas de la noche en los días posteriores, extendía las manos como si estuviera hablando a un jurado, y le decía con dulzura a la cocina vacía: «Tienes que comprenderlo porque no ha sido deliberado».

Aquella noche, acababa de bajar las escaleras después de darle el beso de buenas noches a su hijo, Michael, y se dirigía hacia el frigorífico para coger una cerveza cuando su mujer, Celeste, le recordó que era la noche de las chicas.

–¿Otra vez? –preguntó Dave mientras abría la nevera.

–¡Ya han pasado cuatro semanas! –exclamó Celeste con aquel sonsonete alegre tan suyo y que a veces le corroía la columna vertebral de arriba abajo a Dave Boyle.

–¿De verdad? –Dave se apoyó en el lavavajillas y abrió la cerveza–. ¿Qué programa tenéis para esta noche?

–*Madrastra* –respondió Celeste, con los ojos relucientes y las manos entrelazadas.

Una vez al mes, Celeste y tres compañeras de trabajo de la peluquería Ozma se reunían en el piso de Dave y Celeste Boyle para echarse las cartas de Tarot, beber un poco de vino y cocinar algo nuevo. Terminaban la velada con alguna película de moda; a menudo se trataba de películas sobre alguna mujer con personalidad y estudios pero que se sentía sola y que encontraba el amor verdadero y una ardiente vida sexual con algún viejo vaquero al que ya le colgaban las pelotas; otras veces iba sobre dos mujeres que descubrían el significado de la feminidad y hasta qué punto eran amigas en el preciso momento en que una de ellas contraía una enfermedad incurable en el tercer acto, y moría de lo más guapa y repeinada en una cama del tamaño de Perú.

Esas noches, Dave tenía tres opciones: sentarse en el dormitorio de Michael y mirar cómo dormía su hijo, esconderse en el dormitorio trasero que compartía con Celeste y hacer *zapping* ante el televisor o salir a toda prisa por la puerta e intentar encontrar un sitio donde no tuviera que escuchar a cuatro mujeres que empiezan a gimotear porque Pelotas Caídas decide que no puede dejarse atar y vuelve a las montañas en busca de una vida simple.

Dave a menudo escogía la opción número tres.

Hizo lo mismo aquella noche. Acabó la cerveza y se despidió de Celeste con un beso; sintió un ligero retortijón en el estómago cuando ella le asió el culo y le devolvió el besó con entusiasmo; después salió por la puerta, bajó las escaleras por delante del piso del señor McAllister y, atravesando la puerta principal, se adentró en el sábado noche de las marismas. Pensaba ir dando un paseo hasta Bucky's o Tap, pero se quedó delante de la casa para pensárselo bien y luego decidió coger el coche. Tal vez podría subir hasta la colina y echar un vistazo a las estudiantes universitarias y a los ejecutivos que últimamente iban allí en tropel; de hecho, en la colina había tanta gente que tenían que apartarse a codazos y algunos ya habían optado por irse al barrio de las marismas.

Habían comprado los bloques de ladrillo de tres plantas a precio de ganga y éstos de repente se convirtieron en Queen Annes. Los rodearon de andamios, echaron abajo el interior de las casas y pusieron gente a trabajar las veinticuatro horas del día; tres meses más tarde, aquellos aficionados al deporte de aventura aparcaban los Volvo delante de la entrada principal y entraban sus cajas repletas de objetos de cerámica por la puerta. Las notas de jazz se escapaban suaves por los cristales de sus ventanas, compraban mariconadas tales como vino de Oporto en las tiendas de licores, paseaban a sus perros-rata por el barrio y modelaban sus pequeños jardines. Sólo quedaban los edificios de ladrillo de tres plantas que había entre las avenidas Galvin y Twoomey, pero si la colina marcaba las pautas, bien pronto se verían coches Saab y bolsas de tiendas caras de comestibles por todas partes, incluso alrededor del Pen Channel en la parte más baja de las marismas.

La semana anterior sin ir más lejos, el señor McAllister, el casero de Dave, le había dicho, como quien no quiere la cosa:

—El precio de las casas está subiendo. Lo que le quiero decir es que está subiendo de forma desorbitada.

—Pues no dé su brazo a torcer —le contestó Dave, contemplando la casa en que hacía diez años que vivía—, y además un poco más adelante...

—¡Un poco más adelante! —McAllister le miró—. Dave, es posible que bien pronto ya no pueda pagar los impuestos de propiedad. Tengo unos ingresos fijos, ¡por el amor de Dios! Si no vendo pronto, de aquí a dos años, tal vez tres, Hacienda me embargará las casas.

—¿Y adónde irá? —preguntó Dave—. ¿Y adónde iré yo?

61

McAllister se encogió de hombros y contestó:

–No lo sé. Es posible que a Weymouth. Tengo algunos amigos en Leominster.

Lo dijo como si ya hubiera hecho unas cuantas indagaciones y hubiera ido a ver algunas casas en alquiler.

Mientras Dave conducía su Accord por la colina, intentaba recordar si conocía a alguien de su edad o más joven que siguiera viviendo allí. Se detuvo poco a poco delante del semáforo en rojo y vio a dos ejecutivos que llevaban suéteres de cuello redondo de color arándano a juego y pantalones cortos abombados de color caqui; estaban sentados delante de lo que había sido Primo's Pizza. Ahora se llamaba Café Society y los dos ejecutivos, asexuados y fuertes, se llevaban cucharadas de helado o de yogur frío a la boca, las piernas bronceadas estiradas en la acera, con los tobillos cruzados, sus relucientes bicicletas de montaña apoyadas en el escaparate de la tienda bajo una luz de neón blanca resplandeciente.

Dave se preguntaba dónde demonios iba a vivir si esa frontera mental se iba materializando cada vez más. Y con el dinero que sacaban él y Celeste, si los bares y las pizzerías seguían convirtiéndose en cafés, con suerte les asignarían un piso de protección oficial de dos habitaciones en Parker Hill. Con toda probabilidad les pondrían en una lista de espera de dieciocho meses; y todo eso para poder trasladarse a un lugar en el que las escaleras olían a meados, el hedor a rata muerta se colaba por las paredes enmohecidas, y donde yonquis y profesionales de la navaja deambulaban por el vestíbulo, a la espera de que te despistaras.

Desde el día en que un tipo de Parker Hill intentó robarle el coche, a pesar de que él y Michael estuvieran dentro, Dave guardaba una pistola del 22 debajo del asiento. No la había disparado nunca, ni siquiera de lejos, pero a menudo la sostenía y apuntaba con el cañón. Se dio el gusto de preguntarse qué aspecto tendrían aquellos dos ejecutivos a juego al otro lado del cañón, y sonrió.

Sin embargo, el semáforo se había puesto verde y él seguía allí parado; el sonido de las bocinas estalló tras él, y los ejecutivos alzaron los ojos y se quedaron mirando su coche abollado para ver qué causaba tanto alboroto en su nuevo barrio.

Dave atravesó el cruce, sofocado por sus miradas repentinas y tan poco razonables.

Esa noche Katie Marcus salió con sus dos mejores amigas, Diane Cestra y Eve Pigeon, para celebrar la última noche de Katie en las marismas, y con toda probabilidad en Buckingham. Al celebrarlo se habían sentido como si las hubieran recubierto con polvo de oro y les hubieran dicho que todos sus sueños se harían realidad. Como si compartieran un número de lotería premiado y la prueba del embarazo les hubiera dado negativo a todas el mismo día.

Arrojaron los paquetes de tabaco mentolados sobre la mesa de la parte trasera del Spires Pub y empezaron a responder con disparos de kamikaze y a gritar cada vez que un tipo atractivo le lanzaba a alguna de ellas La Mirada. Debía de hacer una hora que se habían dado un atracón en el East Coast Grill y después habían decidido regresar a Buckingham; antes de entrar en el bar, se habían fumado un canuto en el aparcamiento. Cualquier cosa, viejas historias que ya se habían contado un centenar de veces, como la última paliza que le había dado a Diane el estúpido de su novio, o cuando a Eve se le corrió la pintura de labios de forma inesperada, o dos tipos gordinflones contoneándose junto a la mesa de billar, era realmente divertida.

Cuando llegó el momento en que el bar estaba tan atestado que había tres hileras de gente delante de la barra y tardabas veinte minutos en conseguir una consumición, se fueron al Curley's Folly de la colina. Se fumaron otro canuto en el coche y Katie empezó a sentir que le arañaban el cerebro fragmentos recortados de paranoia.

–Ese coche nos sigue.

Eve observó las luces por el espejo retrovisor y dijo:

–No es verdad.

–Nos ha estado siguiendo desde que salimos del bar.

–¡Por el amor de Dios, Katie, sólo hace treinta segundos que hemos salido de allí!

–¡Ah!

–¡Ah! –la imitó Diane; soltó una mezcla de hipo y carcajada y volvió a pasar el canuto a Katie.

–¡Todo está muy tranquilo! –exclamó Eve con un tono de voz más profundo.

–¡Cállate! –Katie se dio cuenta de adónde quería ir a parar.

–¡Demasiado tranquilo! –asintió Diane; luego soltó una carcajada.

–¡Seréis zorras! –exclamó Katie, y le dio un ataque de risa, aunque en realidad tenía la intención de parecer ofendida.

Perdió el equilibrio y se cayó en el asiento de atrás; la nuca le fue a parar entre el respaldo y el asiento y empezó a sentir esa sensación de hormigueo en las mejillas que notaba las pocas veces que fumaba marihuana. La risa tonta dio paso a un estado de adormecimiento y mientras contemplaba la pálida luz del techo, pensaba que eso era para lo que uno vivía, para reírse como una tonta con sus mejores amigas igualmente tontas y sonrientes, la noche antes de casarse con el hombre que amaba. En Las Vegas, de acuerdo. Con resaca, muy bien. Sin embargo, ésa era la idea. Ése era el sueño que albergaba.

Después de haber estado en cuatro bares, de haberse bebido tres chupitos y de haberse apuntado un par de números de teléfono en una servilleta, Katie y Diane estaban tan borrachas que se subieron a la barra del McGills y empezaron a bailar *Brown Eyed Girl*, a pesar de que el tocadiscos estaba parado. Eve comenzó a cantar *Slipping and a Sliding* [Resbalarse y deslizarse] y eso mismo es lo que hicieron Katie y Diane, a la vez que se daban golpes en la cadera y sacudían la cabeza de tal modo que el pelo les cubría el rostro. En el McGills, la gente pensó que aquello era divertidísimo, pero en el Brown, veinte minutos más tarde, ni siquiera las dejaron pasar por la puerta.

Por aquel entonces, Diane y Katie ya habían conseguido que Eve se subiera a la barra y en aquel momento cantaba *I Will Survive* de Gloria Gaynor, lo cual era la mitad del problema; además, se balanceaba como si fuera un metrónomo, y eso representaba la otra mitad.

Así pues, las pusieron de patitas en la calle incluso antes de que pudieran entrar en el Brown, lo que quería decir que la única opción que quedaba para tres chicas borrachas de East Buckingham era ir al Last Drop, un antro depresivo y húmedo situado en la peor zona de las marismas; era un horrible edificio de tres plantas en el que se aparejaban las prostitutas más drogadictas y sus clientes, y un lugar en el que un coche sin alarma solía durar un minuto y medio.

Allí se encontraban cuando Roman Fallow apareció con la última ejecutiva que tenía por novia. A Roman le gustaban las mujeres menudas, rubias y de ojos grandes. Los camareros estuvieron muy contentos de ver a Roman porque solía dar unas propinas que rondaban el cincuenta por ciento de la consumición; en cambio, para Katie fue mala suerte, ya que Roman era amigo de Bobby O'Donnell.

–¡Estás un poco trompa, Katie! –exclamó Roman.

Katie sonrió porque le tenía miedo a Roman. De hecho, Roman asustaba a casi todo el mundo. Era un tipo atractivo y elegante; podía ser muy divertido, pero Roman tenía un defecto: una carencia total de cualquier cosa que pudiera asemejarse a sentimientos verdaderos y aquello pendía de sus ojos como un letrero que indicara que aún quedaban habitaciones libres.

–Estoy un poco colocada –admitió ella.

Roman lo encontró divertido. Le dedicó una breve sonrisa exhibiendo su dentadura perfecta; tomó un sorbo de Tanqueray y le dijo:

–Un poco colocada, ¿verdad? Sí, muy bien, Katie. Déjame que te haga una pregunta –le dijo con dulzura–. ¿Crees que a Bobby le gustaría enterarse de que te estás comportando como una estúpida en el McGills? ¿Crees que le gustaría saberlo?

–No.

–Porque a mí no me gustaría, Katie. ¿Entiendes lo que quiero decir?

–Sí.

Roman se colocó la mano detrás de la oreja y dijo:

–¿Cómo?

–Sí.

Roman dejó la mano donde estaba, se inclinó hacia ella y repitió:

–Lo siento. ¿Cómo has dicho?

–Me voy a casa ahora mismo –anunció Katie.

Roman sonrió y le preguntó:

–¿Estás segura? No me gustaría que te sintieras obligada a hacer algo que no deseas hacer.

–No, no, ya he tenido bastante.

–¡Claro, claro! ¿Os pago las bebidas?

–No, no. Gracias, Roman, pero ya hemos pagado.

Roman rodeó con un brazo a la tontita que lo acompañaba y preguntó a Katie:

–¿Te pido un taxi?

Katie casi metió la pata porque estuvo a punto de decir que había ido en coche hasta allí, pero se contuvo y respondió:

–No, no hace falta. A estas horas encontraremos uno sin ningún problema.

–Es verdad. Muy bien, pues. Ya nos veremos, Katie.

Eve y Diane ya estaban junto a la puerta; de hecho, habían ido hacia allí tan pronto como habían visto a Roman.

Cuando ya estaban en la acera, Diane exclamó:

–¡Santo cielo! ¿Creéis que llamará a Bobby?

Katie, que no estaba muy segura, negó con la cabeza y contestó:

–No. A Roman no le gusta tener que dar malas noticias. Sólo se encarga de ponerles remedio.

Se cubrió el rostro con la mano por un instante y, en la oscuridad, sintió cómo el alcohol le corría por las venas con impaciencia; también notó el peso de su propia soledad. Desde la muerte de su madre siempre se había sentido sola y ya había pasado mucho tiempo desde entonces.

Eve vomitó al llegar al aparcamiento y salpicó uno de los neumáticos traseros del Toyota azul de Katie. Cuando acabó, Katie sacó un pequeño frasco de enjuague bucal del bolso y se lo pasó a Eve.

–¿Crees que puedes conducir? –le preguntó Eve.

Katie asintió con la cabeza y contestó:

–Sin ningún problema; además, sólo estamos a unas catorce manzanas de distancia.

–Razón de más para irse –añadió Katie mientras salían del aparcamiento–. Otra razón para abandonar este barrio de mierda.

Diane asintió con poco entusiasmo.

Atravesaron la zona con precaución y Katie, que no pasó de cuarenta y que estaba muy concentrada, no se movió del carril de la derecha. Siguieron por la calle Dunboy a lo largo de doce manzanas y después cogieron la calle Crescent, que estaba un poco más oscura y más tranquila. Al llegar a la parte baja del barrio, tomaron la calle Sydney para ir a casa de Eve. Mientras estaban en el coche, Diane había decidido que pasaría la noche en el sofá de Eve porque si volvía a casa de su novio, Matt, en semejante estado, tendría que comerse un marrón; así pues, ella y Eve salieron del coche bajo una farola rota en la calle Sydney. Había empezado a llover y las gotas caían encima del limpiaparabrisas de Katie; sin embargo, Diane y Eve no parecían darse cuenta.

Ambas se agacharon hasta la altura de la cintura y miraron a Katie por la ventana abierta del copiloto. El cariz amargo que había tomado la noche en la última hora hizo que les flaqueara el rostro y que inclinaran los hombros; Katie sintió la tristeza de ambas mientras contemplaba las gotas de lluvia a través del parabrisas. Sentía cómo el resto de sus vidas se cernía sobre ellas con tristeza y desdicha. Eran las mejores amigas que había tenido desde el jardín de infancia y era posible que no volviera a verlas nunca más.

–¿Te las arreglarás sola? –la voz de Diane tenía un tono de voz agudo y quebrado.

Katie volvió la cabeza hacia ellas y les sonrió con todo el entusiasmo que pudo, aunque tuvo la sensación de que se le iba a partir la mandíbula por la mitad a causa del esfuerzo.

–Sí, claro. Ya os llamaré desde Las Vegas y espero que vengáis a visitarme.

–Los vuelos son baratos –apuntó Eve.

–Muy baratos.

–Muy baratos –asintió Diane; su voz se hacía inaudible a medida que contemplaba la deteriorada acera.

–Bien –añadió Katie. La palabra le brotó de la boca como si fuera una resplandeciente explosión–. Me voy antes de que alguien se ponga a llorar.

Eve y Diane tendieron las manos por la ventana y Katie se las estrechó durante un buen rato; después se apartaron del coche y le dijeron adiós con la mano. Katie les devolvió el saludo, dio un bocinazo y se alejó.

Se quedaron de pie en la acera, mirándola, mucho después de que las luces traseras de Katie se encendieran y desaparecieran al girar la cerrada curva que había en medio de la calle Sydney. Tenían la sensación de que les habían quedado cosas por decir. Podían oler la lluvia y el papel de aluminio procedente del Penitentiary Channel, que se extendía oscuro y silencioso al otro lado del parque.

Durante el resto de su vida, Diane deseó haberse quedado en aquel coche. En menos de un año tuvo un hijo; y cuando éste era joven (antes de ser padre, antes de volverse cruel, antes de conducir borracho y atropellar a una mujer que iba a cruzar la calle en la colina) solía decirle que ella creía que tenía que haberse quedado en aquel coche, y que cuando decidió salir, por capricho, sabía que había cambiado algo, que se había salvado por muy poco. Llevaría eso con ella, junto con una imperiosa sensación de que pasaba la vida como una observadora pasiva de los impulsos trágicos de otra gente, impulsos que ella nunca hizo lo suficiente por refrenar. Solía repetirle todas estas cosas a su hijo cuando iba a visitarle a la cárcel y él alzaba los hombros, cambiaba de postura y le preguntaba: «¿Me has traído los cigarrillos, mamá?».

Eve se casó con un electricista y se fue a vivir a un chalet en Braintree. A veces, bien entrada la noche, le ponía la palma de la mano sobre el pecho grande y blando y le contaba cosas de Katie, cosas acerca de esa noche, y él la escuchaba y le acariciaba el pelo y la espalda; sin embargo, no le decía casi nada, ya que él sabía que no había nada que decir. Otras veces, Eve sólo necesitaba pronunciar el nombre de su amiga, oírlo, sentir su peso sobre la lengua. Tuvieron hijos y Eve solía ir a ver cómo jugaban al fútbol; ella se mantenía aparte y, de vez en cuando, separaba los labios y pronunciaba el nombre de Katie, en voz baja, para sus adentros, en los húmedos campos de abril.

Sin embargo, aquella noche sólo eran dos chicas de East Bucky que habían bebido demasiado; Katie contempló cómo desaparecían en el espejo retrovisor mientras tomaba la curva de la calle Sydney y se dirigía hacia casa.

Allí estaba todo muy tranquilo por la noche, ya que la mayor parte de las casas que daban al parque del Pen Channel se habían quemado en un incendio, ocurrido cuatro años atrás; lo poco que quedaba de las casas estaba destrozado, ennegrecido y cubierto con tablas. Katie sólo deseaba llegar a casa, meterse en la cama, levantarse por la mañana y marcharse mucho antes de que a su padre o a Bobby se les ocurriera la idea de buscarla. Quería marcharse de allí del mismo modo que uno desea deshacerse de la ropa que ha llevado durante una tormenta. Formar una bola, lanzarla a un lado y no volver nunca la vista atrás.

Recordó algo en lo que hacía muchos años que no pensaba. Recordó que, cuando tenía cinco años, fue andando hasta el zoo con su madre. No lo evocó por ninguna razón en particular; con toda probabilidad los restos de marihuana pasada y de alcohol que tenía en el cerebro debieron de toparse con la célula que almacenaba la memoria. Su madre le cogía de la mano mientras bajaban por la calle Columbia en dirección al zoo, y Katie sentía los huesos de su mano cuando temblaban ligeramente bajo la piel junto a su muñeca. Alzó los ojos para mirar la cara delgada y los severos ojos de su madre; la nariz se le había vuelto afilada por la pérdida de peso, y la barbilla era apenas un bultito. Y Katie, con cinco años, curiosa y triste, le había preguntado: «¿Por qué estás siempre cansada?».

El rostro inflexible y quebradizo de su madre se había desmenuzado como una esponja seca. Se acurrucó junto a Katie, le puso las manos sobre las mejillas y la miró fijamente con los ojos rojos. Katie había pensado que estaba loca, pero en aquel momento su madre le había sonreído aunque la sonrisa desapareció de inmediato y, sin poder evitar el temblor de su barbilla, le había dicho: «Oh, nena», indicándole que se acercara. Había apoyado la barbilla en el hombro de Katie y había repetido: «Oh, nena», y entonces Katie había sentido cómo las lágrimas le bajaban por el pelo.

Volvía a sentirlo en ese momento, la suave llovizna de sus lágrimas en el pelo como las ligeras gotas de lluvia que caían encima del parabrisas. Cuando estaba intentando recordar el color de los ojos de su madre, vio el cuerpo tumbado en medio de la calle. Estaba echado como un saco delante de sus neumáticos y viró con brusquedad hacia la derecha; al notar que el neumático izquierdo de la parte trasera chocaba contra algo, pensó: «¡Santo cielo! ¡Por favor, Dios, dime que no le he dado! ¡Por favor!».

Frenó el Toyota como pudo junto al bordillo derecho de la calle, apartó el pie del embrague, y el coche se movió hacia delante, renqueando; luego se paró.

–¡Eh! ¿Se encuentra bien? –le gritó alguien.

Katie vio cómo se acercaba y empezó a relajarse ya que había algo en él que le resultaba familiar e inofensivo, hasta que se percató de la pistola que llevaba en la mano.

A las tres de la madrugada, Brendan Harris finalmente se durmió.

Lo hizo sonriendo, con la imagen de Katie flotando sobre él, diciéndole que le amaba, susurrando su nombre; el dulce aliento de Katie era como un beso en la oreja.

4

Deja ya de reprimirte tanto

Dave Boyle acabó yendo al McGills aquella noche. Se sentó con Stanley *el Gigante* en una esquina del bar y vio a los Sox jugar un partido fuera de casa. Pedro Martínez se había hecho el amo del montículo, por lo que los Sox les estaban pegando una paliza a los Angels. Pedro lanzaba la pelota de un modo tan atroz que cuando ésta cruzaba el área de casa parecía una maldita tableta. En la tercera entrada, los bateadores de los Angels parecían asustados; en la sexta, daba la impresión de que lo único que querían era irse a preparar la cena. Garret Anderson lanzó la pelota con efecto de retroceso e hizo que ésta cayera en el plato de la derecha; al realizar una jugada tan perfecta, el poco entusiasmo que quedaba en un partido en el que iban ocho a cero desapareció de las gradas; Dave se dio cuenta de que prestaba más atención a las luces, a los ventiladores y al Estadio Anaheim que al partido en sí.

Observó los rostros de la gente de las gradas: casi todos tenían una expresión de animosidad y de gran cansancio y parecía que los hinchas se tomaban la derrota de modo más personal que los mismos jugadores. Tal vez lo hicieran. Dave se imaginó que para muchos sería el único partido al que irían aquel año. Habían llevado a los niños, a la mujer y habían salido de su casa de California a última hora de la tarde con neveras portátiles para la fiesta de después del partido; además, cada una de las cinco entradas les había costado treinta dólares, y eso para acabar sentándose en los asientos más baratos, colocarles a sus hijos gorras de veinticinco dólares, comer hamburguesas de rata de seis dólares, perritos calientes de cuatro dólares y medio, Pepsi aguada y barras pegajosas de helado que se les derretían por las muñecas. Dave sabía que habían ido allí para sentirse eufóricos y exultantes, para que el excepcional espectáculo de la victoria les hiciera olvidar sus vidas por un momento. Ése era el motivo por el cual los anfiteatros y los estadios de béisbol se asemejaban a las catedrales: por el zumbido de las luces, por las oraciones que se decían en voz baja y por los cuarenta mil corazones que latían al unísono con la misma esperanza colectiva.

«Gana por mí. Gana por mis hijos. Gana por mi matrimonio, gana para que pueda llevarme esa victoria al coche y pueda disfrutar de ese triunfo con la familia mientras regresamos a nuestras vidas llenas de fracasos.

»Gana por mí. Gana. Gana. Gana.»

Sin embargo, cuando el equipo perdió, toda aquella esperanza colectiva se rompió en mil pedazos y toda la apariencia de unidad que se había sentido con el resto de feligreses desapareció con ella. Tu equipo te había fallado y sólo sirvió para recordarte que, en general, cada vez que intentabas algo, perdías. Cuando uno albergaba esperanzas, la esperanza moría. Y te quedabas allí sentado entre los restos de envoltorios de celofán, de palomitas de maíz, de vasos blandos y empapados amontonados entre los despojos entumecidos de tu propia vida; además, tenías que recorrer un pasillo largo y oscuro para llegar a un aparcamiento igualmente largo y oscuro, entre una gran multitud de extraños borrachos y airados, una esposa silenciosa que te hacía recordar tu último fracaso y tres niños maniáticos. Lo único que uno podía hacer era meterse en el coche y volver a casa, al mismo lugar del que aquella catedral había prometido transportarte.

Dave Boyle, que había sido una estrella pasajera de los equipos de béisbol durante los gloriosos años (1978 a 1982) en el Centro de Formación Profesional Don Bosco, sabía que había muy pocas cosas en el mundo que pudieran ser más temperamentales que un hincha. Sabía lo que era necesitarles, odiarles, arrodillarse ante ellos y suplicarles que te ovacionaran una vez más; asimismo sabía hasta qué punto deseaban destruirte cuando les habías roto su corazón colectivo y enfadado.

–¿Crees que es normal que esas chicas se comporten así? –le preguntó Stanley *el Gigante*.

Dave alzó la mirada y vio que de repente dos chicas se subían a la barra y empezaban a bailar; lo hacían mientras otra chica cantaba una versión desafinada de *Brown Eyed Girl*. Las dos chicas que había encima de la barra bamboleaban el culo y agitaban las caderas. La de la derecha estaba entrada en carnes y tenía unos ojos de color gris brillante que decían «fóllame». Dave se imaginó que debía de estar en la mismísima flor de la vida, el tipo de chica que seguramente sería muy buena en la cama durante los seis meses siguientes. Sin embargo, dos años más tarde ya se habría echado a perder; era fácil de prever por la mandíbula, gruesa y flácida, y si uno se la imaginaba con la ropa de estar por casa, parecería imposible pensar que hubiera sido motivo de lujuria en un tiempo no tan lejano.

Pero la otra...

Dave la conocía desde que era una niña pequeña: Katie Marcus, la hija de Jimmy y de la difunta Marita, aunque entonces era la hijastra de Annabeth, la prima de su mujer; ahora se la veía adulta y su cuerpo, que rezumaba firmeza y frescura, desafiaba las leyes de la gravedad. Mientras contemplaba cómo bailaba y se balanceaba, cómo se contoneaba y se reía, con el pelo rubio cayéndole sobre la cara y la espalda como si fuera un velo cada vez que echaba la cabeza hacia atrás, dejando al descubierto un cuello pálido y arqueado, Dave sentía una esperanza oscura y que le consumía todo el cuerpo como si fuera un fuego abrasador. No es que se sintiera así de repente, sino que era ella la que lo provocaba. El cuerpo de Katie se lo transmitía al suyo; de súbito, ella, con la cara sudada, lo reconoció y sus miradas se cruzaron; entonces ella le sonrió y a modo de saludo le hizo un gesto con el dedo meñique, que le atravesó limpiamente los huesos del pecho y le abrasó el corazón.

Echó un vistazo a los tipos del bar y vio que tenían una expresión de asombro mientras contemplaban bailar a las dos chicas, como si fueran apariciones divinas. Dave veía en sus rostros la misma ansia que había visto en los hinchas de los Angels durante las primeras entradas del partido, un anhelo triste mezclado con la patética aceptación de que regresarían a casa sin ver cumplidos sus deseos; resignados a acariciarse la polla en el cuarto de baño a las tres de la madrugada, mientras la mujer y los niños roncaban en el piso de arriba.

Dave contempló cómo Katie resplandecía sobre la barra y recordó a Maura Keaveny, desnuda bajo él, con las gotas de sudor cubriéndole las cejas, con los ojos relajados y adormilados a causa de la bebida y del deseo. Deseo por él. Dave Boyle. La estrella del béisbol. El orgullo de las marismas durante tres cortos años. Ya nadie se refería a él como el niño que había sido secuestrado cuando tenía once años. No, era un héroe local. Maura estaba en su cama y la suerte estaba de su lado.

Dave Boyle. Por aquel entonces, aún desconocía lo poco que suelen durar las rachas de buena suerte, la rapidez con la que pueden desaparecer y dejarte con nada, a excepción de un monótono presente que nunca depara ninguna sorpresa, sin motivos para la esperanza, sólo días que se convierten en otros días y que son tan poco emocionantes que, aunque pasara un año, la página del calendario de la cocina seguiría siendo la del mes de marzo.

Uno se decía a sí mismo que ya no iba a soñar más. Que ya no estaba dispuesto a seguir sufriendo. Pero entonces, los equipos jugaban las finales o veías una película, o relucientes carteles publicitarios color naranja que hacían propaganda de Aruba, o una chica que se parecía mucho a una mujer con la que había salido en el instituto, una mujer que había amado y perdido, y que había bailado encima de ti con ojos relucientes, y uno se decía: «¡Qué coño, soñemos una vez más!».

Cuando Rosemary Savage Samarco estaba en su lecho de muerte (el quinto de diez), le dijo a su hija, Celeste Boyle:

—Te juro por Dios que lo único que me ha producido placer en esta vida ha sido tocarle las pelotas a tu padre siempre que he podido.

Celeste le había dedicado una sonrisa distante y había intentado alejarse, pero su madre le había asido la muñeca con una garra artrítica, y la había apretado con fuerza.

—Haz el favor de escucharme, Celeste. Me estoy muriendo y te estoy hablando muy en serio. Eso es lo que conseguirás, si tienes mucha suerte, en esta vida, pues en primer lugar, no hay mucho. Mañana ya estaré muerta y quiero asegurarme de que lo hayas entendido: Sólo se consigue una cosa. ¿Me oyes? Sólo hay una cosa en este mundo que te dé placer. El mío fue tocarle las pelotas al cabronazo de tu padre siempre que se me presentaba la oportunidad –le brillaban los ojos y tenía los labios salpicados de gotas de saliva–, y créeme, después de cierto tiempo, le encantaba.

Celeste le secó la frente a su madre con una toalla. Le sonrió y le dijo: «Mamá», con un tono de voz dulce y arrullador. Le quitó la saliva de los labios y le acarició la palma de la mano, sin dejar de pensar: «Tengo que salir de aquí, de esta casa, de este barrio, de este lugar desequilibrado en el que la gente tiene el cerebro totalmente podrido, por ser demasiado pobre, estar demasiado cabreada y por haber sido demasiado incapaz de cambiar las cosas durante un período de tiempo tan jodidamente largo».

Sin embargo, su madre siguió viviendo. Sobrevivió a pesar de una colitis, de los ataques de diabetes, de una insuficiencia renal, dos infartos de miocardio y tumores cancerígenos en un pecho y en el colon. Un día, el páncreas le dejó de funcionar, de repente, y una semana más tarde volvió a funcionar, con muchas ganas de empezar de nuevo; los médicos no hacían más que preguntar a Celeste si podrían examinar el cuerpo de su madre una vez que ésta hubiera muerto.

Celeste les preguntaba las primeras veces:

–¿Qué partes?

–Todas.

Rosemary Savage Samarco tenía un hermano, al que odiaba, en las marismas, dos hermanas que vivían en Florida y que no le dirigían la palabra, y le había tocado las pelotas a su marido con tanta habilidad que éste se había cavado su propia tumba para librarse de ella. Celeste fue la única hija que tuvo después de ocho abortos. Celeste solía imaginarse de pequeña que todos sus medio hermanos y hermanas flotaban en el limbo y que les decía: «Estáis como de vacaciones».

Cuando Celeste era adolescente, estaba convencida de que aparecería alguien que se la llevaría de allí. No era fea ni estaba amargada; además, tenía buen carácter y sabía reírse. Se imaginaba que si uno tenía en cuenta todas esas cosas, acabaría sucediéndole. Aunque había conocido a algunos candidatos, no había ninguno que acabara de gustarle. La mayoría eran de Buckingham, casi todos gamberros de la colina o de las marismas de East Bucky, algunos de Rome Basin, y un tipo de las afueras que había conocido cuando asistía a la escuela de peluquería Blaine, que era homosexual, aunque por aquel entonces ella aún no lo sabía.

El seguro médico de su madre era una mierda, y bien pronto Celeste se encontró con que tenía que trabajar para cubrir unas facturas médicas monstruosas por unas enfermedades monstruosas que no lo eran tanto como para poner fin al sufrimiento de su madre. Y no es que su madre no disfrutara de su propio padecimiento. Cada vez que caía enferma disponía de un nuevo triunfo para jugar a lo que Dave llamaba «Rosemary tiene todos los boletos de la rifa para que su vida sea peor que la de los demás».

Una vez, en las noticias vieron a una madre acongojada que lloraba en la acera, después de presenciar cómo su casa y sus dos hijos habían volado por los aires a causa de un incendio. Rosemary hizo un chasquido con la lengua:

–Siempre puedes tener más hijos. En cambio, intenta vivir con colitis y un pulmón colapsado en un mismo año y ya verás –comentó.

En momentos así, Dave le dedicaba una tensa sonrisa y se iba a buscar otra cerveza.

Rosemary, cuando oía el ruido del frigorífico al abrirse, le decía a Celeste:

–Tú sólo eres su amante, cariño. Su mujer se llama Budweiser.

–¡Mamá, déjalo ya! –solía responderle Celeste.

–¿Qué? –le contestaba ella.

A la larga, Celeste había optado por Dave. Era atractivo y divertido, y había muy pocas cosas que le alteraran. Cuando se casaron, él tenía un buen trabajo en una oficina de correos de Raytheon, y aunque lo perdió cuando hicieron reducción de personal, al cabo de un tiempo consiguió otro en la zona de carga y descarga de un hotel del centro (por la mitad de su antiguo salario) y nunca se quejó de ello. De hecho, Dave nunca se quejaba de nada y apenas hablaba de su infancia y de la época anterior al instituto, lo cual sólo empezó a parecerle extraño a Celeste un año después de que muriera su madre.

Fue una apoplejía lo que al final acabó con su vida. Un día que Celeste volvía del supermercado, se encontró que su madre estaba muerta en la bañera, con la cabeza inclinada y los labios torcidos, apretados en una mueca hacia el lado derecho, como si hubiera mordido algo demasiado ácido.

Durante los meses que siguieron al funeral, Celeste se consolaba al saber que, como mínimo, las cosas serían más fáciles a partir de entonces, ya que no tendría que soportar los reproches constantes y los comentarios crueles. Pero, en realidad, las cosas no habían ido de ese modo. Dave cobraba más o menos lo mismo que Celeste, y eso sólo suponía un dólar más por hora de lo que pagaban en McDonald's, y aunque era de agradecer que las facturas que Rosemary acumuló a lo largo de su vida no pasaran a su hija, ésta tuvo que pagar las facturas del funeral y del entierro. Celeste examinaba el desastre económico en el que estaban sumidos, las facturas que hacía años que pagaban, la falta de ingresos, las enormes cantidades de dinero que gastaban, el nuevo montón de facturas que Michael y su futura educación representaban, la falta de solvencia, y tenía la sensación de que tendría que vivir con la respiración contenida para el resto de su vida. Ni ella ni Dave habían ido a la universidad y tampoco parecía probable que fueran a ir, y a pesar de que en el telediario la gente se jactaba del bajo índice de desempleo y de la seguridad laboral de todo el Estado, nadie mencionaba que esto sólo afectaba a la mano de obra cualificada y a la gente que estaba dispuesta a trabajar como empleado eventual sin ninguna asistencia médica o dental y con muy pocas perspectivas laborales.

Algunas veces, Celeste se sentaba en el lavabo junto a la bañera en la que había encontrado a su madre. Solía sentarse en la oscuridad. Se sentaba allí e intentaba no llorar; se preguntaba cómo podía ser que su vida hubiera llegado a semejante extremo, y eso mismo estaba haciendo un domingo a las tres de la madrugada, mientras la persistente lluvia golpeaba las ventanas, cuando Dave entró cubierto de sangre.

El hecho de encontrársela allí le sorprendió y se echó hacia atrás de un salto cuando ella se puso en pie.

–Cariño, ¿qué te ha pasado? –le preguntó, acercándose a él.

Volvió a saltar hacia atrás, se dio un golpe en el pie con la jamba de la puerta, y contestó:

–Me han rajado.

–¿Qué?

–Que me han rajado.

–¡Por el amor de Dios, Dave! ¿Qué ha pasado?

Se levantó la camisa y Celeste observó con atención una cuchillada bastante profunda en la caja torácica, de la que salía sangre a borbotones.

–¡Santo cielo! Tienes que ir al hospital, cariño.

–¡No, no! –insistió–. Mira, no es tan profunda, lo único que pasa es que sangra mucho.

Tenía razón. Cuando la miró por segunda vez, se dio cuenta de que era bastante superficial; sin embargo, era larga y sangraba mucho, aunque no hasta el punto que justificara la sangre de la camisa y del cuello.

–¿Quién te lo ha hecho?

–Un psicópata negro lleno de *crack* hasta las orejas –respondió; se quitó la camisa y la dejó en el lavabo–. ¡Cariño, la he cagado!

–¿Qué dices? ¿Cómo?

La miró, con los ojos inquietos, y añadió:

–El tipo ése intentó atracarme, ¿de acuerdo? Yo traté de golpearle y entonces me hirió con la navaja.

–¿Intentaste golpear a un tipo que tenía una navaja, Dave?

Abrió el grifo, metió la cabeza bajo el chorro, tragó un poco de agua y prosiguió:

–No sé por qué lo hice. Se me fue la cabeza. Se me fue la cabeza de verdad, cariño, y me lo cargué.

–¿Que tú...?

–Lo dejé hecho polvo, Celeste. Me puse hecho una fiera cuando noté que me clavaba la navaja, ¿sabes? Le derribé, me puse encima de él, y cariño... perdí la cabeza.

–Así pues, fue en defensa propia.

Hizo una especie de gesto con la mano e insinuó:

–A decir verdad, no creo que el tribunal lo vea de ese modo.

–¡No me lo puedo creer! ¡Amor mío! –Le cogió las muñecas con las manos–. Cuéntame exactamente lo que pasó.

Y durante una milésima de segundo, al mirarle a la cara, sintió náuseas. Notó una sonrisa maliciosa en lo más profundo de sus ojos, como si algo se hubiera activado y se felicitara a sí mismo por ello.

Decidió que era la luz, ese fluorescente barato que tenía justo encima de la cabeza, pues al bajar ella la barbilla hacia el pecho, él le acarició las manos, y la sensación de náusea desapareció y su rostro volvió a la normalidad; asustado, pero normal.

–Iba andando hacia el coche –Celeste se sentó de nuevo sobre la tapa cerrada del retrete y él se arrodilló delante de ella– cuando el tipo ese se me acercó y me pidió fuego. Le dije que no fumaba y él me respondió que él tampoco.

–Que él tampoco.

Dave asintió con la cabeza y añadió:

–En aquel momento el corazón me empezó a latir a toda velocidad, ya que no había nadie a nuestro alrededor. Entonces fue cuando vi la navaja; él me dijo: «La cartera o la vida, hijo de perra. Tengo intención de marcharme con una cosa o la otra».

–¿De verdad te dijo eso?

Dave se inclinó hacia atrás, ladeó la cabeza y exclamó:

–¿Por qué lo preguntas?

–Por nada.

Por algún motivo le pareció que sonaba gracioso, tal vez demasiado ocurrente, como si lo hubiera sacado de una película. Sin embargo, hoy en día todo el mundo veía películas, y cada vez más gracias a la televisión por cable; así pues, era posible que el ladrón hubiera aprendido la frase de un atracador cinematográfico y que se hubiera pasado la noche entera repitiéndola delante de un espejo hasta que creyera parecerse a Wesley o Denzel.

–Bien... bien, entonces –prosiguió Dave–, empecé a decirle: «Venga hombre, deja que me suba al coche y que me vaya a casa», lo que fue una gran estupidez por mi parte porque entonces me pidió las llaves del coche. Y yo... no sé lo que me pasó, cariño, en vez de asustarme me enfadé. Tal vez fue el whisky lo que me dio valor, no estoy seguro, pero entonces le empujé y él me clavó la navaja.

–Creía que habías dicho que le habías golpeado.

–¡Celeste, deja que acabe de contar la historia, joder!

–¡Lo siento, amor mío! –exclamó ella acariciándole la mejilla.

Él le besó la palma de la mano y continuó:

–Bien, pues, me empujó contra el coche, me asestó un golpe y yo esquivé el puñetazo; entonces el tipo me clavó la navaja y cuando sentí que el cuchillo me atravesaba la piel, sencillamente enloquecí. Le pegué un puñetazo en un lado de la cabeza y como no se lo esperaba empezó: «¡Joder con el cabrón éste!», y volví a darle en el cuello; se cayó al suelo, la navaja rebotó a su lado, me puse encima de él de un salto, y, y, y...

Dave miró el interior de la bañera, con la boca aún abierta y con los labios un poco fruncidos.

–¿Qué? –preguntó Celeste, que aún estaba intentando ver cómo el atracador le había dado un puñetazo con una mano y sostenía a la vez la navaja en la otra–. ¿Qué hiciste?

Dave se dio la vuelta, le miró las rodillas y respondió:

–Fui a por él como un loco, nena. Por lo que sé, podría estar muerto. Le golpeé la cabeza, le aporreé la cara, le destrocé la nariz, todo lo que te puedas imaginar. Estaba tan enfadado y tan asustado que no podía dejar de pensar en ti y en Michael, y en que había estado a punto de no poder llegar hasta el coche con vida, y que podría haber muerto en un aparcamiento de mierda sólo porque un tarado era demasiado vago para ganarse la vida trabajando. –La miró a los ojos y se lo repitió–. Es posible que le haya matado, cariño.

Parecía tan joven. Los ojos grandes, el rostro pálido y sudoroso, y el pelo pegado a la cabeza por el sudor y el miedo y, ¿era eso sangre? Sí, sí que lo era.

«El sida –pensó por un instante–. ¿Qué pasaría si ese tipo tuviera el sida?» No. Tenía que enfrentarse a aquello en ese mismo momento, se dijo.

Dave la necesitaba. No solía actuar así. Y entonces se percató de por qué había empezado a preocuparle que nunca se quejara. En cierta manera, cuando uno expresaba sus quejas a alguien, en realidad estaba pidiendo ayuda, pidiendo a esa persona que le ayudara a solucionar sus problemas. Sin embargo, Dave nunca la había necesitado con anterioridad y, por lo tanto, nunca se había quejado, ni siquiera cuando perdió el trabajo, ni cuando Rosemary vivía. Pero en ese momento, arrodillado ante ella, contándole con desesperación que era posible que hubiera matado a un hombre, le estaba pidiendo que le dijera que no pasaba nada.

Y así era, ¿no es verdad? Si alguien intentaba robar a un ciudadano honrado, tenía que aguantarse si las cosas no le salían tal como había planeado. Y si a uno lo matan, pues mala suerte. «Lo siento, pero es así. El que la hace, la paga», pensaba Celeste.

Besó a su marido en la frente y le susurró:

–Cariño, métete en la ducha. Ya me ocuparé yo de la ropa.

–¿De verdad?

–Pues claro.

–¿Qué piensas hacer con ella?

No tenía ni la menor idea. ¿Quemarla? Claro, pero ¿dónde? En su casa, no. Sólo tenía otra posibilidad: el patio trasero. Sin embargo, enseguida se percató de que si se ponía a quemar ropa en el patio a las tres de la madrugada, o a cualquier otra hora, la gente se daría cuenta.

–La lavaré –dijo en el mismo momento en que se le ocurrió–. La lavaré bien, la meteré en una bolsa de basura y después la enterraremos.

–¿Enterrarla?

–Podemos llevarla al vertedero. ¡Ah, no, espera! –Los pensamientos le fluían con más rapidez que las palabras–. Podemos esconder la bolsa hasta el martes por la mañana. Es el día que pasan a recoger la basura, ¿no es verdad?

–Así es...

Se dio la vuelta en la ducha y la miró, expectante, mientras la raja del costado se iba oscureciendo y ella volvía a preocuparse por el sida, o por la hepatitis, o por cualquier otra enfermedad por la que la sangre de otra persona pudiera matarte o envenenarte.

–Sé cuándo pasan. A las siete y cuarto, ni un minuto más ni un minuto menos, cada semana, excepto la primera semana de junio, pues los universitarios, que acaban el curso, dejan un montón de basura y, por lo tanto, el camión de recogida llega un poco tarde, pero aun así...

–¡Celeste, amor mío! ¡Vayamos al grano!

–¡Ah, vale! Cuando oiga el camión, bajaré corriendo detrás de ellos las escaleras, como si me hubiera olvidado una bolsa, y la tiraré directamente a la parte trasera. ¿De acuerdo? –preguntó sonriendo, a pesar de que no tenía ganas.

Colocó una mano debajo del grifo de la ducha, aunque aún seguía vuelto hacia ella, y le respondió:

–De acuerdo, mira...

–¿Qué?

–¿Crees que podrás soportarlo?

–Sí.

«Hepatitis A, B y C –pensó–. Ebola. Enfermedades tropicales.» Volvió a abrir mucho los ojos de nuevo y exclamó:

–¡Santo cielo! Es posible que haya matado a alguien.

Deseaba acercarse a él y tocarlo. Quería salir de la habitación, acariciarle el cuello y asegurarle que todo saldría bien. Ansiaba huir de allí hasta haber analizado la situación por completo.

Se quedó donde estaba y anunció:

–Me voy a lavar la ropa.

–De acuerdo –contestó–. Muy buena idea.

Encontró unos guantes de plástico debajo del lavabo; eran los que solía usar cuando limpiaba el cuarto de baño. Se los puso y comprobó que no tuvieran ningún desgarrón. Al ver que no había ninguno, cogió la camisa del lavabo y los vaqueros del suelo. Los pantalones también estaban manchados de sangre y dejaron una mancha en las baldosas blancas.

–¿Cómo es posible que también haya en los pantalones?

–¿Haya, qué?

–Sangre.

Los observó mientras ella los sostenía con la mano, miró al suelo y dijo:

–Me arrodillé encima de él –dijo, mientras se encogía de hombros–. No lo sé. Supongo que se llenaron de salpicaduras, igual que la camisa.

–¡Sí, claro!

Sus miradas se cruzaron y él asintió:

–Sí, debe de ser eso.

–¡Bien! –exclamó ella.

–¡Bien!

–Pues voy a lavarlos en el fregadero de la cocina.

–De acuerdo.

–Vale –respondió ella, y salió reculando del lavabo.

Lo dejó allí de pie, moviendo una mano debajo del agua, mientras esperaba a que saliera caliente.

Una vez en la cocina, metió la ropa dentro del fregadero y abrió el grifo. Observó cómo la sangre y diminutos trozos de piel y, ¡Santo cielo!, trozos de cerebro –estaba casi segura– se colaban por el desagüe. El hecho de que el cuerpo humano pudiera sangrar tanto le sorprendió. Había oído decir que teníamos tres litros y medio de sangre en nuestro interior, pero a Celeste siempre le había parecido que debían de ser muchos más. Cuando iba a cuarto de primaria, tropezó mientras correteaba por un parque con sus amigas. Al intentar parar el golpe se clavó en la palma de la mano una botella rota que apuntaba hacia arriba y sobresalía del césped. Todas las arterias principales y las venas de la mano resultaron heridas de gravedad y sólo se recuperaron poco a poco durante los diez años siguientes gracias a su juventud. Aun así, hasta que no cumplió los veinte, no recuperó el sentido del tacto en los cuatro dedos. Sin embargo, lo que más recordaba era la sangre. Cuando había levantado el brazo del césped, sacudiendo el codo como si acabara de darse un golpe en el hueso de la alegría, la sangre le salía a borbotones de la mano herida, y dos de sus amigas habían empezado a gritar. Al llegar a casa, había llenado el fregadero de sangre mientras su madre llamaba a una ambulancia. Una vez dentro, le habían cubierto la mano con una venda tan gruesa como sus pantorrillas y en menos de dos minutos las gasas ya se habían vuelto de color rojo. En el hospital, se había tumbado en una camilla blanca y se había dedicado a observar cómo las arrugas de la sábana formaban pequeños agujeros que se iban volviendo de color rojo. Cuando la camilla estaba a rebosar, la sangre empezó a gotear y acabó formando charcos en el suelo. Su madre tuvo que gritar lo suficientemente alto y durante un buen rato para que uno de los residentes de la sala de urgencias decidiera que Celeste debería ocupar el primer puesto de la cola. Toda aquella sangre procedía de una sola mano.

Y ahora, era la sangre de una cabeza. Todo porque Dave había golpeado el rostro de otro ser humano y le había aplastado el cráneo contra el suelo. Estaba convencida de que se había puesto histérico a causa del miedo. Colocó las manos enguantadas debajo del agua y volvió a comprobar que no hubiera ningún agujero. No había ninguno. Vertió líquido lavavajillas sobre la camiseta, la fregó con el estropajo de aluminio y la retorció; repitió todo el proceso hasta que el agua que goteaba de la camiseta al estrujarla fue transparente, y no de color rosa. Hizo lo mismo con los pantalones vaqueros y cuando acabó, Dave ya había salido de la ducha y se había sentado a la mesa de la cocina con una toalla enrollada alrededor de la cintura; se estaba fumando uno de aquellos cigarrillos largos y blancos que su madre se había dejado en el armario, bebía una cerveza y la miraba con atención.

–La he cagado –dijo con dulzura.

Ella asintió con la cabeza.

–Lo que quiero decir –susurró– es que cuando uno sale tiene otras expectativas, no sé, buen tiempo, sábado por la noche... –Se puso en pie y se le acercó; después se apoyó en el horno y observó cómo escurría la pernera izquierda de los vaqueros–. ¿Por qué no usas la lavadora de la despensa?

Le observó y se dio cuenta de que la cuchillada que tenía en el costado se había vuelto de color blanco arrugado después de la ducha. Sintió una necesidad nerviosa de reírse. Tragó saliva para contener la risa y respondió:

–Porque quiero eliminar las pruebas, cariño.

–¿Las pruebas?

–Bien, no lo sé seguro, pero me imagino que la sangre y todo lo demás es más fácil que se quede pegada en el interior de la lavadora que en el desagüe del fregadero.

Dave emitió un leve silbido y exclamó:

–¡Pruebas!

–Pruebas –repitió ella, pero esa vez sonriendo, sintiéndose parte de la conspiración y del peligro, de algo grande e importante.

–¡Caramba, nena! –exclamó–. ¡Eres un genio!

Acabó de escurrir los pantalones, cerró el grifo e hizo una pequeña reverencia.

Eran las cuatro de la madrugada, pero hacía años que no se sentía tan despierta. Era una sensación parecida a la de la mañana del día de Navidad a la edad de ocho años. Su sangre era pura cafeína. Una se había pasado la vida esperando que sucediera algo así, e intentaba convencerse a sí misma de que no era verdad, pero lo era. Estar implicada en un drama. Pero no el drama de las facturas sin pagar y de las pequeñas y ensordecedoras disputas maritales. No. Esto sí que era la vida real. De hecho, era más grande que la vida real, era hiperreal. Existía la posibilidad de que su marido hubiera matado a un hombre malo. Y si en realidad estaba muerto, la policía tendría mucho interés en conocer a la persona que lo había hecho. Y si en algún momento las pistas les llevaban a su casa, a Dave, necesitarían pruebas.

Ya se los imaginaba sentados a la mesa de la cocina, con las libretas abiertas, oliendo a café y a los bares de la noche anterior, haciendo preguntas a Dave y a ella. A pesar de que estaba segura de que se comportarían con educación, le infundirían miedo. Dave y ella también serían educados e imperturbables.

Porque todo se basaba en las pruebas. Y ella acababa de hacer desaparecer las pruebas por el desagüe del fregadero de la cocina y por el oscuro alcantarillado. Por la mañana, desmontaría el tubo del desagüe y también lo lavaría; tiraría lejía por dentro del tubo y lo volvería a colocar en su sitio. Pondría la camisa y los pantalones vaqueros dentro de una bolsa de basura y la escondería hasta el martes por la mañana; entonces, la lanzaría a la parte trasera del camión de la basura y allí sería aplastada, estrujada y prensada junto con los huevos podridos, los pollos pasados y el pan seco. Haría todo eso y se sentiría más importante y se encontraría mejor de lo que se encontraba habitualmente.

–Te hace sentir solo –confesó Dave.

–¿El qué?

–Hacerle daño a alguien –contestó con dulzura.

–Pero no tenías más remedio.

Asintió con la cabeza. En la penumbra de la cocina, la piel se le veía de color gris. Aun así, parecía más joven, como si acabara de salir del vientre de su madre y respirara con dificultad.

–Ya lo sé. Era la única alternativa. Sin embargo, te hace sentir solo. Te hace sentir...

Celeste le acarició la cara y a él se le marcó la nuez de la garganta mientras tragaba saliva.

–... como un extraño –añadió.

5

Cortinas de color naranja

El domingo a las seis de la mañana, cuatro horas y media antes de que su hija Nadine hiciera la Primera Comunión, Jimmy Marcus recibió una llamada de Pete Gilibiowski desde la tienda, diciéndole que ya estaba a punto.

–¿A punto? –Jimmy se sentó en la cama y miró el reloj–. ¡Pete, joder, son las seis de la mañana! Si Katie y tú ya estáis nerviosos a las seis, ¿cómo vais a estar a las ocho cuando la gente empiece a entrar en la iglesia?

–Ése es el problema, Jim. Katie no está aquí.

–¿Cómo dices?

Jimmy apartó el edredón y salió de la cama.

–Que Katie no está. En teoría, tenía que venir a las cinco y media, ¿no es así? Le he dicho al repartidor de donuts que se esperara ahí fuera y todavía no he preparado el café porque...

–¡Ajá! –exclamó Jimmy.

Se dirigió pasillo abajo en dirección al dormitorio de Katie, sintiendo las corrientes de aire frío de la casa en los pies, ya que las mañanas de mayo aún tenían la frialdad propia de las tardes de marzo.

–... un grupo de obreros de la construcción, de esos que van de bar en bar, que beben en los parques y que se llenan el cuerpo de anfetaminas, se han presentado a las seis menos veinte y se han acabado el torrefacto colombiano y el francés. Y los pasteles tienen una pinta horrible. ¿Cuánto les pagas a esos chicos para que trabajen el sábado por la noche, Jim?

–¡Ajá! –repitió Jim, y después de llamar brevemente a la puerta del dormitorio de Katie, la abrió de par en par.

La cama estaba vacía, mucho peor, estaba hecha, lo que indicaba que no había dormido allí la noche anterior.

–... porque o les aumentas el sueldo o les das una patada en el culo –añadió Pete–. Tardaré más de una hora en hacer los preparativos antes de que pueda... ¿Cómo está, señora Carmody? El café ya está en el fuego, querida. Estará listo enseguida.

–Voy hacia allí –declaró Jimmy.

–Además, los periódicos del domingo aún están amontonados, con las circulares encima, hechos una porquería y...

–Te acabo de decir que voy para allá.

–¿De verdad, Jim? Gracias.

–¿Pete? Llama a Sal y pregúntale si puede ir a las ocho y media en vez de a las diez.

–¿Cómo?

Al otro lado de la línea, Jimmy oyó el sonido ininterrumpido de una bocina, y exclamó:

–¡Pete, por el amor de Dios, haz el favor de abrirle la puerta! ¿Qué quieres, que se pase todo el día ahí con los donuts?

Jimmy colgó y se dirigió de nuevo hacia el dormitorio. Annabeth estaba sentada en la cama, destapada y bostezando.

–¿Llamaban de la tienda? –preguntó, aunque las palabras se le entremezclaron con un largo bostezo.

Asintió con la cabeza y añadió:

–Katie no ha aparecido por allí.

–Precisamente hoy –dijo Annabeth–, el día de la Primera Comunión de Nadine, va y no se presenta al trabajo. ¿Qué pasará si no va a la iglesia?

–Estoy seguro de que irá.

–No sé, Jimmy. Si ayer por la noche se emborrachó tanto que no ha ido ni a la tienda, nunca se sabe...

Jimmy se encogió de hombros. Era inútil hablar con Annabeth cuando se trataba de Katie. Annabeth sólo tenía dos maneras de tratar a su hijastra: o estaba enfadada con ella y se mantenía distante o estaba eufórica porque eran las mejores amigas del mundo. No había punto medio, y Jimmy sabía, con un pequeño sentimiento de culpa, que casi toda la confusión era consecuencia de que Annabeth apareciera en escena cuando Katie tenía siete años, y apenas se había recuperado de la muerte de su madre. Katie agradeció sin tapujos y con sinceridad que hubiera una presencia femenina en el piso solitario que había compartido con su padre. Sin embargo, la muerte de su madre también le había afectado. Jimmy sabía que, aunque no era irreparable, le había afectado mucho, y cada vez que, a lo largo de todos aquellos años, el sentimiento de pérdida se deslizaba de nuevo por las paredes de su corazón, Katie solía desahogarse con Annabeth que, como madre, nunca estuvo a la altura de lo que el fantasma de Marita era o habría sido.

–¡Por el amor de Dios, Jimmy! –exclamó Annabeth, mientras Jimmy se ponía una sudadera por encima de la misma camiseta con la que había dormido e iba en busca de sus vaqueros–. ¡No me digas que te vas a la tienda!

–Sólo una hora. –Jimmy encontró sus pantalones enrollados alrededor de la pata de la cama–. Dos, como máximo. De todos modos, Sal tenía que sustituir a Katie a las diez. Pete ya le está llamando para ver si puede ir antes.

–Sal tiene más de setenta años.

–Por eso mismo. ¿Te crees que va a estar durmiendo? Estoy convencido de que la vejiga lo despertó a las cuatro de la madrugada y que ha estado viendo Clásicos del Cine desde entonces.

–¡Mierda! –Annabeth acabó de apartar las sábanas y salió de la cama–. ¡Joder con Katie! ¿También va a fastidiarnos un día como hoy?

Jimmy notó que el cuello se le tensaba, y le preguntó:

–¿Cuándo fue la última vez que Katie nos fastidió un día?

Annabeth le mostró el dorso de la mano al tiempo que se dirigía hacia el cuarto de baño y le preguntó:

–¿Tienes alguna idea de dónde puede estar?

–En casa de Diane o de Eve –respondió Jimmy, pensando todavía en el gesto despectivo que le había hecho al pasar la mano por encima del hombro. Annabeth, el amor de su vida, sin duda, no tenía ni idea de lo fría que podía llegar a ser a veces, ni idea (y eso era característico de toda la familia Savage) de hasta qué punto sus momentos y estados de ánimo negativos podían afectar a los demás–. Quizá esté en casa de algún novio.

–¿Tú crees? ¿Con quién sale últimamente?

Annabeth abrió el grifo de la ducha, se echó un poco para atrás y esperó a que el agua saliera caliente.

–Me imaginaba que tú lo sabrías mejor que yo.

Annabeth revolvió el botiquín en busca de la pasta de dientes, negó con la cabeza y añadió:

–Dejó de salir con el Pequeño César en noviembre. Eso ya me provocó suficiente satisfacción.

Jimmy, que se estaba poniendo los zapatos, sonrió. Annabeth siempre llamaba a Bobby O'Donnell «Pequeño César», a no ser que le llamara algo peor, y no sólo porque quisiera parecer un gánster y tuviera una mirada fría, sino porque era bajito y gordo como Edward G. Robinson. Aquéllos habían sido unos meses muy tensos; Katie había empezado a salir con él el verano anterior y los hermanos Savage habían dicho a Jimmy que, si era necesario, le cortarían la polla; Jimmy no estaba muy seguro de si era debido a que sentían repulsión moral por el hecho de que su estimada sobrina saliera con semejante cabronazo, o porque Bobby O'Donnell se había convertido en un rival demasiado importante.

Sin embargo, Katie fue la que decidió poner fin a la relación, y aparte de un montón de llamadas a las tres de la madrugada y de una escena un poco violenta en Navidades, cuando Bobby y Roman Fallow se presentaron en el porche delantero, las secuelas de la ruptura no habían sido demasiado dolorosas.

El odio que Annabeth sentía por Bobby O'Donnell divertía a Jimmy en cierta manera, ya que a veces se preguntaba si Annabeth odiaba a Bobby no sólo porque se pareciera a Edward G. y porque se hubiera acostado con su hijastra, sino porque era un criminal de pacotilla en comparación con sus hermanos, que Annabeth creía que eran sin duda profesionales; además, sabía que Jimmy también lo había sido antes de que Marita muriera.

Marita había muerto catorce años atrás, mientras Jimmy cumplía una sentencia de dos años en el Correccional Deer Island de Winthrop. Un sábado de visita, mientras una Katie de cinco años se movía sin parar en su regazo, Marita contó a Jimmy que un lunar que tenía en el brazo se le había oscurecido últimamente y que tenía intención de ir a ver a un médico de la clínica comunitaria. «Sólo para asegurarme de que todo va bien», le había dicho. Cuatro sábados más tarde, ya había empezado el tratamiento de quimioterapia. Seis meses después de haberle contado lo del lunar, ya estaba muerta. Jimmy se había visto obligado a contemplar la destrucción del cuerpo de su mujer sábado tras sábado desde el otro lado de una mesa de madera oscura, cubierta de quemaduras de cigarrillos, sudor, manchas de semen, y de los lamentos y de toda la mierda de los convictos durante más de un siglo. Durante el último mes de su vida, Marita estaba demasiado enferma para ir a verle, demasiado débil para escribirle, y Jimmy tuvo que conformarse con llamadas telefónicas durante las que Marita estaba agotada, drogada o ambas cosas. Normalmente, ambas.

–¿Sabes con lo que sueño? –le confesó una vez que ya hablaba con dificultad–. Cada vez pienso más en ello.

–¿En qué, cariño?

–En cortinas de color naranja. Cortinas de color naranja amplias y tupidas... –se relamió los labios y Jimmy oyó el ruido que hizo al tragar saliva–, que ondean al viento, colgando de unas altas barras, Jimmy. Sólo ondean al viento. No hacen nada más que ondear, ondear, ondear. Cientos de ellas en ese campo tan grande. Ondean a lo lejos...

Esperó a que prosiguiera, pero ya había acabado, y como no quería que Marita se quedara dormida a media conversación, como había hecho muchas otras veces, le preguntó:

–¿Cómo está Katie?

–¿Eh?

–¿Qué tal Katie, cariño?

–Tu madre nos cuida muy bien. Está triste.

–¿Quién está triste, mi madre o Katie?

–Las dos. Mira, Jimmy, tengo que colgar. Tengo náuseas y estoy cansada.

–De acuerdo, nena.

–Te quiero.

–Yo también te quiero.

–Jimmy, nunca hemos tenido cortinas de color naranja, ¿verdad?

–No, nunca.

–¡Qué extraño! –exclamó; luego colgó el teléfono.

Fue la última palabra que le dijo, «extraño».

Sí, era muy extraño. El lunar que había tenido en el brazo desde que estaba en la cuna observando un móvil de cartón, de repente se había vuelto más oscuro; veinticuatro semanas más tarde, después de casi dos años de no compartir la cama con su marido y de no poder pasar la pierna por encima de la suya, la habían metido en una caja y la habían enterrado bajo tierra, mientras el marido lo observaba de pie a unos cuarenta metros de distancia, escoltado por dos policías armados, con grilletes en las muñecas y en los tobillos.

Jimmy salió de la cárcel dos meses después del funeral; se fue a casa, pasó un buen rato en la cocina sin cambiarse la ropa que llevaba y sonrió a la extraña que tenía por hija. Tal vez él fuera capaz de recordar los primeros cuatro años de vida de su hija, pero ella no. Ella sólo recordaba los dos últimos, tal vez algunos fragmentos dispersos del hombre que había vivido en aquella casa, antes de que permitieran verle los sábados y sólo desde el otro lado de una mesa vieja en un lugar húmedo y maloliente, construido sobre un cementerio encantado de los indios, donde el viento soplaba con fuerza, las paredes goteaban y los techos eran demasiado bajos. De pie en la cocina, mirando cómo ella le observaba, Jimmy tuvo la sensación de no haberse sentido nunca tan inútil. Jamás había estado la mitad de solo o asustado que en el momento en que, arrodillándose junto a Katie, le cogió ambas manos con las suyas y se los imaginó a los dos como si flotaran por encima de la habitación. Y el hombre que flotaba sobre ellos le dijo: «Éstos dos me dan mucha pena». Extraños en una cocina de mierda, intentando formarse una idea el uno del otro, haciendo un esfuerzo por no odiarse, pues ella había muerto y los había dejado colgados a los dos, incapaces de saber qué demonios iban a hacer a continuación.

Aquella hija, esa criatura, que vivía, respiraba y que, en muchos aspectos, ya estaba casi formada, dependía de él, tanto si les gustaba como si no.

–Nos sonríe desde el cielo –dijo Jimmy a Katie–. Está orgullosa de nosotros. Muy orgullosa.

–¿Tienes que regresar a ese sitio? –le preguntó Katie.

–No. Jamás.

–¿Vas a irte a algún otro lugar?

En aquel momento, Jimmy habría cumplido con gusto seis años más de condena en cualquier agujero de mierda como Deer Island, o incluso en otro sitio peor, para no enfrentarse las veinticuatro horas del día con aquella niña (medio hija medio extraña), con el temor ante un futuro incierto, ni con la certeza de que su juventud, sin duda, había acabado.

–¡De ninguna de las maneras! –exclamó–. Voy a quedarme contigo.

–Tengo hambre.

Y le llegó a lo más profundo de su ser: «Dios mío, tendré que alimentar a esta niña cada vez que tenga hambre. Durante el resto de nuestras vidas. ¡Santo cielo!».

–Bien, de acuerdo –respondió, y sintió que la sonrisa le temblaba en el rostro–. Comeremos algo.

Jimmy llegó a Cottage Market, la tienda de la que era dueño, a las seis y media de la mañana. Se hizo cargo de la caja registradora y de la máquina de lotería, mientras Pete llenaba las estanterías con los donuts que había traído Yser Gaswami del Dunkin' Donuts de la calle Kilmer, y con los pasteles, los *cannolis* y los bocadillos de salchichas de la panadería de Tony Buca. Cuando tenía un momento de calma, Jimmy vertía el café de las cafeteras en los termos enormes que había encima del mostrador y cortaba las cuerdas de los paquetes de *Globe*, *Herald* y *The New York Times* del domingo. Colocaba las circulares y los cómics en el medio y, después, los apilaba ordenadamente dentro de las estanterías de golosinas que había debajo del mostrador de la caja.

–¿Te ha dicho Sal a qué hora vendrá?

–No puede venir hasta las nueve y media –respondió Pete–. Se le han jodido los bajos del coche y lo ha llevado al taller. Así pues, tendrá que coger dos trenes y un autobús, y me dijo que ni siquiera estaba vestido.

–¡Mierda!

Alrededor de las siete y cuarto, tuvieron que atender a una multitud de gente que salía del turno de noche: policías, casi todos del Distrito 9, algunas enfermeras del Saint Regina y unas cuantas prostitutas que trabajaban en los *after hours*, del otro lado de la avenida Buckingham en las marismas y más arriba, en Rome Basin. Aunque parecían muy cansadas, se mostraban cordiales y comunicativas, y emanaban un halo de gran alivio, como si acabaran de abandonar el mismo campo de batalla juntas, cubiertas de barro y de sangre, pero sanas y salvas.

Durante un receso de cinco minutos, antes de que la multitud que iba a la primera misa del día empezara a hacer cola delante de la puerta, Jimmy llamó a Drew Pigeon y le preguntó si había visto a Katie.

—Sí, creo que está aquí —contestó Drew.

—¿De verdad?

Jimmy notó cierta esperanza en su propia voz y sólo entonces se dio cuenta de que estaba más preocupado de lo que había querido admitir.

—Creo que sí —dijo Drew—. Deja que vaya a mirarlo.

—Te lo agradezco, Drew.

Oyó el ruido de los pesados pies de Drew que se alejaban por un pasillo recubierto de madera mientras canjeaba dos boletos de la Loto a la señora Harmon, y tuvo que hacer un esfuerzo para que no se le saltasen las lágrimas por la violenta agresión de aquel perfume de anciana. Oyó cómo Drew se encaminaba de nuevo hacia el teléfono y sintió una ligera emoción en el pecho; mientras tanto, le daba los quince pavos de cambio a la señora Harmon y le decía adiós con la mano.

—¿Jimmy?

—Dime, Drew.

—Lo siento. La que se ha quedado a dormir es Diane Cestra. Está durmiendo en el suelo del dormitorio de Eve, pero Katie no está.

El aleteo que Jimmy había sentido en el pecho se detuvo en seco, como si se lo hubieran arrancado con unas pinzas.

—No pasa nada.

—Eve me ha dicho que Katie las dejó delante de casa alrededor de la una y que no les dijo adónde iba.

–De acuerdo, hombre. –Jimmy intentó poner un tono de voz alegre–. Ya la encontraré.

–¿Sale con alguien?

–Con las chicas de diecinueve años, Drew, es imposible llevar la cuenta.

–Eso sí que es verdad –asintió Drew con un bostezo–. Todas las llamadas que Eve recibe son de tipos diferentes. Te juro, Jimmy, que debería colgar una lista junto al teléfono para tenerlos controlados.

Jimmy hizo un esfuerzo por reírse y dijo:

–Bien, gracias una vez más, Drew.

–Estoy a tu disposición, Jimmy. Cuídate.

Jimmy colgó y se quedó mirando las teclas de la caja registradora como si fueran a decirle algo. No era la primera vez que Katie pasaba toda la noche fuera. Ni tampoco era la décima, joder. Ni tampoco era la primera vez que faltaba al trabajo, pero en ambos casos, solía llamar. Aun así, si había conocido a un tipo con pinta de estrella de cine y con un encanto extraordinario... Jimmy recordaba demasiado bien cómo se sentía él mismo a los diecinueve años y lo comprendía. Y aunque nunca permitiría que Katie pensara que estaba dispuesto a tolerarlo, en el fondo de su corazón no podía ser tan hipócrita que lo condenase.

Sonó la campana que colgaba de una cinta clavada en el extremo superior de la puerta; Jimmy alzó los ojos y vio irrumpir en la tienda al primer grupo de mujeres con pelo azulado de peluquería, que salían de rezar el rosario protestando por el mal tiempo, por la dicción del cura y por la basura que había en la calle.

Pete asomó la cabeza por encima de la vitrina de chucherías y se secó las manos con el trapo que había usado para limpiar las mesas. Lanzó una caja entera de guantes de plástico sobre el mostrador y apareció tras la segunda caja registradora. Se inclinó hacia Jimmy y le dijo:

–Bienvenido al infierno. –Y el segundo grupo de apisonadoras sagradas entró pisando los talones del primero.

Hacía casi dos años que Jimmy no trabajaba un domingo por la mañana y se había olvidado del zoo en que podía convertirse aquello. Pete tenía razón. Todos esos fanáticos de pelo azulado que iban a misa de siete y que abarrotaban la iglesia de Santa Cecilia mientras la gente normal estaba durmiendo, llevaban consigo todo ese frenesí bíblico a la tienda de Jimmy y diezmaban las bandejas de pasteles y de donuts, dejaban la cafetera seca, vaciaban las neveras de productos lácteos y se hacían con la mitad de la pila de periódicos. Se daban contra las estanterías y pisaban las bolsas de patatas fritas y los envoltorios de plástico de los cacahuetes que se les caían al suelo. Hacían sus pedidos a gritos: pasteles, Loto, boletos de rasca y gana, Pall Mall y Chesterfield, furiosamente, sin tener en cuenta en absoluto el lugar que ocupaban en la cola. Después, mientras un mar de cabezas azules, blancas y calvas asomaban tras ellos, se entretenían ante el mostrador para preguntar por la familia de Jimmy y de Pete mientras recogían el cambio exacto; no se olvidaban de coger hasta el último penique y tardaban una eternidad en quitar las compras del mostrador y apartarse para dejar paso al griterío furioso que se apiñaba tras ellos.

Jimmy no había presenciado un caos semejante desde la última vez que fue a una boda irlandesa con barra libre, y cuando, por fin, pudo ver que eran las nueve menos cuarto y que el último del grupo salía por la puerta, se percató de que el sudor, que le empapaba la camiseta bajo la sudadera, le había mojado la piel. Contempló la bomba que acababa de estallar en medio de su tienda y luego miró a Pete; de repente, sintió una oleada de afinidad y de camaradería hacia él que le hizo pensar en el grupo de policías, enfermeras y prostitutas de las siete y cuarto, como si él y Pete hubieran alcanzado un nuevo nivel de amistad por haber sobrevivido juntos a la avalancha de famélicos ancianos del domingo a las ocho de la mañana.

Pete le miró con gesto cansado y le dijo:

–Durante la próxima media hora estará un poco más tranquilo. ¿Te importa si salgo un momento y me fumo un cigarrillo?

Jimmy sonrió, volvía a sentirse bien y le recorría una especie de orgullo extraño y repentino al ver que el pequeño negocio que había montado se había convertido en una institución en el barrio.

–¡Joder, Pete, por mí como si te quieres fumar el paquete entero!

Acababa de limpiar los pasillos, de reponer existencias en la nevera de los lácteos y de rellenar las bandejas de donuts y de pasteles, cuando repicó la campanita. Alzó la mirada y vio pasar ante el mostrador a Brendan Harris y su hermano pequeño, Ray *el Mudo*, que se dirigían hacia la pequeña zona de pasillos donde se almacenaba el pan, el detergente, las galletas y el té. Jimmy se ocupó de los envoltorios de celofán de los pasteles y de los donuts, y deseó no haber dado la impresión a Pete de que se podía coger unas minivacaciones y que entrara de nuevo en la tienda de inmediato.

Echó un vistazo y se percató de que Brendan observaba las cajas registradoras desde detrás de las estanterías, como si tuviera intención de perpetrar un atraco o esperase ver a alguien. Durante un segundo de insensatez, Jimmy se preguntó si tendría que despedir a Pete por cerrar tratos delante de la tienda. Pero luego se refrenó y recordó que Pete, mirándole fijamente a los ojos, le había jurado que nunca pondría en peligro la tienda de Jimmy por vender marihuana en el trabajo. Jimmy sabía que le había dicho la verdad porque, a no ser que uno fuera el mejor mentiroso del mundo, era casi imposible mentir a Jimmy cuando éste te miraba a los ojos después de haberte hecho una pregunta directa; conocía todos los tics y todos los movimientos de ojos, por pequeños que fuesen, que podían traicionarle a uno. Era algo que había aprendido al observar cómo su padre hacía promesas de borracho que nunca cumpliría; si uno lo había presenciado suficientes veces, reconocía al animal cada vez que intentaba volver a salir a la superficie. Así pues, Jimmy recordó que Pete le había mirado directamente a los ojos y que le había prometido que nunca traficaría en la tienda; Jimmy sabía que era verdad.

Entonces, ¿a quién buscaba Brendan? ¿Sería lo bastante estúpido para ocurrírsele atracar la tienda? Jimmy había conocido al padre de Brendan, Ray Harris, *Simplemente Ray;* por lo tanto, sabía que les corría por los genes una buena dosis de estupidez, pero no existía nadie lo bastante tonto para querer atracar una tienda de East Bucky, situada en el límite de las marismas y con la colina, mientras carga con un hermano mudo de trece años. Además, si había alguien que tuviera cerebro en toda la familia, a Jimmy no le quedaba más remedio que admitir que era Brendan. Era un chico tímido, pero muy atractivo, y ya hacía mucho tiempo que Jimmy había aprendido a ver la diferencia entre la gente que callaba porque desconocía el significado de muchas palabras y la que lo hacía porque era reservada y le gustaba observar, escuchar y comprender. Brendan tenía esa cualidad; uno tenía la sensación de que comprendía demasiado bien a la gente, y que ese hecho le ponía nervioso.

Se volvió hacia Jimmy y sus miradas se cruzaron; el chico le dedicó una sonrisa nerviosa y amistosa a Jimmy, haciendo un gran esfuerzo, como si quisiera compensar el hecho de que estaba pensando en otra cosa.

–¿Te puedo ayudar, Brendan? –le preguntó Jimmy.

–No, no, señor Marcus, sólo quiero un poco de ese té irlandés que le gusta tanto a mi madre.

–¿Barry's?

–Sí, eso es.

–Está en el siguiente pasillo.

–¡Ah, gracias!

Jimmy se volvió a colocar detrás de la caja registradora en el momento en que Pete entraba, apestando todo él al olor rancio característico de quien se ha fumado un cigarrillo a toda prisa.

–¿A qué hora me has dicho que va a llegar Sal? –le preguntó Jimmy.

–Debe de estar a punto de llegar. –Pete se apoyó en la estantería corrediza de cigarrillos que había bajo los fajos de boletos y soltó un suspiro–. Va muy lento, Jimmy.

–¿Sal? –Jimmy observó cómo Brendan y Ray *el Mudo* se comunicaban por signos; estaban de pie en medio del pasillo central y Brendan llevaba una caja de Barry's bajo el brazo–. ¡Tiene más de setenta años, hombre!

–¡Ya sé que es por eso por lo que va tan lento! –exclamó Pete–. Sólo hablaba por hablar. Si a las ocho de la mañana hubiéramos estado aquí él y yo en vez de nosotros dos, Jim... aún estaríamos colocándolo todo.

–Por eso lo pongo en turnos en los que no hay tanto trabajo. Bien, de todas maneras, esta mañana no nos tocaba a ti y a mí, o a ti y a Sal. En teoría, teníais que ser tú y Katie.

Brendan y Ray *el Mudo* habían llegado hasta el mostrador y Jimmy vio que Brendan hacía un gesto raro al oír que pronunciaban el nombre de Katie.

Pete salió de detrás de los estantes de cigarrillos y le preguntó:

–¿Eso es todo, Brendan?

–Yo... yo... yo... –tartamudeó Brendan, y después miró a su hermano pequeño–. Creo que sí. Espere que se lo pregunte a Ray.

Empezaron a mover las manos por el aire otra vez, y los dos iban tan deprisa que aunque hubieran hablado en voz alta, habría sido muy difícil para Jimmy seguir la conversación. Sin embargo, el rostro de Ray *el Mudo*, a diferencia de sus manos ágiles y veloces, era como una piedra. Según Jimmy, siempre había sido un niño extraño, más parecido a la madre que al padre, con la vanidad siempre instalada en su rostro, como un acto de desafío. Se lo había comentado una vez a Annabeth, pero ésta le había acusado de tener poca sensibilidad con los discapacitados, aunque Jimmy no estaba de acuerdo. Había algo en la cara inexpresiva de Ray y en su boca silenciosa que uno deseaba sacar a martillazos.

Dejaron de mover los brazos arriba y abajo; Brendan se agachó delante de la estantería de golosinas y cogió una barrita de chocolate Coleman, lo que le hizo a Jimmy pensar en su padre y en el olor que desprendía aquel año que trabajó en la fábrica de golosinas.

–Y un *Globe*, también –indicó Brendan.

–Por supuesto, chico –le contestó Pete mientras empezaba a hacer la suma.

–Bueno, pues... yo creía que Katie trabajaba los domingos.

Brendan entregó a Pete un billete de diez.

Pete alzó las cejas al apretar la tecla de la caja; el cajón se abrió y le dio en la barriga.

–Estás un poco enamorado de la hija de mi jefe, ¿no, Brendan?

Sin mirar a Jimmy, exclamó:

–¡No, no, no! –Soltó una risa que desapareció tan pronto como le salió de la boca–. Sólo lo preguntaba porque los domingos suelo verla por aquí.

–Su hermana pequeña hace hoy la Primera Comunión –anunció Jimmy.

–¿Ah, Nadine?

Brendan miró a Jimmy, con los ojos demasiado abiertos y con una sonrisa demasiado ancha.

—Nadine —repitió Jimmy, sorprendido de que Brendan se hubiera acordado del nombre tan fácilmente—. Sí.

—Bien, felicítela de mi parte y de la de Ray.

—Claro, Brendan.

Brendan bajó la mirada hasta el mostrador y asintió varias veces con la cabeza mientras Pete ponía en una bolsa el té y la barrita.

—Bien, bueno, encantado de verles. ¡Vamos, Ray!

Ray no estaba mirando a su hermano cuando se lo dijo, pero empezó a andar de todas maneras; Jimmy recordó una vez más lo que la gente solía olvidar acerca de Ray: no era sordo, sólo mudo. Jimmy estaba convencido de que había muy pocas personas del barrio o en los alrededores que conocieran a alguien como él.

—¡Eh, Jimmy! —exclamó Pete cuando los hermanos se hubieron marchado—. ¿Puedo hacerte una pregunta?

—Dispara.

—¿Por qué odias tanto a ese chico?

Jimmy se encogió de hombros y respondió:

—La verdad, no sé si lo que siento es odio, pero... ¡Venga, hombre, no me digas que ese cabroncete mudo no te parece un poco horripilante!

—¿Ah, es él? —preguntó Pete—. Sí. Es una mierdecilla extraña, siempre mirándote fijamente como si viera algo en tu cara que deseara arrancar. ¿Sabes? Pero yo hablaba del otro. Yo me refería a Brendan. Hombre, el chico parece majo. Tímido, pero amable, ¿sabes lo que te quiero decir? ¿Te has dado cuenta de cómo utiliza el lenguaje de signos con su hermano aunque no tenga que hacerlo? Es como si quisiera que el chico no se sintiera solo; es un gesto muy bonito. Pero Jimmy, tío, cada vez que le miras tengo la sensación de que quieres cortarle la nariz y hacérsela comer.

—¿Qué dices?

—Sí.

—¿De verdad?

—Tal como lo oyes.

Jimmy miró por la polvorienta ventana que había encima de la máquina de la Loto y vio que la avenida Buckingham aparecía gris y húmeda bajo el sol de la mañana. Notó aquella maldita sonrisa tímida de Brendan Harris en su propia sangre, como si le picara.

–¿Jimmy? Sólo estaba jugando contigo. No tenía ninguna intención de...

–¡Ahí viene Sal! –exclamó Jimmy, de espaldas a Pete y sin apartar la mirada de la ventana, mientras veía al viejo arrastrar los pies y atravesar la avenida camino de la tienda–. ¡Ya era hora, joder!

6

Te duele porque está roto

El domingo de Sean Devine, el primer día de trabajo después de una semana de suspensión de empleo, empezó cuando el sonido del despertador lo sacó de modo repentino de un sueño y le arrancó de él, para darse cuenta luego, como se saca a un bebé del útero, de que no le permitirían regresar. No recordaba muy bien los pormenores, tan sólo unos cuantos detalles inconexos, pero tenía la sensación de que en ningún caso había habido un hilo conductor. Sin embargo, el esbozo general del sueño se le había quedado clavado como un alfiler en la parte trasera del cráneo y le hizo sentirse nervioso durante el resto de la mañana.

Su mujer, Lauren, había aparecido en su sueño, aún podía oler su piel. Llevaba el pelo despeinado y del color de la arena mojada, más oscuro y más largo que en la vida real; también llevaba puesto un bañador húmedo blanco. Estaba muy bronceada y tenía polvo brillante de arena esparcido por los tobillos desnudos y por los pies. Olía a mar y a sol y, sentada en el regazo de Sean, le besaba la nariz y le hacía cosquillas en la garganta con sus largos dedos. Se encontraban en la terraza de una casa junto a la playa y a pesar de que Sean oía el sonido de las olas, no llegaba a divisar el mar. En el lugar en el que debería haber estado el mar, había una pantalla de televisor en blanco con la anchura de un campo de fútbol. Cuando miró el centro de la pantalla, Sean sólo llegó a ver su propio reflejo, pero no el de Lauren, como si estuviera allí sentado flotando en el aire.

Sin embargo, había carne en sus manos, carne cálida.

Lo siguiente que recordaba era que estaba de pie en el tejado de la casa, pero el cuerpo de Lauren había sido sustituido por una veleta lisa de metal. La asió y debajo de él, al pie de la casa, un enorme agujero negro le abría la boca, con un velero del revés anclado al fondo. Después se encontraba desnudo en la cama con una mujer a la que nunca había visto, y la acariciaba con la sensación, según la lógica de algunos sueños, de que Lauren estaba en otra habitación de la casa, mirándoles por el vídeo; una gaviota se estrelló contra la ventana y los trozos de cristal salieron disparados hacia la cama como si fueran cubitos de hielo; Sean, vestido de nuevo, se puso en pie sobre la cama.

La gaviota, que respiraba con dificultad, le decía: «Me duele el cuello», y Sean se despertó antes de poder responderle: «Te duele porque está roto».

Al despertar, el sueño empezó a escurrírsele entero desde la parte trasera del cerebro, y las hilas y la pelusa se le quedaban enganchadas en la cara inferior de los párpados y en la parte superior de la lengua. Siguió con los ojos cerrados mientras sonaba el despertador, con la esperanza de que no fuese más que otro sueño y de que podría seguir durmiendo, como si el ruido sólo sonara en su mente.

Al cabo de un rato, abrió los ojos, con el tacto del sólido cuerpo de la mujer desconocida y el olor a mar de la carne de Lauren todavía fijado a su tejido cerebral; se percató de que no era un sueño, ni una película, ni una canción excesivamente triste.

Eran esas sábanas, aquella habitación y la cama. Era la lata vacía de cerveza en la repisa de la ventana, y aquel sol en los ojos y el despertador que sonaba en la mesita de noche. Era el grifo que goteaba y que siempre se olvidaba de arreglar. Era su vida, toda suya.

Apagó el despertador, pero no salió de la cama enseguida. Todavía no deseaba levantar la cabeza de la almohada porque no quería saber si iba a tener resaca. Si en realidad tenía resaca, el primer día de trabajo le parecería el doble de largo; como además era el primer día de trabajo después de una suspensión de empleo, tendría que tragarse toda la mierda y todos los chistes que contaran a su costa, y eso ya sería suficiente para que el día le pareciera interminable.

Siguió allí tumbado y oyó los pitidos procedentes de la calle, los pitidos de la televisión de los cocainómanos de la puerta de al lado, que la ponían a todo volumen y se tragaban desde *Letterman* hasta *Barrio Sésamo*, el pitido del ventilador del techo, del microondas, de los detectores de humo y el zumbido del frigorífico. Pitaban los ordenadores en el trabajo, pitaban los teléfonos móviles y los ordenadores portátiles; de la cocina y de la sala de estar llegaban pitidos y sonaba un constante bip-bip-bip que venía de la calle de abajo, y de la comisaría, más al sur, y de los inquilinos de Faneuil Heights y East Bucky.

Todo pitaba, en esos días. Todo era rápido, fluido y diseñado para estar en movimiento. Toda la humanidad iba de un lado a otro, al ritmo del mundo y creciendo con él.

¿Cuándo empezó a suceder todo esto, joder?

En realidad, era lo único que deseaba saber. ¿Cuándo había empezado a acelerarse el ritmo y a dejarle con los ojos clavados en la espalda de los demás?

Cerró los ojos.

Cuando Lauren se marchó.

Fue entonces.

Brendan Harris miró el teléfono y deseó que sonara. Miró el reloj. Dos horas de retraso. En verdad no era una sorpresa, ya que el tiempo y Katie nunca habían tenido una relación muy buena, pero aquel día precisamente... Brendan sólo deseaba irse. ¿Dónde estaba, si no estaba en el trabajo? El plan había consistido en que ella lo llamaría desde la tienda, que iría a la Primera Comunión de su hermanastra y que luego se encontraría con él. Sin embargo, ni había ido a trabajar ni le había llamado.

Él no podía llamarla. Ésa había sido siempre una de las peores pegas de su relación desde la primera noche en que se enrollaron. Katie solía estar en uno de estos tres sitios: en casa de Bobby O'Donnell, al principio de su relación con Brendan; en el piso de la avenida Buckingham en el que se había criado junto con su padre, su madrastra y sus dos hermanastras; o en el piso de arriba, en el que vivía un montón de sus tíos locos, dos de los cuales, Nick y Val, eran famosos por sus psicosis y por la más absoluta falta de control sobre sus impulsos. Después estaba su padre, Jimmy Marcus, que odiaba profundamente a Brendan, a pesar de que ni éste ni Katie se podían imaginar por qué. Sin embargo, Katie se lo había dejado muy claro, ya que a lo largo de todos aquellos años su padre le había repetido con frecuencia: «Manténte alejada de los Harris; si alguna vez traes uno a casa, te repudiaré».

Según Katie, su padre solía ser un tipo bastante racional, pero una noche, con lágrimas que le llegaban hasta el pecho, dijo a Brendan:

–Cuando hablamos de ti, se vuelve como loco. Loco de verdad. Una noche había bebido, ¿vale?, quiero decir que estaba borracho, y empezó a contarme cosas de mi madre, de lo mucho que me quería y todo eso, y luego dijo: «Esos malditos Harris, Katie, son escoria».

Escoria. El sonido de la palabra se le quedó grabado a Brendan en el pecho como si se tratara de flema.

«Manténte alejada de ellos. Es la única cosa que te pido en esta vida, Katie. Por favor.»

–Entonces, ¿cómo ha podido suceder? –preguntó Brendan–. Que hayas acabado saliendo conmigo, quiero decir.

Se dio la vuelta entre sus brazos, le dedicó una triste sonrisa y le dijo:

–¿Aún no lo sabes?

A decir verdad, Brendan no tenía ni la más remota idea. Katie lo era todo para él. Una diosa. Brendan era sólo, pues eso, Brendan.

–No, no lo sé.

–Eres amable.

–¿De verdad?

Asintió con la cabeza y añadió:

–Veo cómo te comportas con Ray, con tu madre, con la gente normal y corriente de la calle, y eres muy amable, Brendan.

–Mucha gente es amable.

Negó con la cabeza y replicó:

–Hay mucha gente simpática, pero no es lo mismo.

Y Brendan, reflexionando sobre lo que Katie le acababa de decir, tuvo que admitir que a lo largo de toda su vida nunca había conocido a nadie a quien no le cayera bien, no del modo que se haría en un concurso de popularidad, sino simplemente por frases del tipo «El chico ése de los Harris es muy majo». Nunca había tenido enemigos, no se había peleado desde la escuela primaria y era incapaz de recordar la última vez que alguien le hubiera dirigido una palabra desagradable. Tal vez fuera debido a que era amable. Y a lo mejor, tal como había dicho Katie, eso era una cualidad excepcional. O tal vez tan sólo fuera la clase de persona que no hace enfadar a la gente.

Bien, a excepción del padre de Katie. Era todo un misterio. Y no tenía sentido negar lo que era: odio.

Tan sólo hacía media hora que Brendan lo había sentido en la tienda de barrio del señor Marcus: ese odio silencioso y comedido que emanaba de Jimmy como si fuera una infección vírica. Se encogía ante él, tartamudeaba por culpa de aquel odio. Había sido incapaz de mirar a Ray a los ojos durante todo el camino de vuelta por cómo le había hecho sentir aquel odio: sucio, con el pelo lleno de piojos y los dientes cubiertos de mugre. Y el hecho de que no tuviera ningún sentido, pues Brendan nunca le había hecho nada al señor Marcus, ¡qué demonios!, si apenas le conocía, no facilitaba las cosas. Cada vez que Brendan miraba a Jimmy Marcus veía a un hombre que no dejaría de cachondearse de él ni si estuviera ardiendo.

Brendan no podía llamar a Katie a ninguna de las dos líneas y arriesgarse a que la persona que contestara al teléfono le pillara o solicitara una identificación de llamada, y que el señor Marcus empezara a preguntarse qué hacía Brendan Harris, el odiado, llamando a su Katie. Había estado a punto de llamarla un millón de veces, pero el mero hecho de imaginarse que el señor Marcus o Bobby O'Donnell o alguno de los psicópatas hermanos Savage pudiera contestar era suficiente para hacerle colgar el teléfono de nuevo con manos sudorosas.

Brendan no sabía a quién le tenía más miedo. El señor Marcus era un tipo normal y corriente, el propietario de la tienda a la que Brendan había ido a comprar casi toda su vida, pero había alguna cosa en él, además del evidente odio que sentía hacia Brendan, que inquietaba a la gente, una habilidad para algo, Brendan no sabía qué era exactamente, que hacía que la gente a su alrededor bajara la voz y evitara mirarle a los ojos. Bobby O'Donnell era uno de esos tíos de los que nadie sabía muy bien cómo se ganaba la vida, pero en cualquier caso, la gente cruzaba la calle para no tener que encontrarse con él. Y por lo que se refería a los hermanos Savage, estaban a años luz de la mayoría de la gente en cuanto a lo que se entendía por comportamiento normal y aceptable. Los hermanos Savage, que eran los cabronazos más locos, descabellados, incorregibles y lunáticos que hubo jamás en las marismas; tenían una mirada muy penetrante y un temperamento tan explosivo que podría llenarse una libreta del tamaño del Antiguo Testamento con todas las cosas que les enfurecían. Su padre, un estúpido y morboso por sí solo, se había encargado, junto con su delgada y bendita esposa, de traer a todos los hermanos a este mundo con sólo once meses de diferencia, como si hubieran instalado una cadena de montaje nocturna de bombas de relojería. Antes de que echaran abajo el edificio, cuando Brendan aún era un niño, los hermanos se habían criado amontonados, roñosos y coléricos en un dormitorio del tamaño de una radio japonesa, junto a las vías elevadas que solía haber sobre las marismas y que les tapaban todo el sol. El suelo del piso estaba bastante inclinado hacia el este y los trenes pasaban sin cesar por delante de la ventana de los hermanos todos los malditos días del año; aquella mierda de edificio de tres plantas temblaba tanto que muy a menudo los hermanos se caían de la cama y se despertaban por la mañana amontonados unos sobre otros. Estaban de tan mal humor que parecían ratas de alcantarilla y tenían que darse de puñetazos para poder salir del montón y empezar el día.

Cuando eran niños, el mundo exterior no los consideraba como individuos aislados. Simplemente eran los Savage, una nidada, una manada, una colección de miembros, axilas, rodillas y pelos enmarañados que daban la impresión de moverse en una nube de polvo como el diablo de Tasmania. Cada vez que uno veía que la nube se le acercaba, se hacía a un lado, con la esperanza de que encontraran a otra persona a la que joder antes de que te alcanzaran, o que el remolino sencillamente pasara de largo en otra dirección, perdidos en la obsesión de sus propias psicosis obscenas.

De hecho, hasta que Brendan no había empezado a salir con Katie en secreto, ni siquiera estaba seguro de cuántos hermanos eran, y eso que se había criado en las marismas. Sin embargo, Katie se lo explicó: Nick era el mayor, y hacía seis años que se había marchado del barrio para cumplir una condena de un mínimo de diez años en Walpole; a continuación iba Val, que, según Katie, era el más cariñoso; después venían Chuck, Kevin, Al (al que solían confundir con Val),

Gerard, que acababa de salir de Walpole y, en último lugar, Scott, el benjamín de la familia y el favorito de su madre cuando ésta vivía; además, era el único que tenía estudios universitarios y que no vivía con sus hermanos en los pisos primero y tercero de aquel edificio que tomaron tras amenazar a los antiguos inquilinos, que se marcharon a otro Estado.

–Ya sé que tienen muy mala fama –le había dicho Katie a Brendan–, pero son unos chicos muy majos. Bueno, excepto Scott, que es bastante más reservado.

Scott. El «normal».

Brendan miró su reloj de nuevo y después el despertador que tenía junto a la cama. Se quedó contemplando el teléfono.

Observó la cama en la que tan sólo hacía una noche que se había quedado dormido con los ojos puestos en la nuca de Katie, contando los hermosos mechones de pelo rubio, rodeándole la cadera con el brazo, mientras que la palma de la mano descansaba en su cálido abdomen, el olor de su pelo, el perfume y unas gotas de sudor en las ventanas de la nariz.

Miró otra vez el teléfono.

«¡Llama, maldita sea! ¡Llama!»

Un par de niños encontraron el coche. Avisaron a la policía y al niño que se puso al aparato parecía faltarle la respiración, como si fuera a perder el conocimiento a medida que las palabras le salían de la boca:

–Hay un coche con sangre y, eh, la puerta está abierta y, eh...

Le interrumpió la operadora.

–¿Dónde se encuentra el coche?

–En las marismas –respondió el chico–. Cerca del Pen Park. Mi amigo y yo lo encontramos.

–¿En qué calle?

–En la calle Sydney –soltó el chaval por teléfono–. Está lleno de sangre y la puerta está abierta.

–¿Cómo te llamas, hijo?

–Quiere saber el nombre de la víctima –le dijo el niño a su amigo–. Además, me ha llamado «hijo».

–¡Hijo! –exclamó la operadora–. Lo que te he preguntado es tu nombre.

–¡Tío, larguémonos de aquí! –gritó–. ¡Buena suerte!

El chico colgó el teléfono y la operadora vio por la pantalla del ordenador que la llamada se había realizado desde una cabina que estaba en la esquina de las calles Kilmer y Nauset, en los edificios de East Bucky, a unos ochocientos metros de distancia de la entrada por la calle Sydney del Penitentiary Park. Pasó la información al Departamento de Comunicados, que envió una unidad a la calle Sydney.

Uno de los policías llamó de nuevo y pidió más unidades, «algún especialista para examinar el lugar del crimen y... ah, sí, quizá querréis enviar a uno o dos agentes del Departamento de Homicidios o alguien parecido; es sólo una idea».

–¿Han encontrado algún cadáver, unidad treinta y tres? Cambio.

–Negativo.

–Treinta y tres, si no han encontrado ningún cuerpo, ¿por qué solicita que mandemos a alguien del Departamento de Homicidios? Cambio.

–Por el aspecto del coche, creo que no tardaremos mucho en encontrar uno por aquí cerca.

Sean empezó su primer día de trabajo aparcando el coche en Crescent y rodeando las vallas azules que había en el cruce de la calle Sydney. Las vallas llevaban la marca del Departamento de Policía de Boston, ya que habían sido los primeros en llegar al lugar del crimen, pero según lo que había oído por la emisora de la policía mientras se dirigía hacia allí, supuso que el caso debía de pertenecer al Departamento de Homicidios del Estado; es decir, al suyo.

Según tenía entendido, habían encontrado el coche en la calle Sydney, que estaba bajo jurisdicción municipal, pero el rastro de sangre llevaba al Penitentiary Park, que al formar parte del territorio nacional, estaba bajo jurisdicción estatal. Sean bajó la calle Crescent bordeando el parque y lo primero que vio fue una furgoneta aparcada a media manzana de allí; pertenecía a la unidad de especialistas de supervisión de la escena del crimen.

A medida que se acercaba, vio a su sargento, Whitey Powers, a unos metros de distancia de un coche que tenía la puerta del conductor entreabierta. Souza y Connolly, que tan sólo hacía una semana que habían sido ascendidos al Departamento de Homicidios, examinaban los hierbajos que había alrededor de la entrada del parque con una taza de café en la mano. La furgoneta de especialistas, junto con dos coches patrulla, estaba aparcada en el arcén de grava; el equipo de Inspección examinaba el coche y lanzaba miradas asesinas a Souza y Connolly por pisotear posibles pruebas y por haber lanzado al suelo la tapa de las tazas de poliestireno.

–¿Cómo va eso, proscrito? –Whitey Powers alzó las cejas con un gesto de sorpresa–. ¿Ya te han avisado?

–Sí –respondió Sean–. Sin embargo, no tengo compañero, sargento. Adolph está de baja.

Whitey Powers asintió con la cabeza y añadió:

–Tú te pillas la mano y ese alemán inútil se coge una baja sin avisar. –Rodeó a Sean con el brazo–. Mientras estés a prueba, vendrás conmigo, chico.

Así era como iban a ir las cosas: Whitey se encargaría de vigilar a Sean hasta que los jefazos del departamento decidieran si satisfacía o no los requisitos.

–¡Y eso que parecía un fin de semana tranquilo! –exclamó Whitey, mientras hacía que Sean se volviera hacia el coche con la puerta entreabierta–. Ayer por la noche, Sean, el condado entero estaba más tranquilo que un gato muerto. Apuñalaron a una persona en Parker Hill, a otra en Bromley Heath, y a un universitario le golpearon con una botella de cerveza en Allston. Sin embargo, no hubo ninguna víctima mortal y los federales se ocuparon de todo. ¿Sabes qué hizo la víctima de Parker Hill? Entró por sus propios medios en la sala de urgencias del Hospital General de Massachusetts, con un gran cuchillo de carnicero en la clavícula, y le preguntó a la enfermera de recepción dónde estaba la máquina de Coca-Cola en aquel cuchitril.

–¿Se lo dijo? –preguntó Sean.

Whitey sonrió. Era uno de los hombres más inteligentes del Departamento de Homicidios del Estado y siempre lo había sido; así pues, sonreía mucho. Sin embargo, debió de haber recibido la llamada mientras no estaba de servicio, ya que llevaba pantalones de chándal, la camiseta de hockey de su hijo, una gorra de béisbol puesta del revés, sandalias de color azul tornasolado sin calcetines, y la placa de oro le colgaba de una cinta de nailon por encima del jersey.

–¡Me gusta tu camiseta! –exclamó Sean.

Whitey le dedicó otra de sus sonrisas relajadas mientras un pájaro del parque volaba formando un arco por encima de ellos; soltó un graznido tan estridente que le golpeó a Sean en la columna vertebral.

–¡Ya ves! Hace tan sólo media hora estaba en el sofá de mi casa.

–¿Viendo los dibujos animados?

–No, lucha libre. –Withey señaló los hierbajos y el parque que se extendía más allá–. Supongo que la encontraremos en alguno de esos lugares. Sin embargo, aún no habíamos empezado a buscarla, cuando Friel nos dijo que no podemos contarlo a los de Personas Desaparecidas hasta que encontremos el cuerpo.

El pájaro volvió a sobrevolar sus cabezas, un poco más bajo, y esa vez el desagradable graznido encontró la base del cerebro de Sean y le mordió allí.

–Sin embargo, ¿es nuestro? –preguntó Sean.

Whitey asintió con la cabeza y añadió:

–A no ser que la víctima consiguiera salir del parque y haya palmado en medio de la calle.

Sean alzó los ojos. El pájaro tenía una gran cabeza y patas cortas escondidas bajo el pecho, blanco y con rayas grisáceas en el centro. Sean no reconoció la especie, aunque tampoco es que pasara mucho tiempo en medio de la naturaleza.

–¿Qué es? –preguntó.

–Un martín pescador norteamericano –contestó Whitey.

–Y una mierda.

El sargento alzó una mano y exclamó:

–¡Te lo juro por Dios, tío!

–Veías muchos documentales de animales de pequeño, ¿no?

El pájaro dejó escapar otro graznido estridente y a Sean le entraron ganas de pegarle un tiro.

–¿Quieres echar un vistazo al coche? –preguntó Whitey.

–Antes dijiste que «la» encontraríamos –comentó Sean mientras pasaban por debajo de la cinta policial amarilla y se dirigían al coche.

–El equipo de Inspección encontró los papeles del coche en la guantera. La propietaria del coche es una tal Katherine Marcus.

–¡Mierda! –exclamó Sean.

–¿La conoces?

–Es posible que sea la hija de un tipo que conozco.

–¿Algún amigo íntimo?

–No, sólo lo conozco de verlo por el barrio.

Sean negó con la cabeza.

–¿Estás seguro?

Whitey quería saber en aquel preciso momento si Sean deseaba que le asignaran el caso a otra persona.

–Sí –respondió Sean–. Completamente seguro.

Llegaron hasta el coche y Whitey señaló la puerta abierta del conductor en el momento en que una experta del equipo retrocedía y se estiraba, arqueando la espalda y con las manos entrelazadas en dirección hacia el cielo.

–¡No toquen nada, por favor! ¿Quién dirige la investigación?

–Supongo que yo –respondió Whitey–. El parque está bajo jurisdicción estatal.

–Pero el coche se encuentra en una propiedad municipal.

Whitey señaló los hierbajos y terció:

–Pero las salpicaduras de sangre están en una zona que pertenece al Estado.

–No lo sé –dijo la experta con un suspiro.

–Hemos mandado a alguien para que lo averigüe –dijo Whitey–. Hasta que no tengamos noticias, se trata de un caso estatal.

Sean observó los hierbajos que conducían al parque y supo que, de haber un cadáver, sería allí donde lo encontrarían.

–¿Qué tenemos hasta ahora?

La experta bostezó y contestó:

–Cuando encontramos el coche, la puerta estaba entreabierta, las llaves puestas y los faros encendidos. El coche se quedó sin batería diez segundos después de que llegáramos al escenario del crimen.

Sean se percató de que había una mancha de sangre en el altavoz de la puerta del conductor. Algunas gotas, oscuras y secas, habían goteado sobre el mismo altavoz. Se agachó, se dio la vuelta y vio otra mancha negra en el volante. Había una tercera mancha, más larga y más ancha que las otras dos, pegada a los bordes de un agujero de bala que atravesaba el respaldo de vinilo del asiento del conductor a la altura del hombro. Sean se volvió de nuevo y quedó encarado hacia los matojos que había a la izquierda del coche; estiró el cuello para examinar lo que había alrededor de la puerta del conductor y vio la abolladura reciente.

Levantó la vista hacia Whitey y éste asintió con la cabeza.

–Es probable que el autor del crimen estuviera fuera del coche. La chica de los Marcus, si en realidad era ella la que conducía, le dio un golpe con la puerta. El cabrón ése consiguió esquivar el golpe, le pegó, no sé, quizá en el hombro o en los bíceps. De todos modos, la chica intentó huir. –Señaló algunas hierbas aplastadas hacía poco por alguien que corría–. Pisaron las hierbas mientras se dirigían hacia el parque. No debía de estar herida de gravedad porque hemos encontrado muy pocos restos de sangre en los matojos.

–¿Cuántas unidades hay en el parque? –preguntó Sean.

–De momento, dos.

La experta del equipo de Inspección soltó un bufido y preguntó:

–¿Son un poco más listos que esos dos?

Sean y Whitey siguieron su mirada y se dieron cuenta de que a Connolly se le acababa de caer el café sobre los matojos y estaba allí de pie, maldiciendo el vaso.

–Oiga –exclamó Whitey–, son nuevos. Les podría dar una oportunidad.

–No son los únicos novatos de los que me tengo que encargar.

Sean dejó pasar a la mujer y le preguntó:

–¿Ha encontrado algo que pudiera identificarla aparte de los papeles del coche?

–Sí. La cartera estaba bajo el asiento y el carné de conducir está a nombre de Katherine Marcus. Había una mochila detrás del asiento del pasajero. En este momento, Billy está examinando el contenido.

Sean miró por encima del capó para ver al tipo que ella acababa de señalar con la cabeza. Estaba de rodillas frente al coche, y con una mochila de color oscuro ante él.

–¿Cuántos años tenía según la documentación?

–Diecinueve, sargento.

–Diecinueve –repitió Whitey a Sean–. ¿Y conoces al padre? ¡Joder, le va a tocar sufrir mucho y es probable que el pobre desgraciado aún no tenga ni idea de lo que ha pasado!

Sean volvió la cabeza y observó cómo el pájaro solitario y estridente se dirigía de nuevo hacia el canal, chirriando, a medida que un intenso rayo de sol se abría camino entre las nubes. Sean sintió que aquel chirrido se adentraba por su canal auditivo y le llegaba hasta el mismísimo cerebro; durante un momento, se sumergió en el recuerdo de la extrema soledad que había observado en el rostro del Jimmy Marcus de once años el día en que estuvieron a punto de robar un coche. Sean era capaz de sentirlo de nuevo, de pie junto a los matorrales que conducían al Penitentiary Park, como si aquellos veinticinco años hubieran transcurrido con la misma rapidez que un anuncio televisivo; volvía a sentir la soledad exhausta, irritable e implorante que Jimmy Marcus había ido acumulando como la pulpa extraída de un árbol marchito. Para librarse de ese sentimiento pensó en Lauren, la Lauren de pelo largo y rojizo como arena mojada que había marinado su sueño matinal. Pensó en aquella Lauren y deseó volver a adentrarse en el túnel del sueño, embriagarse con él y desaparecer.

7

En la sangre

Nadine Marcus, la hija más joven de Jimmy y Annabeth, recibió el Sagrado Sacramento de la Comunión por primera vez el domingo por la mañana en la parroquia de Santa Cecilia de los edificios de East Bucky. Llevaba las manos juntas desde las muñecas hasta la punta de los dedos; el velo y el vestido blanco le hacían parecer una novia en miniatura o un ángel de nieve. Se dirigía en procesión hacia al altar con otros cuarenta niños, deslizándose, mientras que los demás avanzaban con pasos vacilantes.

Ésa era, como mínimo, la impresión que tenía Jimmy. Aunque él habría sido el primero en admitir que no era imparcial con sus hijos, también estaba casi seguro de que tenía razón. En los tiempos que corrían, la mayoría de los chiquillos hablaban o chillaban cuando les daba la gana, decían palabrotas delante de sus padres, pedían esto y lo de más allá, no mostraban el más mínimo respeto por los adultos, y tenían esos ojos algo febriles y vidriosos de los adictos que pasan demasiadas horas ante el televisor, ante la pantalla del ordenador, o ambas cosas. A Jimmy le recordaban las bolas plateadas de la máquina del millón, que van lentas unas veces, pero que otras no paran de dar golpes, haciendo sonar las campanillas y yendo de derecha a izquierda velozmente. Cada vez que pedían algo, se lo daban. Si no era así, lo pedían en voz alta. Si la respuesta seguía siendo un no vacilante, entonces gritaban. Y sus padres, que al fin y al cabo, según Jimmy, eran todos unos pusilánimes, acababan por ceder a sus deseos.

Jimmy y Annabeth adoraban a sus hijas. Se esforzaban mucho para que fueran niñas felices, alegres y para que comprendieran lo mucho que las amaban. Pero había una frontera muy fina que separaba esa actitud de la tomadura de pelo; por lo tanto, Jimmy se aseguraba de que sus hijas supieran con exactitud dónde estaba aquella frontera.

Tal como estaban haciendo en aquel momento dos pequeños gilipollas que pasaban en procesión junto al banco de Jimmy: dos chicos que se iban dando empujones y que se reían en voz alta, sin hacer caso de las monjas que les mandaban callar, y haciendo el payaso delante de la multitud; aunque parezca mentira, algunos adultos les sonreían. ¡Por el amor de Dios! En la época de Jimmy, los padres habrían ido hacia ellos, y levantándoles del suelo por los pelos, les habrían dado un azote en el culo, para susurrarles al oído que aquello no había acabado ahí antes de volver a dejarlos en el suelo.

Jimmy, que había odiado a su viejo a más no poder, sabía que los métodos de antes eran injustos, de eso no había ninguna duda, joder, pero tenía que haber una solución intermedia que la mayoría de la gente pasaba por alto. Un terreno neutral en el que el niño supiera que los padres le amaban, pero que los jefes y las normas tenían razón de ser, que un *no* significaba realmente «no» y que el hecho de ser una monada no implicaba que tuvieras derecho a todo.

Estaba claro que aunque uno transmitiese todos esos valores y educase a un buen chaval, te seguiría dando muchos disgustos. Tal como estaba haciendo Katie. No tan sólo no apareció por la tienda, sino que además parecía que tampoco iba a presentarse a la Primera Comunión de su hermanastra pequeña. ¿En qué demonios estaría pensando? Seguramente, en nada, ése era el problema.

Al darse la vuelta para contemplar cómo Nadine avanzaba por el pasillo, Jimmy se sintió tan orgulloso de ella que, por un momento, se olvidó de la ira (y sí, de la leve preocupación y de la pequeña aunque constante inquietud) que sentía por Katie; sin embargo, sabía que volvería de nuevo. La Primera Comunión era un acontecimiento muy especial en la vida de un niño católico, era un día para ir bien vestido, para dejarse adorar y adular, y para que le llevaran a Chuck E. Cheese después de la ceremonia, y Jimmy creía que debía festejar los acontecimientos importantes de la vida de sus hijos y hacer que fueran radiantes y memorables. Por eso estaba tan cabreado con Katie por no haberse presentado. Tenía diecinueve años, de acuerdo, y con toda probabilidad el mundo de sus hermanastras pequeñas no era nada en comparación con los modelitos, los chicos y poder colarse en bares en los que hacían la vista gorda con los menores de edad. Jimmy comprendía todo eso y no solía reñirla por ello, pero faltar a un evento tan importante, especialmente después de todo lo que Jimmy había hecho cuando Katie era más joven, para celebrar los momentos importantes de la vida de su hija mayor, no tenía excusa.

Sintió que la indignación crecía de nuevo y supo que tan pronto como la viera tendrían otro de sus «debates», tal como los calificaba Annabeth, y que en los dos últimos años se habían convertido en algo habitual.

Fuera lo que fuere, al diablo con ello.

Porque allí llegaba Nadine, y se acercaba al banco de Jimmy. Annabeth le había hecho prometer a la niña que no miraría a su padre cuando pasara por delante de él, con el fin de no estropear la seriedad del sacramento con algún gesto atolondrado o infantil, pero Nadine le echó una mirada de todos modos, rápida y suficiente para que Jimmy supiera que se arriesgaba a hacer enfadar a su madre sólo para demostrarle el amor que sentía hacia él. No se vanaglorió delante de su abuelo, Theo, ni delante de los seis tíos que llenaban el banco que había detrás del de Jimmy, y éste la respetó por ello: se acercaba a la frontera, pero no la había cruzado. Le miró con el rabillo del ojo izquierdo y Jimmy, que le siguió la mirada por debajo del velo, le dedicó un saludo con tres dedos a la altura de la hebilla del cinturón y pronunció un «hola» amplio y silencioso.

Nadine soltó una sonrisa tan blanca que ni el velo, ni el vestido, ni los zapatos podían igualar; Jimmy sintió que le hacía estallar el corazón, los ojos y las rodillas. Las mujeres de su vida, Annabeth, Katie, Nadine y su hermana Sara, podían hacerle sentir así con cualquier pretexto; con tan sólo una sonrisa o una mirada podían conseguir que le temblaran las piernas y que se sintiera débil.

Nadine bajó los ojos y arrugó su pequeño rostro para ocultar la sonrisa, pero Annabeth consiguió verla de todos modos. Le dio un codazo a Jimmy entre las costillas y la cadera izquierda. Se volvió hacia ella, notando cómo enrojecía.

–¿Qué? –preguntó.

Annabeth le lanzó una mirada que indicaba que tendría que vérselas con ella cuando volvieran a casa. Después miró hacia delante, con los labios apretados, pero con una ligera sonrisa en las comisuras. Jimmy sabía que tan pronto como dijera «¿algún problema?» con su voz de niño inocente característica, Annabeth empezaría a morirse de risa por mucho que le pesara, porque había algo en las iglesias que hacía que uno tuviera ganas de reírse, y ése siempre había sido uno de los grandes dones de Jimmy: tenía la habilidad de hacer reír a las señoras, pasara lo que pasare.

Sin embargo, después de aquello estuvo un rato sin mirar a Annabeth; simplemente siguió la misa y los ritos sacramentales a medida que cada uno de los niños iba recibiendo por primera vez la hostia en las manos ahuecadas. Había enrollado el folleto del programa, que humedeció con el sudor de la palma de la mano mientras lo usaba para darse suaves golpes en la pantorrilla. Observó cómo Nadine alzaba la hostia de la mano y se la llevaba a la lengua, y luego se santiguaba, con la cabeza baja; Annabeth se inclinó hacia él y le susurró al oído:

–¡Nuestra niña! ¡Dios mío, Jimmy, nuestra niña!

Jimmy la rodeó con el brazo y la estrechó contra él, deseando poder retener ciertos momentos de la vida como si fueran fotos instantáneas y seguir disfrutándolos, sin interrupción, hasta que uno estuviera preparado para abandonarlos, sin importar las horas o los días que uno hubiera pasado gozando de ellos. Volvió la cabeza y besó a Annabeth en la mejilla; ésta se le acercó un poco más y ambos, sin apartar los ojos de Nadine, contemplaron el ángel sublime que tenían por hija.

El tipo con la espada de samurái se hallaba de pie junto a la entrada del parque, de espaldas al Pen Channel; tenía un pie levantado del suelo y con el otro iba dando vueltas poco a poco, a la vez que sostenía la espada con un extraño ángulo por detrás de la coronilla. Sean, Whitey, Souza y Connolly se le fueron acercando despacio, mirándose entre ellos como diciendo «¿qué coño está haciendo?». El tipo continuó con sus lentos giros, sin prestar atención a los cuatro hombres que se le iban aproximando a medida que bordeaban el parque. Se pasó la espada por encima de la cabeza y empezó a blandirla a la altura del pecho. En ese momento debían de encontrarse a unos seis metros de distancia y el tipo, que había dado un giro de 180 grados, estaba de espaldas a ellos. Sean vio que Connolly se llevaba la mano a la cadera derecha, que desabrochaba la hebilla de la funda de su pistola y que dejaba la mano apoyada en la culata de su Glock.

Antes de que todo aquello se complicase más, o que alguien resultara herido, o que el tipo les hiciera el haraquiri, Sean se aclaró la voz y dijo:

–Disculpe, señor. ¿Señor?

El tipo inclinó ligeramente la cabeza, como si hubiera oído a Sean, pero siguió con sus giros deliberados, que cada vez eran más rápidos y más cercanos.

–Señor, debería dejar el arma en el suelo.

El tipo apoyó el pie en el suelo y se dio la vuelta para mirarles, con los ojos abiertos de asombro al contemplar cada una de ellas (una, dos, tres, cuatro pistolas), y alargó el brazo con el que sostenía la espada, o para señalarles o para entregársela; Sean no lo acababa de tener claro.

–¿Está sordo, joder? ¡Al suelo! –le ordenó Connolly.

–¡Sssh! –exclamó Sean, y se detuvo.

Debían de estar a unos tres metros del tipo; empezó a pensar en los rastros de sangre que habían encontrado por el camino unos cincuenta metros atrás, sabiendo todos ellos lo que esos rastros implicaban, para encontrarse con un Bruce Lee que blandía una espada del tamaño de una avioneta. Dejando aparte que Bruce Lee era asiático, mientras que no había ninguna duda de que aquel tipo era blanco; parecía joven, debía de tener unos veinticinco años, y tenía el pelo negro y rizado, iba afeitado y llevaba una camiseta blanca por dentro de unos pantalones vaqueros color gris.

Se había quedado congelado y Sean estaba casi seguro de que les seguía apuntando con la espada paralizado por el miedo; era probable que el cerebro se le hubiera quedado agarrotado y que fuera incapaz de darle instrucciones al cuerpo.

–Señor –dijo Sean, con un tono de voz severo para conseguir que el tipo le mirara a los ojos–. Hágame un favor, ¿de acuerdo? Deje la espada en el suelo. Sólo tiene que abrir la mano y dejarla caer.

–¿Quién coño son?

–Somos agentes de la policía. –Whitey Powers le enseñó la placa–. ¿Lo ve? Confíe en mí, señor, y suelte esa espada.

–Sí, sí, claro –contestó el tipo, y nada más soltarla golpeó el césped con un ruido sordo.

Sean se percató de que Connolly empezaba a moverse a su izquierda, dispuesto a precipitarse hacia el tipo, y extendiendo la mano y sin apartar la mirada de él, le preguntó:

–¿Cómo te llamas?

–¿Eh? Kent.

–¿Qué tal, Kent? Soy Devine, policía estatal. Desearía que dieras dos pasos atrás y te alejaras del arma.

–¿Del arma?

–De la espada, Kent. Haz dos pasos atrás. ¿Cómo te apellidas?

–Brewer –respondió.

Se echó hacia atrás, con las palmas de las manos hacia arriba y extendidas como si estuviera convencido de que en cualquier momento iban a sacar las cuatro Glocks a la vez y le iban a disparar.

Sean sonrió, le hizo un gesto de asentimiento a Whitey, y preguntó:

–¡Eh, Kent! ¿Qué es lo que estabas haciendo? A mí me pareció alguna clase de ballet. –Se encogió de hombros–. Sí, claro, con una espada, pero...

Kent vio que Whitey se agachaba junto a la espada y que la cogía con suavidad por la empuñadura con un pañuelo.

–Kendo.

–¿Y eso qué es, Kent?

–Kendo –repitió Kent–. Es un arte marcial. Voy a clases los martes y los jueves y practico por las mañanas. Sólo estaba practicando. Eso es todo.

Connolly soltó un suspiro.

Souza miró a Connolly y le dijo:

–¿Te quieres quedar conmigo?

Whitey extendió la espada para que Sean viera el filo. Estaba engrasado, resplandeciente y tan limpio que parecía recién salido de fábrica.

–¡Mira! –Whitey deslizó el filo por encima de la palma de su mano–. He tenido cucharas más afiladas.

–Nunca la he hecho afilar –declaró Kent.

Sean, que volvió a sentir en el cráneo el pájaro estridente, le preguntó:

–Kent, ¿cuánto tiempo llevas aquí?

Kent observó el aparcamiento que había a unos cien metros detrás de ellos y respondió:

–Unos quince minutos, como mucho. ¿De qué va todo esto? –Por el tono de voz se notaba que iba recuperando la confianza y que estaba un poco indignado–. Practicar kendo en un parque público no es ilegal, ¿verdad, agente?

–No. Sin embargo, estamos haciendo todo lo posible para que lo sea –contestó Whitey–. Y haz el favor de llamarme «sargento», Kent.

–¿Puede justificar dónde se encontraba ayer por la noche y esta madrugada? –le preguntó Sean.

Kent parecía nervioso de nuevo, como si se esforzara por comprender, y contenía la respiración. Cerró los ojos un momento, expulsó aire y contestó:

–Sí, sí, ayer por la noche estaba... estaba en una fiesta con unos amigos. Regresé a casa con mi novia y nos fuimos a dormir a eso de las tres de la madrugada. Esta mañana he tomado café con ella y después he venido aquí.

Sean se pellizcó la nariz, asintió con la cabeza y añadió:

–Vamos a confiscarte la espada, Kent, y no estaría de más que fueras al cuartelillo con uno de los agentes y respondieras a unas preguntas.

–¿Al cuartelillo?

–A la comisaría de policía –aclaró Sean–. Lo que pasa es que nosotros la llamamos de otra manera.

–¿Por qué?

–Kent, ¿estás de acuerdo en ir allí con uno de los agentes?

–Sí, sí, claro.

Sean miró a Whitey y éste hizo una mueca. Sabían que Kent estaba demasiado asustado para decir algo que no fuera la verdad, y sabían que los forenses no encontrarían nada sospechoso en la espada, pero tenían que examinar todas las posibilidades y redactar un informe de seguimiento hasta que el papeleo sobre sus escritorios se asemejara a un desfile de carrozas.

–Voy a obtener el cinturón negro –declaró Kent.

Se dieron la vuelta, le miraron y dijeron:

–¿Qué?

–El sábado –añadió Kent, con la cara brillante por las gotas de sudor–. He tardado tres años en conseguirlo; ésa es la razón por la que he venido aquí esta mañana: para asegurarme de que estaba en plena forma.

–¡Ajá! –exclamó Sean.

–¡Eh, Kent! –dijo Whitey, y Kent le sonrió–. No lo digo por nada, pero ¿a quién coño le importa?

Cuando llegó el momento en que Nadine y los demás niños empezaron a salir en tropel por la puerta trasera de la iglesia, Jimmy estaba más preocupado que cabreado con Katie. Aunque le gustara salir por la noche e ir con chicos que él no conocía, Katie no era el tipo de persona que tuviera por costumbre dejar plantadas a sus hermanastras. Ellas la adoraban y ella, a su vez, las idolatraba: las llevaba al cine, a patinar y a comer helados. Últimamente, las había estado animando a que fueran al desfile del domingo siguiente y se comportaba como si el día de Buckingham fuera una fiesta estatal como San Patricio y las Navidades. El miércoles por la noche había regresado temprano a casa y se las había llevado al piso de arriba para que eligieran lo que se iban a poner; hicieron una especie de ensayo; ella se sentó en la cama y las chicas entraban y salían de la habitación como si fueran modelos en una pasarela; además, le hacían preguntas sobre el pelo, los ojos y la forma de andar. Por supuesto, la habitación que compartían las dos chicas se convirtió en un ciclón de ropa descartada, pero a Jimmy no le importaba, ya que Katie estaba ayudando a las chicas a celebrar un acontecimiento; en cierta manera, estaba usando los trucos que él mismo le había enseñado para conseguir que la cosa más insignificante se convirtiera en algo importante y único.

Entonces, ¿por qué no había asistido a la Primera Comunión de Nadine?

Tal vez se hubiera liado con alguien dotado de dimensiones legendarias. O quizá hubiera conocido de verdad a un tipo con pinta de estrella de cine y con actitud condescendiente. O a lo mejor tan sólo se le había olvidado.

Jimmy se levantó del banco de la iglesia y echó a andar por el pasillo con Annabeth y Sara; Annabeth le apretaba la mano y adivinaba qué había detrás de aquella mandíbula tensa y de la mirada distante.

–Estoy segura de que se encuentra bien. Es probable que tenga resaca, pero no hay duda de que está bien.

Jimmy sonrió, asintió con la cabeza y le devolvió el apretón de manos. Annabeth, con su habilidad de ver a través de él, con sus oportunos apretones de manos y con su tierno pragmatismo era la base, sencilla y simple, en que se apoyaba Jimmy. Él la consideraba esposa, madre, la mejor amiga, hermana, amante y consejera. Jimmy tenía la certeza de que sin ella habría acabado volviendo a Deer Island, o mucho peor, a alguna cárcel de máxima seguridad como las de Norfolk o Cedar Junction, cumpliendo duras condenas mientras se le pudrían los dientes.

Conoció a Annabeth un año después de que le soltaran y cuando aún le quedaban dos años de libertad condicional; para entonces, su relación con Katie había empezado a cuajar, y a gran velocidad. Parecía haberse acostumbrado a que él estuviera en casa cada día; se mostraba cautelosa y tranquila, pero cariñosa, y Jimmy se había habituado a estar siempre agotado, cansado de trabajar diez horas al día y de ir corriendo por toda la ciudad para recoger a Katie o dejarla en casa de su madre, en la escuela o en la guardería. Estaba cansado y asustado; ésas eran las dos constantes de su vida por aquel entonces, y después de un tiempo daba por hecho que siempre lo serían. Ya se despertaba con miedo: miedo de que Katie se hubiera dado la vuelta en la cama y se ahogara a medianoche, miedo a que la economía continuara en esa época de recesión y llegara a perder el empleo, miedo a que Katie se cayera de los columpios del colegio en la hora del patio, miedo a que ella necesitara algo que él no pudiera darle, miedo a que aquella vida de constante miedo, amor y cansancio nunca acabase.

Jimmy llevaba consigo ese cansancio el día que entró en la iglesia para asistir a la boda de uno de los hermanos de Annabeth, Val Savage, y de Terese Hickey; tanto el novio como la novia eran feos, bajitos y tenían mal carácter. Jimmy se los imaginaba con cachorros en vez de hijos, criando un montón de bolas indistinguibles, llenas de rabia y con la nariz chata, que rebotarían arriba y abajo de la avenida Buckingham durante el resto de sus vidas, incendiando todo lo que se interpusiera en su camino. Val había sido empleado de Jimmy en la época en que éste había tenido empleados, y Val le estaba agradecido por haber aceptado una baja de dos años y una suspensión de empleo de tres años en nombre de toda la plantilla, cuando todo el mundo sabía que Jimmy podría haber hecho reducción de personal y haberse evitado algunos problemas. Val, que era un hombre de constitución pequeña y con un cerebro diminuto, habría idolatrado a Jimmy de modo incondicional si éste no se hubiera casado con una mujer que no sólo procedía de Puerto Rico, sino que además vivía en otro barrio.

Después de la muerte de Marita, los vecinos rumoreaban: «Bien, ¿qué esperaban? Eso es lo que sucede cuando uno va en contra de la naturaleza de las cosas. Sin embargo, Katie sí que será una belleza; las mestizas siempre lo son».

Cuando Jimmy salió de Deer Island, le llovieron las ofertas. Jimmy era un profesional; era uno de los mejores ladrones que había salido de un barrio que tenía una lista de ladrones digna de estar en el Hall of Fame[1]. Incluso cuando Jimmy les decía: «No, gracias, es que desearía vivir dentro de la ley, por la niña, saben...», la gente asentía con la cabeza y sonreía, ya que sabían que volvería a ellos tan pronto

---

1. Sala o edificio que se usa para conmemorar a las personalidades norteamericanas más destacadas. El más famoso es el de Nueva York. (*N. de la T.*)

como las cosas se pusieran difíciles y tuviera que escoger entre pagar el coche o comprar un regalo de Navidades a Katie.

Sin embargo, las cosas no fueron así. Jimmy Marcus, un genio del allanamiento de morada, que había dirigido su propia banda de hombres antes de alcanzar la edad legal para beber, el hombre que estaba detrás del robo a mano armada de Keldar Technics y de un montón de robos más, fue tan recto que llegó un momento en que la gente se creía que se mofaba de ellos. Incluso circulaban rumores de que Jimmy había empezado a hablar con Al DeMarco para comprarle la tienda, permitiendo que el viejo se retirara como propietario oficial y dándole un montón de dinero que, según se suponía, Jimmy había guardado del robo de Keldar. Jimmy de tendero, con un delantal... «Sí, sí, seguro», decían.

Durante la recepción que Val y Terese hicieron en el Knights of Columbus[1] de Dunboy, Jimmy sacó a bailar a Annabeth y todo el mundo lo vio de inmediato: cómo se movían al ritmo de la música, cómo inclinaban la cabeza mientras se miraban fijamente a los ojos, valientes como toros, la dulzura con la que le acariciaba la espalda con la palma de la mano y cómo Annabeth se apoyaba en ella. Alguien comentó que se conocían desde que eran niños, aunque él era un poco mayor que ella. Tal vez ese sentimiento siempre había estado allí, esperando a que la portorriqueña se fuera o que Dios la mandara a buscar.

Habían bailado al son de una canción de Rickie Lee Jones, que por alguna razón que Jimmy desconocía, tenía unas frases que siempre le llegaban a lo más hondo: «Bien, adiós, chicos / Oh, mis amigos / Oh, mis Sinatras de ojos tristes...». Se la cantó a Annabeth mientras se balanceaban, relajado y cómodo por primera vez después de muchos años; también le cantó el estribillo acompañando el susurro triste de Rickie: «Ha pasado tanto tiempo, avenida solitaria...», sonriéndole a aquellos ojos verdes transparentes; ella también le sonreía, de una forma dulce y reservada que le había he-

---

1. Orden fundada en 1982 por el padre Michael J. McGivney, en la iglesia de Santa María en New Haven, Connecticut. Hoy, más de un siglo después, se ha convertido en la organización laica más grande en la Iglesia católica. *(N. de la T.)*

cho estallar el corazón; los dos se comportaban como si ya hubieran bailado juntos un centenar de veces, a pesar de que era el primer baile.

Fueron los últimos en marcharse. Se sentaron en el amplio porche de la entrada, bebieron cervezas sin alcohol y fumaron, y saludaron a los otros invitados a medida que éstos se dirigían hacia sus coches. Permanecieron allí fuera hasta que la noche de verano empezó a refrescar y Jimmy le puso la chaqueta por encima de los hombros. Le explicó cosas sobre la cárcel y Katie, sobre los sueños de Marita de tener cortinas color naranja; ella, a su vez, le contó cómo había sido su infancia, creciendo en una casa llena de hermanos maníacos, le habló del invierno que pasó bailando en Nueva York, hasta que se dio cuenta de que no era lo bastante buena, también le habló de la escuela de enfermería.

Cuando los responsables del Knights of Columbus les hicieron abandonar el porche, fueron paseando hasta su casa y llegaron justo en el momento en que Val y Terese tenían la primera discusión de casados. Cogieron un paquete de seis cervezas del frigorífico de Val y se marcharon; se encaminaron poco a poco hacia la oscuridad del autocine Hurley y, sentándose junto al canal, escucharon su triste chapaleteo. Hacía ya cuatro años que habían cerrado el cine, y cada mañana se dirigían hacia allí pequeñas excavadoras amarillas y camiones de escombros del Departamento de Parques y Jardines y del Departamento de Transporte, y convertían toda la zona que había alrededor del Pen Channel en una explosión de suciedad y de trozos de cemento. Se rumoreaba que iban a hacer un parque, pero en aquel momento tan sólo era un autocine destrozado y la pantalla aún aparecía blanca por detrás de las enormes pilas de escombros color pardo y de montañas negras y grises de restos de asfalto.

—Dicen que lo llevas en la sangre —espetó Annabeth.

—¿El qué?

—El hecho de robar, de cometer delitos... —se encogió de hombros—. Ya sabes a lo que me refiero.

Jimmy le dedicó una sonrisa desde detrás de la botella de cerveza y tomó un trago.

–¿Estás de acuerdo? –le preguntó.

–No sé. –Ahora le tocó a él encogerse de hombros–. Tengo muchas cosas en la sangre, pero eso no quiere decir que tengan que salir a la luz.

–No te estoy juzgando, créeme.

Tanto su rostro como su voz eran del todo ilegibles y él se preguntaba qué deseaba que le dijera: ¿Que aún seguía con ese estilo de vida? ¿Que ya lo había dejado? ¿Que la haría rica? ¿Que nunca jamás volvería a perpetrar un delito?

Desde lejos, Annabeth tenía un rostro tranquilo y poco expresivo, pero cuando uno la miraba de cerca, veía muchas cosas que no llegaba a comprender, y tenía la sensación de que la mente le iba a toda velocidad y que no la dejaba descansar.

–Lo que quiero decir es que... Tú llevas el baile en la sangre, ¿no es verdad?

–No lo sé. Supongo que sí.

–Sin embargo, cuando te dijeron que no podías seguir haciéndolo, lo dejaste, ¿no es así? Es posible que doliera, pero te enfrentaste con el problema.

–Bien...

–De acuerdo –dijo, y sacó un cigarrillo del paquete que estaba entre ellos encima del banco de piedra–. Sí, era muy bueno en lo que hacía. Pero tuve problemas, mi mujer se murió y eso jodió la vida de mi hija. –Encendió el cigarrillo y espiró profundamente mientras intentaba explicárselo del mismo modo que se lo había dicho a sí mismo un centenar de veces–: No pienso volver a joder la vida de mi hija, ¿entiendes, Annabeth? No soportaría que yo tuviera que pasar dos años más en la cárcel. Mi madre no está bien de salud. Si ella muriera mientras yo estuviera encerrado, se llevarían a mi hija, estaría bajo tutela del Estado y acabarían llevándola a algún centro tipo Deer Island para niños. No podría soportarlo, así de simple. Esté o no en la sangre, o cualquiera que sea el motivo, joder, te aseguro que no tengo ninguna intención de meterme en líos.

Jimmy le sostuvo la mirada mientras ella le examinaba el rostro. Sabía que buscaba algún defecto en su explicación, algún tufillo o mentira, y él esperaba haber conseguido que el discurso fuera coherente. Se lo había estado pensando durante suficiente tiempo, preparándose para un momento como aquél. Y en realidad, casi todo lo que había dicho era verdad. Lo único que había omitido era una cosa que se había prometido a sí mismo que nunca contaría a nadie, no importara quien fuera. Así pues, la miró a los ojos, esperó a que ella tomara una decisión, intentando apartar las imágenes de aquella noche junto al río Mystic (un tipo de rodillas, con la saliva goteándole barbilla abajo, el sonido chirriante de sus súplicas), imágenes que seguían intentando taladrarle la cabeza como si fueran brocas.

Annabeth cogió un cigarrillo. Él se lo encendió y ella confesó:

—Estuve loca por ti, ¿lo sabías?

Jimmy mantuvo la cabeza erguida, la mirada tranquila, a pesar de que la sensación de alivio que le recorrió el cuerpo era propia de un avión a reacción. Sólo le había dicho media verdad. Si las cosas salían bien con Annabeth, ya no tendría que volver a repetirlo.

—¡No puede ser! ¿Por mí?

Asintió con la cabeza y añadió:

—¿Te acuerdas de cuando pasabas por casa a ver a Val? ¡Dios mío! ¿Cuántos años debería de tener... catorce, quince? ¡Jimmy, ni te lo creerías! Sólo con oír tu voz en la cocina, ya me ponía a temblar.

—¡Joder! —Le tocó el brazo—. Pero ahora no estás temblando.

—Sí que lo estoy, Jimmy. Sin ninguna duda.

Y Jimmy sintió cómo el episodio del Mystic se alejaba de nuevo, se desvanecía entre las sucias profundidades del canal, desaparecía y se instalaba en la distancia, allí donde debía estar.

Cuando Sean regresó al sendero del parque, la perito de la Policía Científica estaba allí. Whitey Powers ordenó por radio a todas las unidades que se encontraban por allí que hicieran una barrida policial y que detuvieran a todos los vagabundos del parque; después se agachó junto a Sean y la perito.

—El rastro de sangre va hacia allí —declaró la perito, señalando hacia el interior del parque.

El sendero pasaba por encima de un pequeño puente de madera y luego se desviaba y bajaba hacia una zona muy arbolada del parque, que rodeaba el antiguo autocine que había en uno de los extremos del lugar.

–Allí hay más. –Señaló con el bolígrafo; Sean y Whitey se dieron la vuelta y vieron pequeñas gotas de sangre encima de la hierba al otro lado del sendero y junto al pequeño puente de madera; las hojas de un gran arce habían impedido que la lluvia de la noche anterior borrara los rastros de sangre–. Creo que huyó en dirección a ese barranco.

Se oyó un pitido procedente de la radio de Withey; éste se la llevó a los labios y respondió:

–Powers.

–Sargento, necesitamos su presencia en el jardín.

–Voy hacia allí.

Sean observó cómo Whitey andaba a toda velocidad por el sendero y luego se dirigía hacia el jardín vallado que había junto a la siguiente curva. El dobladillo de la camiseta de hockey de su hijo le ondeaba en la cintura.

Sean se puso en pie, contempló el parque y se percató de lo grande que era: notó cada arbusto, cada montículo y toda aquella agua. Volvió a contemplar el puentecillo de madera que conducía a un pequeño barranco donde el agua era el doble de oscura y dos veces más contaminada que la del canal. Al estar revestido de una capa permanente de grasa, estaba plagado de mosquitos en verano. Sean divisó una mancha roja en los árboles delgados y verdosos que crecían a lo largo del borde del barranco y se dirigió hacia allí; de repente, la perito de la Policía Científica, que estaba junto a él, también la vio.

–¿Cómo se llama? –le preguntó Sean.

–Karen –respondió–. Karen Hughes.

Sean le estrechó la mano y, mientras cruzaban el sendero, ninguno de los dos apartó la mirada de la mancha roja; ni siquiera se dieron cuenta de que Whitey Powers se acercaba hasta que éste estuvo casi encima de ellos, corriendo y sin aliento.

–Hemos encontrado un zapato –declaró Whitey.

–¿Dónde?

Whitey señaló un poco más allá del sendero, allí donde empezaba a bordear el jardín vallado.

–En el jardín. Es un zapato de mujer del número treinta y siete.

–¡No lo toquen! –les ordenó Karen Hughes.

–¡Bah! –exclamó Whitey.

Karen lo miró con desaprobación, tenía una mirada glacial que podía hacer que se te encogiera el cuerpo.

–Lo siento. Sólo he dicho «bah», señora.

Sean se volvió hacia los árboles y la mancha de sangre ya no era una mancha, sino un trozo rasgado de tela en forma de triángulo que colgaba de una fina rama a la altura del hombro. Los tres se quedaron inmóviles allí delante hasta que Karen Hughes dio un paso atrás e hizo unas cuantas fotografías desde cuatro ángulos diferentes; después revolvió el bolso en busca de algo.

Sean estaba casi seguro de que era nailon; con toda probabilidad era un trozo de chaqueta manchado de sangre.

Karen usó unas pinzas para arrancarlo de la rama, lo miró con atención durante un minuto y luego lo dejó caer en una bolsa de plástico.

Sean se inclinó hacia delante hasta la altura de la cintura, estiró la cabeza y miró hacia el barranco. Después volvió la mirada hacia al otro lado y vio lo que podía haber sido la huella de un zapato impresa en la tierra húmeda.

Le dio un codazo a Whitey y la señaló hasta que él también la vio. Karen Hughes se fijó en ella y al momento ya estaba sacando unas cuantas fotografías con la Nikon del departamento. Se puso en pie, cruzó el puente, bajó hasta la orilla e hizo unas cuantas fotografías más.

Whitey se puso en cuclillas, echó un vistazo debajo del puente y afirmó:

–Diría que se escondió aquí durante un rato y que cuando vio que el asesino se acercaba, se precipitó hacia el otro lado y echó a correr de nuevo.

–¿Por qué seguiría adentrándose en el parque? –preguntó Sean–. Quiero decir, aquí está de espaldas al agua, sargento. ¿Por qué no cogió un atajo para dirigirse hacia la entrada?

–Tal vez estuviera desorientada. Estaba oscuro y le habían disparado.

Whitey se encogió de hombros y usó la radio para llamar al Departamento de Comunicados.

–Aquí el sargento Powers. Nos estamos acercando a un posible uno-ocho-siete. Vamos a necesitar todos los agentes de los que podamos disponer para hacer una barrida policial del Pen Park. Tal vez iría bien que también nos enviara unos cuantos buceadores.

–¿Buceadores?

–Afirmativo. También necesitamos la presencia del teniente Friel y alguien de la fiscalía del distrito tan pronto como sea posible.

–El teniente ya se encuentra en camino y ya se lo hemos comunicado a la fiscalía. ¿Corto?

–Afirmativo. Cambio.

Sean observó la huella del tacón en la tierra y se percató de que había algunas rayas a su izquierda, como si la víctima hubiera metido los dedos al subir a rastras y pasar al otro lado.

–¿Le gustaría hacer alguna conjetura sobre lo que sucedió aquí ayer por la noche, sargento?

–Ni me atrevo a intentarlo –respondió Whitey.

Desde las escaleras de la iglesia, Jimmy apenas lograba vislumbrar el Penitentiary Channel. Era tan sólo una línea color violeta claro en el extremo más alejado del paso superior que atravesaba la autopista; el parque que lo confinaba era el único reducto de naturaleza a ese lado del canal. Jimmy observó la blanca raja de la parte superior de la pantalla del autocine, que estaba situado en el centro del parque, y que sobresalía un poco por encima del paso superior. Aún seguía ahí, mucho después de que el Estado se hubiera apropiado de la tierra por cuatro duros en la subasta del Distrito 11 y lo cediera al Departamento de Parques y Jardines. Dicho departamento se había pasado los diez años siguientes embelleciendo el lugar, arrancando los palos que aguantaban los altavoces del autocine, nivelando el suelo y plantando césped, delimitando senderos para ciclistas y atletas a lo largo del agua, erigiendo jardines vallados, construyeron incluso un embarcadero y rampas para piragüistas, a pesar de que éstos no podrían llegar muy lejos antes de que les hicieran dar la vuelta por los dos extremos a causa de las esclusas del puerto. Sin embargo, la pantalla seguía allí, surgía por detrás del callejón sin salida que habían creado al plantar una hilera de grandes árboles que habían transportado por barco desde Carolina del Norte. En el verano, un grupo de teatro local solía interpretar a Shakespeare delante de la pantalla; la decoraban con telones medievales, brincaban de un lado a otro del escenario con espadas de papel de aluminio y no cesaban de repetir «atiende», «en verdad» y gilipolleces por el estilo. Hacía dos veranos que Jimmy había ido allí con Annabeth y las chicas. Annabeth, Nadine y Sara se habían quedado dormidas antes de que acabara el primer acto; sin embargo, Katie había permanecido despierta, inclinándose hacia delante encima de la manta, con el codo apoyado en la rodilla y la barbilla en la palma de la mano; por lo tanto, Jimmy había hecho lo mismo.

Esa noche representaron *La fierecilla domada*, y Jimmy fue incapaz de seguir la mayor parte de la historia. Iba sobre un tipo que abofeteaba a su prometida hasta que la hacía entrar en vereda y se convertía en una obediente y aceptable esposa. Jimmy no comprendía qué había de artístico en eso, pero se imaginó que la obra perdía mucho a causa de la adaptación. En cambio, Katie se lo pasó en grande. Se rió un montón de veces, se quedó absorta y en total silencio unas cuantas veces más, y después dijo a Jimmy que había sido «mágico».

Jimmy no comprendía nada de lo que ella le decía y Katie era incapaz de explicárselo. Sólo repetía que había sentido que la «transportaban», y durante los seis meses siguientes no paraba de repetir que se iría a vivir a Italia después de la graduación.

Jimmy, mientras contemplaba el extremo de los edificios de East Bucky desde las escaleras de la iglesia, pensó: «¡Italia, por supuesto!».

—¡Papá, papá! —Nadine se separó de un grupo de amigos y corrió hacia Jimmy en el momento en que éste pisaba el último escalón—. ¡Papá, papá! —repitió lanzándose a toda velocidad sobre él.

Jimmy la levantó en brazos y percibió un olor intenso a almidón procedente del vestido; la besó en la mejilla y exclamó:

–¡Nena, nena!

Con el mismo movimiento que su madre solía hacer para apartarse el pelo de los ojos, Nadine usó dos dedos para apartarse el velo del rostro.

–Este vestido pica.

–Me pica a mí y ni siquiera lo llevo –protestó Jimmy.

–Si te pusieras un vestido, papá, estarías muy gracioso.

–No si me quedara tan bien como a ti.

Nadine puso los ojos en blanco, se rascó la parte inferior de la barbilla con el rígido borde del velo y le preguntó:

–¿Te hace cosquillas?

Jimmy observó a Annabeth y a Sara por encima de la cabeza de Nadine, y sintió cómo las tres le hacían estallar el pecho, cómo le llenaban y cómo le convertían en polvo a la vez.

Si un montón de balas le acribillara la espalda en ese momento, en ese preciso instante, no pasaría nada. No lo lamentaría. Era feliz, todo lo feliz que uno podía llegar a ser.

Bueno, casi. Echó un vistazo a la multitud por si veía a Katie, con la esperanza de que ésta hubiera aparecido en el último momento. En vez de eso, vio a un coche patrulla que giraba la esquina de la avenida Buckingham y que se colocaba en el carril izquierdo de la calle Roseclair; el neumático trasero golpeaba la franja central mientras que el ruido estridente y agudo de la sirena cortaba el aire de la mañana. Jimmy observó cómo el conductor pisaba el acelerador y oyó el ruido que hacía el motor al girar con rapidez cuando el coche patrulla bajaba la calle Roseclair a toda velocidad en dirección al Pen Channel. Unos segundos más tarde le siguió un coche negro camuflado y, a pesar de que llevaba la sirena apagada, era imposible confundirlo con otro tipo de coche, ya que el conductor giró la esquina de noventa grados que llevaba a la calle Roseclair a sesenta kilómetros por hora; además, el motor hacía un ruido ensordecedor.

Mientras Jimmy dejaba a Nadine en el suelo, sintió que una certeza desagradable y repentina le recorría el cuerpo; tuvo la sensación de que las cosas volvían lamentablemente a la normalidad. Contempló cómo los dos coches patrulla pasaban como un rayo por debajo del paso elevado y giraban con brusquedad hacia la derecha para tomar la carretera de entrada del Pen Park. En ese momento, sintió a Katie en su sangre, junto con los motores ensordecedores y los neumáticos batientes, entre los vasos capilares y las células.

–Katie –estuvo a punto de decir en voz alta–. ¡Santo cielo! ¡Katie!

8

Old MacDonald

El domingo por la mañana, Celeste se despertó pensando en cañerías: en toda esa red de tubos que atravesaba casas y restaurantes, multicines y centros comerciales, y que bajaba formando grandes tramos esqueléticos desde lo alto de edificios de oficinas de cuarenta plantas, de un piso gigantesco a otro, y que se precipitaban hacia una red incluso mayor de alcantarillas y acueductos que serpenteaban bajo pueblos y ciudades, conectando a la gente de una forma más viable que las propias palabras, con el único objetivo de deshacerse de todo aquello que habíamos consumido y que nuestros cuerpos, nuestras vidas, nuestros platos y nuestras bandejas de comida crujiente habían desechado.

¿Adónde iba todo aquello?

Se imaginaba que ya se habría planteado esa pregunta con anterioridad, de forma imprecisa, de la misma manera que uno se pregunta cómo puede ser que un avión se mantenga en el aire sin batir las alas, pero en ese momento deseaba saberlo de verdad. Se sentó en la cama vacía, ansiosa y curiosa, y oyó el ruido que hacían Dave y Michael mientras jugaban al *Wiffle-ball*[1] en el jardín trasero tres plantas más abajo. ¿Adónde?, se preguntaba.

Tenía que ir a alguna parte. Todos esos chorros de agua, todo ese jabón de manos, champú, detergente, papel higiénico y los vómitos

---

1. Variedad de béisbol en la que sólo se requieren cinco jugadores y en la que las dimensiones son más reducidas. Asimismo, no se necesitan ni guantes, ni bates de aluminio, ni guantes de cuero... Sólo se necesita un bate de plástico amarillo *(Wiffle-bat)*, el único permitido, y una pelota de plástico también de marca Wiffle. *(N. de la T.)*

de los bares, todas las manchas de café, las manchas de sangre, las manchas de sudor, la suciedad de las vueltas del pantalón y la mugre del lado interno de los cuellos de camisa, las verduras frías que uno quitaba del plato con el tenedor y tiraba en el cubo de la basura, los cigarrillos, la orina, las duras cerdas de pelo procedentes de piernas, mejillas, ingles y barbillas... todo aquello se juntaba cada noche con cientos de miles de entidades similares o idénticas y, según suponía, fluían a través de húmedos pasadizos repletos de bichos, para ir a desembocar en unas grandes catacumbas, donde se mezclaba con chorros de agua que se dirigían a toda velocidad... ¿adónde?

Ya no lo vertían en el mar. ¿O sí? No estaba permitido. Le parecía recordar algo sobre el tratamiento de gérmenes infecciosos y de la depuración de aguas residuales, pero no tenía muy claro si lo había visto en una película, y ya se sabe que a menudo las películas estaban plagadas de gilipolleces. Así pues, si no lo vertían al mar, ¿adónde iba? Y si lo hacían, ¿por qué? Seguro que había un sistema mejor, ¿no? Sin embargo, se le volvió a aparecer la imagen de todas aquellas tuberías, de todos los residuos, y no le quedó más remedio que seguir preguntándoselo.

Oyó el sonido hueco y de plástico que hacía el bate de *Wiffle-ball* al golpear la pelota. Oyó cómo Dave gritaba «¡para!» y los gritos de alegría de Michael; también oyó el ladrido de un perro y éste sonó tan seco como el del bate y la pelota.

Celeste se dio la vuelta y se puso boca arriba; sólo entonces se dio cuenta de que estaba desnuda y de que había dormido hasta pasadas las diez. Era algo que no había sucedido a menudo, si es que había sucedido alguna vez desde que Michael había aprendido a andar. Notó cómo una oleada de culpabilidad le inundaba el pecho, para luego desaparecer en la boca del estómago a medida que recordaba cómo había besado la piel que había alrededor de la nueva cicatriz de Dave a las cuatro de la madrugada y en la cocina, arrodillada, probando el miedo y la adrenalina de sus poros, olvidándose de cualquier preocupación por el sida o por la hepatitis al sentir ese deseo repentino de saborearle y de abrazarse a él lo más estrechamente posible. Había dejado que la bata de baño le cayera de los hombros mientras continuaba recorriéndole la piel con la lengua, arrodillada con una camiseta y en ropa interior de color negro, sintiendo cómo la noche se adentraba por debajo de la puerta del porche y le helaba los tobillos y las rótulas. El miedo había provocado que la piel de Dave adquiriera un sabor medio amargo y medio dulce; le pasaba la lengua desde la cicatriz hasta la garganta y le rodeaba las pantorrillas con las manos mientras notaba que se endurecía y que se le intensificaba la respiración. Deseaba que todo eso durara para siempre: el hecho de saborearlo, el poder que de repente sentía en su cuerpo; por lo tanto, se levantó y le rodeó con los brazos. Deslizó la lengua sobre la de él, le agarró el pelo con los dedos y se imaginó que así absorbía el dolor causado por el encuentro del aparcamiento. Le sostuvo la cabeza y le apretó contra su cuerpo hasta que él le arrancó la camiseta y hundió la boca entre sus pechos; luego se balanceó contra la ingle de él y oyó cómo empezaba a gemir. Deseaba que Dave comprendiera que ellos eran eso: estrecharse uno contra el otro, la fusión de sus cuerpos, el olor, la necesidad, el amor, sí, el amor, porque nunca le había amado tanto como entonces, ya que se había dado cuenta de que había estado a punto de perderlo.

Dave le mordió el pecho con los dientes y, aunque le dolía y se lo chupaba con demasiada dureza, aún se le acercó más a la boca y recibió el dolor con los brazos abiertos. Aunque le hubiera chupado la sangre no le habría importado porque la lamía y la necesitaba a ella, le clavaba las uñas en su espalda y se liberaba de su miedo para dejarlo encima y dentro de ella. Se lo tragaría todo y luego lo escupiría por él; los dos se sentirían más fuertes que nunca. No tenía ninguna duda al respecto.

Cuando empezó a salir con Dave, su vida sexual se había caracterizado por una carencia total de límites. Solía llegar al piso que compartía con Rosemary llena de morados, de mordiscos y de arañazos en la espalda, que le llegaban hasta los mismísimos huesos a causa de esa especie de agotamiento apremiante que se imaginaba que debían de sentir los adictos entre chute y chute. Desde el momento en que nació Michael, en realidad desde que Rosemary fuera a vivir con ellos después del cáncer número uno, Celeste y Dave habían caído en esa especie de rutina predecible de pareja casada de la que se reían tanto en las comedias; es decir, la pareja que o bien suele estar demasiado cansada o que no tiene suficiente intimidad y que se tiene que contentar con algunos minutos de caricias rutinarias y un poco de sexo oral, hasta pasar al acontecimiento principal, que, con el paso de los años, deja de ser tan importante y cada vez se parece más a una forma de matar el tiempo entre la información meteorológica y *Leno*[1].

Sin embargo, la noche anterior había sido sin lugar a dudas ese tipo de pasión que merecía llamarse *acontecimiento principal* y que la había dejado, hasta aquel preciso momento en que seguía en la cama, totalmente magullada.

Sólo al volver a oír la voz de Dave procedente del jardín, repitiéndole a Michael que hiciera el favor de concentrarse, fue capaz de recordar lo que la había estado preocupando, antes de las tuberías, antes del recuerdo del sexo loco en la cocina, tal vez incluso antes de que se metiera en la cama a altas horas de la madrugada: Dave le había mentido.

Lo había sabido desde el primer momento en que él entró en el cuarto de baño; sin embargo, había decidido cerrar los ojos ante la evidencia. Después, tumbada en el suelo de linóleo, y arqueando la espalda y el culo para que él pudiera penetrarla, lo había vuelto a saber.

Le examinó los ojos, algo vidriosos, mientras se introducía dentro de ella y mientras tiraba de sus pantorrillas con fuerza para colocarlas encima de sus caderas; aceptó sus primeras embestidas con el convencimiento de que la historia que le acababa de contar no tenía ningún sentido.

Para empezar, a quién podría ocurrírsele decir cosas del estilo «la cartera o la vida, hijo de perra. No me pienso ir sin una cosa o la otra». Absurdo. Era, tal como había pensado en el cuarto de baño, una frase extraída de una película. Y aunque el ladrón se hubiera preparado la frase con anterioridad, dudaba mucho de que en realidad la hubiera pronunciado cuando llegara el momento. Imposible. A Ce-

1. Hace referencia a *The Tonight with Jay Leno*, uno de los programas de entrevistas más populares de la televisión estadounidense. Se emite a diario por la cadena NBC y su presentador, James Leno, es también famoso por su faceta de cómico. *(N. de la T.)*

leste la habían atracado una vez en un parque público cuando debía de tener unos veinte años. El atracador, un negro de piel no demasiado oscura, de muñecas planas y delgadas y ojos inquietos color castaño, se había acercado a ella en el desamparo de un frío anochecer, le había colocado una navaja de resorte en la cadera y le había dejado entrever por un instante sus fríos ojos mientras le susurraba: «¿Qué tienes?».

No había nada en los alrededores, a excepción de unos árboles pelados propios de diciembre; la persona que tenían más cerca era un hombre de negocios que se apresuraba hacia su casa por Beacon al otro lado de una valla de hierro forjado que debía de estar a unos dieciocho metros de distancia. El atracador le apretaba más con la navaja en los pantalones vaqueros, sin cortarla, pero presionando con fuerza contra ella; notó que el aliento le olía a caries y a chocolate. Le había entregado la cartera, intentando evitar sus inquietos ojos castaños y esa sensación irracional de que el tipo tenía muchos más brazos de los que mostraba; él se había metido la cartera en el bolsillo del abrigo y le había dicho: «Estás de suerte, ya que no tengo mucho tiempo», y se había alejado poco a poco por la calle Park, sin prisas y sin miedo.

Muchas mujeres le habían contado historias parecidas. Al menos en aquella ciudad no solían atracar a los hombres, a no ser que buscaran jaleo; en cambio, a las mujeres las atracaban muy a menudo. La amenaza de la violación siempre estaba presente, implícita o imaginada, y de entre todas las historias que le habían contado, nunca había habido un atracador que dijera frases inteligentes.

No tenían tiempo. Necesitaban ser lo más sucintos que fuera posible. Conseguir lo que querían y marcharse de allí antes de que alguien se pusiera a gritar.

Además estaba el asunto ése de que le había pegado un puñetazo mientras sostenía la navaja en la otra mano. Si uno daba por supuesto que sostenía la navaja con la mano diestra, bien, venga hombre, ¿quién daba puñetazos con una mano que no fuera la que usaba para escribir?

Sí, creía que Dave se había visto inmerso en una horrible situación en la que se había visto obligado a sucumbir a una mentalidad del tipo «o matas, o te matan». Sí, estaba segura de que no era el tipo de hombre que habría ido en busca de pelea. Pero... pero aun así, la historia que había contado tenía lagunas y cosas que no encajaban. Era como si alguien que llevara la camisa manchada de lápiz de labios deseara justificarse: no quería decir que uno hubiera sido infiel, pero la explicación, por ridícula que fuera, debería tener algún sentido.

Se imaginó a los dos detectives en la cocina de su casa, haciéndole preguntas, y estaba convencida de que Dave no soportaría la presión. Ante una mirada imparcial y un sinfín de preguntas, su historia caería por su propio peso. Reaccionaría de la misma forma que cuando le preguntaba por su infancia. Sin lugar a dudas había oído contar historias, ya que las marismas no dejaban de ser un pequeño pueblo dentro de una gran ciudad y la gente rumoreaba. Así pues, una vez le había preguntado a Dave si le había sucedido algo terrible cuando era niño, algo que sintiera que no podía compartir con nadie, y le había hecho saber que podía compartirlo con ella, su mujer, que además estaba embarazada de su hijo en aquel momento.

Le había mirado con un gesto de confusión y le había dicho:

–¡Ah, te refieres a eso!

–¿A qué?

–Estaba jugando con Jimmy y con otro niño, Sean Devine. Sí, ya le conoces. Le has cortado el pelo una o dos veces, ¿verdad?

Celeste le recordaba. Trabajaba para algún departamento relacionado con la ley, pero no en la ciudad. Era alto, con el pelo rizado y una voz color ámbar que te embriagaba. Tenía la misma seguridad inherente que Jimmy, esa que tenían los hombres que, o bien eran muy atractivos, o rara vez se veían afligidos por la duda.

Era incapaz de imaginarse a Dave con aquellos dos hombres; ni siquiera de niños.

–De acuerdo –le había respondido.

–Bien, el coche se detuvo, subí, y poco después, me escapé.

–Te escapaste.

Él había asentido, haciendo un gesto con la cabeza.

–No hay mucho más que contar, cariño.

–Pero Dave...

Tapándole los labios con el dedo, le había dicho:

–Démoslo por finalizado, ¿vale?

Sonreía, pero Celeste captó una especie de... ligera histeria en sus ojos.

–¿Qué más quieres saber? Recuerdo que jugaba a pelota y a dar patadas a las latas –dijo Dave–. Y que también iba a la escuela Lewis M. Dewey y que tenía que hacer grandes esfuerzos para no dormirme en clase. También recuerdo haber ido a algunas fiestas de cumpleaños y chorradas de ésas. Pero, venga, era una vida muy aburrida. Si quieres te cuento la época de instituto...

Sin embargo, ella lo dejaba correr, tal como hacía cuando él le mentía sobre por qué había perdido el trabajo en la Empresa Americana de Mensajeros (Dave le había dicho que habían hecho reducción de plantilla, pero otros tipos del barrio salieron a la calle durante las semanas que siguieron y les llovieron las ofertas de empleo), o como cuando le había contado que su madre había muerto de un ataque al corazón cuando todo el barrio sabía la historia de que Dave, al regresar a casa cuando cursaba el penúltimo curso en el instituto, se había encontrado a su madre sentada junto al horno, con las puertas de la cocina cerradas, con unas toallas que tapaban las ranuras y con la habitación llena de gas. Al final se había convencido de que Dave necesitaba sus mentiras y que le hacía falta reinventar su propia historia e idearla de tal modo que le permitiera aceptarla y enterrarla. Y si eso le convertía en una persona mejor, en un marido cariñoso, aunque en ocasiones distante, y en un padre atento, ¿quién era ella para juzgarle?

Sin embargo, mientras Celeste sacudía los pantalones vaqueros y algunas camisas de Dave, supo que esa mentira podría acabar con él. Con ellos, ya que al lavarle la ropa, ella también había participado en la conspiración para obstruir a la justicia. Si Dave no se sinceraba con ella, sería incapaz de ayudarle. Y cuando la policía fuera a su casa (porque lo haría, ya que eso no era la televisión; incluso el detective más tonto y más borracho era más listo que ellos cuando se trataba de crímenes) despedazarían la historia de Dave con la misma facilidad que si cascaran un huevo en el borde de una sartén.

La mano derecha le estaba matando. A Dave se le habían hinchado los nudillos el doble de lo normal y tenía la sensación de que los huesos más cercanos a la muñeca estaban a punto de perforarle la piel. Así pues, podría haber pasado por alto que le había lanzado la pelota a Michael con torpeza, pero se negaba a hacerlo. Si el chaval era incapaz de darle a la pelota Wiffle cuando ésta volaba en curva o por lo bajo, nunca sería capaz de seguir la trayectoria de una pelota más dura que fuera al doble de velocidad, ni de darle con un bate diez veces más pesado.

Su hijo, que tenía siete años, era demasiado pequeño para su edad y demasiado confiado para el mundo en que vivían. Era obvio por la franqueza de su rostro y por la sensación de esperanza que irradiaba de sus ojos azules. A Dave le encantaba esa faceta de su hijo, pero también la odiaba. No sabía si tendría la fortaleza para quitársela, pero tenía la certeza de que pronto tendría que hacerlo, y que si no lo hacía, el mundo lo haría por él. Esa cosa tierna y frágil de su hijo era una maldición de los Boyle, la misma que hacía que a Dave, a la edad de treinta y cinco años, aún le siguieran confundiendo por un universitario y que le pidieran el carné de identidad en las tiendas de bebidas alcohólicas fuera del barrio. Tenía la misma mata de cabello que cuando tenía la edad de Michael y no tenía ni una sola arruga; sus propios ojos azules eran vitales e inocentes.

Dave observó cómo Michael se atrincheraba tal como le había enseñado, cómo se arreglaba la gorra y cómo ladeaba el bate por encima de su cabeza. Balanceaba un poco las rodillas y las flexionaba, un hábito del que Dave se iba liberando poco a poco, pero que le volvía con la misma naturalidad que si fuera un tic. Dave lanzaba la pelota con rapidez, para sacar partido de sus debilidades, escondiendo las nudilleras al arrojar la pelota antes de extender el brazo del todo; retorciendo la palma de la mano a causa del movimiento.

Sin embargo, Michael dejó de flexionar las rodillas tan pronto como Dave empezó a moverse con la rapidez que lo caracterizaba. Cuando la pelota voló y luego cayó, Michael intentó golpearla bajo y le dio como si sostuviera un palo de golf. Dave vio el indicio de una sonrisa esperanzadora en el rostro de Michael mezclada con algo de sorpresa al darse cuenta de su proeza; Dave estuvo a punto de dejar escapar la pelota, pero en vez de eso la arrojó de nuevo al suelo; sintió cómo algo se le desmoronaba en el pecho mientras la sonrisa se desvanecía del rostro de su hijo.

–¡Eh! –exclamó Dave, decidido a permitir que su hijo disfrutara de la satisfacción de haber hecho un golpe lateral tan bueno–. Ha sido un golpe estupendo, campeón.

Michael, que aún seguía perfeccionando el golpe con el entrecejo fruncido, le preguntó:

–¿Cómo has podido lanzarla al suelo?

Dave recogió la pelota del suelo y respondió:

–No lo sé. ¿Crees que será porque soy mucho más alto que los demás niños de la liga infantil?

Michael sonrió con indecisión, a la espera de volver a batear y le dijo:

–¿Eso crees?

–Déjame que te haga una pregunta: ¿conoces a algún niño de segundo curso que mida más de metro sesenta?

–No.

–Y además tuve que saltar para conseguirlo.

–¡Es verdad!

–Y por mucho que mida más de metro sesenta, sólo he podido hacer un sencillo.

Entonces Michael se rió; su risa era una cascada, como la de Celeste.

–De acuerdo...

–Sin embargo, has flexionado los músculos.

–¡Ya lo sé, ya lo sé!

–Una vez que hayas encontrado la posición, colega, deberías dejar de moverte.

–Pero Nomar...

–Ya sé todo lo que hacen Nomar y Derek Jeter. Son tus héroes, de acuerdo. Pero cuando uno tiene la posibilidad de ganar diez millones de dólares en un partido, se puede permitir el lujo de moverse. ¿Hasta entonces?

Michael se encogió de hombros y pegó una patada al suelo.

–Mike, ¿hasta entonces?

Michael suspiró y dijo:

–Hasta entonces, me concentraré en lo básico.

Dave sonrió, lanzó la pelota por encima de él y la cogió sin ni siquiera mirarla; luego añadió:

–Sin embargo, has hecho un lanzamiento muy bueno.

–¿De verdad?

–Hijo, esa cosa ha salido volando hacia la colina, directo a la zona alta de la ciudad.

–A la zona alta –repitió Michael, y soltó otra risa como las de su madre.

–¿Quién se va a la zona alta?

Ambos se dieron la vuelta y vieron a Celeste de pie junto al porche trasero. Llevaba el pelo recogido, los pies descalzos, y una de las camisas de Dave encima de unos pantalones vaqueros descoloridos.

–¡Hola, mamá!

–¡Hola, preciosidad! ¿Te vas a la zona alta con tu padre?

Michael se quedó mirando a Dave. De repente se había convertido en su chiste privado. Se rió con disimulo y contestó:

–No, mamá.

–¿Dave?

–Se trata de la pelota, cariño. De la pelota que acaba de lanzar.

–¡Ah, la pelota!

–Le dio de pleno. Papá sólo fue capaz de pararla porque es muy alto.

Dave sentía que Celeste lo observaba incluso cuando ésta tenía los ojos puestos en Michael. Le observaba y esperaba como si deseara preguntarle algo. Recordó cómo la noche anterior le había susurrado: «Ahora formo parte de ti y tú de mí» con voz ronca, mientras se levantaba del suelo de la cocina para asirle del cuello y acercar los labios a su oído.

Dave no tenía ni idea de lo que le estaba diciendo, pero le gustó el sonido; además, la ronquera de sus cuerdas vocales había hecho que alcanzara un orgasmo más intenso.

Sin embargo, en ese momento tenía la sensación de que sólo se trataba de uno más de los intentos de Celeste de adentrarse en su cabeza y fisgar; eso le cabreaba, ya que una vez que alguien se metía allí dentro, no le gustaba lo que veía y se iba corriendo.

–¿Qué te pasa, cariño? –le preguntó Dave.

–¿Eh? Nada. –Se estrechó el cuerpo con los brazos a pesar de que la temperatura aumentaba con rapidez–. Mike, ¿ya has desayunado?

–Aún no.

Celeste frunció el entrecejo mirando a Dave, como si fuera el peor de los crímenes que Michael se hubiera puesto a golpear pelotas antes de haber obtenido el azúcar necesario que le aportaban los cereales de color carmesí que solía comer.

–Te he llenado la taza y la leche está en la mesa.

–¡Estupendo! ¡Tengo un hambre que me muero!

Michael soltó el bate y Dave sintió que le traicionaba al dejar el bate de aquel modo e irse corriendo hacia las escaleras. «¿Que te morías de hambre? ¿Qué pasa? ¿Te he tapado la boca para que no me lo pudieras decir? ¡Joder!»

Michael pasó trotando junto a su madre y subió las escaleras que llevaban al tercer piso con tal velocidad que daba la impresión de que éstas iban a desaparecer si no llegaba hasta arriba con la suficiente rapidez.

–¿No vas a desayunar, Dave?

–¿Vas a dormir hasta el mediodía, Celeste?

–Sólo son las diez y cuarto –respondió Celeste.

Dave sintió que toda la buena voluntad que habían conseguido infundir a su matrimonio con la locura de la noche anterior en la cocina se convertía en humo y se alejaba más allá de su propio jardín.

Hizo un esfuerzo por sonreír. Si uno conseguía aparentar que la sonrisa era auténtica, nadie podía llegar hasta él.

–¿Qué pasa, cariño?

Celeste bajó hasta el jardín y sus pies descalzos se veían de un color castaño claro sobre la hierba.

–¿Qué hiciste con el cuchillo?

–¿Qué?

–Con el cuchillo –susurró, volviendo la cabeza hacia la ventana del dormitorio de los McAllister–. Con el cuchillo del atracador. ¿Dónde fue a parar, Dave?

Dave lanzó la pelota al aire, la cogió por detrás de la espalda, y respondió:

–Ha desaparecido.

–¿Desaparecido? –Se mordió los labios y se quedó mirando el suelo–. Lo que quiero decir es que... ¡Mierda, Dave!

–¿Qué pasa, cariño?

–¿Dónde ha desaparecido?

–No lo sé.

–¿Estás seguro?

Dave no tenía ninguna duda. Sonrió, le miró a los ojos y contestó:

–Del todo.

–Piensa que tiene rastros de tu sangre. Tu ADN, Dave. ¿Está tan «desaparecido» que nadie sea capaz de encontrarlo nunca?

Dave no podía responderle, así que simplemente se quedó mirando a su mujer con la esperanza de que cambiara de tema.

–¿Has ojeado el periódico de la mañana?

–¡Claro! –contestó.

–¿Has visto algo?

–¿De qué?

–¿Cómo que de qué? –siseó Celeste.

–¡Ah... Ah, sí! –Dave negó con la cabeza–. No, no había nada. Ni lo mencionaban. Recuerda, cariño, que era muy tarde.

–Era tarde. ¡Venga, hombre!

Las páginas del *Metro* siempre eran las últimas en salir, pues esperaban los últimos informes de la policía.

–¿Ahora trabajas para un periódico?

–No es para tomárselo a broma, Dave.

–No, no lo es, cariño. Sólo te estoy diciendo que no aparece en el periódico de la mañana. Eso es todo. ¿Por qué? Pues no lo sé. Ya veremos las noticias del mediodía, a ver si dicen algo.

Celeste volvió a mirar al suelo, asintió con la cabeza varias veces, y le preguntó:

–¿De verdad crees que van a decir algo, Dave?

Dave se alejó un poco de ella.

–Quiero decir, sobre un tipo negro que fue encontrado medio muerto en el aparcamiento de delante de... ¿de dónde era?

–De... eh... El Last Drop

–¡Ah, el Last Drop!

–Sí, Celeste.

–¡De acuerdo, Dave! –exclamó–. ¡Claro!

Y le dejó allí. Le dio la espalda y se dirigió al porche; Dave prestó atención al ruido suave de sus pies descalzos al subir las escaleras.

Eso era lo que hacían. Te abandonaban. Tal vez no lo hicieran siempre físicamente, pero ¿emocionalmente, mentalmente? Nunca estaban allí cuando les necesitabas. Con su madre le había sucedido lo mismo. La mañana después de que la policía le hubiera llevado a casa, su madre le había preparado el desayuno, de espaldas a él, tarareando *Old MacDonald*[1], y de vez en cuando se volvía a mirarle y le obsequiaba con una sonrisa nerviosa, como si fuera un huésped del que no se fiara.

Le había colocado el plato de huevos medio crudos, de tocino carbonizado y de tostadas a medio hacer delante de él, y le había preguntado si quería zumo de naranja.

–Mamá –le había dicho–. ¿Quiénes eran aquellos tipos? ¿Por qué se me...?

–Davey –le había respondido ella–, ¿quieres zumo de naranja? No te he oído.

–Claro. Mira, mamá, no entiendo por qué...

–¡Ya volvemos con lo mismo! –Le había puesto el vaso de zumo delante–. Tómate el desayuno, yo me voy a... –Había agitado las manos en el aire sin tener ni la más remota idea de lo que iba a hacer– lavar la ropa, ¿de acuerdo? Después, Davey, nos iremos al cine. ¿Qué te parece?

Dave se había quedado mirando a su madre, esperando encontrar algo que le invitara a abrir la boca y contarle lo del coche, lo de la casa en el bosque y el olor a loción de después del afeitado del tipo más grande. Pero sólo había encontrado esa mirada de alegría y de regocijo que a veces tenía cuando se preparaba para salir el viernes por la noche, e intentaba encontrar la ropa adecuada para ponerse, desesperada en su esperanza.

---

1. Una de las canciones infantiles más populares en Gran Bretaña y en Estados Unidos. (*N. de la T.*)

Dave había bajado la cabeza y se había comido los huevos. Había oído cómo su madre se alejaba de la cocina, tarareando *Old MacDonald* por el pasillo.

De pie en el jardín, con un gran dolor en los nudillos, seguía oyendo la canción. El viejo MacDonald tenía una granja. Allí todo era estupendo. Uno cultivaba la tierra y labraba, sembraba y cosechaba, y todo era maravilloso. Todo el mundo participaba, incluso las gallinas y las vacas, y a nadie le hacía falta hablar de nada porque allí no sucedía nada malo, y nadie tenía secretos porque los secretos eran para la gente mala, para la gente que no se comía los huevos, que se subía en coches que olían a manzana y que se marchaba con hombres desconocidos y tardaba cuatro días en aparecer, para volver a casa y encontrarse con que las personas que conocía también habían desaparecido, y habían sido reemplazadas por gente de apariencia similar que no dejaba de sonreír y que estaba dispuesta a hacer cualquier cosa por uno, a excepción de escucharle. Cualquier cosa menos eso.

9

Hombres rana en el Pen

Lo primero que Jimmy vio a medida que se iba acercando a la entrada del Pen Park de la calle Roseclair fue un furgón para perros policía aparcado en la calle Sydney; tenía las puertas traseras abiertas y dos policías intentaban controlar a seis pastores alemanes que llevaban atados con largas correas de cuero. Había subido por la calle Roseclair desde la iglesia, haciendo un esfuerzo por no ir hasta allí corriendo, y al llegar al paso elevado que se extendía por encima de la calle Sydney, se encontró con un montón de curiosos. Estaban de pie junto a la base de la pendiente en la que Roseclair empezaba a ascender por debajo de la autopista y sobre el Pen Channel, antes de cambiar de nombre al otro lado y convertirse en Valenz Boulevard conforme se alejaba de Buckingham y entraba en Shawmut.

Allí donde se había reunido la multitud, uno podía situarse en la parte superior del muro de contención (que debía de medir unos cuatro metros de altura y estaba revestido de hormigón), que marcaba el final de Sydney, y contemplar la última calle que iba de norte a sur en los edificios de East Bucky, si a uno no le importaba clavarse una barandilla oxidada en las rodillas. Tan sólo unos metros hacia el este del mirador, la barandilla daba paso a una escalera de piedra caliza color morado. De niños, solían llevar allí a sus ligues; se sentaban en la sombra, se pasaban litronas de Miller de un lado a otro y veían brillar las imágenes con luz mortecina en la pantalla blanca del autocine Hurley. A veces, Dave Boyle solía ir con ellos, no porque Dave le cayera muy bien a nadie en particular, sino porque había visto todas las malditas películas que habían hecho y en alguna ocasión, si iban colocados, hacían que Dave les recitara el texto de carrerilla mientras contemplaban la pantalla silenciosa. A veces se lo tomaba tan en serio que incluso cambiaba la inflexión de la voz según el personaje que hablara. De repente, Dave empezó a jugar muy bien a béisbol, se fue a Don Bosco para convertirse en una estrella de los deportes, y ya no pudieron seguir contando con él para pasarlo bien.

Jimmy no tenía ni idea de por qué todos aquellos recuerdos le venían a la memoria en ese preciso instante, ni por qué estaba inmóvil junto a la barandilla, sin apartar la mirada de la calle Sydney; a no ser que tuviera algo que ver con esos perros, con el nerviosismo con el que se movían una vez que los sacaron del furgón y pisaron el asfalto. Uno de los policías que los sujetaba se llevó un transmisor portátil a los labios en el momento en que un helicóptero aparecía en el cielo de la ciudad; se acercaba a ellos como una gruesa abeja, aumentando de tamaño cada vez que Jimmy parpadeaba.

Un poli muy joven impedía el acceso a la escalera color morado, y un poco más arriba de la calle Roseclair, dos coches patrulla y unos cuantos chicos más de uniforme hacían guardia delante de la carretera de acceso que conducía al parque.

Los perros no ladraron ni una sola vez. Jimmy volvió la cabeza al darse cuenta de que era precisamente eso lo que le había estado fastidiando desde que los viera por primera vez. Las veinticuatro patas se movían arriba y abajo del asfalto con mucho nerviosismo, con un desasosiego tenso y concéntrico, como si fueran soldados en medio de un desfile. Jimmy tuvo la sensación de que sus hocicos negros y sus delgadas ijadas eran de una eficacia espantosa, y los ojos le parecían ardientes trozos de carbón.

El resto de la calle Sydney tenía la misma apariencia que una sala de espera antes de los altercados. La calle estaba atestada de polis y éstos andaban de forma metódica a través de los hierbajos que conducían a la entrada del parque. Desde allá arriba, Jimmy tenía una visión incompleta del parque en sí mismo, pero también podía verles allí dentro: uniformes azules y cazadoras color tierra se movían entre la vegetación, examinaban la orilla del canal y se comunicaban a gritos.

De nuevo en la calle Sydney, se reunieron en torno a algo que había en el extremo más lejano del furgón para perros policía; varios policías vestidos de paisano se apoyaban en los coches camuflados que estaban aparcados al otro lado de la calle, y bebían café; sin embargo, no daba la impresión de que se comportaran de forma habitual, ni que se divirtieran contando las últimas batallitas de guerra que habían tenido que protagonizar. Jimmy percibía la tensión más absoluta: en los perros, en los silenciosos polis apoyados en los coches, en el helicóptero, que ya había dejado de parecer una abeja y que sobrevolaba la calle Sydney con gran estruendo, volando bajo, y luego se dirigía al otro lado de los árboles importados y de la pantalla del autocine del parque.

–¡Eh, Jimmy! –Ed Deveau abrió un paquete de M&M con los dientes y le dio un codazo a Jimmy.

–¿Qué tal, Ed?

Deveau se encogió de hombros y dijo:

–Ese helicóptero es el segundo que entra en el parque. El primero estuvo sobrevolando mi casa durante un buen rato hará una media hora. Y le dije a mi mujer: «¿Cariño, nos hemos mudado a Watts[1] sin que yo me enterara?». –Se metió unos cuantos caramelos en la boca y volvió a encogerse de hombros–. Así pues, decidí venir a ver de qué iba todo este jaleo.

–¿Te has enterado de algo?

Deveau deslizó el dorso de la mano por delante de ellos y respondió:

–No, de nada. Están más cerrados que el monedero de mi madre. Pero la cosa va en serio, Jimmy. ¡Y tanto! Han cerrado el acceso a la calle Sydney desde todos los ángulos posibles; según he oído, han puesto polis y vallas en Crescent, Harborview, Sudan, Romsey y hasta en Dunboy. La gente que vive en esas calles no puede salir y está muy cabreada. Me han contado que están rastreando el canal y Boo Bear Durkin me ha llamado y me ha dicho que desde su ventana ha visto hombres rana zambulléndose en el canal. –Deveau señaló en aquella dirección–. ¡Mira todo el montaje que tienen ahí!

1. Hace referencia a los graves disturbios raciales que se produjeron en Watts (Los Ángeles) en agosto de 1995. Hubo 34 muertos y se produjeron pérdidas valoradas en 800 millones de dólares. (N. de la T.)

Jimmy siguió el dedo de Deveau y vio cómo tres polis hacían salir a un borracho de uno de los edificios de tres plantas más destrozados del final de la calle Sydney; al borracho no parecía gustarle mucho lo que le estaban haciendo y ofreció resistencia hasta que uno de los policías le pegó tal empujón que le hizo bajar de cabeza los pocos escalones derruidos que quedaban. Jimmy aún seguía pensando en las palabras que Ed acababa de pronunciar: «hombres rana». No solían enviar hombres rana cuando iban tras algo bueno o alguien que siguiera con vida.

–Debe de tratarse de un asunto serio. –Deveau silbó y se quedó mirando la ropa de Jimmy–. ¿Dónde vas tan bien vestido?

–Vengo de la ceremonia de Primera Comunión de Nadine.

Jimmy vio cómo un poli recogía al borracho del suelo y le decía algo al oído, luego lo llevaba a la fuerza hasta un sedán color verde oliva que tenía una sirena puesta a un lado del techo sobre el asiento del conductor.

–¡Felicidades! –exclamó Deveau.

Jimmy se lo agradeció con una sonrisa.

–¿Y qué demonios haces aquí?

Deveau recorrió la calle Roseclair con la mirada en dirección hacia Santa Cecilia; de repente Jimmy se sintió ridículo. ¿Qué coño estaba haciendo él allí con su corbata de seda y su traje de seiscientos dólares, estropeándose los zapatos con los hierbajos que surgían desde debajo de la barandilla?

Katie, recordó.

Aun así, le seguía pareciendo ridículo. Katie no había asistido a la Primera Comunión de su hermanastra porque estaría durmiendo la borrachera de la noche anterior o en íntima conversación con su último novio. ¿Qué le hacía creer que Katie iba a ir a la iglesia si nadie la obligaba? El día que bautizaron a Katie, hacía más de diez años que Jimmy no entraba en una iglesia. E incluso después de ese día, Jimmy no empezó a ir a la iglesia con regularidad hasta que conoció a Annabeth. Así pues, ¿qué había de malo si había salido de la iglesia, había visto los coches patrulla girar a toda velocidad la esquina de la calle Roseclair y había tenido un... mal presentimiento? Era sólo porque estaba preocupado por Katie, y también cabreado con ella, y por tanto pensaba en su hija mientras contemplaba cómo los polis se dirigían hacia el Pen Channel.

Sin embargo, en aquel momento se sentía estúpido. Estúpido, demasiado bien vestido y realmente tonto por haberle dicho a Annabeth que se llevara a las chicas a Chuck E. Cheese's y que él ya iría más tarde; Annabeth le había mirado a los ojos con una mezcla de exasperación, confusión y un enfado a duras penas contenido.

Jimmy se volvió hacia Deveau y le respondió:

–Supongo que tenía curiosidad por ver qué pasaba, como todos los demás. –Le dio una palmadita en el hombro–. Pero ya me marcho, Ed.

Mientras bajaba por la calle Sydney, un poli le lanzó un juego de llaves a otro y éste entró en el furgón policial.

–De acuerdo, Jimmy. Cuídate.

–Tú también –dijo Jimmy despacio, sin dejar de observar la calle al tiempo que el furgón iba hacia atrás y se detenía para cambiar de marcha y girar las ruedas a la derecha.

Jimmy volvió a tener la certeza de que había sucedido algo malo.

Uno la sentía en el alma, pero en ningún otro lugar. Uno solía sentir la verdad allí mismo (más allá de toda lógica) y a menudo no se equivocaba, si era de ese tipo de verdad que no se quiere aceptar y que no se está seguro de poder asumir. Las mismas verdades que todos intentamos no ver y que hacen que la gente vaya al psiquiatra, pase demasiado tiempo en bares y se atonte delante del televisor para ocultar ciertas realidades duras y desagradables que el alma reconoce mucho antes de que la mente las capte.

Jimmy sintió que aquel mal presentimiento le fijaba los zapatos con clavos y que le obligaba a seguir allí de pie, a pesar de que lo que más deseaba era salir corriendo, lo más rápido que pudiera, hacer cualquier cosa que no fuera estar allí inmóvil observando cómo se alejaba el furgón. Los clavos, gruesos y fríos, le llegaron hasta el pecho, como si hubieran sido disparados desde un cañón, y deseaba cerrar los ojos, pero aquellos mismos clavos le obligaban a tenerlos abiertos, y cuando el furgón estaba ya en medio de la calle, vio el coche que había ocultado hasta entonces: todo el mundo se agrupaba a su alrededor, le pasaban el cepillo en busca de pruebas, le hacían fotografías, examinaban el interior y extraían objetos embolsados que entregaban a los policías que permanecían de pie en la calle y en la acera.

El coche de Katie.

No es que fuera el mismo modelo ni uno que se le pareciera, era realmente su coche. La abolladura en el parachoques delantero de la derecha y el foco derecho sin cristal.

—¡Por el amor de Dios, Jimmy! ¿Jimmy? ¡Mírame! ¿Te encuentras bien?

Jimmy alzó los ojos y vio a Ed Deveau, sin saber cómo había acabado así, de rodillas, con las palmas de las manos en el suelo, mientras un montón de redondos rostros irlandeses le contemplaban.

—¿Jimmy? —Deveau le tendió una mano—. ¿Te encuentras bien?

Jimmy observó la mano y no tenía ni idea de cómo contestarle. Hombres rana, pensó. En el Pen.

Whitey encontró a Sean en el bosque, a unos noventa metros más allá del barranco. Habían perdido el rastro de sangre y cualquier indicio de huellas dactilares en las zonas más abiertas del parque, pues la lluvia de la noche anterior había borrado todo lo que no había estado cubierto por los árboles.

—Unos cuantos perros han olido algo junto a la pantalla del antiguo autocine. ¿Quieres que nos acerquemos hasta allí?

Sean asintió con la cabeza, pero en ese mismo momento sonó su transmisor.

—Agente Devine.

—Aquí delante tenemos un tipo que...

—¿Delante de dónde?

—Delante de la calle Sydney, agente.

—Siga.

—El tipo asegura ser el padre de la chica desaparecida.

—¿Qué coño está haciendo en la escena del crimen?

Sean sintió cómo le subía la sangre a la cabeza, y cómo enrojecía y se acaloraba.

—Ha conseguido pasar, agente. ¿Qué quiere que le diga?

—Bien, pues hágalo salir. ¿Ya ha llegado algún psicólogo?

—No, está en camino.

Sean cerró los ojos. Todo el mundo estaba en camino, como si estuvieran parados en el mismo atasco.

—Intente tranquilizar al padre hasta que llegue el psicólogo. Ya sabe lo que tiene que hacer.

—Sí, pero desea verle a usted, agente.

—¿A mí?

—Asegura que le conoce y que alguien le ha dicho que usted se encontraba aquí.

—¡No, no, no, mire...!

—Viene acompañado de unos cuantos tipos.

—¿Tipos?

—Unos tíos con una pinta terrorífica. Todos se parecen mucho y la mitad de ellos son casi enanos.

«Los hermanos Savage. Mierda.»

—¡Ahora mismo voy! —exclamó Sean.

Un segundo más y Val Savage consigue que lo arresten. Y Chuck, con toda probabilidad, también. El temperamento Savage, casi nunca en calma, se encontraba en plena efervescencia: los hermanos les gritaban a los polis, que parecían estar a punto de empezar a golpearles con la porra.

Jimmy estaba con Kevin Savage, uno de los hermanos más sensatos, a pocos metros de distancia de la cinta policial que rodeaba la escena del crimen. Val y Chuck estaban junto a la cinta, señalaban con el dedo y gritaban:

—¡Es nuestra sobrina la que está ahí dentro, estúpidos cabronazos de mierda!

Jimmy sentía una histeria controlada, una necesidad de estallar, reprimida con dificultad, que le dejaba impasible y un poco confuso. De acuerdo, el coche aquel que estaba a unos diez metros de distancia era el de su hija. Y sí, era cierto, nadie la había visto desde la noche anterior. Y eso que había visto en el respaldo del asiento del conductor era sangre. Sí, estaba claro que no presagiaba nada bueno. Sin embargo, un batallón entero de policías la estaban buscando y no habían encontrado aún ningún cuerpo. Así pues, debía tener eso en cuenta.

Jimmy observó cómo un poli mayor se encendía un cigarrillo y le entraron ganas de arrancárselo de la boca, de hundirle profundamente carbón ardiente por las venas de la nariz y decirle: «Haz el favor de volver a entrar en el parque y de seguir buscando a mi hija, joder».

Contó hasta diez despacio –un truco que había aprendido en Deer Island– y vio los números aparecer, fluctuantes y grises en la oscuridad de su cerebro. Si gritaba sólo conseguiría que le impidieran permanecer en la escena del crimen. Lo mismo que sucedería si demostraba abiertamente el dolor, la ansiedad o el miedo eléctrico que le recorría el cuerpo. Además, los Savage enloquecerían y acabarían pasando todo el día en una celda en vez de en la calle donde su hija había sido vista por última vez.

–¡Val! –gritó.

Val Savage quitó la mano de la cinta policial, apartó el dedo del rostro del glacial poli y se dio la vuelta para mirar a Jimmy.

Jimmy negó con la cabeza y le dijo:

–Tranquilízate.

Val arremetió de nuevo contra el policía y exclamó:

–¡Se andan con jodidas evasivas, Jim! ¡No nos dicen nada, joder!

–Están haciendo su trabajo –declaró Jimmy.

–¿Que están haciendo qué, Jim? Con el debido respeto, la tienda de donuts está en la otra dirección.

–¿Quieres ayudarme o no? –le preguntó Jimmy, mientras Chuck se acercaba con cautela a su hermano, casi el doble de alto, pero la mitad de peligroso, a pesar de seguir siendo más peligroso que la mayor parte de la gente.

–¡Claro! –respondió Chuck–. Dinos lo que quieres que hagamos.

–¿Val? –exclamó Jimmy.

–¿Qué?

Los ojos le daban vueltas y la furia manaba de él como si fuera un olor.

–¿De verdad me quieres ayudar?

–¡Sí, sí, sí, claro que te quiero ayudar, joder! Ya lo sabes, ¿no?

–Sí, ya lo sé –respondió Jimmy, intentando reprimir las ganas de chillar–. Sé muy bien de qué se trata, Val. La que está ahí dentro es mi hija. ¿Oyes lo que te digo?

Kevin pasó la mano por el hombro de Jimmy y Val dio un paso atrás y se quedó mirando el suelo durante un instante.

–Lo siento, Jimmy. ¿De acuerdo? ¡Sólo me he desmadrado un poco! ¡Mierda!

Jimmy recuperó su tono de voz tranquilo y haciendo un esfuerzo para que el cerebro le funcionara, añadió:

–Val, tú y Kevin podríais ir hasta casa de Drew Pigeon y contarle lo que ha pasado.

–¿A casa de Drew Pigeon? ¿Por qué?

–Ya te lo explicaré, Val. Habla con su hija, Eve, y con Diane Cestra si aún sigue allí. Pregúntales cuándo vieron a Katie por última vez. La hora exacta, Val. Averiguad si habían bebido, si Katie había quedado con alguien después y con quién salía. ¿Podrías hacer eso por mí, Val? –preguntó Jimmy, con los ojos puestos en Kevin, el único que, con un poco de suerte, podría mantener a Val a raya.

Kevin asintió con la cabeza y respondió:

–Comprendido, Jimmy.

–¿Val?

Val miraba por encima de su hombro los matorrales que llevaban hasta el parque; después se volvió a Jimmy y, agitando su menuda cabeza, le contestó:

–Sí, de acuerdo.

–Esas chicas son amigas. No os pongáis duros con ellas; pero conseguid que os respondan. ¿De acuerdo?

–Muy bien –asintió Kevin, haciendo saber a Jimmy que se lo tomarían con calma. Le dio una palmada a su hermano mayor en el hombro–. ¡Venga, Val! ¡Hagámoslo!

Jimmy observó cómo subían la calle Sydney y sintió a Chuck a su lado, nervioso, dispuesto a matar a alguien.

–¿Cómo lo llevas?

–¡Mierda! –exclamó Chuck–. Estoy bien. Eres tú el que me preocupa.

–No te preocupes. De momento estoy bien. No tengo elección, ¿no crees?

Chuck no le contestó y Jimmy miró al otro lado de la calle Sydney, más allá del coche de su hija, y vio a Sean Devine salir del parque y caminar entre los matorrales, sin apartar la mirada de Jimmy. A pesar de que Sean era un tipo alto y de que se movía con rapidez, Jimmy pudo vislumbrar en su rostro aquello que siempre había odiado, la mirada de un tipo al que la vida siempre había sonreído; Sean lo ostentaba como una placa mucho mayor que la que le colgaba del cinturón, y eso cabreaba a la gente aunque él no se percatara de ello.

–¡Jimmy! –exclamó Sean; después le estrechó la mano–. ¿Qué tal?

–¡Hola, Sean! Me han dicho que estabas en el parque.

–Sí, desde primera hora de esta mañana. –Sean miró atrás por encima de un hombro, luego volvió la vista a Jimmy–. De momento no te puedo decir nada, Jimmy.

–¿Está ahí dentro?

Jimmy oyó el temblor de su propia voz.

–No lo sé, Jim. No la hemos encontrado. Es lo único que te puedo decir.

–Déjanos entrar –dijo Chuck–. Os podemos ayudar a buscarla. En las noticias se ve continuamente que la gente normal y corriente va a la búsqueda de niños desaparecidos y casos similares.

Sean, sin apartar los ojos de Jimmy, como si Chuck no estuviera allí, respondió:

–Es un poco más complicado que eso, Jimmy. No podemos permitir que entre nadie que no sea de la policía hasta que hayamos acabado de examinar la escena del crimen.

–¿Y cuál es esa escena? –preguntó Jimmy.

–En este momento es todo el parque. Mira –Sean le dio un golpecito a Jimmy en el hombro–, he venido hasta aquí para decirte que de momento no hay nada que puedas hacer. Lo siento. Lo siento de verdad. Pero así son las cosas. Tan pronto como averigüemos algo, te lo haré saber, Jimmy. Te lo diré de inmediato. Te lo digo en serio.

Jimmy asintió con la cabeza, le tocó en el codo a Sean y le preguntó:

–¿Puedo hablar contigo un momento?

–¡Claro!

Dejaron a Chuck Savage en la acera y fueron unos cuantos metros calle abajo. Sean se cuadró, preparándose para lo que fuera que Jimmy quisiera preguntarle, se puso serio y le miró con ojos de poli, sin mostrar ningún tipo de compasión.

–Ése es el coche de mi hija –afirmó Jimmy.

–Ya lo sé. Yo...

Jimmy levantó una mano y prosiguió:

–¿Sean? Ése es el coche de mi hija y dentro hay rastros de sangre. Esta mañana no se ha presentado al trabajo y tampoco ha aparecido en la Primera Comunión de su hermana pequeña. Nadie la ha visto desde ayer por la noche, ¿de acuerdo? Es de mi hija de quien estamos hablando, Sean. No tienes hijos, no espero que lo entiendas del todo, pero se trata de mi hija.

La mirada de poli de Sean no cambió en lo más mínimo; ni siquiera se inmutó por las palabras de Jimmy.

–¿Qué quieres que te diga, Jimmy? Si quieres saber con quién estaba ayer por la noche, mandaré a unos cuantos agentes para que lo investiguen. Si tenía enemigos, iré a por ellos. Si lo deseas...

–Han traído perros, Sean. Perros para mi hija. Perros y hombres rana.

–Así es. No sólo tenemos a la mitad del cuerpo de policía dentro del parque, Jimmy, sino también a los federales y al Departamento de Policía de Boston. Además, disponemos de dos helicópteros y de dos botes. La encontraremos. Sin embargo, tú no puedes hacer nada. Al menos, de momento. Nada. ¿Queda claro?

Jimmy miró atrás y vio que Chuck seguía junto a la acera, con la mirada fija en los matorrales que llevaban al parque, con el cuerpo un poco inclinado hacia delante, preparado para arrancarse su propia piel.

–¿Por qué habéis traído a hombres rana para buscar a mi hija, Sean?

–No podemos descartar ninguna posibilidad, Jimmy. Siempre que hay agua actuamos de ese modo.

–¿Está dentro del agua?

–Lo único que sabemos es que ha desaparecido. Eso es todo, Jimmy.

Jimmy se apartó de él un momento; no se acababa de encontrar bien, se notaba la mente sombría y pegajosa. Deseaba entrar en aquel parque. Quería bajar por el sendero y encontrarse a Katie caminando hacia él. Era incapaz de pensar. Necesitaba entrar.

–¿Quieres tener que cargar con la responsabilidad de habernos tratado mal? –le preguntó Jimmy–. ¿Deseas tener que detener a todos los hermanos Savage y a mí mismo por intentar entrar en el parque para buscar a nuestra querida Katie?

Jimmy se percató, en el mismo momento en que dejó de hablar, de que era una amenaza débil, sin fuerza; no le gustó nada que Sean también se hubiera dado cuenta.

Sean asintió con la cabeza y respondió:

–No deseo hacerlo. Créeme. Pero si tengo que hacerlo, Jimmy, lo haré. Que no te quepa ninguna duda. –Sean abrió una libreta de golpe–. Mira, cuéntame con quién estaba ayer por la noche, qué hacía, y yo...

Jimmy ya se estaba alejando de él cuando se oyó, fuerte y estridente, el transmisor de Sean. Se dio la vuelta en el instante en que Sean se lo llevaba a los labios y decía:

–Al habla.

–Hemos encontrado algo, agente.

–Repítalo, por favor.

Jimmy se acercó hacia Sean y oyó la emoción apenas reprimida del tipo que había al otro lado del transmisor.

–Dije que hemos encontrado algo. El sargento Powers nos ha dicho que debería venir usted hacia aquí. Ah, y tan pronto como sea posible. Ahora mismo, de hecho.

–¿Dónde se encuentra?

–Junto a la pantalla del autocine, agente. No se puede ni imaginar el estado en que está.

10

Pruebas

Celeste miraba las noticias de las doce en el pequeño televisor que tenían en la encimera de la cocina. Planchaba mientras veía la televisión, consciente de que la podrían confundir por un ama de casa de los años cincuenta, pues se ocupaba de las tareas domésticas y cuidaba del niño; mientras, su marido iba a trabajar con su fiambrera metálica, y al regresar a casa esperaba tomarse una copa y que la cena estuviera en la mesa. Pero en realidad no era así. Dave, a pesar de todos sus defectos, arrimaba el hombro en las tareas domésticas. Se ocupaba de pasar el aspirador, de quitar el polvo y de fregar los platos; en cambio, Celeste disfrutaba haciendo la colada, doblando y planchando la ropa, y con el cálido olor que emanaba de la tela recién lavada y sin arrugas.

Usaba la plancha de su madre, un artefacto de principios de los años sesenta. Pesaba más que una roca, siseaba continuamente y soltaba repentinos estallidos de vapor; sin embargo, planchaba mucho mejor que cualquiera de esas planchas nuevas que Celeste, persuadida por los descuentos y por todos esos anuncios de tecnología de era espacial, había ido probando a lo largo de los años. La plancha de su madre dejaba la ropa tan lisa que se podría partir una barra de pan encima; además, alisaba las arrugas más difíciles de una suave pasada, mientras que una de las nuevas con carcasa de plástico habría tenido que pasarla media docena de veces.

Celeste se cabreaba cada vez que pensaba en que todo se diseñaba para romperse con facilidad (vídeos, coches, ordenadores, teléfonos inalámbricos), mientras que los utensilios de la época de sus padres habían sido ideados para que duraran mucho tiempo. Dave y ella aún utilizaban la plancha y la licuadora de su madre, y seguían teniendo su antiguo y achaparrado teléfono negro junto a la cama. Y sin embargo, en los años que llevaban juntos, habían tenido que tirar muchas adquisiciones que habían dejado de funcionar antes de lo que parecería lógico: televisores con tubos de imagen fundidos, una aspiradora que echaba humo azul y una cafetera de la que salía un líquido algo más caliente que el agua de la bañera. Ésos y otros aparatos habían acabado en el cubo de la basura, ya que casi era más barato comprarlos nuevos que repararlos. Casi. Por lo tanto, uno acababa gastándose el dinero en el último modelo que acababa de salir al mercado, lo cual era, sin lugar a dudas, lo que pretendían los fabricantes. A veces, Celeste se encontraba a sí misma intentando eludir de modo consciente una idea que le rondaba por la cabeza: no eran tan sólo las cosas que poseía, sino su vida en sí, la que carecía de peso o consecuencias duraderas; estaba programada, de hecho, para que se estropeara a la primera oportunidad que se presentara, a fin de que cualquier otra persona pudiera reciclar las pocas piezas buenas que sobrasen, mientras el resto de ella desaparecería.

Allí estaba, pues, planchando y pensando en sus partes desechables cuando, a los diez minutos de haber comenzado el telediario, el presentador miró con seriedad a la cámara y comunicó que la policía estaba buscando al responsable de un crimen atroz que se había perpetrado en las cercanías de uno de los bares del barrio. Celeste se acercó al televisor para subir el volumen y el presentador anunció:

—«Esta historia y la información meteorológica después de la publicidad.»

A continuación, Celeste se encontró mirando las manos muy cuidadas de una mujer que intentaba fregar una bandeja que tenía toda la pinta de que la hubieran sumergido en caramelo caliente; una voz pregonaba las ventajas de utilizar ese lavavajillas nuevo y mejor, y a Celeste le entraron ganas de ponerse a gritar. De alguna manera, las noticias eran como aquellos aparatos desechables: ideados para engañar y engatusar, para reírse de la credulidad de la gente sin que ésta se diera cuenta, ya que la gente creía, una vez más, que cumplirían con lo prometido.

Graduó el volumen y reprimió el deseo de arrancar el botón barato de la televisión de mierda que tenían; después volvió a la tabla de planchar. Hacía una media hora que Dave había salido con Michael para comprarle unas rodilleras y una máscara. Le había dicho que ya oiría las noticias por la radio, pero Celeste ni se había molestado en mirarle a los ojos para ver si le mentía. Michael, con lo bajo y delgado que era, había demostrado ser un receptor excelente; su entrenador, el señor Evans, lo había calificado de «portento» y le había dicho que, considerando su edad, tenía un «misil balístico» por brazo. Celeste pensó en los niños que había conocido en su propia infancia y que jugaban en la misma posición; solían ser niños corpulentos, con nariz chata y sin incisivos, y le expresó sus temores a Dave.

–Las máscaras que fabrican hoy en día, cariño, son como jaulas para tiburón. Si las golpearas con una carretilla, sería ésta la que se rompiera.

Había tardado un día en pensárselo y en comunicarle a Dave lo que había decidido. Michael podría jugar de receptor o en cualquier otra posición siempre que tuviera el mejor equipo posible y, ahí estaba el punto clave, si nunca se dedicaba al rugby profesional.

Dave, que jamás había jugado al rugby, asintió después de una discusión superficial de tan sólo diez minutos.

Así pues, habían salido a comprar el equipo para que Michael pudiera seguir los pasos de su padre; mientras tanto, Celeste no apartaba los ojos del televisor, y mantenía la plancha en alto sobre una camisa de algodón en el instante en que terminaba un anuncio de comida para perros y volvían las noticias.

–«Ayer por la noche, en Allston –declaró el presentador, y a Celeste le dio un vuelco el corazón–, una estudiante de segundo curso de la Universidad de Boston fue agredida por dos hombres a la salida de un local nocturno muy popular. Las fuentes dicen que la víctima, Carey Whitaker, fue atacada con una botella de cerveza y en este momento se encuentra en estado crítico en...»

En aquel momento, mientras le llovían hacia dentro del escote terroncitos de arena húmeda, tuvo la sensación de que no iban a decir nada sobre la agresión o el asesinato de un hombre delante del Last

Drop. Y cuando empezaron con la información meteorológica y anunciaron que después pasarían a los deportes, ya no tenía ninguna duda.

Por entonces, ya tenían que haber encontrado al hombre. En el caso de que hubiera muerto («Cariño, es posible que haya matado a un hombre»), los periodistas ya se habrían enterado a través de las fuentes informativas del distrito, por los informes policiales o escuchando las radios de los coches patrulla.

Existía la posibilidad de que Dave hubiera sobrestimado el alcance de su agresión al atracador. O tal vez dicho atracador, o quienquiera que fuera, hubiera conseguido arrastrarse hasta algún lugar para lamerse las heridas, cuando Dave se marchó. A lo mejor lo que había visto colarse por el desagüe del fregadero la noche anterior no eran trozos de cerebro. Pero ¿de dónde venía toda aquella sangre? ¿Cómo era posible que alguien pudiera sobrevivir, y mucho menos seguir andando, después de haber perdido tanta sangre?

Cuando hubo acabado de planchar el último par de pantalones y ya lo había guardado todo en su propio armario, en el de Dave y en el de Michael, regresó a la cocina y se quedó de pie en medio, sin saber qué iba a hacer a continuación. Retransmitían un partido de golf por la televisión; los golpes suaves de la pelota y el sonido seco y apagado de los aplausos calmaron por un momento algo que había dentro de ella y que le había inquietado toda la mañana. Era algo más que sus problemas con Dave y el hecho de que su historia no cuadrara; aun así, al mismo tiempo tenía algo que ver con todo aquello, con la noche pasada y con haberlo visto entrar cubierto de sangre por la puerta del lavabo, toda aquella sangre que le goteaba de los pantalones y que manchaba las baldosas, brotando de la herida y tiñéndose de rosa mientras giraba camino del desagüe.

El desagüe. Eso era lo que había olvidado. La noche anterior le había dicho a Dave que limpiaría con lejía las tuberías de debajo del fregadero para eliminar todo rastro de pruebas. Se puso a ello de inmediato; se arrodilló en el suelo de la cocina, abrió el armario de debajo del fregadero y se quedó mirando los productos de limpieza y los trapos hasta que vio la llave inglesa en la parte trasera del armario. Fue a alcanzarla, intentando no hacer caso de la fobia que sentía cada vez que tenía que meter la mano allí dentro; siempre tenía esa sensación irracional de que había una rata esperándole debajo del montón de trapos, esnifando el aire al olerle la piel, levantando el hocico de entre los trapos, con los bigotes temblorosos...

Agarró la llave inglesa con rapidez, y después la sacudió entre los trapos y los productos de limpieza, a sabiendas de que el miedo que tenía era infundado, pero con determinación, que por algo las llamaban fobias. No le gustaba nada tener que meter la mano en lugares bajos y oscuros. Rosemary había tenido un miedo atroz a los ascensores; su padre había detestado las alturas, y a Dave le daban sudores fríos cada vez que tenía que ir al sótano.

Colocó un cubo debajo de la tubería por si salía un exceso de agua. Se puso boca arriba, levantó el brazo y desenroscó el sifón con la llave inglesa; después, le fue dando vueltas con la mano hasta que se soltó, y el agua empezó a caer a borbotones dentro del cubo de plástico. Por un instante temió que la cantidad de agua fuera a rebasar el cubo, pero enseguida se convirtió en un simple goteo, y vio cómo un montoncito oscuro de pelos y unos cuantos granos de maíz caían al cubo después del agua. A continuación, tenía que desenroscar la tuerca más cercana a la pared trasera del armario; eso le costó un buen rato, pues se resistía, y llegó un momento en que Celeste tuvo que empujar con los pies en el suelo del armario y que tirar de la llave inglesa con tanta fuerza que por un instante tuvo miedo de que ésta o su muñeca se fueran a partir en dos. Al cabo de un rato la tuerca cedió, tan sólo una fracción de centímetro, con un chirrido estridente y metálico; Celeste volvió a colocar la llave inglesa, tiró de nuevo y consiguió que la tuerca diera dos vueltas, pero se le seguía resistiendo.

Unos minutos más tarde el tubo entero del desagüe estaba frente a ella, en el suelo de la cocina. Tenía el pelo y la camisa empapados de sudor, pero experimentaba un sentimiento de logro que rayaba con el triunfo, como si hubiera estado luchando contra algo recalcitrante e indiscutiblemente masculino, músculo contra músculo, y hubiera ganado. Entre el montón de trapos encontró una camisa que le quedaba pequeña a Michael; la retorció con las manos hasta que pudo meterla por la tubería. La pasó por el interior varias veces hasta que tuvo el convencimiento de que allí dentro sólo quedaban restos de herrumbre; después colocó la camisa en una bolsita de plástico. Cogió la tubería y una botella de lejía y salió al porche trasero; una vez allí, echó lejía por un extremo de aquélla, y dejó que el líquido saliera por el otro lado y fuera a parar a la tierra seca y enmarañada de una maceta cuya planta había muerto el verano anterior y que llevaba allí todo el invierno esperando a que se deshicieran de ella.

Cuando hubo acabado, volvió a colocar la tubería; le pareció mucho más fácil colocarla de lo que le había parecido sacarla, y enroscó el sifón de nuevo. Encontró la bolsa de basura en la que había guardado la ropa de Dave la noche anterior y añadió la bolsa con la camisa hecha jirones de Michael; después coló el contenido del cubo de plástico, lo tiró en el retrete, limpió el colador con un trozo de papel higiénico y tiró el papel dentro de la bolsa que contenía todo lo demás.

Así pues, allí estaban todas las pruebas.

O como mínimo, todas las pruebas que ella podía eliminar. Si Dave le había mentido sobre el cuchillo, sobre no haber dejado huellas dactilares en ninguna parte, o sobre los posibles testigos de su... ¿crimen? ¿defensa propia?, entonces no podría hacer nada por ayudarle. Sin embargo, ella había aceptado el desafío en su propia casa. Había transigido con todo lo que él le había impuesto desde que llegara a casa la noche anterior y lo había solucionado. Lo había conseguido. Volvía a sentirse mareada y poderosa, más entusiasta y más útil que nunca, y se dio cuenta, de forma repentina y agradable, de que aún era joven y fuerte, y que desde luego no era una tostadora desechable ni ningún aspirador roto. Había sobrevivido a la muerte de sus padres, a años de problemas financieros, al susto de la neumonía de su hijo cuando éste sólo contaba seis meses de edad, y no por ello se había vuelto más débil, tal como había creído, sino que estaba sólo más cansada, pero aquello iba a cambiar ahora que había recordado quién era. Y, sin lugar a dudas, era una mujer que no se acobardaba ante los problemas, sino que los afrontaba y que decía: «De acuerdo, sácalo. Saca lo peor de tu persona. Ya me volveré a levantar, siempre. No tengo ninguna intención de marchitarme y morir; así que, ten cuidado».

Recogió la bolsa de basura de color verde del suelo y la retorció con las manos hasta que se asemejó al cuello descarnado de un hombre viejo; luego la alisó e hizo un nudo en la parte de arriba. Se detuvo, pensando que era extraño que la bolsa le hubiera hecho pensar en el cuello de un anciano. ¿De dónde le debía venir aquella imagen? Se percató de que el televisor se había quedado sin imagen. Hacía un momento, Tiger Woods se paseaba por el *green*, y al instante siguiente la pantalla se había vuelto negra.

Se oyó un pitido y en la pantalla apareció una línea blanca. Celeste supo que si se había fundido el tubo de imagen del televisor, lo tiraría al porche. En aquel preciso momento y sin tener en cuenta las consecuencias.

Pero la línea blanca dio paso al plató del telediario. La presentadora, que parecía nerviosa y preocupada, dijo: «Interrumpimos la emisión para contarles una historia desgarradora. Valerie Corapi, nuestra enviada especial, se encuentra en la entrada del Penitentiary Park de East Buckingham, en el que la policía ha emprendido la búsqueda en gran escala de una mujer desaparecida. ¿Valerie?».

Celeste vio que el plano del estudio daba paso a una toma desde un helicóptero. Era una confusa visión aérea de la calle Sydney y del Penitentiary Park y de lo que parecía un ejército de policías moviéndose por todas partes. Divisó docenas de diminutas figuras, negras como hormigas por la distancia, que atravesaban el parque; también había botes de policía en el canal. Una hilera de aquellas figuras se dirigía con resolución hacia la arboleda que rodeaba la pantalla del antiguo autocine.

El helicóptero fue de un lado a otro a causa de una ráfaga de viento y el objetivo de la cámara se desenfocó; por un instante Celeste se encontró contemplando la zona del otro lado del canal, Shawmut Boulevard y su extensión de polígonos industriales.

—«En este preciso instante, nos encontramos en East Buckingham, donde, a primera hora de la mañana, la policía inició una búsqueda en gran escala de una mujer desaparecida, y que prosigue ya bien entrada la tarde... Fuentes desconocidas han confirmado al Canal Cuatro que el coche abandonado de la mujer presenta indicios de que pueda haberse perpetrado en él un hecho abyecto. Bien, Virginia, esto... no sé si lo puedes ver...»

La cámara del helicóptero dio un nauseabundo giro de ciento ochenta grados, dejó de enfocar los polígonos industriales de Shawmut y mostró un coche azul oscuro que estaba aparcado en la calle Sydney; la puerta estaba abierta y tenía toda la pinta de estar abandonado, mientras la policía daba marcha atrás a un camión para remolcarlo con él.

La periodista continuó:

—«Lo que están viendo en estos momentos es, según me han informado, el coche de la mujer desaparecida. La policía lo encontró esta mañana e inició la búsqueda de inmediato. Ahora bien, Virginia, nadie nos ha confirmado el nombre de la mujer desaparecida o los motivos de una presencia policial, que, como puedes ver, es desmesurada. Sin embargo, fuentes próximas a Canal Cuatro han corroborado que la búsqueda parece centrarse alrededor de la pantalla del antiguo autocine, que, como es bien sabido por todos, se usa como escenario teatral en verano. Pero lo que estamos viendo en este momento no tiene nada de ficticio, sino que es real. ¿Virginia?»

Celeste intentaba descifrar lo que acababa de oír. No estaba muy segura de lo que habían dicho, a excepción de que, de hecho, la policía había ocupado su barrio, como si lo hubieran tomado.

La presentadora también parecía un poco confundida; daba la impresión de que le dijeran, en una lengua que ella no comprendía, que debía interrumpir la emisión. Acabó diciendo: «Les mantendremos informados del desarrollo de esta noticia... a medida que nos llegue más información. Ahora devolvemos la conexión a nuestra programación habitual».

Celeste cambió de cadena repetidas veces, pero, según parecía, ninguna de las otras cadenas daba aún información sobre aquella historia; así pues, volvió al golf y dejó el volumen bien alto.

Alguien de las marismas había desaparecido. Habían encontrado el coche abandonado de una mujer en la calle Sydney. Pero la policía no acostumbraba hacer un gran despliegue de fuerzas, era algo importante, pues había visto coches patrulla de los federales y de los estatales en la calle Sydney, para tratarse simplemente de que una mujer hubiera desaparecido. Debía de haber algo en aquel coche que hubiera sugerido violencia. ¿Qué había dicho la periodista?

Indicios de algún acto abyecto. Eso era.

Estaba convencida de que habían encontrado sangre. No podía ser otra cosa. Pruebas. Contempló la bolsa que aún llevaba enroscada en la mano y pensó:

«Dave.»

11

Lluvia roja

Jimmy estaba de pie al otro lado de la cinta policial, ante una barrera desordenada de policías, mientras Sean se alejaba entre los matorrales y se adentraba en el parque, sin volver la vista atrás ni una sola vez.

–Señor Marcus –le dijo Jefferts, uno de los polis–, ¿quiere que le traiga un café o cualquier otra cosa?

El policía observó la frente de Jimmy, y éste sintió un aire de desprecio y de lástima en la mirada insegura del poli y en la forma de rascarse la barriga con el dedo pulgar. Sean les había presentado: le había dicho a Jimmy que aquél era el agente Jefferts, un buen hombre, y a Jefferts le había dicho que Jimmy era el padre de la mujer que... era la propietaria del coche abandonado, que le llevara cualquier cosa que pudiera necesitar y que le presentara a Talbot cuando ésta llegara. Jimmy se imaginó que Talbot debía de ser una psicóloga del cuerpo de policía o alguna asistente social despeinada con un montón de facturas universitarias por pagar y un coche que olía a Burger King.

Pasó por alto el ofrecimiento de Jefferts y cruzó al otro lado de la calle donde estaba Chuck Savage.

–¿Cómo estás, Jimmy?

Jimmy negó con la cabeza, convencido de que empezaría a vomitar si intentaba expresar en voz alta todo lo que sentía.

–¿Llevas el teléfono móvil?

–Sí, claro.

Chuck registró la cazadora con las manos. Dejó el teléfono en la mano abierta de Jimmy, éste marcó 003 y le salió una voz grabada que le preguntaba la ciudad y el Estado desde el que llamaba; dudó unos instantes antes de contestar, y se imaginó cómo las palabras viajarían a través de kilómetros y kilómetros de cable de cobre hasta ir a parar vertiginosamente al alma de algún colosal ordenador con luces rojas en vez de ojos.

–¿Qué listado? –preguntó el ordenador.

–Chuck E. Cheese's.

Jimmy sintió una oleada repentina de terror amargo al tener que pronunciar un nombre tan ridículo en medio de la calle y cerca del coche vacío de su hija. Deseaba colocarse el teléfono entre los dientes, morderlo y oír cómo se rompía.

Cuando consiguió el número de teléfono y marcó, tuvo que esperar a que llamaran a Annabeth por el altavoz. Quienquiera que fuera que hubiera contestado al teléfono no había apretado la tecla de espera, tan sólo apoyó el auricular en un mostrador, y Jimmy podía oír los ecos metálicos del nombre de su mujer: «Se ruega a Annabeth Marcus que se ponga en contacto con el personal de recepción. Annabeth Marcus». Le llegaba el sonido del repique de campanas y de ochenta o noventa niños corriendo de un lado a otro como locos, tirándose del pelo y gritando, entremezclado con voces desesperadas de adultos que intentaban comunicarse a pesar de todo el estrépito. Repitieron el nombre de su mujer, que resonó. Jimmy se la imaginó levantando la vista al oír el sonido, confusa y agotada, rodeada por todo el pelotón de Primera Comunión de Santa Cecilia luchando por conseguir trozos de pizza.

Entonces oyó su voz, apagada y curiosa: «¿Me han llamado?».

Por un instante, Jimmy tuvo ganas de colgar. ¿Qué le diría? ¿Qué sentido tenía llamarla sin saber hechos concretos, tan sólo con el miedo de su propia imaginación demente? ¿No sería mejor dejar que ella y las niñas disfrutaran un poco más de la paz de no saber?

Sin embargo, sabía que, tal como estaban las cosas, ya había demasiado dolor; Annabeth se sentiría ofendida si no le contaba nada de lo sucedido, mientras que él se tiraba de los pelos junto al coche de Katie en la calle Sydney. Recordaría su felicidad con las niñas como inmerecida y, peor aún, como un engaño, una falsa promesa. Annabeth le odiaría por ello.

Oyó su voz apagada de nuevo: «¿Éste?» y el ruido que hizo al levantar el teléfono del mostrador. «¿Dígame?»

–Cariño –consiguió decir Jimmy con voz ronca.

–¡Jimmy! –exclamó con cierto nerviosismo–. ¿Dónde estás?

–Estoy... Mira... Me encuentro en la calle Sydney.

–¿Qué pasa?

–Annabeth, han encontrado su coche.

–¿El de quién?

–El de Katie.

–¿Han? ¿Quién? ¿La policía?

–Sí. Ha... desaparecido. En los alrededores de Pen Park.

–¡Santo cielo! ¡No puede ser! ¡Jimmy!

En aquel momento Jimmy sintió que le salía todo: el miedo, la horrible certeza, todos aquellos terribles pensamientos que había mantenido aprisionados en algún lugar de su cerebro.

–Aún no se sabe nada, pero su coche ha estado aquí toda la noche y la policía...

–¡Por el amor de Dios, Jimmy!

–... la está buscando por todo el parque. Hay muchos. Así pues...

–¿Dónde estás?

–Estoy en la calle Sydney. Mira...

–¿Qué coño haces en la calle? ¿Por qué no estás ahí dentro?

–Porque no me dejan pasar.

–¿La policía? ¿Y quién coño se creen que son? ¿Acaso es su hija la que está ahí dentro?

–No, mira, yo...

–¡Haz el favor de entrar! ¡Santo Dios! Podría estar herida. Tirada en cualquier sitio, herida y pasando frío.

–Ya lo sé, pero ellos...

–Voy ahora mismo.

–De acuerdo.

–Haz el favor de entrar, Jimmy. Por el amor de Dios, ¿qué te pasa?

Colgó.

Jimmy devolvió el teléfono a Chuck, y supo que Annabeth tenía razón. Tenía tanta razón que Jimmy, al percatarse de que se arrepentiría de su impotencia de los últimos cuarenta y cinco minutos para el resto de su vida, se sintió morir; nunca sería capaz de pensar en ello sin desmoralizarse, sin intentar apartarlo de sus pensamientos. ¿Cuándo se había convertido en aquello, en aquel hombre que contestaba a unos polis de mierda: «Sí, señor; no, señor; tiene razón, señor...» cuando su hija mayor había desaparecido? ¿Cuándo había sucedido? ¿Cuándo se había puesto de pie junto a un mostrador y se había bajado los pantalones a cambio de poder sentirse como un ciudadano honrado?

Se volvió hacia Chuck y le preguntó:

—¿Aún guardas las tenazas para cortar alambre bajo la rueda de recambio del maletero?

Por la expresión de Chuck, se diría que alguien le había pillado haciendo algo malo.

—Uno tiene que ganarse la vida, Jim.

—¿Dónde tienes el coche?

—Un poco más arriba, en la esquina de la calle Dawes.

Jimmy echó a andar y Chuck, que iba tras él, le preguntó:

—¿Vamos a entrar por la fuerza?

Jimmy asintió con la cabeza y caminó un poco más rápido.

Cuando Sean llegó a la zona del sendero que rodeaba la verja del jardín vallado, hizo un gesto con la cabeza a algunos de los policías que examinaban las flores y la tierra en busca de pistas; sus rostros tensos indicaban que ya se habían enterado de lo sucedido. Cierto aire, que ya había sentido en otros escenarios del crimen a lo largo de los años, saturaba el parque entero; era un aire que llevaba un filo de fatalismo, la aceptación fría y húmeda de la muerte de otra persona.

Al entrar en el parque todos habían tenido la certeza de que estaba muerta; pero aun así, Sean sabía que todos albergaban la esperanza, por pequeña que fuera, de que no lo estuviera. Así iban las cosas: uno se acercaba a la escena del crimen sabiendo la verdad, y hacía todo lo posible por comprobar que estaba equivocado. El año anterior Sean se había ocupado de un caso en el que una pareja había denunciado la desaparición de su bebé. Los medios de comunicación aparecieron por todas partes, ya que se trataba de una pareja blanca y respetable; sin embargo, Sean y los demás policías sabían que la historia de la pareja no era verdad, sabían que el niño estaba muerto incluso cuando consolaban a aquellos dos gilipollas diciéndoles que su bebé estaría bien, y cuando seguían las estúpidas pistas de gente de color sospechosa que habían visto en la zona esa misma mañana. Acabaron encontrando al bebé al anochecer, metido en una bolsa de aspiradora y embutido en una grieta, bajo las escaleras del sótano. Ese día Sean vio llorar a un policía novato, el pobre crío temblaba apoyado en el coche patrulla, pero los demás polis, aunque indignados, no parecían sorprendidos en lo más mínimo, como si todos hubieran pasado la noche soñando la misma mierda.

Eso es lo que uno se llevaba a casa, a los bares y a los vestuarios de las comisarías o de los cuartelillos: tener que aceptar de mala gana que la gente era una mierda, que la gente era estúpida y rencorosa, a menudo cruel; que cada vez que abrían la boca, mentían, siempre; que cuando alguien desaparecía, sin ningún motivo aparente, a menudo acababan encontrándolo muerto o en un estado mucho peor.

Con frecuencia, lo peor no eran las víctimas, al fin y al cabo estaban muertas y ya no seguirían sufriendo. Lo peor eran aquellos que las habían amado y que les habían sobrevivido. A partir de ese momento solían convertirse en muertos vivientes, agotados, con el corazón roto, viviendo como podían lo que les quedaba de vida sin nada más en su interior que sangre y órganos, insensibles al dolor, sin haber aprendido nada, a excepción de que las peores cosas a veces sucedían de verdad.

Como Jimmy Marcus. Sean no sabía cómo coño iba a mirar a aquel tío a la cara y decirle: «Sí, está muerta. Tu hija está muerta, Jimmy. Alguien se la ha llevado para siempre». A Jimmy, que ya había perdido a su primera mujer. «¡Mierda!, ¿sabes qué, Jim? Dios ha dicho que le debías una y ha venido a por ella. Espero que eso te ayude a ver las cosas desde otro punto de vista. Ya nos veremos.»

Sean cruzó el pequeño puente de tablas que atravesaba el barranco y siguió el sendero que conducía a la arboleda circular que, como si de una audiencia pagana se tratara, estaba encarada a la pantalla del autocine. Todo el mundo estaba allí abajo, junto a las escaleras que conducían a una puerta de uno de los lados de la pantalla: Karen Hughes no paraba de hacer fotos con su cámara; Whitey Powers estaba apoyado en la jamba de la puerta, miraba hacia el interior y tomaba notas; el ayudante del médico forense estaba arrodillado junto a Karen Hughes, y un pelotón entero de federales uniformados y de agentes de azul del Departamento de Policía de Boston circulaban en masa por detrás de ellos. Connolly y Souza examinaban algo que había en las escaleras y los jefazos –Frank Krauser, del Departamento de Policía de Boston, y Martin Friel, de los estatales, oficial al mando de Sean– se hallaban de pie bajo la pantalla del escenario, hablando entre sí, con las cabezas muy juntas y algo inclinadas hacia delante.

Si el ayudante del médico forense decía que Katie había muerto en el parque, entonces estaría bajo la jurisdicción del Estado, y Sean y Whitey tendrían que ocuparse del caso. La responsabilidad de decírselo a Jimmy recaería sobre Sean. También tendría que llegar a conocer a fondo, hasta obsesionarse, la vida de la víctima. Asimismo, Sean también sería el encargado de redactar el informe del caso y de hacer creer a la gente, como mínimo, que lo daba por concluido.

Sin embargo, el Departamento de Policía de Boston podía reclamar el caso. Friel era el que tenía autoridad para decidir si les pasaba el caso, no sólo porque el parque estuviera rodeado de terrenos municipales, sino también porque el primer intento de acabar con la vida de la víctima se había producido dentro de la jurisdicción civil. Sean estaba seguro de que ese caso llamaría la atención. Se había perpetrado un homicidio en un parque de la ciudad y, además, habían encontrado a la víctima cerca de un lugar que se estaba convirtiendo a toda velocidad en uno de los puntos más importantes de la cultura local y juvenil de la ciudad. Sin ningún motivo aparente. Sin ningún rastro del asesino, a no ser que se hubiera quitado la vida junto a Katie Marcus, lo cual parecía muy poco probable, ya que él ya se habría enterado. Sería un gran caso para los medios de comunicación, sin lugar a dudas, ya que no había habido casos similares en toda la ciudad en los dos últimos años. ¡Mierda! La prensa llenaría el parque hasta los topes.

Sean no lo deseaba, pero si la experiencia previa le servía de barómetro, eso quería decir que probablemente se lo asignarían. Bajó por una cuesta que se dirigía hacia la pantalla del autocine, con los ojos puestos en Krauser y Friel, intentando leer el veredicto por sus ligeros movimientos de cabeza. Si la que se encontraba allí era Katie Marcus, y Sean no tenía ninguna duda de ello, las marismas estallarían de ira. No pensaba en Jimmy, que se quedaría en un estado catatónico, sino en los hermanos Savage. En la Unidad de Delitos Mayores, los expedientes de cada uno de aquellos cabronazos eran tan gruesos que no pasaban por una puerta. Y eso sólo hacía referencia a los delitos estatales. Sean conocía a tipos del Departamento de Policía de Boston que decían que un sábado por la noche sin que encerraran, como mínimo, a uno de los Savage, era como un eclipse solar: los demás policías tenían que comprobarlo por sí mismos porque no se lo creían.

En el escenario que había debajo de la pantalla, Krauser hizo un gesto de asentimiento y Friel volvió la cabeza y estuvo mirando a su alrededor hasta que encontró a Sean. En ese momento Sean supo que el caso era de él y de Whitey. Sean vio gotas de sangre en algunas hojas que conducían a la parte inferior de la pantalla, y unas cuantas más en las escaleras que llevaban a la puerta.

Connolly y Souza dejaron de observar las gotas de sangre de las escaleras, miraron a Sean con gesto ceñudo, y volvieron a examinar las grietas que había entre los escalones. Karen Hughes abandonó la posición de cuclillas y Sean oyó el zumbido de su cámara cuando apretó un botón con el dedo y el carrete se rebobinó hasta el final. Metió la mano en el bolso para sacar un carrete nuevo y abrió la parte trasera de la cámara de un golpe; Sean se percató de que el pelo rubio ceniza se le había oscurecido en la sien y en el flequillo. Le dirigió una mirada inexpresiva, dejó caer el carrete usado dentro del bolso y colocó el nuevo en la cámara.

Whitey estaba de rodillas junto al ayudante del médico forense y Sean oyó que decía «¿qué?», con un penetrante susurro.

–Lo que ha oído.

–Ahora está seguro, ¿verdad?

–No al cien por cien, pero casi.

–¡Mierda!

Whitey se dio la vuelta al tiempo que Sean se acercaba, negó con la cabeza e hizo un gesto de asentimiento con el dedo pulgar al ayudante del forense.

Al subir las escaleras y colocarse tras ellos, Sean contempló el lugar con más claridad. Observó la puerta de entrada y el cadáver que estaba allí dentro, apretujado; entre pared y pared no debía de haber más de un metro de anchura y el cadáver estaba apoyado de espaldas contra la pared a su izquierda, con los pies levantados y empujando la pared de su derecha, por lo que la primera impresión que tuvo Sean fue la de ver un feto a través de una pantalla de ecografía. El pie izquierdo estaba al descubierto y cubierto de barro. Lo que quedaba del calcetín le colgaba alrededor del tobillo, arrugado y rasgado. Llevaba un zapato negro, sencillo y sin tacón, en el pie derecho, y estaba cubierto de barro seco. Incluso después de haber perdido un zapato en el jardín, había seguido con el otro puesto. Era muy probable que el asesino le hubiera ido pisando los talones todo el rato. Y aun así, había ido hasta allí para esconderse, lo que hacía pensar que debió de despistarle en algún momento a causa de algo que le hiciera reducir la marcha.

–¡Souza! –gritó.

–¿Sí?

–Llama a algunos policías para que vengan a examinar el camino que llega hasta aquí. Mirad entre los arbustos para ver si encontráis jirones de ropa, trozos de piel o cosas por el estilo.

–Ya tenemos a un tipo que se encarga de buscar huellas dactilares.

–Sí, pero necesitamos más gente. ¿Te encargas tú?

–De acuerdo.

Sean volvió a mirar el cadáver. Llevaba unos pantalones finos de color oscuro y una blusa azul marino con cuello ancho. La chaqueta era de color rojo y estaba rasgada. Sean se imaginó que era la ropa de fin de semana, ya que era demasiado bonita para llevarla a diario, si se tenía en cuenta que era una chica de las marismas. Esa noche habría ido a algún lugar bonito, quizá tenía una cita.

Y de alguna manera había acabado encajada en aquel pasillo estrecho; lo último que vio fueron las paredes mohosas, y con toda seguridad también fueron lo último que olió.

Parecía que hubiera llegado hasta allí para escapar de una lluvia roja, y, sin embargo, el aguacero le había cubierto el pelo y las mejillas, y le manchaban la ropa húmedos regueros de sangre. Tenía las rodillas apretadas contra el pecho, el codo derecho apoyado en la rodilla derecha, el puño apretado contra la oreja, por lo que, una vez más, a Sean le hizo pensar en una niña más que en una mujer, acurrucada e intentando mantener a raya algún estridente sonido. «Pare, pare –decía el cuerpo–. Pare, por favor.»

Whitey se apartó del camino y Sean se agachó junto a la puerta. A pesar de toda la sangre que le cubría el cuerpo, de los charcos que se habían formado debajo de éste y del moho de las paredes que había alrededor, Sean descubrió el perfume de Katie, muy fugazmente, algo dulce, algo sensual, un aroma muy ligero que le hizo recordar las citas y los coches oscuros de la época de instituto, el vacilante manoseo por encima de la ropa y el roce eléctrico de la carne. Por debajo de la lluvia roja, Sean vio que tenía varios morados oscuros en la muñeca, el antebrazo y los tobillos, y supo que en esos lugares la habían golpeado con algo.

–¿Le pegaron? –preguntó Sean.

–Eso parece. Toda esa sangre de la cabeza fue causada por un corte en la coronilla. Es probable que el tipo acabara por romper lo que estaba usando para pegarle, al golpearle tan fuerte.

Apiladas al otro lado y llenando aquel estrecho pasillo de detrás de la pantalla, había unas plataformas de madera y lo que parecían accesorios de escenario: goletas de madera, pináculos de iglesias y el arco de lo que parecía una góndola veneciana. Era muy probable que no se hubiera podido mover. Una vez allí dentro, no tenía escapatoria. Si aquel que la perseguía la encontraba, no había duda de que iba a morir. Y la había encontrado.

El asesino le habría dado con la misma puerta al abrirla, y ella se habría acurrucado para proteger el cuerpo con lo único que tenía, sus propios miembros. Sean estiró el cuello y observó de cerca el puño cerrado y el rostro. También estaba cubierto de sangre, y tenía los ojos tan apretados como el puño, como si deseara que todo acabara; tenía los párpados cerrados, en un principio por el miedo, pero en ese momento por el rigor mortis.

–¿Es ella? –le preguntó Whitey Powers.

–¿Eh?

–¿Es Katherine Marcus?

–Sí –respondió Sean.

Tenía una pequeña cicatriz curvilínea por debajo del lado derecho de la barbilla, que apenas era perceptible y que se había borrado con el tiempo, pero que todo el mundo percibía cuando veía a Katie por el barrio, ya que el resto de su cuerpo rozaba la perfección; su rostro era una magnífica réplica de la belleza oscura y angulosa de su madre combinada con el atractivo más ajado, los ojos claros y el pelo rubio de su padre.

–¿Está seguro al cien por cien? –le preguntó el ayudante del médico forense.

–Al noventa y nueve por ciento –le respondió Sean–. Haremos que el padre la identifique en el depósito de cadáveres. Pero sí, es ella.

–¿Le has visto la nuca?

Whitey se inclinó hacia delante y le levantó el cabello de los hombros con la ayuda de un bolígrafo.

Sean observó la nuca con atención y vio que le faltaba un fragmento de la parte baja del cráneo, y que la nuca se había vuelto de un tono oscuro a causa de la sangre.

–¿Me está intentando decir que le dispararon?

Miró al médico forense.

El tipo asintió y añadió:

–A mí me parece una herida de bala.

Sean se alejó del olor a perfume, a sangre, a cemento mohoso y a madera empapada. Por un instante deseó poder apartarle el puño cerrado de la oreja, como si al hacerlo pudiera conseguir que todos esos morados que veía, y los que estaba seguro que encontraría debajo de la ropa, pudieran evaporarse, y que la lluvia roja se evaporara desde su pelo y su cuerpo, y ella pudiera salir de aquella tumba, un poco aturdida, con los ojos cerrados por el sueño.

A su derecha, oyó un gran alboroto: los gritos al unísono del gentío, el crujido de la gente atravesando el parque, y los perros policía gruñendo y ladrando como locos. Cuando echó un vistazo, vio que Jimmy Marcus y Chuck Savage cruzaban a toda velocidad la arboleda que había en uno de los extremos del barranco, allí donde el parque se teñía de verde y estaba muy cuidado y hacía una ligera pendiente hacia la pantalla, donde el público de verano extendía sus mantas y se sentaba para ver una representación.

Ocho policías uniformados y dos de paisano, como mínimo, se dirigieron hacia Jimmy y Chuck; a Chuck lo atraparon en aquel mismo momento, pero Jimmy era rápido y escurridizo. Se deslizó a través de la arboleda con una serie de giros veloces y aparentemente ilógicos que dejaron perplejos a sus perseguidores, y si no hubiera tropezado al bajar por la pendiente, habría conseguido llegar hasta Krauser y Friel sin que nadie lo detuviera.

Pero tropezó. El pie le resbaló a causa de la hierba mojada y sus ojos se encontraron con los de Sean en el preciso instante en que se daba un panzazo contra el suelo y sacudía la tierra con la mandíbula. Un agente joven, de cabeza cuadrada y cuerpo musculoso, se abalanzó encima de Jimmy como si fuera un trineo, y los dos cayeron unos cuantos metros pendiente abajo. El policía le colocó el brazo derecho tras la espalda y fue a por sus esposas.

Sean se subió al escenario y gritó:

–¡Eh, eh! ¡Es el padre! ¡Suéltalo!

El poli joven le miró, irritado y cubierto de barro.

–Suéltalos –le ordenó Sean–. ¡A los dos!

Se dio la vuelta hacia la pantalla y fue en aquel momento cuando Jimmy pronunció su nombre, con voz ronca, como si los gritos de su cabeza hubieran encontrado las cuerdas vocales y las hubiera liberado:

–¡Sean!

Sean se detuvo y se percató de que Friel le miraba.

–¡Mírame, Sean!

Sean se dio la vuelta y vio a Jimmy arqueándose bajo el peso del poli joven, con una mancha oscura de tierra en la barbilla y briznas de hierba colgando de ella.

–¿La has encontrado? ¿Es ella? –gritó Jimmy–. ¿Lo es?

Sean permaneció inmóvil, con los ojos clavados en los de Jimmy, sin apartarlos hasta que la nerviosa mirada de Jimmy vio lo que Sean había visto, hasta que se dio cuenta de que todo había acabado, que sus peores temores se habían cumplido.

Jimmy empezó a gritar y le salían de la boca borbotones de esputo. Otro policía bajó por la pendiente para ayudar al que sostenía a Jimmy, y Sean se alejó. El grito de Jimmy, profundo y gutural, rasgó el aire; no era ni agudo ni estridente, era como si un animal se percatara de su dolor por primera vez. Sean había oído los lamentos de los padres de las víctimas durante muchos años. Siempre tenían un aire de queja, una súplica para que Dios o la razón les contestara y les asegurara que todo había sido un sueño. Pero el grito de Jimmy no tenía nada de eso, sólo amor y rabia, a partes iguales, que asustaba a los pájaros de los árboles y que resonaba por todo el canal.

Sean regresó a la escena del crimen y se quedó mirando a Katie Marcus. Connolly, un agente novato de la unidad, se acercó a él, y los dos contemplaron el cuerpo durante un rato sin pronunciar palabra; el grito de Jimmy Marcus se volvió más ronco y desgarrado, como si se tragase fragmentos de cristal cada vez que respiraba.

Sean observó a Katie, con el puño apretado a un lado de la cabeza y empapada de lluvia roja, el cuerpo y los puntales de madera que le habían impedido llegar hasta el otro lado.

A su derecha, a lo lejos, Jimmy seguía gritando mientras le arrastraban pendiente arriba, y un helicóptero cortaba el aire por encima del barranco a medida que lo sobrevolaba; el motor hizo un zumbido cuando dio la vuelta para acercarse a la orilla, y Sean se imaginó que debía de pertenecer a alguna cadena de televisión. No hacía tanto ruido como los helicópteros de la policía.

–¿Había presenciado algo así con anterioridad? –le preguntó Connolly.

Sean se encogió de hombros. En realidad no importaba tanto. Llegaba un momento en que uno ya dejaba de comparar.

–Quiero decir, esto es... –farfulló Connolly, intentando encontrar las palabras– esto es un tipo de... –apartó la mirada del cuerpo y se quedó mirando los árboles, con un aire de inocente inutilidad, como si estuviera a punto de hablar de nuevo.

Después cerró la boca, y al cabo de un rato cesó en el intento de dar con la palabra adecuada.

12

Tus colores

Sean y su jefe, el lugarteniente Martin Friel, se apoyaron en el escenario bajo la pantalla del autocine y observaron cómo Whitey Powers daba instrucciones al conductor de la furgoneta del juez de primera instancia, a medida que reculaba por la pendiente que conducía a la entrada en la que habían encontrado el cuerpo de Katie Marcus. Whitey caminaba hacia atrás, con las manos en alto, y las dirigía a derecha e izquierda de vez en cuando; su voz rasgaba el aire con resueltos silbidos que surgían a través de sus dientes inferiores como gañidos de cachorro. Los ojos iban con precipitación de la cinta que rodeaba la escena del crimen a los neumáticos de la furgoneta y a la mirada nerviosa del conductor que veía por el retrovisor, como si estuviera haciendo pruebas para una empresa de transportes y quisiera asegurarse de que los gruesos neumáticos no se desviaran ni un solo milímetro de donde él quería que fueran.

–Un poco más. Mantén el volante recto. Un poco más. Un poco más. Eso es.

Cuando la furgoneta estuvo en el lugar que él quería, se hizo a un lado, abrió la puerta trasera de golpe y exclamó:

–¡Lo has hecho muy bien!

Whitey abrió las puertas traseras, de tal manera que nadie pudiera ver lo que ocurría detrás de la pantalla. Sean pensó que a él nunca se le habría ocurrido usar las puertas para ocultar el lugar en que Katie Marcus había muerto, pero recordó que Whitey tenía mucha más experiencia que él por lo que se refería a crímenes; Whitey ya era un veterano en la época en que Sean aún intentaba meter mano a las chicas en los bailes del instituto y no reventarse los granos.

Cuando Whitey llamó a los dos ayudantes del fiscal, éstos ya estaban abandonando sus asientos.

–Así no va a ir bien, chicos. Tendréis que salir por la puerta de atrás.

Cerraron las puertas de delante y desaparecieron en la parte trasera de la furgoneta para hacerse cargo del cadáver, lo que hizo sentir a Sean que aquella fase llegaba a su fin y que a partir de entonces sería él el que se tendría que ocupar del caso. Los policías, los equipos técnicos y los periodistas que sobrevolaban con sus helicópteros el lugar del crimen, o más allá de las cintas protectoras que rodeaban el parque, pasarían a otra cosa, mientras que él y Whitey tendrían que cargar solos con lo que implicaba la muerte de Katie Marcus: redactar informes, preparar los documentos de la causa de defunción e investigar su muerte hasta mucho después de que toda la gente que rondaba por allí empezara a ocuparse de otros asuntos, como accidentes de tráfico, robos o suicidios en habitaciones con el aire viciado y los ceniceros repletos de colillas.

Martin Friel subió al escenario y se sentó, con sus diminutas piernas balanceándose sobre el suelo. Había ido hasta allí directamente desde el Club de Golf George Wright y su piel, por debajo del polo azul y de sus pantalones caquis, desprendía olor a loción solar. Golpeaba el escenario con los talones y Sean notó un deje de irritación moral en él.

–Ya ha trabajado alguna vez con el sargento Powers, ¿verdad?

–Sí –contestó Sean.

–¿Algún problema?

–No. –Sean observó que Whitey se llevaba a un policía uniformado aparte y que le señalaba la hilera de árboles de detrás de la pantalla del autocine–. El año pasado trabajamos juntos en el caso del homicidio de Elizabeth Pitek.

–¿La mujer con la orden de restricción? –preguntó Friel–. ¿El ex marido comentó algo sobre el dinero?

–Sí, nos dijo: «Que el dinero gobierne su vida no quiere decir que tenga que gobernar la mía».

–Consiguió veinte, ¿no es así?

–Sí, veinte bien buenos.

Sean deseó haber conseguido a alguien que le defendiera mejor. El niño, que había sido adoptado, se estaría preguntando qué había sucedido y a quién demonios pertenecería a partir de entonces.

El agente se alejó de Whitey, escogió a unos cuantos policías y se dirigieron hacia la arboleda.

—He oído decir que bebe —comentó Friel, subiendo una pierna encima del escenario y apoyando la rodilla en el pecho.

—Yo nunca le he visto borracho, señor —remarcó Sean, empezando a preguntarse quién estaba a prueba, Whitey o él.

Vio cómo Whitey se agachaba y examinaba un matojo de hierba que había junto a la rueda trasera de la furgoneta y cómo se subía la vuelta de los pantalones de chándal, como si llevara un traje de Brooks Brothers.

—Su compañero está de baja porque ha alegado, ya ve, incapacidad temporal; he oído decir que para recuperarse de la lesión en la columna vertebral está en Florida, montando en motos de agua y navegando. —Friel se encogió de hombros—. Powers solicitó trabajar con usted cuando regresara. Ahora ya está de vuelta. ¿Va a haber más incidentes del estilo de este último?

Sean ya se había esperado que tendría que comerse algún reproche, especialmente de Friel, así que con un tono de arrepentimiento, respondió:

—No, señor, tan sólo me falló el juicio por un momento.

—Varios momentos —apuntó Friel.

—Lo que usted diga, señor.

—Su vida privada es un desastre, agente; ahí está el problema. No permita que vuelva a afectar a su trabajo.

Sean miró a Friel, y sus ojos tenían un brillo cargado de electrodos que ya había visto con anterioridad, un brillo que indicaba que nadie estaba en posición de llevarle la contraria.

Sean asintió de nuevo y no replicó.

Friel le sonrió con frialdad y dirigió la mirada hacia un helicóptero perteneciente a algún periódico que giraba por encima de la pantalla, volando más bajo de lo que habían acordado. Por la expresión de su rostro, se diría que Friel iba a pegarle una dura reprimenda a alguien antes de que se pusiera el sol.

–Conoce a los familiares, ¿no es así? –le preguntó Friel, sin apartar los ojos del helicóptero–. Se crió aquí.

–Me crié en la colina.

–Pues eso es, aquí.

–Estamos en las marismas. No es lo mismo, señor.

Friel hizo un movimiento con la mano indicando que no tenía ninguna importancia y prosiguió:

–Creció aquí. Fue uno de los primeros en llegar y, además, conoce a esta gente. ¿Me equivoco?

–¿En qué?

–En su habilidad para poder llevar el caso. –Le dedicó su sonrisa de entrenador de verano de *softball*[1]–. Además, es uno de los chicos más listos que tengo y ya ha cumplido con su condena. ¿Está dispuesto a trabajar en serio?

–Sí, señor –respondió Sean–. No le quepa ninguna duda, señor. Lo que sea con tal de conservar mi puesto de trabajo, señor.

Se volvieron hacia la furgoneta en el momento en que dentro de ésta algo caía al suelo y producía un ruido seco; el chasis se hundió sobre las ruedas y luego rebotó de nuevo hacia arriba.

–¿Se ha dado cuenta de que siempre se les caen? –comentó Friel.

Pasaba muy a menudo. Katie Marcus, encerrada en una bolsa de plástico oscura y calurosa, con la cremallera cerrada hasta arriba. Arrojada en aquella furgoneta, con el pelo enmarañado dentro de la bolsa, con los órganos cada vez más blandos.

–Agente –dijo Friel–, como ya se puede imaginar me apena mucho que niños negros de diez años acaben muriendo a causa de los disparos de las malditas bandas callejeras. ¿Sabe qué me disgusta aún más?

Sean sabía la respuesta, pero no pronunció palabra.

–Que asesinen a chicas blancas de diecinueve años en mis parques. En esas circunstancias la gente no suele exclamar: «¡Los caprichos de la economía!». La tragedia no les provoca un sentimiento de tristeza, sino que se cabrean y desean que alguien pague por ello. –Friel le propinó un codazo a Sean–. Entiende lo que le quiero decir, ¿verdad?

---

1. Variedad de béisbol que se juega sobre un territorio más pequeño que el normal, con pelota grande y blanda. *(N. de la T.)*

–Sí, claro.

–Eso es lo que quieren, porque ellos son nosotros y eso es lo que deseamos todos.

Friel asió a Sean del hombro para que le mirara a los ojos.

–Sí, señor –respondió Sean, porque Friel tenía ese extraño brillo en los ojos que indicaba que creía en lo que decía con el mismo convencimiento que la gente que hablaba de Dios, de la bolsa, o de Internet-como-aldea-global.

Friel había vuelto a nacer, aunque Sean no acababa de estar muy seguro de lo que eso significaba, pero Friel había encontrado algo satisfactorio en su trabajo que Sean era incapaz de reconocer, algo que le procuraba consuelo, incluso fe, o la certeza de que había algo más allá. Muchas veces, a decir verdad, Sean pensaba que su jefe era idiota, siempre soltando perogrulladas sobre la vida y la muerte, y explicando, si alguien se molestaba en escucharle, cómo conseguiría que todo fuera bien, cómo curaría el cáncer y cómo podrían convertirse en un único corazón colectivo.

Otras veces, sin embargo, Friel le recordaba a su padre, construyendo jaulas para pájaros en un sótano en el que ningún pájaro llegó a volar jamás, y la sensación de recordarle le encantaba.

Martin Friel había sido detective jefe del Departamento de Homicidios del Distrito Seis durante el mandato de dos presidentes distintos; que Sean supiera, nadie le había llamado nunca «Marty» o «colega» o «viejo». Si uno le viera por la calle, con toda probabilidad pensaría que trabajaba como contable o como tasador de reclamaciones para una compañía de seguros, o algo similar. Tenía una voz suave que hacía juego con un rostro dulce, y del pelo sólo le quedaba un mechón castaño en forma de herradura. Era un tipo menudo, teniendo en cuenta, además, que se había abierto camino entre oficiales de alta graduación; uno podría perderle de vista con facilidad entre una multitud, ya que no había ningún rasgo característico en su manera de andar. Amaba a su esposa y a sus dos hijos, siempre se olvidaba el resguardo del aparcamiento en el anorak durante los meses de invierno, participaba de forma activa en su iglesia, y era conservador fiscal y socialmente.

Sin embargo, aquella voz suave y el rostro anodino no mostraban ningún indicio de su mente: una mezcla ciega e incondicional del hombre práctico y del moralista. Si alguien perpetraba un delito punible con la pena de muerte en su jurisdicción, porque era suya, y que se jodiera quien no lo entendiera así, se lo tomaba como algo personal.

«Quiero que sea agudo e inquieto –le había dicho a Sean el primer día que éste empezó a trabajar en el Departamento de Homicidios–. Tampoco quiero que se muestre demasiado desaforado, porque el desafuero es una emoción y uno nunca tiene que mostrar sus emociones. Quiero que casi siempre parezca enfadado: enfadado porque las sillas son demasiado duras y porque casi todos sus amigos de la universidad tienen Audis. Quiero que esté enfadado a causa de todos esos pervertidos, que son tan estúpidos que se creen que pueden perpetrar sus atrocidades en nuestra jurisdicción. Lo bastante furioso, Devine, para que no se le escape ni un solo detalle de los casos y para que no echen a los ayudantes del fiscal del distrito del tribunal por decisiones judiciales confusas y por falta de causa. Lo bastante furioso como para no dejar ningún cabo suelto en los casos y para meter a esos cabronazos en celdas asquerosas para el resto de sus igualmente asquerosas vidas.»

En la comisaría lo llamaban «el discurso de Friel»; lo recitaba al pie de la letra a todos los agentes nuevos que llegaban a la unidad en su primer día de trabajo. Como casi todas las cosas que Friel decía, uno nunca sabía hasta qué punto se lo creía o era tan sólo pura palabrería para hacer cumplir la ley. Sin embargo, a uno no le quedaba más remedio que creérselo.

Sean llevaba dos años en el Departamento de Homicidios, y durante ese período era la persona de la brigada de Whitey Powers que había solicitado más permisos, y eso hacía que Friel aún tuviera sus dudas sobre él. En ese momento le miraba sopesando si sería capaz de encargarse del caso: habían asesinado a una chica en su parque.

Whitey Powers se les acercó poco a poco, ojeando la libreta de informes e, inclinando la cabeza, dijo:

–Teniente.

–Sargento Powers –respondió Friel–. ¿Qué han averiguado?

–Los indicios preliminares señalan que la muerte se produjo entre las dos y cuarto y las dos y media de la madrugada. No hay signos de agresión sexual. La causa de la muerte fue, con toda probabilidad, el impacto de bala que recibió en la nuca, aunque no descartamos la posibilidad de que fuera debida a un traumatismo provocado por los golpes que recibió. Estamos casi seguros de que la persona que le disparó era diestra. Encontramos la bala incrustada en una plataforma de madera a la izquierda del cuerpo de la víctima. Parece una bala de una Smith del calibre 38, pero lo sabremos con seguridad cuando los de Balística le hayan echado un vistazo. En este momento los hombres rana están examinando el canal en busca de armas. Tenemos la esperanza de que el autor del crimen haya lanzado allí la pistola, o como mínimo lo que utilizó para golpearla, que debió de ser algún tipo de bate o un palo.

–Un palo –repitió Friel.

–Dos agentes del Departamento de Policía de Boston que iban casa por casa interrogando a la gente de la calle Sydney, hablaron con una mujer que les aseguró que oyó que un coche chocaba contra algo y se quedaba atascado sobre las dos menos cuarto de la mañana, unos treinta minutos antes de la hora de la muerte.

–¿Tenemos algún tipo de pruebas físicas? –preguntó Friel.

–Bien, la lluvia nos ha jugado una mala pasada, señor. Hemos detectado algunas huellas dactilares muy poco claras que podrían ser del autor, pero, sin lugar a dudas, un par de ellas son de la víctima. También hemos encontrado unas veinticinco huellas ocultas en la puerta que hay detrás de la pantalla. Una vez más, podrían ser de la víctima, del asesino, o de veinticinco personas diferentes que no tienen nada que ver con todo esto y que van hasta allí por la noche para tomar un trago o para descansar después de correr por el parque. También hemos recogido muestras de sangre de la puerta y del interior, pero no tenemos la seguridad de que sea del autor. No cabe duda de que casi toda es de la víctima. También hemos encontrado unas cuantas huellas inconfundibles en la puerta del coche de la víctima. Y de momento ésas son todas las pruebas físicas que tenemos.

Friel asintió con la cabeza y preguntó:

–¿Hay alguna cosa en especial que debería contar al fiscal del distrito cuando me llame de aquí a diez o veinte minutos?

Powers se encogió de hombros y respondió:

–Dígale que la lluvia me ha fastidiado la escena del crimen, señor, y que estamos haciendo todo lo que podemos.

Friel ocultó un bostezo con la palma de la mano y le dijo:

–¿Hay algo más que debería saber?

Whitey miró atrás por encima del hombro y observó el sendero que conducía a la puerta de detrás de la pantalla, el último lugar que habían pisado los pies de Katie Marcus.

–Me molesta no haber encontrado huellas.

–Acaba de decir que la lluvia...

Whitey hizo un gesto de asentimiento y añadió:

–Sí, pero ella sí dejó un par de pisadas. Estoy prácticamente convencido de que eran suyas, ya que los talones se le hundían en algunos lugares, mientras que en otros se ve que se le había torcido el tobillo. Encontramos tres, tal vez cuatro de ésas, y estoy casi seguro de que son de Katherine Marcus, pero del asesino... nada.

–La lluvia –remarcó Sean–, una vez más.

–Le aseguro que explica por qué sólo encontramos tres pisadas de ella, pero ¿que no hayamos encontrado ni una de ese tipo? –Whitey miró a Sean, después a Friel, y se encogió de hombros–. Sea lo que sea, me cabrea muchísimo.

Friel bajó del escenario, se sacudió el polvo de las manos, y concluyó:

–Bien, chicos. Tienen seis detectives a su disposición. En el laboratorio han dado máxima prioridad a este caso y de momento dejarán los otros casos de lado. Pueden disponer de todos los agentes que necesiten para hacer el trabajo rutinario. Así pues, sargento, cuénteme cómo piensa usar todos estos recursos que tan prudentemente le hemos asignado.

–Supongo que lo primero que haremos es hablar con el padre de la víctima e intentar averiguar lo que sabe sobre ayer por la noche: con quién estaba Katie o si ésta tenía enemigos. Después hablaremos con toda esa gente y volveremos a entrevistar a la mujer que aseguró oír cómo el coche se quedaba atascado en la calle Sydney. También vamos a interrogar a todos esos alcohólicos que se llevaron del parque y de los alrededores de la calle Sydney, con la esperanza de que el equipo de apoyo técnico nos suministre huellas reales o fibras capilares con las que poder empezar a trabajar. Tal vez encontremos trozos de piel debajo de las uñas de la chica. O quizá las huellas del asesino estén en esa puerta. O a lo mejor fue su novio y discutieron. –Whitey volvió a encoger los hombros del modo que solía hacer y dio una patada al suelo–. Diría que eso es todo.

Friel se quedó mirando a Sean.

–Cogeremos a ese tipo, señor.

Daba la impresión de que Friel esperaba algo mejor, pero asintió una vez y le dio una palmadita a Sean en el hombro antes de alejarse del escenario y de dirigirse hacia las filas de asientos, en las que el teniente Krauser, del Departamento de Policía de Boston, hablaba con su jefe, el capitán Gillis, del Distrito 6. Todo el mundo dirigía a Sean y a Whitey unas penetrantes miradas que decían: «No metáis la pata».

–¡Cogeremos a ese tipo! –exclamó Whitey–. ¿Es la única frase que se te ocurre después de haber ido cuatro años a la universidad?

Sus miradas se cruzaron durante un momento y Friel le hizo un gesto de asentimiento que esperaba que rezumara competencia y confianza.

–Está en el manual –dijo a Whitey–, justo después de «acabaremos con ese cabrón» y antes de «alabemos a Dios». ¿No lo has leído?

Whitey negó con la cabeza y añadió:

–Ese día estaba enfermo.

Se dieron la vuelta en el instante en que el ayudante del juez de primera instancia cerraba las puertas traseras de la furgoneta y se dirigía hacia el asiento del conductor.

–¿Tiene alguna teoría? –le preguntó Sean.

–Hace diez años –respondió Whitey– ya habría explicado todas mis teorías a la brigada. Sin embargo, ahora... ¡Mierda! Cada vez que se perpetra un crimen, las cosas son mucho menos predecibles. ¿Qué opina?

–Tal vez haya sido obra de un novio celoso, pero sólo lo digo por citar las instrucciones del manual.

–¿Y le golpeó con un bate? Diría que al novio le convendría tener un manual para resolver los problemas de falta de autocontrol.

–Siempre lo tienen.

El ayudante del juez de primera instancia abrió la puerta del conductor, se quedó mirando a Whitey y a Sean, y les dijo:

–Me han dicho que alguien nos tiene que conducir hasta fuera.

–¡Eso nos toca a nosotros! –exclamó Whitey–. Pase delante una vez hayamos salido del parque, pero, cuidado, llevamos a los parientes más próximos, así que haga el favor de no dejarla en medio del pasillo cuando llegue al centro de la ciudad. ¿Entendido?

El tipo hizo un gesto de asentimiento y se subió a la furgoneta.

Whitey y Sean se montaron en un coche patrulla y Whitey colocó el coche delante de la furgoneta. Empezaron a bajar la pendiente entre cintas policiales de color amarillo, y Sean se percató de que el sol empezaba a iniciar su descenso a través de los árboles, revistiendo el parque de un color de orín dorado, y recubriendo las copas de los árboles de un tono rojizo brillante. Sean pensó que si estuviera muerto ésa sería una de las cosas que más echaría de menos: los colores, y el hecho de que pudieran surgir de la nada y causar sorpresa, a pesar de que también provocaban que uno se sintiera un poco triste, pequeño, como si no perteneciera a ese mundo.

La primera noche que Jimmy estuvo en la prisión de Deer Island, se la pasó toda la noche sentado, desde las nueve hasta las seis, preguntándose si su compañero de celda querría ir a por él.

El tipo, llamado Woodrell Daniels, era un motorista de New Hampshire que una noche había entrado en el estado de Massachusetts para traficar con metanfetamina; se había detenido en varios bares a tomarse unos vasos de whisky antes de ir a dormir y había acabado dejando ciego a un tipo con un palo de billar. Woodrell Daniels era un gran trozo de carne recubierto de tatuajes y de cicatrices de navaja, y, con los ojos puestos en Jimmy, soltó una risa entre susurros que le atravesó el corazón como si fuera un tramo de tubería.

–Ya te veré más tarde –le dijo Woodrell cuando apagaron las luces–. Te veré más tarde –repitió, y soltó otra de sus risas susurrantes.

Así pues, Jimmy permaneció despierto toda la noche, atento a cualquier crujido repentino en la litera que había encima de él, a sabiendas de que tendría que lanzarse al cuello de Woodrell si llegaba el caso, y preguntándose si sería capaz de asestarle un buen puñetazo sorteando los enormes brazos que tenía. «Golpéale en el cuello –se decía a sí mismo–. Golpéale en el cuello, golpéale en el cuello, golpéale en el cuello... ¡Dios mío, ahí viene!»

Pero sólo era Woodrell dándose la vuelta mientras dormía, haciendo chirriar los muelles; el peso de su cuerpo hacía sobresalir el colchón hacia abajo, por encima de Jimmy, de tal manera que parecía la tripa de un elefante.

Esa noche Jimmy oyó todos los sonidos de la prisión como si fuera una criatura viviente, un motor en marcha. Oyó cómo las ratas luchaban, masticaban y chirriaban con una desesperación perturbada y estridente. Oyó susurros, lamentos, y los oscilantes chirridos de los muelles de los colchones, arriba y abajo, arriba y abajo. El agua goteaba, algunos hombres hablaban en sueños, y los zapatos de un guarda resonaban en un pasillo lejano. A las cuatro, oyó un grito, sólo uno, que se apagó con tanta rapidez que duró más el eco y el recuerdo que el grito en sí, y Jimmy, en aquel momento, consideró la posibilidad de coger su almohada de detrás de la cabeza, subir a la litera de Woodrell Daniels y ahogarle. Sin embargo, tenía las manos demasiado húmedas y pegajosas y, además, cómo iba él a saber si Woodrell estaba durmiendo de verdad o tan sólo lo simulaba y quizá Jimmy no tuviera suficiente fuerza física para sujetar la almohada en el lugar adecuado mientras los robustos brazos de aquel hombre enorme se agitaban alrededor de su cabeza, le arañaban la cara, le arrancaban trozos de piel de las muñecas y le hacían pedazos el cartílago del oído con puños de acero.

La última hora fue la peor. Una luz grisácea apareció a través de las gruesas y altas ventanas, y llenó el lugar de un frío metálico. Jimmy oyó que algunos hombres se despertaban y andaban con sigilo en sus celdas. Oyó toses roncas y ásperas. Tuvo la sensación de que la máquina estaba calentando motores, fría e impaciente por devorar, a sabiendas de que moriría sin violencia, sin el sabor a carne humana.

Woodrell bajó de la litera de un salto; el movimiento fue tan repentino que Jimmy ni siquiera tuvo tiempo de reaccionar. Cerró los ojos todo lo que pudo, intensificó el ritmo de su respiración y esperó a que Woodrell se acercara lo suficiente para poder darle un golpe en el cuello.

Sin embargo, Woodrell Daniels ni siquiera le miró. Cogió un libro de la estantería de encima del fregadero, lo abrió mientras se ponía de rodillas y empezó a rezar.

Rezó y leyó pasajes de las cartas de Pablo y siguió rezando, y de vez en cuando aquella risa susurrante se le escapaba de la boca, pero sin llegar a interrumpir el torrente de palabras, hasta que Jimmy se dio cuenta de que era una especie de emanación incontrolable, parecida a los suspiros que la madre de Jimmy soltaba cuando él era más joven. Con toda probabilidad Woodrell no se daba cuenta de que emitía los sonidos.

Cuando Woodrell se dio la vuelta y le preguntó si alguna vez había considerado la posibilidad de aceptar a Cristo como su salvador personal, Jimmy supo que la noche más larga de su vida había llegado a su fin. El rostro de Woodrell emanaba la típica luz de los condenados en busca de la salvación, y era un resplandor tan evidente que Jimmy no comprendía cómo había podido pasarlo por alto nada más conocer al hombre.

Jimmy no podía creer la buena suerte que había tenido: había acabado en la guarida del león, pero era un león cristiano, y Jimmy aceptaría a Jesús, a Bob Hope, a Doris Day o a quienquiera que Woodrell adorara con su mente de devoto fervoroso, siempre que aquello significara que ese individuo extraño y musculoso no saliera de la cama en medio de la noche y se sentara junto a Jimmy durante las comidas.

–Una vez perdí el rumbo –le explicó Woodrell Daniels a Jimmy–. Pero, ahora, gracias a Dios, he encontrado el camino.

«¡Cuánta razón tienes, Woodrell!», estuvo a punto de decir en voz alta.

Hasta ese día, Jimmy consideraba la primera noche en Deer Island como punto de referencia para juzgar su grado de paciencia. Se decía a sí mismo que podría seguir allí todo el tiempo que fuera necesario, un día o dos, para obtener lo que deseaba, porque no había nada que pudiera igualar esa primera noche tan larga en la que la maquinaria viviente de una prisión retumbaba y jadeaba a su alrededor, mientras las ratas chillaban, los muelles de los colchones rechinaban, y los gritos morían tan pronto como nacían.

Hasta aquel día.

Jimmy y Annabeth esperaban de pie junto a la entrada de la calle Roseclair del Pen Park. Se encontraban dentro del primer parapeto que los federales habían erigido en la carretera de acceso, pero fuera del segundo. Les ofrecieron tazas de café y sillas plegables para sentarse, y los agentes les trataron con amabilidad. Pero aun así, tuvieron que esperar, y cada vez que pedían información, los rostros de los agentes se volvían pétreos y tristes; se disculpaban y les aseguraban que no sabían nada más de lo que sabía la gente que estaba en los alrededores.

Kevin Savage se había llevado a Nadine y a Sara a casa, pero Annabeth se había quedado allí. Estaba sentada junto a Jimmy, con el vestido color lavanda que había llevado en la ceremonia de Primera Comunión de Nadine, un acontecimiento que parecía haber sucedido semanas antes, y estaba tensa y en silencio desde la desesperación de su esperanza. Esperanza de que lo visto por Jimmy en el rostro de Sean Devine fuera una mala interpretación. Esperanza de que el coche abandonado de Katie y de que el hecho de que no hubiera aparecido en todo el día no tuviera nada que ver con la presencia policial en Pen Park. Esperanza de que lo que ella tenía por cierto fuera, de algún modo, una mentira.

–¿Te traigo otro café? –le preguntó Jimmy.

–No, estoy bien –le dedicó una sonrisa fría y distante.

–¿Estás segura?

–Sí.

Jimmy sabía que hasta que no viera el cuerpo, no la consideraría muerta. Así era como había racionalizado su propia esperanza en las horas que habían pasado desde que Chuck Savage y él fueran obligados a abandonar el lugar del crimen. Tal vez fuera una chica que se le pareciera. O existía la posibilidad de que estuviera en coma. O quizá estuviera atrapada en el espacio que había detrás de la pantalla y no pudieran sacarla de allí. Sufría, tal vez sufría mucho, pero estaba viva. Ésa era la esperanza, tan fina como el pelo de un bebé, que albergaba, ante la falta de una confirmación absoluta.

Y aunque sabía que era una tontería, había algo en Jimmy que le obligaba a aferrarse a esa esperanza.

–Lo que quiero decir es que nadie te ha comunicado nada en realidad –le había dicho Annabeth al principio de su vigilia fuera del parque–, ¿de acuerdo?

Nadie les había dicho nada. Jimmy le acarició la mano, sabiendo que el mero hecho de que les hubieran permitido pasar aquellas barreras policiales era toda la confirmación que necesitaban.

Con todo, ese microbio de esperanza se negaba a morir hasta que no hubiera un cuerpo al que mirar y decir: «Sí, es ella. Es Katie. Es mi hija».

Jimmy observó a los polis que se encontraban junto al arco de hierro forjado que cubría la entrada del parque. El arco era lo único que quedaba de la cárcel que había existido en esos terrenos antes de que fuera un parque, antes del autocine, y antes de que todos los que estaban allí en aquel momento hubieran nacido. La ciudad se había extendido alrededor de la cárcel, en vez de hacerlo al revés. Los carceleros se habían instalado en la colina, mientras que las familias de los convictos se habían establecido en la zona de las marismas. La incorporación a la ciudad empezó a producirse cuando los carceleros se hicieron mayores y empezaron a ocupar cargos.

Sonó el transmisor del agente que estaba más cerca del arco y el policía se lo llevó a los labios.

Annabeth apretó la mano a Jimmy con tanta fuerza que los huesos de la mano le crujieron.

–Aquí Powers. Vamos a salir.

–De acuerdo.

–¿El señor y la señora Marcus están ahí afuera?

–Afirmativo –respondió el agente mirando a Jimmy y dejando caer los ojos.

–Muy bien. Salimos.

–¡Dios mío, Jimmy! ¡Dios mío! –exclamó Annabeth.

Jimmy oyó el chirrido de neumáticos y vio cómo varios coches y furgonetas pasaban por delante de la barrera de Roseclair. Las furgonetas llevaban antenas parabólicas en el techo, y Jimmy se percató de que un grupo de periodistas y de cámaras se lanzaba a la calle de un salto, zarandeándose, levantando las cámaras y desenrollando cables de micrófono.

–¡Sáquenlos de aquí! –gritó el policía que estaba junto al arco–. ¡Ahora mismo! ¡Háganles salir!

Los agentes de la primera valla se encontraron con los periodistas, y entonces empezó el griterío.

–Aquí Dugay. ¿Sargento Powers? –dijo por el transmisor el agente que se encontraba junto al arco.

–Aquí Powers.

–La prensa está obstruyendo el paso aquí afuera.

–Dispérselos.

–Eso es lo que estamos haciendo, sargento.

En la carretera de acceso unos veinte metros más arriba del arco, Jimmy vio que un coche patrulla de los estatales giraba una curva y se detenía de repente. Podía ver un tipo al volante, con el transmisor junto a los labios, y Sean Devine a su lado. El parachoques de otro vehículo se detuvo detrás del coche patrulla y Jimmy notó que se le secaba la boca.

–¡Haga que se vayan, Dugay! ¡Aparte a esos canallas de ahí! No me importa si tiene que librarse de esos bufones de mierda a tiros.

–Sí, señor.

Dugay, y otros tres agentes más, pasaron a toda velocidad por delante de Jimmy y Annabeth. Dugay, con el dedo alzado, gritaba:

–¡Están contaminando la escena del crimen! ¡Hagan el favor de volver a sus vehículos de inmediato! ¡No tienen autorización para entrar en esta zona! ¡Vuelvan a sus vehículos ahora mismo!

–¡Mierda! –exclamó Annabeth.

Jimmy sintió la ventolera del helicóptero incluso antes de oírlo. Alzó los ojos para ver cómo sobrevolaba la zona, y después volvió a mirar al coche patrulla que se había detenido en la carretera. Vio cómo el conductor gritaba por el transmisor y después oyó las sirenas, formando una gran cacofonía, y de repente empezaron a moverse a toda prisa coches patrulla color azul marino y plata desde todos los extremos de Roseclair; los periodistas se dirigieron con rapidez a sus vehículos, y el helicóptero hizo un giro brusco y se dirigió de nuevo hacia el parque.

–¡Jimmy! –exclamó Annabeth con el tono de voz más triste que Jimmy jamás hubiera oído salir de su boca–. ¡Jimmy, por favor! ¡Por favor!

–Por favor, ¿qué, cariño? –Jimmy la sostenía–. ¿Qué?

–¡Oh, Jimmy, por favor! ¡No, no!

Era todo aquel ruido: las sirenas, los neumáticos chirriantes, las voces estridentes y las ensordecedoras paletas de rotor. Ese ruido era Katie, muerta, gritándoles al oído, y Annabeth se desplomó al oírlo entre los brazos de Jimmy.

Dugay volvió a pasar por delante de ellos a toda prisa y quitó las vallas de debajo del arco; antes de que Jimmy se diera cuenta de que se había movido, el coche patrulla se había detenido de repente junto a él, y una furgoneta blanca, adelantándole por la derecha, salió disparada hacia la calle Roseclair y luego giró a la izquierda. Jimmy alcanzó a ver las palabras «JUEZ DE PRIMERA INSTANCIA DEL CONDADO DE SUFFOLK» a un lado de la furgoneta, y sintió que todas las articulaciones de su cuerpo, tobillos, hombros, rodillas y caderas, se volvían quebradizas, y se derretían.

–Jimmy.

Jimmy bajó los ojos y vio a Sean Devine; éste le miraba fijamente a través de la ventana abierta de la puerta de la derecha.

–¡Venga, Jimmy! ¡Sube, por favor!

Sean salió del coche y abrió la puerta trasera en el instante en que el helicóptero regresaba, volando un poco más alto, pero cortando aún el aire lo bastante cerca para que Jimmy lo sintiera en sus cabellos.

–¿Señora Marcus? –dijo Sean–. Venga, Jimmy, sube al coche.

–¿Está muerta? –preguntó Annabeth.

Esas palabras se metieron dentro de Jimmy y se volvieron ácidas.

–Por favor, señora Marcus. ¿Sería tan amable de subir al coche?

En la calle Roseclair, una falange de coches patrulla se había alineado en doble fila para hacerles de escolta, y las sirenas sonaban con estrépito.

–¿Mi hija está...? –vociferó Annabeth para que la pudieran oír.

Jimmy le hizo callar porque era incapaz de volver a oír aquella palabra de nuevo. Tiró de ella en medio de todo el ruido y subieron a la parte trasera del coche. Sean cerró la puerta y subió a la parte delantera, mientras que el policía que estaba al volante pisó el acelerador y conectó la sirena al mismo tiempo. Salieron a gran velocidad de la carretera de acceso, se unieron a los coches escolta, y todos juntos llegaron a la calle Roseclair, un ejército de vehículos de motores estridentes y de retumbantes sirenas que gritaban al viento rumbo a la autopista sin dejar de aullar.

Yacía en una mesa de metal.

Tenía los ojos cerrados y le faltaba un zapato.

El color de la piel era entre negro y morado, una tonalidad que Jimmy nunca había visto antes.

Percibía su perfume; tan sólo un rastro entre el olor a formaldehído que impregnaba aquella sala fría.

Sean le puso la mano en la espalda y Jimmy habló, sin sentir apenas las palabras, convencido de que en ese momento estaba tan muerto como el cuerpo que tenía delante.

–Sí, es ella –afirmó.

–Es Katie.

–Es mi hija.

13

Luces

–Arriba hay una cafetería –dijo Sean a Jimmy–. ¿Por qué no vamos a tomar un café?

Jimmy permanecía de pie junto al cuerpo de su hija. Una sábana lo cubría de nuevo, y Jimmy levantó la esquina superior y contempló el rostro de su hija como si la observara desde la boca de un pozo y deseara zambullirse tras ella.

–¿Hay una cafetería en el depósito de cadáveres?

–Sí, es un edificio muy grande.

–Me parece extraño –comentó Jimmy, con un tono de voz neutro–. ¿Crees que cuando los patólogos entran allí, todo el mundo va a sentarse al otro lado de la sala?

Sean se preguntó si Jimmy estaría a punto de sufrir una conmoción y le respondió:

–No lo sé, Jim.

–Señor Marcus –dijo Whitey–, teníamos la esperanza de poder hacerle algunas preguntas. Ya sé que es un momento muy duro, pero...

Jimmy volvió a cubrir el rostro de su hija con la sábana y, a pesar de que movió los labios, de su boca no salió ningún sonido. Miró a Whitey como si le sorprendiera verlo en la sala, con el bolígrafo sobre su libreta de notas. Volvió la cabeza y miró a Sean.

–¿Te has parado a pensar alguna vez cómo una decisión sin importancia puede cambiar totalmente el rumbo de tu vida? –le preguntó Jimmy.

Sean, sosteniéndole la mirada, inquirió:

–¿En qué sentido?

El rostro de Jimmy estaba pálido e inexpresivo, con los ojos vueltos hacia arriba como si intentara recordar dónde había dejado las llaves del coche.

–Una vez me contaron que la madre de Hitler estuvo a punto de abortar, pero que cambió de opinión en el último momento. También me contaron que él se marchó de Viena porque no podía vender sus cuadros. Ya ves, Sean, si hubiera vendido un cuadro o su madre hubiera abortado, el mundo sería un lugar muy diferente, ¿comprendes? O por ejemplo, digamos que pierdes el autobús por la mañana y, mientras te tomas la segunda taza de café, te compras un boleto de rasca y gana, que va y sale premiado. De repente ya no tienes que coger el autobús. Puedes ir al trabajo en un Lincoln. Pero tienes un accidente de coche y te mueres. Y todo eso porque un día perdiste el autobús.

Sean miró a Whitey y éste se encogió de hombros.

–¡No! –exclamó Jimmy–. ¡No lo hagas! No me mires como si pensaras que estoy loco. Ni estoy loco ni estoy en estado de *shock*.

–De acuerdo, Jimmy.

–Lo único que quiero decir es que hay hilos, ¿vale? Hay hilos en nuestras vidas. Si uno tira de uno de ellos, todo lo demás se ve afectado. Imaginemos que hubiera llovido en Dallas y que Kennedy no hubiese podido ir en su descapotable. O que Stalin hubiera seguido en el seminario. O que tú y yo, Sean, hubiéramos subido a aquel coche con Dave Boyle.

–¿Qué? –preguntó Whitey–. ¿Qué coche?

Sean hizo un gesto con la mano a Whitey para que le dejara proseguir y añadió:

–Ahí me he perdido, Jimmy.

–¿De verdad? Si hubiéramos subido al coche, nuestra vida habría sido muy diferente. Marita, mi primera mujer y la madre de Katie, era una belleza. Parecía un miembro de la realeza. Ya sabes cómo son algunas mujeres latinas, maravillosas. Y ella lo sabía. Si un tipo se le quería acercar, más le valía tener un buen par de cojones. Y yo los tenía. A los dieciséis años, era el rey del barrio. No le tenía miedo a nada. Así pues, me acerqué a ella y la invité a salir. Un año más tarde, ¡santo cielo, sólo tenía diecisiete años, era un niño!, nos casamos y ella ya estaba embarazada de Katie.

Jimmy caminaba alrededor del cuerpo de su hija, formando círculos lentos y regulares.

–La cuestión es, Sean, que si nos hubiéramos subido a ese coche y se nos hubieran llevado quién sabe dónde, y hubiéramos tenido que aguantar durante cuatro días todo lo que aquellos jodidos lunáticos hubieran deseado hacernos cuando tan sólo teníamos... ¿qué, once años?, no creo que hubiera sido tan osado a los dieciséis. Creo que habría acabado como un caso desahuciado y me habrían atiborrado de tranquilizantes. Sé que nunca habría tenido lo que hacía falta para pedir relaciones a una mujer tan bella y tan arrogante como Marita. Y por lo tanto, nunca habríamos tenido a Katie. Y entonces nunca la habrían asesinado. Pero lo han hecho. Todo porque no nos subimos a aquel coche, Sean. ¿Entiendes lo que te quiero decir?

Jimmy miró a Sean como si esperara una confirmación, pero Sean no tenía ni idea del tipo de confirmación que quería oír. Parecía necesitar que le perdonaran, que le absolvieran por no haber subido al coche cuando era niño y por haber engendrado a una criatura que había sido asesinada.

A veces, mientras hacía *jogging*, Sean se encontraba volviendo por la calle Gannon, y se quedaba de pie en el mismo trozo de calle en el que él, Dave Boyle y Jimmy habían rodado por los suelos, antes de percatarse de que había un coche esperándoles. De vez en cuando, Sean aún era capaz de recordar el olor de manzanas que emanaba de aquel coche. Y si volvía la cabeza con mucha rapidez, aún alcanzaba a ver a Dave Boyle en el asiento trasero de aquel coche, mientras que éste alcanzaba la esquina, con la cabeza vuelta hacia ellos, atrapado y alejándose de su vista.

Hacía unos diez años, un día que había salido de borrachera con unos amigos y que Sean tenía todo el cuerpo lleno de bourbon, se puso filosófico, y pensó que tal vez habían subido realmente al coche. Los tres juntos. Y que lo que consideraban que en aquel momento era su vida, era tan sólo un sueño. Que todos ellos eran, en realidad, tres niños de once años encerrados en un sótano, imaginándose en qué se habrían convertido si hubieran conseguido escapar.

Lo importante de esa idea era que, aunque Sean se imaginaba que sólo era consecuencia de una noche de borrachera, se le había quedado clavada en el cerebro, como una piedra en la suela del zapato.

Por lo tanto, de vez en cuando se encontraba frente a su antigua casa de la calle Gannon, vislumbrando fugazmente con el rabillo del ojo al Dave Boyle que desaparecía de su vista, y con el olor a manzanas inundándole la nariz, y pensaba: «No. Vuelve».

Levantó los ojos y vio la mirada dolorida de Jimmy. Deseaba decirle algo. Quería contarle que él también había pensado qué habría sido de ellos si se hubieran subido al coche. Que el pensamiento de lo que podría haber sido su vida a veces le obsesionaba, girando a su alrededor, flotando en el aire como el eco de un nombre que se pronuncia desde una ventana. Quería decir a Jimmy que aquel sueño que había tenido, en el que la calle le asía los pies y estiraba de él hacia la puerta abierta, aún le hacía sudar de tanto en tanto. Deseaba hacerle saber que en realidad aún no había sabido qué hacer con su vida desde aquel día, que era un hombre que a menudo se sentía ligero con su propia ingravidez, con la naturaleza insustancial de su carácter.

Pero estaban en un depósito de cadáveres, con la hija de Jimmy tumbada en medio de ambos, en una mesa de metal, y el bolígrafo de Whitey preparado sobre la libreta; así pues, lo único que Sean fue capaz de responder al suplicante rostro de Jimmy fue: «Venga, Jim. Vamos a tomarnos ese café».

Según Sean, Annabeth Marcus era una mujer increíblemente fuerte. Estaba sentada allí, una tarde de domingo, en una fría cafetería municipal, con ese característico olor a celofán recalentado y empañado, siete plantas más arriba de un depósito de cadáveres, hablando de su hijastra con unos distantes representantes de la ley; Sean se dio cuenta de que por muy dolorosa que le resultara la situación, ella no se desmoronaría. Tenía los ojos rojos, pero a los pocos minutos Sean tuvo la certeza de que no lloraría. Al menos delante de ellos. De ninguna de las maneras.

Mientras hablaban, se quedó sin aliento varias veces. Se atragantaba a media frase, como si un puño le atravesase serpenteando por el pecho y le presionara los órganos. Se colocaba la mano sobre el pecho, abría la boca un poco más, y esperaba a tener suficiente oxígeno para poder continuar.

—El sábado, después de trabajar en la tienda, llegó a casa a las cuatro y media.

—¿De qué tienda se trata, señora Marcus?

—Mi marido —dijo señalando a Jimmy— es propietario del Cottage Market.

—¿La de la esquina de East Cottage y de la avenida Bucky? —preguntó Whitey—. Tienen el mejor café de toda la ciudad.

—Entró en casa y se metió en la ducha —prosiguió Annabeth—. Cuando salió, cenamos. Ah, no, espere, ella no comió nada. Se sentó con nosotros, habló con las niñas, pero no cenó. Nos dijo que se iba a cenar con Eve y Diane.

—¿Las chicas con las que salió? —preguntó Whitey a Jimmy.

Jimmy asintió con la cabeza.

—Así pues, no comió... —apuntó Whitey.

—Pasó un rato con las niñas, con nuestras hijas, sus hermanas —continuó Annabeth—. Hablaron del desfile de la semana próxima y de la Primera Comunión de Nadine. Después estuvo hablando por teléfono en su habitación un ratito y, a eso de las ocho, se marchó.

—¿Sabe con quién hablaba por teléfono?

Annabeth negó con la cabeza.

—¿El teléfono que tiene en la habitación es una línea privada? —preguntó Whitey.

—Sí.

—¿Les molestaría que las conversaciones que realizó por esa línea salieran a la luz cuando llamen a declarar a los de la compañía telefónica?

Annabeth miró a Jimmy y éste respondió:

—No. No tenemos ningún inconveniente.

—Así pues, se marchó a las ocho. Según tienen entendido para encontrarse con sus amigas, Eve y Diane.

—Eso es.

—¿A esa hora aún se encontraba en la tienda, señor Marcus?

—Sí. El sábado hice el turno de día. De doce a ocho.

Whitey pasó de golpe una página de la libreta, les dedicó una sonrisa a los dos y añadió:

–Ya sé que esto les debe de resultar duro, pero lo están haciendo muy bien.

Annabeth hizo un gesto de asentimiento, se volvió hacia su marido y dijo:

–He llamado a Kevin.

–¿Sí? ¿Has hablado con las chicas?

–He hablado con Sara y le he dicho que estaríamos de vuelta en casa muy pronto. No le he dicho nada más.

–¿Te ha preguntado por Katie?

Annabeth asintió con la cabeza.

–¿Qué le has dicho?

–Sólo le he dicho que pronto llegaríamos a casa –respondió Annabeth.

Sean se percató de que le temblaba un poco la voz al pronunciar «pronto».

Ella y Jimmy volvieron a mirar a Whitey y éste les dedicó otra pequeña sonrisa tranquilizadora.

–Tengan la seguridad, así lo ha ordenado el máximo responsable del ayuntamiento, de que a este caso se le va a dar prioridad absoluta. Además, no cometeremos errores. Al agente Devine le han asignado este caso porque es amigo de la familia y nuestro jefe se percata de que le dedicará mucho más tiempo. No se alejará de mí ni un solo minuto y encontraremos al responsable de la muerte de su hija.

Annabeth le dirigió una mirada burlona a Sean y exclamó:

–¡Amigo de la familia! ¡Si yo no le conozco!

Whitey frunció el entrecejo con cierto aire de abatimiento.

–Su marido y yo éramos amigos, señora Marcus –declaró Sean.

–Hace mucho tiempo –puntualizó Jimmy.

–Nuestros padres trabajaban juntos.

Annabeth hizo un gesto de asentimiento, todavía un poco confundida.

–Señor Marcus, los sábados solía pasar mucho tiempo con su hija en la tienda, ¿no es así? –preguntó Whitey.

–Sí y no –contestó Jimmy–, porque yo casi siempre estaba en la parte trasera y Katie se encargaba de las cajas registradoras de la parte de delante.

–¿Recuerda que pasara algo fuera de lo normal? ¿Se comportaba de alguna manera extraña? ¿Estaba tensa o asustada? ¿Tuvo algún enfrentamiento con un cliente?

–Que yo viera, no. Le daré el número de teléfono del tipo que trabajaba con ella por las mañanas. Quizá sucediera algo antes de que yo llegara.

–Se lo agradezco, señor. Pero mientras usted estuvo allí...

–Se comportaba con naturalidad. Se la veía feliz, tal vez un poco...

–Un poco, ¿qué?

–No, nada.

–Señor, cualquier cosa, por nimia que sea, ahora es importante.

Annabeth se inclinó hacia delante y dijo:

–¿Jimmy?

Jimmy les dedicó una sonrisa incómoda y añadió:

–No es nada. Sólo que... en un momento dado, alcé los ojos del mostrador y vi que estaba en la puerta. Allí estaba, de pie, sorbiendo una Coca-Cola con una pajita y mirándome.

–Mirándole.

–Sí. Y por un instante, me recordó un día en el que me miró del mismo modo: ella tenía cinco años y yo iba a dejarla sola en el coche para entrar un momento en una farmacia. Entonces, claro está, se echó a llorar porque yo acababa de salir de la cárcel y su madre hacía muy poco que había muerto, y creo que por aquel entonces pensaba que cada vez que la dejaba, aunque fuera por un segundo, no iba a volver. Bueno, pues ayer tenía esa mirada, ¿de acuerdo? Lo que quiero decir es que, al margen de que acabara llorando o no, era una mirada que parecía indicar que se estaba preparando para no volver a verme más. –Jimmy se aclaró la voz y soltó un largo suspiro que le ensanchó los ojos–. Bien, no le había visto esa mirada desde hacía unos cuantos años, unos siete u ocho tal vez, pero el sábado, durante unos segundos, me miró de aquella manera.

–Como si estuviera preparándose para no volver a verle.

–Sí. –Jimmy observó a Whitey mientras éste lo anotaba en su libreta–. ¡Oiga, no se lo tome demasiado en serio! ¡Tan sólo era una mirada!

–No lo hago, señor Marcus, se lo prometo. Pero es información. Es a lo que me dedico: a recoger información hasta que dos o tres piezas encajan. ¿Ha dicho que estuvo en la cárcel?

–¡Santo Dios! –exclamó Annabeth en voz baja, y luego movió la cabeza.

Jimmy se reclinó en la silla y exclamó:

–¡A contarlo de nuevo!

–Sólo es una pregunta –apuntó Whitey.

–Seguramente haría lo mismo si le hubiera dicho que había trabajado para Sears hace quince años, ¿no es verdad? Cumplí condena por robo. Dos años en Deer Island. Apúnteselo en la libreta. ¿Cree que esa información va a ayudarle a coger al tipo que mató a mi hija, sargento? No sé, sólo es una pregunta.

Whitey lanzó una mirada en dirección a Sean.

–Jim, nadie tiene la intención de ofenderte –terció Sean–. Olvidémoslo y volvamos a lo importante.

–Lo importante –repitió Jimmy.

–Aparte de esa mirada de Katie –dijo Sean–, ¿recuerdas algo más que se saliera de lo normal?

Jimmy pasó por alto la mirada de convicto-en-el-patio que le lanzó Whitey, bebió un poco de café, y respondió:

–No, nada. Bueno, un momento, hay un chico, Brendan Harris. Pero, no, eso ha sido esta mañana.

–¿Qué pasa con él?

–Es sólo un chico del barrio. Esta mañana ha venido a la tienda y ha preguntado por Katie; me ha dado la sensación de que esperaba encontrarla allí. Pero apenas se conocían. Me ha parecido un poco raro, pero no creo que tenga ninguna importancia.

De todos modos, Whitey apuntó el nombre del chico en la libreta.

–¿Crees que salía con Katie? –le preguntó Sean.

–No.

–Nunca se sabe, Jim –comentó Annabeth.

–Ya lo sé –remarcó Jimmy–. Pero nunca hubiera salido con un chico así.

–¿Por qué no? –preguntó Sean.

–Porque no.

–¿Qué te hace estar tan seguro?

–¡Joder, Sean! ¡Me estás interrogando sin piedad!

–No lo estoy haciendo, Jim. Sólo te estoy preguntando por qué estás tan seguro de que tu hija no salía con el tal Brendan Harris.

Jimmy espiró aire por la boca, miró el techo y contestó:

–Un padre sabe esas cosas, ¿de acuerdo?

Sean decidió dejar el tema de momento. Le hizo un gesto a Whitey para que captara el mensaje.

–Bien, ya que estamos hablando de eso, ¿con quién salía? –preguntó Whitey.

–En este momento no salía con nadie –respondió Annabeth–. Que nosotros supiéramos.

–¿Qué saben de los ex novios? ¿Es posible que hubiera alguno que estuviera resentido con ella? ¿Algún tipo que ella hubiera dejado o algo así?

Annabeth y Jimmy se miraron; Sean notó que sospechaban de alguien.

–Bobby O'Donnell –respondió Annabeth al cabo de un rato.

Whitey dejó el bolígrafo encima de la libreta, se les quedó mirando por encima de la mesa y les preguntó:

–¿Estamos hablando del mismo Bobby O'Donnell?

–No lo sé –respondió Jimmy–. ¿Trapichea con coca y hace de chulo? ¿De unos veintisiete años?

–Es el mismo tipo –afirmó Whitey–. Le hemos detenido varias veces por delitos que ha cometido en el barrio durante estos dos últimos años.

–Pero aún no han podido acusarle de nada.

–Bien, señor Marcus, en primer lugar, soy policía estatal. Si este crimen no se hubiera perpetrado en Pen Park, ni siquiera estaría aquí. Casi toda la zona de East Buckingham está bajo jurisdicción municipal y, por lo tanto, no puedo hablar en nombre de la policía de esta ciudad.

–Se lo contaré a mi amiga Connie –dijo Annabeth–. Bobby y sus amigos le hicieron volar su floristería por los aires.

–¿Por qué? –preguntó Sean.

–Porque ella se negaba a pagarles –contestó Annabeth.

–¿Por qué tenía que pagarles?

–Pues precisamente para que no la hicieran saltar por los aires –contestó Annabeth, y luego bebió otro sorbo de café.

«Esa mujer es muy dura. Quien se meta con ella, lo tiene jodido», pensó de nuevo Sean.

–Entonces –prosiguió Whitey–, su hija salía con él.

Annabeth asintió con la cabeza y añadió:

–Sí, pero no duró mucho. Unos cuantos meses, ¿no es así, Jimmy? Lo dejaron en noviembre pasado.

–¿Cómo se lo tomó Bobby? –preguntó Whitey.

Los Marcus volvieron a intercambiar miradas; luego Jimmy dijo:

–Una noche hubo una pelea. Se presentó en casa con su perro guardián, Roman Fallow.

–¿Y qué pasó?

–Que les dejamos bien claro que debían marcharse.

–¿Les dejamos? ¿A quién se refiere?

–Algunos de mis hermanos viven en el piso de arriba y en el de abajo del nuestro –contestó Annabeth–. Son muy protectores con Katie.

–Los Savage –le explicó Sean a Whitey.

Whitey volvió a dejar el bolígrafo encima de la libreta, se pellizcó el rabillo del ojo con las yemas de los dedos índice y pulgar, y preguntó:

–¿Los hermanos Savage?

–Sí. ¿Qué hay de malo?

–Con el debido respeto, señora, me preocupa que esto pueda convertirse en algo muy feo. –Whitey ni siquiera alzó la cabeza y empezó a masajearse la nuca–. No tengo ninguna intención de ofenderla, pero...

–Eso es lo que suele decir la gente cuando está a punto de hacer un comentario ofensivo.

Whitey la miró con una sonrisa de sorpresa y remarcó:

–Sus hermanos, tal como ya debe de saber, tienen cierta reputación.

Annabeth, devolviéndole la sonrisa con una de las suyas, tan distantes, respondió:

–Ya sé cómo son mis hermanos, sargento Powers. No hace falta que se ande con rodeos.

–Un amigo mío que trabaja para la Unidad de Delitos Mayores me contó hace unos cuantos meses que O'Donnell armó un lío tremendo porque quería pasarse al negocio de la heroína y al de los préstamos. Y según tengo entendido, esos campos son exclusivamente territorio de los Savage.

–No; en las marismas, no.

–¿Cómo ha dicho, señora?

–En las marismas, no –repitió Jimmy, con la mano sobre la de su mujer–. Le está queriendo decir que no hacen esa mierda en su propio barrio.

–Sólo en cualquier otro barrio –insinuó Whitey, y dejó aquellas palabras sobre la mesa durante un momento–. En cualquier caso, eso deja un vacío de poder en las marismas, ¿no es así? Un vacío que puede ser muy rentable. Y eso es precisamente, si no me han informado mal, lo que Bobby O'Donnell ha estado intentando explotar.

–¿Y? –espetó Jimmy levantándose un poco del asiento.

–¿Y?

–¿Y qué tiene esto que ver con mi hija, sargento?

–Tiene mucho que ver –respondió Whitey, mientras extendía los brazos–. Mucho, señor Marcus, porque lo único que necesitaban ambas partes era una pequeña excusa para iniciar la batalla. Y ahora ya la tienen.

Jimmy negó con la cabeza, y una mueca de amargura empezó a aparecerle en las comisuras de los labios.

–¿O no lo cree así, señor Marcus?

Jimmy alzó la cabeza y contestó:

–Lo que creo, sargento, es que mi barrio va a desaparecer muy pronto. Y la delincuencia desaparecerá con él. Y no será a causa de que los Savage o los O'Donnell o tipos como usted trabajen duramente contra ellos. Sucederá porque los tipos de interés están muy bajos y porque los impuestos de propiedad cada vez son más altos, y porque todo el mundo quiere volver a la ciudad porque los restaurantes de las afueras son una mierda. Y toda esta gente que se está mudando a este barrio no es el tipo de gente que necesitará heroína, ni seis bares en cada manzana, ni que se la chupen por diez dólares. La vida les va bien y les gusta su trabajo. Tienen un futuro, planes de pensiones y bonitos coches alemanes. Por lo tanto, cuando vengan a este barrio, y ya lo están haciendo, la delincuencia y la mitad del barrio desaparecerá. Así pues, no me preocuparía mucho de que Bobby O'Donnell y mis cuñados se declarasen la guerra. No quedará nada para repartir.

–De momento, les quedan los derechos –apuntó Whitey.

–¿De verdad piensa que O'Donnell mató a mi hija? –le preguntó Jimmy.

–Creo que los Savage podrían considerarle sospechoso. Y creo que alguien debería convencerles de que no es así hasta que nosotros hayamos tenido tiempo de llevar a cabo nuestras indagaciones.

Jimmy y Annabeth estaban sentados al otro lado de la mesa y, aunque Sean intentaba leer sus rostros, no pudo conseguir ninguna respuesta.

–Jimmy –dijo Sean–, si no hay demasiados contratiempos, podemos cerrar este caso con rapidez.

–¿De verdad? –le preguntó Jimmy–. Así pues, ¿te tomo la palabra, Sean?

–Hazlo. Además, podemos cerrarlo con pulcritud, para que nadie nos pueda echar nada en cara en los tribunales.

–¿Y cuánto tardarás?

–¿Cómo dices?

–¿Cuánto tiempo crees que tardarás en meter al asesino de Katie en la cárcel?

Whitey alzó un brazo y preguntó:

–¿Está intentando negociar con nosotros, señor Marcus?

–¿Negociar?

El rostro de Jimmy volvió a tener aquella expresión sin vida tan característica de los convictos.

–Sí –comentó Whitey–, porque percibo cierto...

–¿Percibe?

–... aire de amenaza en esta conversación.

–¿De verdad? –preguntó con inocencia, pero con los ojos todavía inertes.

–Como si nos estuviera poniendo una fecha límite –añadió Whitey.

–El agente Devine acaba de prometerme que encontraría al asesino de mi hija. Sólo le estaba preguntando cuánto tiempo calculaba que tardaría en hacerlo.

–El agente Devine –puntualizó Whitey– no está al cargo de esta investigación. Soy yo quien lo está. Y les aseguro, señor y señora Marcus, que conseguiremos la máxima pena para quienquiera que haya cometido el asesinato. Pero lo último que queremos es que alguien piense que nuestro temor a que las bandas de los Savage y de O'Donnell se declaren la guerra pueda ser utilizado en nuestra contra. Creo que voy a arrestarles a todos por alteración del orden público y a olvidarme de los trámites burocráticos hasta que todo esto haya acabado.

Un par de bedeles pasaron por delante de ellos, bandejas en mano; la comida esponjosa que llevaban sobre las bandejas desprendía un vapor grisáceo. Sean sentía que el aire estaba cada vez más viciado y que la noche se cerraba a su alrededor.

–Bien, entonces –dijo Jimmy con una amplia sonrisa.

–Entonces... ¿qué?

–Encuentren al asesino. Yo no interferiré en absoluto. –Se volvió hacia su mujer al tiempo que se ponía en pie y le ofrecía la mano–. ¿Cariño?

–Señor Marcus –dijo Whitey.

Jimmy le miró mientras su mujer le cogía la mano y se levantaba.

–En el piso de abajo hay un agente que les llevará a casa –anunció Whitey, mientras metía la mano en la cartera–. Si se les ocurre cualquier cosa, llámennos.

Jimmy cogió la tarjeta de Whitey y se la guardó en el bolsillo trasero.

Annabeth parecía mucho menos estable de pie, como si tuviera las piernas repletas de líquido. Apretó la mano de su marido y la suya empalideció.

–Gracias –dijo a Sean y a Whitey en un susurro.

En aquel momento Sean vio cómo los estragos del día empezaban a aparecer en su cuerpo y en su rostro, revistiéndola poco a poco. La violenta luz del techo le iluminó la cara y Sean se imaginó la apariencia que tendría cuando fuera mayor: una mujer atractiva, estigmatizada por una sabiduría que nunca había pedido.

Sean no tenía ni idea de dónde procedían las palabras. Ni siquiera se dio cuenta de que estaba hablando hasta que oyó el sonido de su propia voz entrando en la fría cafetería.

–Intercederemos por ella, señora Marcus. Si les parece bien, así lo haremos.

Por un momento a Annabeth se le arrugó el rostro, y después inspiró aire y asintió repetidas veces, apoyada en su marido y flaqueando ligeramente.

–Sí, señor Devine, muy bien. De acuerdo.

Mientras atravesaban de nuevo la ciudad, Whitey le preguntó:

–¿De qué va toda esa historia del coche?

–¿Qué? –preguntó Sean.

–Marcus ha dicho que estuvisteis a punto de subir a no sé qué coche cuando erais pequeños.

–Nosotros... –Sean alargó la mano hacia el salpicadero y ajustó el espejo lateral hasta que pudo ver con claridad la hilera de faros que brillaban detrás de ellos: borrosos puntos amarillos que rebotaban levemente en la noche, con un trémulo resplandor–. Nosotros... ¡Mierda! Bien, pues había un coche. Jimmy, un niño llamado Dave Boyle y yo estábamos jugando delante de mi casa. Debíamos de tener unos once años. Bien, pues ese coche apareció en nuestra calle y se llevó a Dave Boyle.

–¿Un secuestro?

Sean, sin apartar los ojos de aquellas luces vibrantes y amarillentas, asintió con la cabeza y añadió:

–Los tipos ésos se hicieron pasar por polis. Convencieron a Dave para que subiera al coche. Ni Jimmy ni yo subimos. A él lo retuvieron durante cuatro días. Después consiguió escapar y ahora vive en las marismas.

–¿Llegaron a pillar a esos tíos?

–Uno de ellos murió, y al otro lo trincaron un año más tarde; se ahorcó en su propia celda.

–¡Tío! –dijo Whitey–. Ojalá hubiera una isla, ¿sabes? Como en aquella vieja película de Steve McQueen en la que se hace pasar por francés y que todo el mundo tiene acento menos él. Es sólo Steve McQueen con un nombre francés. Al final salta por el acantilado con una balsa hecha de cocos. ¿La has visto alguna vez?

–No.

–Es una buena película. Si hubiera una isla sólo para violadores de niños y para los que se aprovechan de los más débiles, en la que les lanzaran comida desde el aire unas cuantas veces por semana, y en la que minaran todo el agua de los alrededores, nadie se escaparía. ¿Que os han declarado culpables de un delito por primera vez? Pues que os jodan, porque vais a cumplir cadena perpetua en la isla. Lo sentimos mucho, chicos, pero no podemos correr el riesgo de que envenenéis a nadie más. Porque es una enfermedad contagiosa, ¿sabes? Uno la contrae porque otra persona se la pasó. Entonces uno va y se la pasa a otro, como si de la lepra se tratara. Supongo que si les lleváramos a esa isla, habría menos posibilidades de que contagiaran a otras personas. Cada generación, habría unos cuantos menos. Al cabo de unos cuantos cientos de años, podríamos convertir la isla en un Club Mediterranée o algo así. Los niños oirían historias de esos tipos raros con la misma naturalidad con las que ahora les cuentan de fantasmas, como si fuera algo de lo que, no sé, de lo que ya nos hubiéramos desprendido a causa de la evolución de la especie.

–¡Caramba, sargento, qué filosófico se ha vuelto de repente! –exclamó Sean.

Whitey hizo una mueca y subió por la rampa de la autopista.

–A su amigo Marcus –dijo Whitey–, tan pronto como le puse los ojos encima supe que había estado en la cárcel. Nunca se liberan de esa tensión, ¿sabes? A menudo es una tensión que se les pone en los hombros. Si uno se pasa dos años vigilándose la espalda, cada segundo de todos esos días, la tensión se ha de notar en alguna parte.

–Acaba de perder a su hija, hombre. Tal vez sea eso lo que le haga tensar tanto los hombros.

Whitey negó con la cabeza y replicó:

–No. Eso le provoca nervios en el estómago. ¿No te has dado cuenta de que no paraba de hacer muecas? Era debido a que esa pérdida se le había aposentado en el estómago y se le estaba volviendo ácida. Lo he visto un millón de veces. Sin embargo, la tensión de los hombros es consecuencia de la cárcel.

Sean apartó la mirada del espejo retrovisor y, durante un rato, estuvo observando las luces del otro lado de la autopista. Iban hacia ellos como ojos bala, y corrían a gran velocidad como las líneas borrosas de la misma autopista, desdibujándose y formando un todo. Sentía el peso de la ciudad a su alrededor: los rascacielos, las viviendas, los altos edificios de oficinas y los aparcamientos, los estadios, las salas de fiesta y las iglesias; sabía que si una de esas luces se apagaba, nada cambiaría, y que si aparecía un nuevo halo de luz, nadie notaría la diferencia. Sin embargo, latían, brillaban, relucían, resplandecían y se te quedaban mirando, tal como les estaba pasando en ese mismo momento: miraban fijamente a sus propias luces, a medida que avanzaban a toda prisa por la autopista, tan sólo un par más de luces amarillas y rojas que se desplazaban entre un torrente de otras luces, también amarillas y rojas, que avanzaban a toda velocidad a través de un crepúsculo ordinario de domingo.

–¿Hacia dónde iban?

–Hacia las luces apagadas, tonto. Hacia los cristales rotos.

Después de medianoche, cuando Annabeth y las chicas se fueron finalmente a dormir y después de que Celeste, la prima de Annabeth, que había ido a verles en cuanto se había enterado, se quedara medio dormida en el sofá, Jimmy fue al piso de abajo y se sentó en el porche delantero del edificio de tres plantas que compartían con los hermanos Savage.

Se llevó con él el guante de Sean e intentó ponérselo a pesar de que el dedo pulgar no le cabía y de que la base del guante sólo le entraba hasta la mitad de la palma de la mano. Se sentó y contempló los cuatro carriles de la avenida Buckingham; lanzó la pelota contra la cincha del guante, y el suave sonido que hizo al golpear contra el cuero le tranquilizó.

A Jimmy siempre le había gustado sentarse allí afuera de noche. Las tiendas que se alineaban a lo largo de la avenida estaban cerradas y prácticamente a oscuras. De noche, se hacía un silencio en una zona en la que, de día, había una gran actividad comercial; era un silencio diferente a cualquier otro. El ruido que a menudo reinaba durante el día no desaparecía del todo, sino que tan sólo era absorbido y retenido, como si de un par de pulmones se tratara, a la espera de ser expulsado de nuevo. Confiaba en aquel silencio, y le alegraba, ya que anticipaba el regreso del ruido, aunque lo mantuviera cautivo. Jimmy no se podía imaginar viviendo en el campo, donde el silencio era el ruido, y donde el silencio era delicado y se desvanecía con tan sólo tocarlo.

Sin embargo, le gustaba ese silencio, esa bulliciosa tranquilidad. Hasta entonces, la noche le había parecido muy ruidosa y muy intensa a causa de las voces y de los lloros de su esposa e hijas. Sean Devine había enviado a dos detectives, Brackett y Rosenthal, para que examinaran el dormitorio de Katie. Mantenían la mirada baja y se sentían incómodos; además, no paraban de susurrar disculpas a Jimmy, mientras inspeccionaban los cajones, el colchón y el hueco de debajo de la cama. Jimmy tan sólo deseaba que lo hicieran lo más rápido posible y que no le dijeran nada. Al final, no encontraron nada extraño, a excepción de setecientos dólares en billetes nuevos en el cajón de los calcetines de Katie. Se los mostraron a Jimmy junto con su cartilla del banco –en la que habían estampado «ANULADA»–, pues habían sacado todo el dinero el viernes por la tarde.

Jimmy no supo qué responderles a aquello. Para él también fue una sorpresa. Pero en vista del resto de sorpresas del día, le afectó muy poco. No hizo más que aumentar su embotamiento.

–Podríamos matarle.

Val apareció en el porche y entregó una cerveza a Jimmy. Se sentó junto a él, con los pies descalzos sobre los escalones.

–¿O'Donnell?

Val asintió con la cabeza y declaró:

–Me gustaría hacerlo, ¿sabes, Jim?

–¿Crees que fue él quien mató a Katie?

Val hizo un gesto de asentimiento y apuntó:

–Si no fue él, contrató a alguien para que lo hiciera, ¿no crees? Las amigas de Katie son de la misma opinión. Me han dicho que Roman se les acercó en uno de los bares en los que estuvieron y que amenazó a Katie.

–¿Amenazó?

–Bien, que le dio un poco la lata, como si aún fuera novia de O'Donnell. ¡Vamos, Jimmy! Tuvo que ser Bobby.

–Aún no estoy seguro –dijo Jimmy.

–¿Y qué harás cuando lo estés?

Jimmy dejó el guante de béisbol en el escalón que había a sus pies y abrió la cerveza. Bebió un sorbo largo y lento, y respondió:

–Pues tampoco lo sé.

14

Nunca más volveré a sentir lo mismo

Sean, Whitey Powers, Souza y Connolly, otros dos miembros del Departamento de Homicidios del Estado, Brackett y Rosenthal, más una legión de policías y de técnicos de la Policía Científica pasaron la noche entera y parte de la mañana estudiando el caso con todo detalle. Habían analizado cada hoja del parque en busca de pruebas. Habían gastado libretas con diagramas e informes de campo. Los policías habían entrevistado a todos los ocupantes de las casas a las que se podía acceder a pie desde el parque; asimismo, habían llenado una furgoneta entera con todos los vagabundos del parque y con los restos de los cartuchos de la calle Sydney. Buscaron dentro de la mochila que habían encontrado en el coche de Katie Marcus y encontraron las cosas habituales, a excepción de un folleto turístico de Las Vegas y de una lista de hoteles de dicha ciudad en papel amarillo a rayas.

Whitey le mostró el folleto a Sean, soltó un silbido, y exclamó:

—¡Esto sí que es una pista! ¡Vayamos a hablar con sus amigas!

Eve Pigeon y Diane Cestra, tal vez las dos últimas personas honradas que, según el padre de Katie, vieron a su hija con vida por última vez, parecían haber recibido un golpe en la nuca con la misma pala. Whitey y Sean las interrogaron con suavidad entre el constante torrente de lágrimas que bajaba por sus mejillas. Las chicas les dieron todo tipo de detalles sobre lo que hicieron en la última noche de vida de Katie: les dieron una lista de todos los bares en que habían estado, junto con la hora aproximada en la que habían entrado y salido, pero cuando empezaron a hacerles preguntas de tipo personal, tanto Sean como Whitey tuvieron la sensación de que les estaban ocultando información, ya que se intercambiaban miradas antes de contestar y daban respuestas vagas, mientras que antes les habían respondido con precisión.

–¿Salía con alguien?

–No, con regularidad, no.

–¿Y de vez en cuando?

–Bueno...

–¿Sí?

–La verdad es que no nos tenía muy informadas sobre ese tipo de cosas.

–Diane, Eva... Katie era vuestra mejor amiga desde el jardín de infancia. ¿Cómo me voy a creer que nos os contaba si salía con alguien?

–Era muy reservada.

–Sí, eso es. Katie era muy reservada, señor.

Whitey, intentando llegar hasta ellas de otro modo, les preguntó:

–¿No salisteis a celebrar nada especial ayer por la noche? ¿Nada fuera de lo corriente?

–No.

–¿No tenía planes de abandonar la ciudad?

–¿Cómo? No.

–¿No? Diane, hemos encontrado una mochila en el maletero del coche. Dentro había folletos de Las Vegas. ¿Qué? ¿Los llevaba de un lado a otro para mostrárselos a alguien?

–Tal vez. No lo sé.

El padre de Eve empezó a hablar inesperadamente:

–Cariño, si piensas que algo podría ser de ayuda, haz el favor de empezar a contarlo. ¡Por el amor de Dios, estamos hablando del asesinato de Katie!

Aquel comentario hizo que las chicas empezaran a derramar un nuevo torrente de lágrimas y que ya no pudieran seguir interrogándolas; comenzaron a gemir, a abrazarse una a la otra y a temblar, con la boca un poco abierta y ovalada en la pantomima de dolor que Sean había visto tantas y tantas veces, el momento en el que, tal como lo denominaba Martin Friel, el dique se desbordaba y la gente asumía que nunca más volvería a ver a la víctima. En momentos como ésos, no se podía hacer nada, a excepción de observar o marcharse.

Las observaron y esperaron.

Sean pensó que Eve Pigeon[1] tenía cierta semejanza con un pájaro. Su rostro era muy anguloso y la nariz muy fina. Sin embargo, le quedaba muy bien. Había en ella cierta elegancia que le daba a su delgadez un aire casi aristocrático. Sean se imaginó que sería el tipo de mujer a la que la ropa formal le sentaría mejor que la informal, y por la honradez y la inteligencia que emanaba, que atraería sólo a los hombres serios, librándose así de los granujas y de los Romeos.

Diane, en cambio, rezumaba una sensualidad frustrada. Sean vio que tenía un morado descolorido debajo del ojo izquierdo, y le pareció más dura de mollera que Eve, más dada a la emoción y, con toda probabilidad, a la risa. De sus ojos, como dos imperfecciones a juego, colgaba la esperanza desvanecida, cierta necesidad que Sean sabía que rara vez atraía a ningún hombre que no fuera del tipo predador. Sean se figuró que, en los siguientes años, acabaría haciendo muchas llamadas de urgencia a causa de peleas domésticas y que, cuando los polis consiguieran llegar hasta su puerta, aquel pequeño indicio de esperanza habría desaparecido de sus ojos mucho tiempo atrás.

—Eve —dijo Whitey con suavidad cuando pararon de llorar—. Necesito saber más cosas de Roman Fallow.

Eve asintió con la cabeza, como si hubiera estado esperando que le hicieran esa pregunta, pero en aquel momento no dijo nada. Se mordía la piel del dedo pulgar y miraba con atención las migas que había sobre la mesa.

—¿El memo ese que va haraganeando por ahí con Bobby O'Donnell? —le preguntó su padre.

Whitey le hizo un gesto con el brazo y miró a Sean.

—Eve —dijo Sean, a sabiendas que era ella a la que tenían que hacer hablar.

Seguro que les costaría más convencerla que a Diane, pero les contaría detalles más pertinentes.

Ella lo miró.

1. Pigeon, el apellido de Eve, significa «paloma». (N. de la T.)

–No va a haber represalias, si es eso lo que te preocupa. Cualquier cosa que nos cuentes de Roman Fallow o de Bobby quedará entre nosotros. Nunca se enterarán de que nos lo has contado tú.

–¿Qué pasará cuando esto llegue a los tribunales? ¿Eh? –preguntó Diane–. ¿Qué pasará entonces?

Whitey le lanzó una mirada a Sean que decía: «Ahí te las apañes».

Sean se centró en Eve y le dijo:

–A no ser que vieras cómo Roman o Bobby sacaban a Katie del coche...

–No.

–Entonces el fiscal del distrito no puede obligarte a declarar en un juicio público, Eve. Sin lugar a dudas, te lo pediría con insistencia, pero no podría obligarte.

–No los conoce –remarcó Eve.

–¿A Bobby y a Roman? ¡Claro que les conozco! Encarcelé a Bobby nueve meses cuando estuve en el Departamento de Narcóticos. –Sean alargó la mano y la dejó en la mesa, a unos pocos centímetros de la de ella–. Y me amenazó. Pero eso es todo lo que él y Roman son: unos simples charlatanes.

Eve, observando la mano de Sean con una media sonrisa amarga y con los labios fruncidos, respondió poco a poco:

–¡Y... una mierda!

–¡Haz el favor de no hablar así en esta casa! –le ordenó su padre.

–Señor Pigeon –dijo Whitey.

–¡Ni hablar! –exclamó Drew–. Es mi casa y las normas las dicto yo. No permitiré que mi hija hable como si...

–Era Bobby –declaró Eve.

Diane soltó un pequeño grito de asombro y se la quedó mirando como si hubiera perdido el juicio.

Sean vio cómo Whitey arqueaba las cejas.

–¿Qué era Bobby? –le preguntó Sean.

–Con quien salía. Katie salía con Bobby, y no con Roman.

–¿Jimmy lo sabe? –le preguntó Drew a su hija.

Eve se encogió de hombros de esa forma tan hosca, típica de la gente de su edad, con un lento movimiento del cuerpo que indicaba que le importaba tan poco que ni se molestaba en esforzarse.

–¡Eve! –exclamó Drew–. ¿Lo sabía o no lo sabía?

–Sí y no –respondió Eve. Suspiró, inclinó la cabeza hacia atrás y se quedó mirando el techo con sus ojos oscuros–. Sus padres se creían que habían reñido porque, durante un tiempo, así lo creía ella. El único que no pensaba que su relación se había terminado era Bobby. No quería aceptarlo e insistía en volver. Una noche estuvo a punto de lanzarla desde el rellano de un tercer piso.

–¿Lo viste con tus propios ojos? –le preguntó Whitey.

Negó con la cabeza y contestó:

–Katie me lo contó. Se lo encontró en una fiesta hará un mes o unas seis semanas. La convenció para que saliera al vestíbulo a hablar con él, pero el piso se encontraba en la tercera planta, ¿entiende lo que le quiero decir? –Eve se secó el rostro con la palma de la mano, aunque daba la impresión de que, por el momento, ya no iba a llorar más–. Katie me contó que no hacía más que repetir a Bobby que lo suyo ya había terminado, pero Bobby no quería hablar de eso y, al final, se enfadó tanto que la cogió por los hombros y la levantó sobre la barandilla. La sostuvo un buen rato así, por encima de la escalera.

»¡A tres pisos de altura, el psicópata! Y le dijo que si no seguía saliendo con él, la haría pedazos. Y que ella sería su chica hasta que a él le diera la gana, y que si no lo aceptaba la dejaría caer en aquel preciso instante.

–¡Santo cielo! –exclamó Drew Pigeon, después de unos momentos de silencio–. ¿Conocéis realmente a gente así?

–Bien, Eve –dijo Whitey–, ¿qué le dijo Roman cuando la vio en el bar el sábado por la noche?

Eve no dijo nada durante un rato.

–¿Por qué no nos lo cuentas, Diane? –sugirió Whitey.

Diane, que parecía necesitar un trago, respondió:

–Se lo hemos contado a Val. Ya debería ser suficiente.

–¿A Val? –preguntó Whitey–. ¿A Val Savage?

–Esta misma tarde ha venido a vernos –apuntó Diane.

–¿Le habéis contado lo que os dijo Roman y no nos lo queréis contar a nosotros?

–Él es de la familia –contestó Diane; después cruzó los brazos sobre el pecho y les dedicó su mejor mirada de «que os jodan, polis».

–Ya se lo contaré yo –declaró Eve–. ¡Santo Dios! Le dijo que no le había hecho ninguna gracia enterarse de que estábamos borrachas y haciendo el tonto por ahí, y que con toda probabilidad, a Bobby tampoco le gustaría nada, y que lo mejor que podíamos hacer era volver a casa.

–Así pues, os marchasteis.

–¿Ha hablado con Roman alguna vez? –le preguntó–. Tiene una forma de decir las cosas que parece que te esté amenazando.

–¿Eso es todo? –preguntó Whitey–. ¿No visteis que os siguiera hasta fuera del bar o algo así?

Negó con la cabeza.

Miraron a Diane.

Diane se encogió de hombros y contestó:

–La verdad es que estábamos bastante borrachas.

–¿Volvisteis a verlo esa misma noche? ¿Alguna de las dos?

–Katie nos trajo hasta aquí con su coche –respondió Eve–. Nos dejó delante de la puerta. Fue la última vez que la vimos –tartamudeó un poco y apretó el rostro como si fuera un puño, al tiempo que volvía a inclinar la cabeza hacia atrás, miraba hacia arriba e inspiraba aire.

–¿Con quién tenía intención de marcharse a Las Vegas? –le preguntó Sean–. ¿Con Bobby?

Eve se quedó mirando el techo durante un buen rato; la respiración se le había vuelto líquida.

–Con Bobby, no –respondió al cabo de un rato.

–¿Con quién, Eve? –insistió Sean–. ¿Con quién pensaba marcharse a Las Vegas?

–Con Brendan.

–¿Con Brendan Harris? –preguntó Whitey.

–Sí –confirmó ella–. Con Brendan Harris.

Whitey y Sean se miraron.

–¿Con el hijo de Ray? –preguntó Drew Pigeon–. ¿Ese que tiene un hermano mudo?

Eve asintió con la cabeza y Drew se volvió hacia Sean y Whitey.

–Es un buen chico. Inofensivo.

Sean hizo un gesto de asentimiento y espetó:

–Sí, claro. Inofensivo.

–¿Tienes su dirección? –preguntó Whitey.

Cuando llegaron a casa de Brendan Harris, no había nadie; por lo tanto, Sean pidió ayuda y ordenó a dos policías que vigilaran la casa y que les avisaran cuando regresaran los Harris.

A continuación, se dirigieron a casa de la señorita Prior, y tuvieron que quedarse allí tomando té, comiendo pasteles de café pasados y mirando *Touched by an Angel*[1] con el volumen tan alto que a Sean aún le retumbaba Della Reese en la cabeza una hora después de que gritara «Amén» y hablara de la redención.

La señorita Prior les contó que la noche anterior se había asomado por la ventana a eso de la una y media de la madrugada, y que había visto a dos niños jugando en la calle, niños pequeños, en la calle a aquellas horas, lanzándose latas uno al otro, haciendo esgrima con palos de hockey y diciendo palabrotas. Había pensado en decirles algo, pero las mujeres mayores debían andarse con cuidado. En los tiempos que corrían los niños estaban locos, disparaban en las escuelas, llevaban aquella ropa ancha y no paraban de decir tacos. Además, al cabo de un rato los niños empezaron a perseguirse uno al otro calle abajo y, por lo tanto, ya había dejado de ser problema suyo; sin embargo, la forma en la que se comportaban los chicos actualmente... ¿Era ésa la forma correcta de vivir?

–El agente Medeiros nos ha contado que oyó un coche a eso de las dos menos cuarto –dijo Whitey.

La señorita Prior miró cómo Della explicaba los caminos del Señor a Roma Downey; ésta tenía una pose solemne, los ojos vidriosos y parecía estar imbuida de Jesús. La señorita Prior hizo varios gestos de asentimiento al televisor para luego darse la vuelta y mirar a Sean y a Whitey de nuevo.

1. Serie televisiva norteamericana producida por la CBS y Moon Water Productions. La actriz Della Reese interpreta al personaje de Tess, un ángel bueno que intenta llevar a la gente por el buen camino. *(N. de la T.)*

–Oí cómo un coche chocaba contra algo.

–¿Contra qué?

–¡Hoy en día la gente conduce como loca! Es una bendición que yo ya no tenga el carné, pues me daría miedo conducir por esas calles. Todo el mundo parece haberse vuelto loco.

–Sí, señora –dijo Sean–. ¿Por el ruido le pareció que era un coche chocando contra otro coche?

–¡Ah, no!

–¿Como si hubiera atropellado a una persona? –preguntó Whitey.

–¡Por el amor de Dios! ¿Cómo voy a saber yo qué ruido iba a hacer eso? Además, no tengo ningún interés en saberlo.

–Entonces no fue un ruido muy estridente –apuntó Whitey.

–¿Cómo dice, querido?

Whitey se lo repitió, inclinándose hacia delante.

–No –respondió la señorita Prior–. Más bien fue como si un coche chocara contra una roca o un bordillo. El coche se quedó allí parado y alguien dijo: «Hola».

–¿Alguien dijo «hola»?

–Hola –repitió la señorita Prior. Miró a Sean e hizo un gesto de asentimiento–. Y entonces, parte del coche se rompió.

Sean y Whitey se quedaron mirando el uno al otro.

–¿Se rompió? –exclamó Whitey.

A la señorita Prior, inclinando su cabeza pequeña y azulada, se le ocurrió decir:

–Cuando mi Leo estaba vivo, se le rompió el eje del Plymouth. ¡Hizo tanto ruido! ¡Crac! –se le iluminó la mirada–. ¡Crac! ¡Crac!

–Y eso es lo que oyó después de que alguien dijera: «Hola».

Asintió y respondió:

–Hola y crac.

–Y, cuando miró por la ventana, ¿qué vio?

–¡Ah, no, no! –exclamó la señorita Prior–. No me asomé a la ventana. Entonces ya me había puesto la bata. Ya me había ido a dormir. Nunca me asomaría por la ventana con la bata puesta. La gente podría verme.

–Sin embargo, quince minutos antes...

–Joven, quince minutos antes no llevaba la bata. Acababa de ver una película en la televisión, una película estupenda en la que salía Glenn Ford. Ojalá me acordara del nombre.

–Entonces apagó el televisor...

–Vi a esos niños sin madre en la calle, me fui al piso de arriba, me puse la bata, y a partir de entonces, joven, ya no volví a descorrer las cortinas.

–La voz que dijo «hola» –insistió Whitey–, ¿era de hombre o de mujer?

–Creo que de mujer –contestó la señorita Prior–. Era una voz aguda, a diferencia de la de ustedes dos –expresó con entusiasmo–. Los dos tienen unas voces bien masculinas. Sus madres deben de estar muy orgullosas.

–¡Oh, sí, señora! ¡No se lo puede ni imaginar! –exclamó Whitey.

Mientras salían de la casa, Sean repitió:

–¡Crac!

Whitey sonrió y añadió:

–¡Cómo disfrutaba repitiéndolo! ¡Hizo que se sintiera joven de nuevo!

–¿Qué crees que se le rompió: el eje o la culata?

–La culata –contestó Whitey–. Es lo del «hola» lo que me ha dejado perplejo.

–Si saludó a quien le disparó, podría indicar que le conocía.

–Quizá, pero no podemos estar seguros.

Después de eso se pasaron por los bares en que habían estado las chicas; no consiguieron más que algunas declaraciones achispadas de gente que dijo haber visto allí a las chicas, o quizá no, y listas incompletas de posibles clientes que podrían haberse encontrado allí entonces.

Para cuando llegaron al McGills, Whitey ya se estaba cabreando.

–Dos chicas jóvenes, muy jóvenes, menores de edad, de hecho, se suben a la barra y empiezan a bailar, y ¿quiere que me crea que no lo recuerda?

El barman, que ya había empezado a asentir antes de que Whitey acabara de formular la pregunta, dijo:

–¿Ah, ésas? Sí, ya me acuerdo. Claro. Seguro que las falsificaciones de los carnés eran muy buenas, porque se los pedimos a la entrada, detective.

–Sargento, si no le importa –apuntó Whitey–. En un principio apenas recordaba haberlas visto aquí y ahora recuerda haberles pedido el carné. Tal vez recuerde a qué hora se marcharon. ¿O de eso tampoco se acuerda muy bien?

El barman, un tipo joven, con unos bíceps tan grandes que, con toda probabilidad, le interrumpían el riego cerebral, dijo:

–¿Marcharon?

–Sí, ¿a qué hora se fueron?

–Yo no...

–Fue justo antes de que Crosby rompiera el reloj –contestó un tipo que estaba sentado en un taburete.

Sean le echó un vistazo. Era un viejo que tenía el *Herald* abierto de par en par encima de la barra, entre una botella de Bud y un chupito de whisky; el humo de su cigarrillo formaba espirales en el cenicero.

–¿Se encontraba usted aquí? –le preguntó Sean.

–Así es. Moron Crosby deseaba coger el coche e irse a casa. Sus amigos intentaban quitarle las llaves. El tontorrón se las lanzó, pero falló y dieron contra ese reloj.

Sean observó el reloj que había sobre la puerta que conducía a la cocina. El cristal estaba roto y las manecillas se habían detenido a las 12.52.

–¿Se marcharon antes de que sucediera eso? –le preguntó Whitey al viejo–. ¿Las chicas?

–Unos cinco minutos antes –respondió el tipo–. Las llaves fueron a parar al reloj y recuerdo que pensé que me alegraba de que esas chicas ya no estuvieran allí. No hacía falta que vieran un espectáculo tan ruin.

Una vez en el coche, Whitey preguntó:

–¿Ya has apuntado las horas?

Sean asintió con la cabeza, hojeó sus notas y contestó:

–Se marcharon del Curley's Folly a las nueve y media, y luego hicieron una visita rápida al Banshee, al pub Dick Doyle's y al Spire's, acabaron en el McGills a eso de las once y media, y entraron en el Last Drop a la una y diez.

–Y se estrelló con el coche una media hora después.

Sean hizo un gesto de asentimiento.

–¿Te suena alguno de los nombres de la lista del barman?

Sean miró la lista de clientes del sábado por la noche que el barman del McGills había garabateado en un trozo de papel.

–Dave Boyle –dijo en voz alta cuando vio el nombre.

–¿El mismo tipo del que eras amigo cuando eras un niño?

–Es posible –respondió Sean.

–Podríamos ir a hablar con él –sugirió Whitey–. Si te considera amigo suyo, no nos tratará como simples policías ni se callará como un muerto sin motivo aparente.

–Claro.

–Le pondremos en la agenda de mañana.

Encontraron a Roman Fallow tomándose un capuchino en el Café Society de la colina. Estaba sentado con una mujer que parecía modelo: tenía las rótulas tan marcadas como los pómulos, los ojos un poco saltones, porque le habían estirado tanto la piel del rostro que parecía que se la hubieran pegado al hueso, y llevaba un bonito vestido de verano de color marfil con esas tiras finas que le daban cierto aire sexy y esquelético a la vez. Sean se preguntaba cómo era posible y decidió que debía de ser por el brillo nacarado de su piel perfecta.

Roman llevaba una camiseta de seda por dentro de unos pantalones de pinzas de lino, y parecía que acabara de salir de un escenario de una de aquellas películas antiguas de la RKO que filmaban en La Habana o en Key West. Sorbía su capuchino y hojeaba el periódico con su chica; Roman leía la sección de negocios, mientras que su modelo pasaba las páginas de la sección de estilo.

Whitey se acercó una silla y exclamó:

–¡Hola, Roman! ¿Venden también ropa de hombre en la tienda donde te has comprado esa camisa?

Roman, sin apartar la mirada del periódico, se metió un trozo de cruasán en la boca y exclamó:

–¡Hola, sargento Powers! ¿Cómo está? ¿Qué tal le va el Hyundai?

Whitey se rió entre dientes mientras Sean se sentaba a su lado, y respondió:

–Roman, viéndote en un lugar como éste, juraría que eres un ejecutivo más, dispuesto a levantarte por la mañana y a hacer unas cuantas operaciones bursátiles desde tu iMac.

–Tengo un ordenador personal, sargento.

Roman cerró el periódico y miró a Whitey y a Sean por primera vez.

–¡Ah, hola! –dijo a Sean–. Le conozco de algo.

–Sean Devine, policía del Estado.

–¡Sí, sí! –exclamó Roman–. Claro, ya le recuerdo. Una vez le vi en los tribunales declarando en contra de un amigo mío. Un traje muy bonito. Sears está mejorando mucho la calidad de sus artículos, ¿no cree? Cada vez son más modernos.

Whitey echó un vistazo a la modelo y le dijo:

–¿Quieres que te traiga un bistec o algo así, cariño?

–¿Qué? –preguntó la modelo.

–¿O tal vez quieres un poco de glucosa en un gota a gota? Te invito.

–No sigas. Esto debe quedar entre nosotros –protestó Roman.

–Roman, no lo entiendo –protestó la modelo.

Roman sonrió y le contestó:

–No te preocupes, Michaela. No nos hagas caso.

–Michaela –repitió Whitey–. ¡Qué nombre tan bonito!

Michaela no apartó los ojos del periódico.

–¿Qué le trae por aquí, sargento?

–Los bollos –respondió Whitey–. La verdad es que me encantan los bollos que hacen aquí. Ah, sí, y además, ¿conoces a una mujer que se llama Katherine Marcus, Roman?

–Claro. –Roman tomó un pequeño sorbo de su capuchino, limpió el labio superior con la servilleta y la dejó de nuevo sobre su regazo–. He oído decir que la han encontrado muerta esta misma tarde.

–Así es –corroboró Whitey.

–Cuando pasan cosas así, nunca es bueno para la reputación del barrio.

Whitey cruzó los brazos y se quedó mirando a Roman.

Roman se comió otro trozo de cruasán y bebió un poco más de capuchino. Cruzó las piernas, se secó con la servilleta delicadamente, y sostuvo la mirada a Whitey un momento. Sean pensó que eso era lo que más le empezaba a aburrir de su trabajo: aquellas competiciones de quién la tenía más grande, todo el mundo intentando ganar, sin nadie que se echara atrás.

–Sí, sargento –respondió Roman–. Conocía a Katherine Marcus. ¿Ha venido hasta aquí para preguntármelo?

Whitey se encogió de hombros.

–La conocía y ayer por la noche la vi en un bar.

–Además intercambió unas cuantas palabras con ella –añadió Whitey.

–Así es –contestó Roman.

–¿Qué le dijo? –le preguntó Sean.

Roman no apartó los ojos de Whitey, como si Sean no mereciera más atención de la que ya le había dedicado.

–Salía con un amigo mío. Estaba borracha. Le dije que estaba haciendo el ridículo y que ella y sus dos amigas deberían volver a casa.

–¿De qué amigo se trata?

Roman sonrió y exclamó:

–¡Venga, sargento! Sabe perfectamente de quién le estoy hablando.

–Quiero que lo diga.

–Bobby O'Donnell –respondió Roman–. ¿Contento? Katie salía con Bobby.

–¿En la actualidad?

–¿Cómo dice?

–¿Actualmente? –repitió Whitey–. ¿Estaba saliendo con él o había salido con él hacía tiempo?

–Estaba saliendo con él –contestó Roman.

Whitey garabateó algo en su libreta de notas y añadió:

–Eso no concuerda con la información que tenemos, Roman.

–¿Ah, no?

–No. Nos han contado que Katie le dejó hace siete meses, pero que él se negaba a aceptarlo.

–Ya sabe cómo son las mujeres, sargento.

Whitey negó con la cabeza y replicó:

–No, no lo sé. ¿Por qué no me lo cuentas, Roman?

Roman cerró su sección del periódico y respondió:

–Ella y Bobby tenían una relación de amor y odio. Un día él era el amor de su vida, pero al siguiente lo plantaba.

–Lo plantaba –repitió Whitey a Sean–. ¿Esa expresión te encaja con el Bobby O'Donnell que conocemos?

–En absoluto –contestó Sean.

–En absoluto –dijo Whitey a Roman.

Roman se encogió de hombros y añadió:

–Le estoy contando lo que sé. Eso es todo.

–Muy bien. –Whitey estuvo tomando notas en su libreta un momento–. Roman, ¿adónde fuiste ayer por la noche después de salir del Last Drop?

–Fuimos a la fiesta de un amigo que tiene un *loft* en el centro.

–¡Vaya, una fiesta en un *loft*! –exclamó Whitey–. Siempre he deseado ir a una de esas fiestas. Drogas de diseño, modelos, un montón de tipos blancos escuchando rap y repitiéndose a sí mismos lo enrollados que son. Con «fuimos», ¿te refieres a ti y a la Ally McBeal esta que tienes al lado, Roman?

–Michaela –respondió Roman–. Sí. Se llama Michaela Davenport, si te interesa apuntarlo.

–¡Claro que lo estoy anotando! –declaró Whitey–. ¿Es tu nombre verdadero, encanto?

–¿Qué?

–Que si Michaela Davenport es tu nombre verdadero.

–Sí. –La modelo aún abrió los ojos un poco más–. ¿Por qué?

–¿Tu madre veía muchos culebrones antes de que nacieras?

–Roman –dijo Michaela.

Roman alzó una mano, miró a Whitey y le dijo:

–¿No habíamos quedado que esto era entre nosotros? ¿Eh?

–¿Te has ofendido, Roman? ¿Vas a hacer de Christopher Walken conmigo y a ponerte duro? ¿Es ésa la idea que tienes? Porque si es así, te subo al coche y no te dejo bajar hasta que tu coartada quede clara. Sí, eso es lo que vamos a hacer. ¿Tienes planes para mañana?

Roman adoptó aquella actitud que ya había visto en muchos delincuentes cuando un poli se ponía duro con ellos: un retraimiento tan absoluto que daba la impresión de que habían dejado de respirar, devolvían la mirada con ojos oscuros, indiferentes y tímidos.

–No era mi intención ofenderle, sargento –confesó Roman, con voz monótona–. Estaré encantado de darle todos los nombres de la gente que me vio en la fiesta. Y estoy seguro de que el barman del Last Drop, Todd Lane, le confirmará que no me marché del bar antes de las dos.

–¡Buen chico! –exclamó Whitey–. Bien, ¿dónde podemos encontrar a su amigo Bobby?

Roman se permitió dedicarle una amplia sonrisa al responder:

–Esto le va a encantar.

–¿El qué, Roman?

–Si de verdad piensa que Bobby es el responsable de la muerte de Katherine Marcus, lo que le voy a decir le va a gustar.

Roman dirigió su mirada de predador hacia Sean, y éste notó de nuevo el entusiasmo que había sentido cuando Eve Pigeon les contó lo de Roman y Bobby.

–¡Bobby, Bobby, Bobby! –Roman suspiró y guiñó un ojo a su novia antes de volver a mirar a Whitey y a Sean–. A Bobby le arrestaron por conducir en estado de embriaguez el viernes por la noche. –Roman tomó otro sorbo de su capuchino y al fin se lo contó–. Ha pasado todo el fin de semana en la cárcel, sargento. –Movió el dedo de un lado a otro ante ellos–. ¿La policía ya no se ocupa de comprobar esas cosas?

Cuando los policías les comunicaron por radio que Brendan Harris había regresado a casa con su madre, Sean empezaba a sentir cómo el cansancio de todo el día le llegaba hasta los mismísimos huesos. Sean y Whitey llegaron allí a eso de las once y se sentaron en la cocina con Brendan y su madre, Esther; Sean pensó que, gracias a Dios, ya no construían pisos como aquéllos. Parecía sacado de algún antiguo programa televisivo, de los *Honeymooners*[1], tal vez, que sólo pudiera

---

1. Serie televisiva que empezó a emitirse en 1952. Los cuatro personajes principales estaban interpretados por Jackie Gleason, Art Carney, Audrey Meadows y Joyce Randolph. *(N. de la T.)*

apreciarse de verdad si se veía en un televisor en blanco y negro y en una pantalla de trece pulgadas que cacareara por la corriente y por una deficiente recepción. Era un piso que se asemejaba a una vía férrea: habían eliminado la puerta de entrada y cuando uno salía de la escalera iba a parar directamente a la sala de estar. Pasada la sala, a la derecha había un pequeño comedor que Esther Harris usaba como dormitorio; sus cepillos, los peines y su colección de cremas estaban apilados en una estantería a punto de desmoronarse. Un poco más allá, estaba el dormitorio que Brendan compartía con su hermano, Raymond.

A la izquierda de la sala de estar había un pequeño pasillo con un desproporcionado cuarto de baño que salía desde la derecha, y después estaba la cocina, encajada en un espacio en el que el sol sólo debía de tocar unos cuarenta y cinco minutos al día, a media tarde. La cocina estaba decorada con diferentes tonalidades de verde descolorido y de amarillo grasiento; Sean, Whitey, Brendan y Esther se sentaron junto a una pequeña mesa con las patas de metal, a las que les faltaban tornillos en las junturas. La superficie de la mesa estaba cubierta por un hule adhesivo amarillo y verde con dibujos de flores; se despegaba por las esquinas y en el centro faltaban unos cuantos trozos del tamaño de una uña.

Daba la impresión de que Esther encajaba a la perfección. Era pequeña y de facciones marcadas, y tanto podría tener cuarenta como cincuenta y cinco años. Olía a jabón barato y a humo de cigarrillo, y su horrible pelo azulado hacía juego con las venas azules igualmente horribles que le recorrían los antebrazos y las manos. Llevaba una sudadera de color rosa descolorido por encima de unos pantalones vaqueros y de unas pantuflas peludas de color negruzco. Fumaba Parliaments sin parar y miraba a Sean y a Whitey hablar con su hijo como si, por mucho que lo intentara, no le interesase en lo más mínimo, aunque seguía allí porque no tenía ningún sitio mejor al que ir.

–¿Cuándo fue la última vez que vio a Katie Marcus? –preguntó Whitey a Brendan.

–La mató Bobby, ¿verdad? –declaró Brendan.

–¿Bobby O'Donnell? –preguntó Whitey.

–Sí.

Brendan manoseaba la superficie de la mesa. Parecía encontrarse en estado de *shock*. Hablaba con un tono de voz monótono, pero de repente respiraba con brusquedad y el lado derecho del rostro se le fruncía como si alguien le estuviera apuñalando el ojo.

–¿Qué le hace pensar eso? –preguntó Sean.

–Ella le tenía miedo. Había salido con él, y ella siempre decía que si se enteraba de lo nuestro, nos mataría a los dos.

En ese momento Sean echó un vistazo a la madre, suponiendo que ésta reaccionaría de alguna manera, pero siguió fumando, expulsando bocanadas de humo y envolviendo toda la mesa en una nube de color gris.

–Parece ser que Bobby tiene una coartada –apuntó Whitey–. ¿Y tú, Brendan?

–Yo no la maté –respondió Brendan, con cierto atontamiento–. No sería capaz de hacer daño a Katie. Nunca.

–Bien, volvamos a ello –insistió Whitey–. ¿Cuándo fue la última vez que la viste?

–El viernes por la noche.

–¿A qué hora?

–No sé, a eso de las ocho.

–¿A las ocho, o a eso de las ocho, Brendan?

–No lo sé. –Brendan tenía el rostro retorcido por una ansiedad que Sean, al otro lado de la mesa, percibía. Apretaba las manos con fuerza y se balanceaba un poco en la silla–. Sí, a las ocho. Nos tomamos un par de copas en Hi-Fi, ¿de acuerdo? Y después... ella tenía que marcharse.

Whitey apuntó «Hi-Fi, 20.00, viernes» en su libreta, y le preguntó:

–¿Adónde tenía que ir?

–No lo sé –contestó Brendan.

La madre estrujó otro cigarrillo sobre el montón que había erigido en el cenicero; uno de los cigarrillos apagados se prendió y una espiral de humo se elevó del montón y serpenteó hasta la ventana derecha de la nariz de Sean. Esther Harris se encendió otro cigarrillo de inmediato y Sean se hizo una imagen mental de sus pulmones: rugosos y negros como el ébano.

–Brendan, ¿cuántos años tienes?

–Diecinueve.

–¿Cuándo acabaste los estudios de Secundaria?

–Estudios –repitió Esther.

–Yo, bueno... me saqué el título de Secundaria el año pasado –respondió Brendan.

–Entonces, Brendan –dijo Whitey–, ¿no tienes ni idea de adónde fue Katie después de salir del Hi-Fi?

–No –contestó Brendan, la palabra se le secó en la garganta y los ojos estaban cada vez más rojos–. Había salido con Bobby y él estaba como loco; además, por el motivo que sea, no le caigo bien a su padre, por lo que teníamos que mantener nuestra relación en secreto. A veces no me decía adónde iba, ya que supongo que iba a encontrarse con Bobby para convencerle de que lo suyo había terminado. No lo sé. Esa noche me dijo que se iba a casa.

–¿No le caes bien a Jimmy Marcus? –preguntó Sean–. ¿Por qué?

Brendan se encogió de hombros y respondió:

–No tengo ni la más remota idea. Pero le dijo a Katie que no quería que se acercara a mí.

–¿Qué? –exclamó la madre–. ¿Ese ladrón se cree que es mejor que mi familia?

–No es un ladrón –apuntó Brendan.

–Era realmente un ladrón –insistió la madre–. Eso, por muchos títulos que tengas, no lo sabías, ¿verdad? Siempre había sido un ladrón de pacotilla. Y su hija, con toda probabilidad, habría heredado sus mismos genes. Habría sido igual de mala. Considérate afortunado, hijo.

Sean y Whitey intercambiaron miradas. Esther Harris era, sin lugar a dudas, la mujer más despreciable que Sean jamás hubiera conocido. Era mala de verdad.

Brendan Harris abrió la boca para contestar a su madre, pero la volvió a cerrar.

–Katie llevaba folletos de Las Vegas en su mochila –declaró Whitey–. Nos han contado que tenía intenciones de irse allí. ¿Contigo, Brendan?

–Nosotros –Brendan mantuvo la cabeza baja–, nosotros, sí, nos íbamos a ir a Las Vegas. Teníamos intención de casarnos, hoy precisamente. –Alzó la cabeza y Sean vio cómo las lágrimas brotaban desde sus ojos enrojecidos. Brendan se las secó con la palma de la mano antes de que le resbalaran por las mejillas–. Eso era lo que habíamos planeado, ¿vale?

–¿Pensabas abandonarme? –exclamó Esther Harris–. ¿Pensabas irte sin decirme nada?

–Mamá, yo...

–¿Igual que tu padre? Ya veo. ¿Pensabas dejarme con tu hermano pequeño, ese que nunca dice nada? ¿Es eso lo que pensabas hacer, Brendan?

–Señora Harris –interrumpió Sean–, sería conveniente que nos concentráramos en el tema que nos ocupa. Brendan podrá explicárselo más tarde.

Le lanzó una de aquellas miradas a Sean que éste había visto en muchos presos habituales y en algunos psicópatas de tres al cuarto, una mirada que indicaba que en ese momento ni siquiera valía la pena prestarle atención, pero que si la hacía enfadar, lo solucionaría dejándole cubierto de morados.

Volvió a mirar a su hijo y exclamó:

–¿Pensabas hacerme eso? ¿Eh?

–Mira, mamá...

–¿Que mire, qué? ¿Que mire, qué? ¿Eh? ¿Qué te he hecho yo para que me trates así? ¿Eh? ¡Lo único que he hecho es criarte, darte de comer y comprarte aquel saxofón para navidades que nunca has aprendido a tocar! ¡Aún no lo has sacado del armario, Brendan!

–Mamá...

–No, vete a buscarlo. Muéstrales a estos hombres lo bien que tocas. Ve a buscarlo.

Whitey miró a Sean como si no se pudiera creer aquella mierda.

–Señora Harris –dijo–, no creo que sea necesario.

Al encenderse otro cigarrillo, la cabeza de la cerilla saltó por su enfado. Añadió:

–Lo único que he hecho es darle de comer, comprarle ropa y criarle.

–Sí, señora –asintió Whitey, en el preciso instante en que alguien abría la puerta principal y dos niños, con monopatines debajo del brazo, entraban en el piso.

Debían de tener unos doce años, o tal vez trece, y uno de ellos era muy parecido a Brendan: tenía el mismo pelo oscuro y el mismo atractivo, pero en sus ojos había algo de la madre, una escalofriante falta de concentración.

–Hola –dijo el otro niño cuando entraron en la cocina.

Al igual que el hermano de Brendan, parecía pequeño para su edad, y tenía que cargar con la maldición de un rostro largo y hundido, una cara desagradable de viejo en un cuerpo de niño, que asomaba por debajo de mechones greñudos de pelo rubio.

Brendan Harris levantó la mano y exclamó:

–¡Hola, Johnny! Sargento Powers, agente Devine, éste es mi hermano Ray, y su amigo, Johnny O'Shea.

–¡Hola, chicos! –dijo Whitey.

–¡Hola! –respondió Johnny O'Shea.

Ray les hizo un gesto de asentimiento.

–Es mudo –apuntó la madre–. Su padre era incapaz de mantener la boca cerrada, pero su hijo no habla. ¡La vida es jodidamente injusta!

Ray hizo señas a Brendan con las manos, y éste contestó:

–Sí, están aquí por lo de Katie.

–Queríamos ir al parque con el monopatín, pero estaba cerrado –protestó Johnny O'Shea.

–Lo abrirán mañana –declaró Whitey.

–Han dicho que mañana va a llover –dijo el niño, como si ellos tuvieran la culpa de que no pudieran ir con el monopatín a las once de la noche entre semana.

Sean se preguntaba en qué momento los padres empezaron a permitir que sus hijos siempre se salieran con la suya.

Whitey se volvió de nuevo hacia Brendan y le preguntó:

–¿Se te ocurre que pudiera tener algún otro enemigo? ¿Alguien que, aparte de Bobby O'Donnell, pudiera haberse enfadado con ella?

Brendan negó con la cabeza y añadió:

–Era muy buena, señor. Era una persona muy amable. Le caía bien a todo el mundo. No sé qué más puedo decirle.

–¿Ya nos podemos ir? –preguntó O'Shea.

Whitey, mirándole con el entrecejo fruncido, le preguntó:

–¿Os lo ha prohibido alguien?

Johnny O'Shea y Ray Harris salieron de la cocina y los adultos oyeron cómo lanzaban los monopatines al suelo de la sala de estar, entraban en el dormitorio de Ray y Brendan, chocaban con todo lo que se encontraban a su paso, tal como suelen hacer los niños de doce años.

–¿Dónde estaba entre la una y media y las tres de esta madrugada? –preguntó Whitey a Brendan.

–Durmiendo.

–¿Puede confirmarlo? –preguntó Whitey a la madre.

Se encogió de hombros y respondió:

–No le puedo asegurar que no saltara por la ventana y que no bajara por las escaleras de emergencia. Lo único que le puedo asegurar es que entró en su habitación a las diez de la noche y que no le he visto hasta las nueve de esta misma mañana.

Whitey, estirándose en la silla, dijo:

–De acuerdo, Brendan. Tendremos que pedirte que pases por el detector de mentiras. ¿Te importaría hacerlo?

–¿Van a arrestarme?

–No, sólo queremos que pases por el detector de mentiras.

Brendan, encogiéndose de hombros, respondió:

–¡Claro, lo que haga falta!

–Aquí está mi tarjeta.

Brendan se la quedó mirando. Sin apartar los ojos de la tarjeta, dijo:

–La quería tanto. Yo... Nunca más seré capaz de sentir lo mismo. Esas cosas nunca suceden dos veces, ¿no es verdad? –observó a Whitey y a Sean.

Tenía los ojos secos, pero Sean deseaba eludir el dolor que veía en ellos.

–En la mayoría de los casos, ni siquiera ocurre una vez –declaró Whitey.

Dejaron a Brendan delante de su casa alrededor de la una; el chico había superado con éxito el detector de mentiras cuatro veces seguidas; después Whitey llevó a Sean a su casa y le dijo que intentara dormir un poco, porque se tendrían que levantar temprano. Sean entró en su piso vacío, oyó el estruendo del silencio que la impregnaba, y sintió cómo el peso de demasiada cafeína y de comida rápida le bajaba por la columna vertebral. Abrió la nevera, sacó una cerveza, y se sentó en la encimera de la cocina a bebérsela; el ruido y las luces de la noche le resonaban por todo el cerebro, y le hicieron preguntarse si ya se había vuelto demasiado viejo para todo aquello, si ya estaba demasiado cansado de la muerte, de motivos tontos y de pervertidos estúpidos, y de la sensación de agobio que todo ello le producía.

Sin embargo, últimamente se había sentido cansado en general. Cansado de la gente. Cansado de los libros, de la televisión, de las noticias de cada noche y de las canciones de la radio que sonaban exactamente igual que otras canciones que ya había oído años atrás y que ya ni siquiera entonces le habían gustado. Estaba cansado de su ropa y de su pelo, cansado de la ropa y del pelo de la otra gente. Estaba cansado de desear que las cosas adquirieran algún sentido. Cansado de la política de oficina, y de quién jodía a quién, tanto en el sentido literal como en el figurado. Había llegado a un punto en el que estaba convencido de que ya había oído con anterioridad todo lo que la gente decía sobre cualquier tema; tenía la sensación de pasar los días escuchando antiguas versiones de cosas que, en su momento, ya no le habían parecido nuevas.

Tal vez sólo estuviera cansado de la vida, del gran esfuerzo que le suponía levantarse cada maldita mañana y empezar otro día igual al anterior, sin que nada, a excepción del tiempo y de la comida, cambiara. Demasiado cansado para preocuparse por una chica muerta, porque muy pronto habría otra. Y otra. Y mandar a los asesinos a la cárcel, aunque uno consiguiera que les condenaran a cadena perpetua, ya no le producía el nivel adecuado de satisfacción, pues al fin y al cabo, regresaban a sus hogares, al lugar al que habían encaminado sus vidas ridículas y estúpidas; aun así, los muertos seguían estando muertos.

Y tampoco había cambiado nada para la gente a la que habían robado y violado.

Se preguntaba si aquella apatía generalizada y la hastiada falta de esperanza serían los típicos síntomas de una depresión clínica.

Sí, Katie Marcus estaba muerta. Una tragedia. En teoría lo entendía, pero era incapaz de sentirlo. Sólo era un cadáver más, otra luz fundida.

Y su matrimonio, también. ¿Qué era sino un montón de cristales rotos? ¡Por el amor de Dios! La amaba, pero eran lo más opuesto que pueden llegar a ser dos personas que se consideren miembros de la misma especie. A Lauren le interesaban las obras de teatro, los libros y las películas que él no llegaba a entender, tuvieran o no subtítulos. Ella era locuaz, emotiva, y le encantaba ensartar palabras que formaban vertiginosas filas que se elevaban hasta formar una especie de torre de palabras que Sean sólo llegaba a comprender a medias.

La había visto por primera vez en el escenario de la universidad, representando el papel de una chica abandonada en una farsa adolescente; nadie en el público ni por un segundo hubiera pensado que algún hombre pudiese renunciar a una chica tan llena de energía, tan apasionada por absolutamente todo: experiencias, anhelos, curiosidad. Ya entonces hacían una pareja muy rara. Sean era tranquilo, práctico y reservado, a no ser que estuviera con ella; en cambio, Lauren era la hija única de unos padres mayores, liberales y progres, que la habían paseado por todo el mundo mientras trabajaban para el Cuerpo de la Paz, y que le habían infundido la necesidad de ver, tocar y examinar lo mejor que había en cada persona.

Encajaba muy bien en el mundo del teatro: primero, como actriz en la universidad; después, como directora de teatros locales y alternativos y, al cabo de un tiempo, como directora de escena de espectáculos más grandes e itinerantes. Pero no eran los viajes lo que hacía que su matrimonio no acabara de funcionar. ¡Qué caramba! Sean ni siquiera estaba seguro de las causas, aunque suponía que tenía algo que ver con sus silencios, con aquel desprecio que, poco a poco, todos los polis acababan por desarrollar: en realidad, era un desprecio hacia la gente, una incapacidad para creer en causas más elevadas y en el altruismo.

Los amigos de Lauren, que tiempo atrás le habían parecido fascinantes, empezaban a parecerle infantiles, inmersos en teorías artísticas y filosofías poco prácticas, muy alejadas del mundo real. Sean pasaba muchas noches en ruedos de hormigón azul en los que la gente robaba, violaba y asesinaba sin otra razón que el deseo vehemente de hacerlo, para luego tener que soportar fiestas nocturnas de fin de semana y oír cómo todos aquellos modernos (su mujer incluida) se pasaban la noche hablando sobre los motivos que llevaban al ser humano a pecar. Los motivos eran bien sencillos: la gente era estúpida. Chimpancés. Mucho peor que los chimpancés porque éstos no se mataban entre ellos por un boleto de lotería.

Ella le decía que se estaba volviendo muy duro, intratable, limitado en su forma de pensar. Y él no le respondía, porque no había nada que discutir. Lo que realmente importaba no era si se había convertido en todo aquello, sino saber si había cambiado para bien o para mal.

Sin embargo, se habían amado. A su manera, lo seguían intentando: Sean intentaba romper su caparazón y Lauren hacía un esfuerzo por entrar en él. Fuera lo que fuera que hubiera entre dos personas, la necesidad absoluta y química de estar junto al otro nunca había desaparecido. Jamás.

Con todo, tal vez debería haberse dado cuenta de que ella tenía un lío. Quizá lo hizo. Pero no fue ese lío lo que realmente le preocupó, sino el embarazo que vino a continuación.

¡Mierda! Se sentó en el suelo de la cocina, en la ausencia de su mujer, se cubrió la frente con las palmas de las manos y, por enésima vez en ese año, intentó ver con claridad por qué su matrimonio se iba a pique. Lo único que alcanzó a ver fueron los fragmentos y los cristales rotos, esparcidos a través de las salas de su mente.

Cuando sonó el teléfono supo de algún modo (antes incluso de levantarlo de la encimera y apretar la tecla de «contestar») que era ella.

–Aquí Sean.

Al otro lado de la línea, oyó el estruendo apagado de un tráiler que avanzaba poco a poco y el suave *zuum* que hacían los coches al pasar a toda velocidad por la autopista. Se lo imaginó enseguida: un área de descanso de la autopista, con la gasolinera en la parte superior, y una hilera de teléfonos entre el Roy Rogers y el McDonald's. Y Lauren allí, escuchando.

–¡Lauren! –exclamó–. ¡Ya sé que eres tú!

Alguien que tintineaba unas llaves pasó por delante de la cabina telefónica.

–Lauren, di alguna cosa.

El tráiler puso la primera marcha y, a medida que atravesaba el aparcamiento, el ruido del motor fue cambiando.

«¿Cómo está? –estuvo a punto de decir Sean–. ¿Cómo está mi hija?», en ese momento aún no sabía si era suya. Sólo tenía la certeza de que era de Lauren. Así pues, repitió: «¿Cómo está?».

El camión puso la segunda marcha, y el crujido de los neumáticos sobre la grava se hizo cada vez más distante a medida que se iba hacia la salida de la zona de servicios y hacia la carretera.

–Esto me hace demasiado daño –declaró Sean–. ¿Podrías dignarte a hablarme?

Recordó lo que Whitey había dicho a Brendan Harris sobre el amor, cómo a la mayoría de la gente ni siquiera le sucedía una vez, y se imaginó a su mujer allí de pie, viendo alejarse el camión, con el teléfono junto al oído, pero apartado de la boca. Era una mujer alta y delgada, con el cabello color rojo cereza. Cuando se reía, se tapaba la boca con los dedos. En la universidad, una vez habían cruzado el campus bajo la lluvia y se habían resguardado debajo de la arcada de la biblioteca, donde ella le había besado por primera vez; cuando le había tocado la nuca con su mano mojada, algo se había

245

aflojado en el pecho de Sean, algo que había permanecido encerrado e inerte desde hacía tanto tiempo que ni siquiera lo recordaba. Ella le dijo que su voz era la más bonita que había oído, y que tenía la cadencia del whisky y del humo del bosque.

Desde que se había marchado, el ritual habitual consistía en que él hablaba hasta que ella decidía colgar. Nunca había pronunciado palabra alguna, ni una sola vez en todas aquellas llamadas telefónicas que había recibido desde que ella le dejara; llamadas que hacía desde áreas de descanso, moteles y polvorientas cabinas dispuestas a lo largo de los arcenes de las carreteras áridas que había desde allí hasta la frontera con México. Y a pesar de que sólo consistía en un suave zumbido de una línea silenciosa, siempre sabía que era ella la que llamaba. Podía sentirla a través del teléfono. A veces podía incluso olerla.

Las conversaciones, si se podían llamar así, a veces duraban hasta quince minutos, dependiendo de las ganas que él tuviera de hablar; sin embargo, esa noche Sean tenía un agotamiento general y, además, estaba cansado de echar tanto de menos a una mujer que había desaparecido una mañana en la que estaba embarazada de siete meses, y harto de que sus sentimientos por ella fueran los únicos sentimientos que le quedaban por nada.

—Esta noche no puedo —confesó Sean—. Estoy cansado a más no poder, sufro, y tú ni siquiera me dejas oír tu voz.

De pie en la cocina, le dio un irremediable plazo de treinta segundos para que reaccionara. Le llegaba el tilín de una campana mientras alguien llenaba un neumático de aire.

—Adiós, cariño —dijo, pero las palabras se le quedaron atravesadas en la flema de la garganta; luego colgó.

Permaneció inmóvil durante un momento, escuchando cómo el eco de la tintineante bomba de aire se confundía con el silencio resonante que descendía por la cocina y le aporreaba el corazón.

Estaba convencido de que le atormentaría. Tal vez toda la noche y parte del día siguiente. Quizá toda la semana. Había puesto fin al ritual. Había sido él el que había colgado. ¿Y si mientras lo hacía ella había entreabierto la boca para hablar y pronunciar su nombre?

¡Santo cielo!

Esa imagen le hizo dirigirse hacia la ducha, aunque sólo fuera para poder alejarse de ella y del hecho de imaginársela allí de pie junto a las cabinas telefónicas, con la boca abierta, y las palabras subiéndole por la garganta.

Podría haber estado a punto de decir: «Sean, vuelvo a casa».

III
Ángeles de los silencios

15

Un tipo perfecto

El lunes por la mañana, Celeste se encontraba en la cocina con su prima Annabeth, mientras la casa se llenaba de plañideros. Annabeth estaba de pie junto a los fogones, cocinando sin demasiada convicción en el momento en que Jimmy, recién salido de la ducha, asomaba la cabeza para preguntar si podía ayudar en algo.

Cuando eran niñas, Celeste y Annabeth habían sido como hermanas. Annabeth había sido la única chica en una familia de varones, y Celeste era hija única de unos padres que no se soportaban; por lo tanto, habían pasado mucho tiempo juntas y, en la época del instituto, se llamaban por teléfono casi todas las noches. A lo largo de los años, esa situación había cambiado de forma casi imperceptible, a medida que el distanciamiento entre la madre de Celeste y el padre de Annabeth se hacía cada vez más patente; habían pasado de la cordialidad a la frialdad, y luego a la hostilidad. Y en cierto modo, ese distanciamiento entre hermano y hermana había repercutido en sus hijas, hasta el punto en que llegó un momento en que Celeste y Annabeth sólo se veían por formalidad: en las bodas, en los nacimientos y posteriores bautizos, y de vez en cuando en navidades y en Semana Santa. Lo que más le dolía a Celeste es que aquello hubiera sucedido sin ningún motivo aparente, y le dolía que una relación, antes inquebrantable, pudiera debilitarse con tanta facilidad por el paso del tiempo, por problemas familiares y por los esfuerzos propios del crecimiento.

Sin embargo, las cosas habían mejorado un poco desde que su madre muriera. El verano anterior, ella y Dave se habían reunido con Annabeth y Jimmy para comer y, durante el invierno, habían salido a cenar y a tomar algo un par de veces. Las conversaciones eran cada vez

251

menos tensas y Celeste tenía la sensación de que los diez años de distanciamiento tocaban a su fin y encontraban un nombre: Rosemary.

Annabeth había estado a su lado cuando Rosemary murió. Había ido a su casa cada mañana y se había quedado con ella hasta el anochecer durante tres días seguidos. Había cocinado, la había ayudado con los preparativos del funeral y le había hecho compañía mientras Celeste lloraba por la pérdida de una madre que, a pesar de que nunca le había demostrado mucho cariño, no dejaba de ser su madre.

Y en ese momento Celeste estaba dispuesta a ayudar a Annabeth, una persona aparentemente muy independiente que para sorpresa de la mayoría de la gente, Celeste incluida, necesitaba apoyo.

Estuvo junto a su prima; la dejaba cocinar, iba a buscarle la comida al frigorífico cuando ésta se lo pedía y contestaba casi todas las llamadas.

Y allí estaba Jimmy; no habían pasado ni veinticuatro horas de la noticia de la muerte de su hija, y le preguntaba si necesitaba ayuda. Aún llevaba el pelo mojado y no se había acabado de peinar. La camisa, todavía húmeda, se le adhería al pecho. Iba descalzo, y el intenso dolor y la falta de sueño se manifestaban en las bolsas de debajo de sus ojos.

Celeste no pudo evitar pensar: «¡Santo cielo, Jimmy! ¿Y tú, qué? ¿Alguna vez piensas en ti?».

Todas esas personas que atestaban la casa en ese momento llenaban la sala de estar y el comedor, circulaban en masa por el vestíbulo, apilaban sus abrigos en las camas del dormitorio de Nadine y Sara, querían ocuparse de Jimmy, nunca se les habría ocurrido que él se ocupara de ellos. Era como si sólo él fuera capaz de explicarles esa broma brutal, de aliviar la angustia de sus cerebros y de echarles una mano cuando salieran del estado de *shock* y sus cuerpos se desmoronaran a causa de nuevas oleadas de dolor. Daba la impresión de que Jimmy dominaba la situación sin tener que hacer esfuerzo alguno; Celeste no cesaba de preguntarse si él se daba cuenta de eso, si era consciente de la carga que debía de ser para él, especialmente en momentos como aquéllos.

–¿Cómo dices? –dijo Annabeth, con los ojos clavados en el tocino que chisporroteaba en una sartén negra.

–¿Necesitas algo? –le preguntó–. Si quieres, puedo ocuparme un rato de la cocina.

Annabeth, contemplando los fogones con una leve sonrisa, negó con la cabeza y respondió:

–No, estoy bien.

Jimmy miró a Celeste como si quisiera preguntarle: «¿Lo está de verdad?».

Celeste asintió con la cabeza y añadió:

–Jim, lo tenemos todo controlado.

Jimmy volvió a mirar a su mujer y Celeste sintió el más tierno de los dolores en su mirada. También sintió que un fragmento del tamaño de una lágrima saltaba del corazón de Jimmy y le caía en el interior del pecho. Se inclinó hacia delante y, alargando la mano hacia los fogones, apartó una gota de sudor de la mejilla de Annabeth con el dedo índice.

–¡No! –exclamó Annabeth.

–¡Mírame! –le susurró Jimmy.

Celeste pensó que debería salir de la cocina, pero temía que si lo hacía se quebrara algo entre su prima y Jimmy, algo demasiado frágil.

–No puedo –contestó Annabeth–. Jimmy, si te miro, me desmoronaré, y no me lo puedo permitir con toda esta gente en casa. ¡Por favor!

–De acuerdo, cariño. De acuerdo –dijo Jimmy, alejándose de los fogones.

Annabeth, con la cabeza baja, musitó:

–No quiero volver a perder la calma.

–Lo comprendo.

Por un momento, Celeste tuvo la sensación de que estaban desnudos ante ella, como si estuviera presenciando algo entre un hombre y su mujer que era tan íntimo como el hecho de hacer el amor.

Se abrió la puerta del vestíbulo y el padre de Annabeth, Theo Savage, bajó por el pasillo con una caja de cerveza en cada hombro. Era un hombre enorme, un ser humano rubicundo y de mejillas caídas que se asemejaba a un oso, poseía una extraña elegancia de bailarín mientras intentaba recorrer el estrecho pasillo con las cajas de cerveza sobre los hombros de mástil de barco. A Celeste siempre le había llamado la atención que semejante mole hubiera engendrado a unos hijos tan enanos: Kevin y Chuck eran los únicos que habían heredado su altura y su tamaño, y Annabeth era la única hija que había heredado su elegancia física.

–Las dejo detrás de ti, Jimmy –dijo Theo, y Jimmy se apartó mientras Theo lo rodeaba con delicadeza y entraba en la cocina.

Saludó a Celeste rozándole la mejilla con los labios y con un «¿Cómo estás, cariño?»; luego colocó ambas cajas en la mesa de la cocina y abrazó a su hija por el estómago, apoyándole la barbilla en el hombro.

–¿Cómo lo llevas, cielo?

–Hago lo que puedo, papá –respondió Annabeth.

Le besó a un lado de la nuca, diciéndole «mi niña» y después, volviéndose hacia Jimmy, le dijo:

–Si tienes alguna nevera portátil, podemos ir llenándola.

Llenaron las neveras junto a la despensa y Celeste continuó desenvolviendo toda la comida que les habían llevado, cuando los amigos y la familia empezaron a regresar a la casa a primera hora de la mañana. Había de todo: pan irlandés hecho con levadura de bicarbonato, empanadas, cruasanes, bollos, pasteles y tres bandejas diferentes de ensalada de patata; bolsas enteras de panecillos, fuentes de carne fría, albóndigas con salsa en una descomunal cazuela de barro, dos jamones curados y un pavo enorme cubierto por un trozo arrugado de papel de aluminio. Annabeth no tenía por qué cocinar, todos los sabían, pero lo comprendían: necesitaba hacerlo. Así pues, preparó tocino, salchichas y dos sartenes enteras de huevos revueltos; Celeste llevó toda la comida a una mesa que habían colocado contra la pared del comedor. Se preguntaba si toda aquella comida era un intento de aliviar la pena que se sentía por los muertos, o si en cierta manera albergaban la esperanza de engullirse el dolor, hartarse hasta no poder más y hacerlo bajar con Coca-Colas y bebidas alcohólicas, con café y con té, hasta que todo el mundo estuviera tan lleno y tan hinchado que se quedara dormido. Eso era lo que se solía hacer en las reuniones tristes: en los velatorios, en los funerales, en las ceremonias conmemorativas y en eventos similares: uno comía, bebía y hablaba hasta que no podía comer, beber o hablar más.

Divisó a Dave a través de la multitud de la sala de estar. Estaba sentado en el sofá junto a Kevin Savage y, aunque ambos hablaban, ninguno de los dos parecía ni muy animado ni muy cómodo; de hecho, estaban sentados en los extremos del sofá y parecía una competición para ver quién iba a caerse antes. Celeste sintió una punzada de lástima por su marido: por ese mínimo, aunque siempre presente, aire de extrañeza que parecía cernirse sobre él de vez en cuando, especialmente entre aquella gente. Al fin y al cabo, todo el mundo le conocía. Todos sabían lo que le había sucedido cuando era niño, y aun cuando ellos pudieran vivir con ello y no juzgarle (y seguramente así era), Dave no acababa de conseguirlo, no era capaz de relajarse del todo cuando estaba rodeado de gente que le conocía de toda la vida. Cuando Celeste y él salían con pequeños grupos de amigos o de compañeros de trabajo que no fueran del barrio, Dave se sentía relajado y seguro de sí mismo, decía ocurrencias divertidas o hacía observaciones ingeniosas; en fin, se comportaba con tanta naturalidad como cualquier otra persona. (A sus compañeras de trabajo de la peluquería y a sus respectivos maridos, Dave les caía muy bien.) Pero allí, en el lugar en el que había crecido y había echado raíces, siempre parecía quedarse un poco atrás en las conversaciones, no poder seguir el ritmo de los demás, era siempre el último en entender un chiste.

Intentó llamar su atención y sonreírle, para hacerle saber que mientras ella siguiera allí dentro no estaría solo. Pero un grupo de gente se detuvo bajo el arco abierto que separaba el comedor de la sala de estar, y Celeste lo perdió de vista.

A menudo, era al estar rodeado de un grupo de gente cuando uno se daba cuenta de lo poco que veía o del poco tiempo importante que pasaba con la persona que amaba y con la que vivía. Aquella semana casi no había visto a Dave, a excepción del sábado por la noche en el suelo de la cocina después de que estuvieran a punto de atracarle. Y casi no le había visto desde que Theo llamara el día anterior a las seis de la tarde para decirle: «Cariño, tengo malas noticias para ti. Katie está muerta».

–No es posible, tío Theo –fue la primera reacción de Celeste.

–Cielo, no sabes lo que me está costando decírtelo. Pero lo está. A la pobre chica la han asesinado.

–¡Asesinado!

–La encontraron muerta en el Pen Park.

Celeste había echado un vistazo al televisor que había sobre la encimera de la cocina y había visto que era la noticia más importante del telediario de las seis; aún la estaban retransmitiendo en directo y desde la cámara del helicóptero se veía cómo las fuerzas policiales se reunían a un extremo de la pantalla del autocine. Los periodistas, que aún no sabían el nombre de la víctima, confirmaron que se había encontrado el cadáver de una mujer joven.

Katie, no. No, no, no.

Celeste había dicho a Theo que se dirigiría a casa de Annabeth de inmediato, y allí es donde había estado desde que la llamaran por teléfono, a excepción de una corta siesta que se había echado en su propia casa entre las tres y las seis de aquella misma mañana.

Y con todo, no se lo podía acabar de creer. Ni siquiera después de todo lo que había llorado con Annabeth, Nadine y Sara. Ni siquiera después de haber sostenido a Annabeth en el suelo de la sala de estar durante esos cinco minutos en que su prima no había dejado de temblar con violencia, presa de fuertes espasmos. Ni siquiera después de haberse encontrado a Jimmy de pie en la oscuridad del dormitorio de Katie, con la almohada de su hija contra el rostro, sin llorar, sin hablar, sin hacer ningún tipo de ruido; estaba allí de pie con la almohada apretada contra la cara, aspirando el olor del pelo y de las mejillas de su hija, una y otra vez. Inspiraba, espiraba. Inspiraba, espiraba...

Ni siquiera después de todo aquello se lo acababa de creer. Tenía la sensación de que Katie podría entrar por la puerta en cualquier momento y de que, plantándose en medio de la cocina, cogería un trozo de tocino de la bandeja del horno sin hacer ruido. Katie no podía estar muerta. Era imposible.

Aunque sólo fuera por esa cosa, esa cosa ilógica clavada en el recoveco más oculto del cerebro de Celeste, esa cosa que había sentido al ver el coche de Katie en las noticias y que le hacía pensar, sin ningún tipo de lógica, que sangre equivalía a Dave.

En ese momento sentía a Dave al otro lado de la multitud de la sala de estar. Sentía su soledad y sabía que su marido era un buen hombre. Con sus defectos, pero bueno. Ella le amaba, y si ella le amaba eso significaba que él era bueno, y si él era bueno, entonces la sangre del coche de Katie no podía guardar ninguna relación con la sangre que ella misma había limpiado de la ropa de Dave el sábado por la noche. Así pues, de algún modo, Katie aún debía de estar viva, porque todas las demás alternativas eran horripilantes.

E ilógicas. Mientras se dirigía de nuevo hacia la cocina en busca de más comida, Celeste tenía la certeza de que eran completamente ilógicas.

Estuvo a punto de toparse con Jimmy y su tío Theo, que arrastraban una nevera por el suelo de la cocina en dirección al comedor; en el último instante, Theo se apartó de en medio y exclamó:

—¡Ten cuidado con esta mujer, Jimmy, pues va a toda prisa!

Celeste sonrió con cierto recato, de la forma en que el tío Theo esperaba que las mujeres sonrieran, e intentó olvidarse de la sensación que siempre había tenido cuando el tío Theo la miraba, una sensación que experimentaba desde los doce años, provocada por el hecho de que él la mirara con demasiada atención.

Arrastraron la enorme nevera hacia delante, y formaban una pareja muy extraña: Theo, coloradote, con un cuerpo y una voz potentes; Jimmy, tranquilo, de piel clara y tan carente de grasa o de cualquier indicio de exceso que siempre daba la impresión de que acababa de regresar de un campamento militar. Apartaron a la multitud que se arremolinaba junto a la puerta de la entrada a medida que colocaban la nevera al lado de la mesa que habían apoyado contra la pared del comedor; Celeste se percató de que la sala entera se dio la vuelta para observar cómo la ponían bajo la mesa, como si la carga que compartían ya no fuera de repente una descomunal nevera de plástico duro de color rojo, sino la hija que Jimmy enterraría aquella misma semana, la hija que les había llevado a todos ellos hasta allí para verse, comer y ver si tendrían la valentía de pronunciar su nombre.

La gente les observaba alinear las neveras una junto a la otra y abrirse camino entre la multitud de la sala de estar y del comedor; Jimmy, que estaba comprensiblemente apagado, se detenía delante de cada uno de los invitados para darles las gracias con una emoción casi efusiva y con un buen apretón de manos; Theo seguía siendo aquel individuo tempestuoso que se regía por las fuerzas de la naturaleza; algunos comentaban lo amigos que se habían hecho a lo largo de los años, al ver cómo se desplazaban a través del cuarto como si fueran un verdadero tándem padre-hijo.

Cuando Jimmy se casó con Annabeth, nadie se lo podría haber llegado a imaginar. Por aquel entonces, Theo no era precisamente famoso por su amabilidad. Era un borracho y un alborotador; un hombre que, para complementar los ingresos que hacía con el taxi de noche, trabajaba como gorila en un lugar peligroso, y realmente disfrutaba con su trabajo. Era sociable y sonreía a menudo, pero esos alegres apretones de manos siempre eran desafiantes, y su forma de reír tenía cierto aire de amenaza.

En cambio, desde que saliera de Deer Island, Jimmy siempre se había comportado de un modo tranquilo y serio. Era amable, pero de forma reservada, y en las reuniones siempre tendía a quedarse en un rincón. Era el tipo de hombre que cuando decía algo, todo el mundo le escuchaba. Debido a que hablaba tan poco, uno acababa por preguntarse cuándo hablaría y, si lo hacía, qué diría.

Theo era divertido, aunque no caía muy simpático. Jimmy caía muy bien, pero no era especialmente divertido. Lo último que la gente se habría podido imaginar es que esos dos se hicieran amigos. Pero ahí estaban: Theo observaba la espalda de Jimmy con mucha atención por si en cualquier momento perdía el equilibrio y hacía falta sostenerle, y así evitar que se diera de bruces en el suelo; de vez en cuando, Jimmy se detenía para decir algo al descomunal nervio que Theo tenía por oreja antes de seguir avanzando entre la multitud. Amigos íntimos, decía la gente. Eso es lo que parecían, amigos íntimos.

Como ya se acercaba el mediodía, de hecho, eran las once, la mayoría de la gente que pasaba por la casa llevaba bebidas alcohólicas en vez de café, y carne en lugar de dulces. Cuando el frigorífico estuvo lleno, Jimmy y Theo Savage se fueron a buscar más neveras y más hielo al piso de la tercera planta, el que Val compartía con Chuck, Kevin, y la mujer de Nick, Elaine; ésta vestía de negro, bien porque se considerara viuda hasta que Nick saliera de la cárcel, o porque, según decían algunos, simplemente le gustaba el color negro.

Theo y Jimmy encontraron dos neveras en la despensa de al lado de la secadora y varias bolsas de hielo en el congelador. Llenaron las neveras, tiraron las bolsas de plástico a la basura, y cuando ya estaban saliendo de la cocina Theo exclamó:

—¡Eh, espera un momento, Jim!

Jimmy miró a su suegro.

Theo, señalando una silla, le indicó:

—Siéntate.

Jimmy colocó la nevera junto a la silla, se sentó y esperó a que Theo iniciara la conversación. Theo Savage había criado a siete hijos en aquel mismo piso, un pequeño piso de tres habitaciones con suelos inclinados y ruidosas tuberías. Una vez, Theo contó a Jimmy que se imaginaba que eso quería decir que nunca más tendría que disculparse por nada en lo que le quedaba de vida. «Siete hijos —le había dicho a Jimmy—, con sólo dos años de diferencia entre ellos, gritando a todo pulmón en ese piso de mierda. La gente solía hablar de los encantos de la paternidad. Pero cuando yo llegaba a casa del trabajo y oía todo ese ruido, lo único que podía exclamar era: ¡Que me los muestren, joder! Yo nunca le vi el encanto, sólo tuve muchos dolores de cabeza. Muchísimos.»

Jimmy sabía por Annabeth que cuando su padre llegaba a casa para encontrarse con esos dolores de cabeza, sólo se quedaba allí el rato que tardaba en comerse la cena; luego se marchaba de nuevo. Y Theo había contado a Jimmy que nunca había perdido muchas horas de sueño por criar a sus hijos. Casi todos habían sido chicos y, según Theo, los chicos eran muy fáciles de criar; si uno les daba de comer, les enseñaba a pelear y a jugar a pelota, lo demás venía solo. Todos los mimos que necesitaban los obtenían de su madre, y sólo buscaban a su padre cuando necesitaban dinero para comprarse un coche o que alguien les pagara la fianza. Era a las hijas a las que uno acababa malcriando, había dicho a Jimmy.

–¿Es así cómo lo define? –preguntó Annabeth cuando Jimmy se lo contó.

A Jimmy no le habría importado qué tipo de padre había sido Theo si éste no aprovechara cualquier oportunidad para echarles en cara, a él y a Annabeth, lo mal que lo hacían como padres, mientras les decía con una sonrisa y sin ningún ánimo de ofender, faltaría más, que él no permitiría que un hijo suyo siempre se saliera con la suya.

Jimmy a menudo asentía, le daba las gracias y lo pasaba por alto.

En aquel momento, mientras Theo se sentaba en una silla delante de él y miraba hacia el suelo, Jimmy descubría de nuevo ese brillo de hombre sabio en sus ojos. Al oír el clamor de pies y de voces procedentes del piso de abajo, le dedicó una triste sonrisa y dijo:

–Parece ser que sólo ves a tu familia y a tus amigos en las bodas y en los velatorios. ¿No es así, Jim?

–Así es –respondió Jimmy.

Intentaba liberarse aún de la sensación que lo acompañaba desde las cuatro de la tarde del día anterior; la sensación de que su verdadero ser se cernía por encima de su cuerpo, flotando por el aire con movimientos algo frenéticos, intentando encontrar un camino de vuelta a su propia piel antes de que se cansara de todo ese aleteo, y cayera, como una piedra, dentro del negruzco centro de la tierra.

Theo apoyó las manos sobre sus rodillas y se quedó contemplando a Jimmy hasta que éste alzó la cabeza y le miró a los ojos.

–¿Cómo lo llevas por el momento?

Jimmy se encogió de hombros y respondió:

–Aún no me lo acabo de creer.

–Cuando lo hagas, será muy doloroso, Jim.

–Ya me lo imagino.

–Muchísimo, te lo aseguro.

Jimmy volvió a encogerse de hombros y sintió cómo cierto indicio de emoción, ¿de ira, tal vez?, brotaba desde la mismísima boca de su estómago. Eso era precisamente lo que más necesitaba en ese momento: que Theo Savage le hiciera un discurso apasionado sobre el dolor. ¡Mierda!

Theo, inclinándose hacia delante, prosiguió:

–Cuando se murió mi Janey, y que Dios la bendiga, Jim, tardé seis meses en recuperarme. Mi hermosa mujer estaba aquí y, de repente, al día siguiente había desaparecido. –Chasqueó sus gruesos dedos–. Ese día Dios ganó a un ángel y yo perdí una santa. Pero, gracias a Dios, los hijos ya eran mayores. Lo que te quiero decir es que pude pasarme seis meses llorando su pérdida. Me pude permitir ese lujo. Sin embargo, Jim, tú no puedes.

Theo se recostó en la silla y Jimmy volvió a notar esa sensación de burbujeo. Hacía más de diez años que Janey Savage había muerto, y Theo le había dado a la botella durante mucho más de seis meses. Más bien fueron dos años. Le había dado a la bebida casi toda la vida, pero cuando Janey murió, aún bebió mucho más. Cuando Janey vivía, le había prestado la misma atención que a un trozo de pan seco.

Jimmy soportaba a Theo porque no le quedaba más remedio; después de todo, era el padre de su mujer. Visto desde fuera, seguro que parecían amigos. Tal vez Theo pensara que lo fueran. Y la edad había enternecido a Theo hasta tal extremo que amaba a su hija abiertamente y malcriaba a sus nietos. Sin embargo, una cosa era no juzgar a un tipo por sus pecados pasados, y otra muy diferente era tener que aguantar sus consejos.

–¿Entiendes lo que te quiero decir? –le preguntó Theo–. Asegúrate de que tu dolor no se convierta en indulgencia, Jim, y de que no te haga abandonar tus responsabilidades familiares.

–Mis responsabilidades familiares –repitió Jimmy.

–Sí, debes cuidar de mi hija y de esas pequeñas niñas. En este momento deben ser lo más importante para ti.

–¡Ajá! –contestó Jimmy–. ¿Qué te ha hecho pensar que iba a olvidarme, Theo?

–No he dicho que fueras a hacerlo, sino que podría pasarte. Eso es todo.

Jimmy observó la rótula izquierda de Theo e, imaginándose que estallaba en un baño de sangre, dijo:

–Theo.

–Sí, Jim.

Jimmy vio cómo la otra rótula saltaba por los aires y, dirigiendo la mirada hacia los codos, le preguntó:

–¿No crees que podríamos haber mantenido esta conversación un poco más adelante?

–Es mucho mejor tenerla ahora.

Theo se rió con su característica estridencia, aunque con cierto aire de advertencia.

–¿Mañana, por ejemplo? –Jimmy apartó la vista de los codos de Theo y la alzó hasta sus ojos–. ¿No crees que mañana habría estado bien, Theo?

–¿Qué te acabo de decir, Jimmy? –Theo se estaba enfadando. Era un hombre corpulento, de temperamento violento; Jimmy era consciente de que eso asustaba a mucha gente, veía el miedo en los rostros de la calle, pero él se había acostumbrado a ello y lo tomaba por respeto–. Tal como yo lo veo, no existe el momento ideal para mantener esta conversación, ¿no crees? Por lo tanto, he pensado que cuanto antes la tuviéramos, mejor.

–Claro –asintió Jimmy–. Como has dicho antes, mucho mejor tenerla ahora, ¿no es así?

–Así es. Buen chico. –Theo le dio una palmadita en la rodilla y se puso en pie–. Lo superarás, Jimmy. Saldrás adelante. Será muy doloroso, pero lo conseguirás. Porque eres un hombre de verdad. El día de vuestra boda le dije a Annabeth: «Cariño, te llevas a un auténtico hombre de la vieja escuela. Un tipo perfecto. Un campeón. Un tipo que...».

–Como si la hubieran puesto en una bolsa –dijo Jimmy.

–¿Cómo dices?

Theo se lo quedó mirando.

–Ésa es la sensación que tuve ayer por la noche cuando identifiqué a Katie en el depósito de cadáveres. Como si alguien la hubiera metido en una bolsa y la hubieran golpeado con un tubo de metal.

–Sí, bien, no permitas que...

–Ni siquiera hubiera podido ver de la raza que era, Theo. Podría haber sido negra, podría haber sido portorriqueña, como su madre. Podría haber sido árabe. Sin embargo, no parecía blanca. –Jimmy se miró las manos, entrelazadas entre las rodillas, y se percató de unas manchas en el suelo de la cocina, una de color marrón, de mostaza, junto a su pie izquierdo, junto a la pata de la mesa–. Janey murió mientras dormía, Theo. Con el debido respeto y todo eso, pero es así. Se fue a dormir y nunca se despertó. De forma tranquila.

–No es necesario hablar de Janey, ¿de acuerdo?

–Sin embargo, a mi hija la han asesinado. No es lo mismo.

Durante un momento, la cocina estuvo en silencio; en realidad, zumbaba de silencio, de ese modo peculiar en que suena un piso vacío cuando el de abajo está abarrotado de gente, y Jimmy se preguntaba si Theo sería lo bastante estúpido para continuar hablando. «Venga, Theo, di alguna tontería. Tengo el estado de ánimo perfecto para eso, como si necesitara librarme de esa sensación de burbujeo y pasársela a cualquier otra persona.»

–Mira, lo comprendo –dijo Theo, y Jimmy dejó escapar un suspiro por la nariz–. Lo comprendo, Jim, pero no hace falta que...

–¿Qué? –preguntó Jimmy–. No hace falta que ¿qué? Alguien apuntó a mi hija con una pistola y le hizo saltar la cabeza por los aires, y tú te quieres asegurar de que, ¿de qué?, de que no olvide mis responsabilidades familiares. Dime, por favor. ¿Te he entendido bien? ¿Qué quieres? ¿Seguir aquí jugando al gran patriarca?

Theo bajó los ojos, respiró profundamente por la nariz y, con ambos puños apretados y flexionados, exclamó:

–¡No creo que me merezca esto!

Jimmy se puso en pie y volvió a dejar la silla junto a la mesa de la cocina. Levantó una nevera del suelo, miró hacia la puerta y sugirió:

–¿Podemos volver al piso de abajo, Theo?

–Claro –respondió Theo. Dejó la silla donde estaba y levantó la otra nevera–. De acuerdo, de acuerdo. Ha sido una mala idea intentar hablar contigo precisamente esta misma mañana. Aún no estás preparado, pero...

–Theo. Déjalo. ¿Qué te parece si ya no dices nada más? ¿De acuerdo?

Jimmy empezó a bajar por las escaleras. Se preguntó si habría herido los sentimientos de Theo, pero se dio cuenta de que, realmente, le importaba una mierda si lo había hecho. ¡Que se jodiera! Seguro que en ese momento ya le habían empezado a practicar la autopsia a Katie. Jimmy todavía podía oler su cuna, pero en la sala del forense ya estarían disponiendo los escalpelos y los extensores del tórax, y accionando las sierras para cortarle los huesos.

Más tarde, cuando todo estaba más tranquilo, Jimmy salió al porche trasero y se sentó bajo la ropa que ondeaba, desde el sábado por la tarde, en las cuerdas de tender que había a lo largo del porche. Se sentó allí al calor del sol, mientras un mono vaquero de Nadine se balanceaba a un lado y otro de su cabeza. Annabeth y las chicas habían llorado toda la noche, habían llenado la casa con sus llantos, y Jimmy pensó que se les uniría en cualquier momento. Sin embargo, no lo hizo. Había gritado en la colina cuando la mirada de Sean Devine le había indicado que su hija estaba muerta. Gritó hasta quedarse afónico. Pero aparte de eso, había sido incapaz de expresar ningún otro sentimiento. Así pues, se sentó en el porche, deseando que le llegaran las lágrimas.

Se torturó a sí mismo con imágenes de Katie cuando era un bebé, de Katie al otro lado de la mesa descascarillada de Deer Island, de Katie llorando como una loca porque un día, seis meses después de que él saliera de la cárcel, quería dormir en sus brazos, mientras le preguntaba cuándo iba a regresar su madre. Vio a la pequeña Katie dando agudos gritos en la bañera, y a una Katie de ocho años regresando a casa de la escuela con su bicicleta. Vio a Katie sonriendo, a Katie haciendo pucheros, a Katie haciendo muecas de ira y de confusión mientras él la ayudaba a resolver una división muy larga sobre la mesa de la cocina. Vio a una Katie algo mayor sentada en el columpio de la parte trasera con Diane y Eve, ganduleando en un día de verano, todas ellas desgarbadas por la inminente adolescencia, cuyos brazos y piernas crecían más deprisa que todo lo demás. Vio a Katie tumbada boca abajo en la cama y a Sara y Nadine subidas encima de ella. La vio con el vestido del baile de graduación del instituto. La vio sentada junto a él en el Grand Marquis, con la barbilla temblorosa, mientras se alejaba del bordillo el primer día que él le había enseñado a conducir. La vio gritando y caprichosa durante la adolescencia y, con todo, esas imágenes le parecieron entrañables y le cautivaron.

La veía, la veía y la veía, pero era incapaz de llorar.

«Ya llorarás –le susurró una voz tranquila en su interior–. Ahora estás en estado de *shock*.»

«Sin embargo, ese estado ya se me está pasando –le respondió a la voz interna–. Ha comenzado a hacerlo en el preciso momento en que Theo ha empezado a importunarme en el piso de abajo.»

«Y una vez que se te pase, serás capaz de sentir.»

«Ya siento algo.»

«El dolor –dijo la voz–. La pena.»

«No es ni dolor ni pena; es rabia.»

«También la sentirás, pero conseguirás dominarla.»

«No quiero dominarla.»

16

Yo también estoy encantado
de volver a verte

Dave volvía de buscar a su hijo Michael del colegio cuando giraron la esquina y vieron a Sean Devine y a otro tipo apoyados en el maletero de un sedán negro que estaba estacionado delante de la casa de los Boyle. El coche negro llevaba matrícula oficial y suficientes antenas adheridas al maletero para poder establecer conexión con Venus; Dave, a catorce metros de distancia, supo con una sola mirada que el compañero de Sean, al igual que éste, era un poli. Tenía esa barbilla ligeramente prominente tan propia de los policías, y una forma de apoyarse sobre los talones mientras se echaba ligeramente hacia delante que también era característica de los policías. Y si todo eso no bastaba para delatarle, el corte de pelo de infante de marina en un tipo de cuarenta y pico años junto con las gafas de sol de aviador con montura dorada eran más que suficientes para ponerle en evidencia.

Dave tensó la mano con la que cogía a Michael, y tuvo la misma sensación en el pecho que si alguien hubiera puesto en remojo un cuchillo en agua helada y después le hubiera colocado el filo contra los pulmones. Estuvo a punto de detenerse, ya que sus pies se esforzaban en quedarse inmóviles sobre la acera, pero algo le hizo seguir avanzando, con la esperanza de dar una apariencia normal y espontánea. Sean volvió la cabeza hacia él, en un principio con ojos despreocupados e inexpresivos, que luego se estrecharon al reconocer a Dave y cruzarse sus miradas.

Ambos hombres sonrieron a la vez: Dave con la mejor de sus sonrisas y Sean, con una gran sonrisa. Dave se sorprendió al ver que el rostro de Sean parecía expresar que estaba contento de verdad de volver a verle.

–Dave Boyle –dijo Sean, apartándose del coche con la mano extendida–. ¡Cuánto tiempo!

Dave le estrechó la mano y se sorprendió de nuevo al ver que Sean le daba una palmada en el hombro.

–Desde aquella vez que nos vimos en el Tap –afirmó Dave–. ¿Cuánto hace de eso, seis años?

–Sí, más o menos. ¡Tienes muy buen aspecto, hombre!

–¿Cómo te van las cosas, Sean?

Dave sentía una sensación de afecto que le recorría el cuerpo y que su cerebro le decía que debía evitar.

Pero ¿por qué? ¡Quedaba tan poca gente de los viejos tiempos! Y no sólo eran los antiguos clichés (cárcel, drogas o policías) los que se los habían llevado. Las afueras, al igual que otros Estados, también habían atraído a una buena cantidad de ellos; el aliciente de encajar con el resto de la humanidad, de convertirse en un gran país de jugadores de golf, de asiduos a los centros comerciales y de propietarios de pequeños negocios con mujeres rubias y grandes pantallas de televisión.

No, la verdad es que no quedaban muchos. Dave sintió una pizca de orgullo, de felicidad y de extraña aflicción mientras le daba la mano a Sean y recordaba aquel día en el andén del metro en el que Jimmy había saltado a los raíles del tren, y los sábados en general, aquella época en la que sentían que todo era posible.

–Muy bien –respondió Sean y, aunque lo dijo con convicción, Dave se percató de que algo diminuto le malograba la sonrisa–. ¿Y éste quién es?

Sean se agachó junto a Michael.

–Es mi hijo –contestó Dave–. Michael.

–¡Hola, Michael! Encantado de conocerte.

–¡Hola!

–Me llamo Sean. Tu padre y yo habíamos sido amigos hace un montón de años.

Dave se percató de que a Michael le complacía la voz de Sean. Sin lugar a dudas, Sean tenía una voz muy especial, parecida a la del tipo que hacía la voz en *off* de los avances cinematográficos de la temporada, y Michael se alegró al oírla, viendo la leyenda, tal vez, de su padre y de aquel desconocido alto y seguro de sí mismo cuando eran niños y jugaban en las mismas calles, y con los mismos sueños que los de Michael y sus amigos.

–Encantado de conocerle –dijo Michael.

–El placer es mío, Michael. –Sean estrechó la mano de Michael y después se levantó y miró a Dave–. ¡Un chico muy majo, Dave! ¿Cómo está Celeste?

–Muy bien.

Dave intentó recordar el nombre de la mujer con la que Sean se había casado, pero sólo recordaba que la había conocido en la universidad. ¿Laura? ¿Erin?

–Salúdala de mi parte, ¿quieres?

–Por supuesto. ¿Aún sigues en la policía estatal?

Dave entornó los ojos en el momento en que el sol salía de detrás de una nube y reverberaba con fuerza en el resplandeciente maletero negro del sedán oficial.

–Sí –contestó Sean–. De hecho, te presento al sargento Powers, Dave. Mi jefe. Del Departamento de Homicidios de la Policía del Estado.

Dave estrechó la mano del sargento Powers, y la palabra quedó entre ellos, flotando en el aire. Homicidio.

–¿Cómo está?

–Bien, señor Boyle. ¿Y usted?

–Bien.

–Dave –dijo Sean–, si tienes un momento libre, nos encantaría hacerte un par de preguntas rápidas.

–Por supuesto. ¿Qué pasa?

–¿Qué le parece si vamos dentro?

El sargento Powers inclinó la cabeza hacia la puerta principal de la casa de Dave.

–¡Sí, claro! –Dave volvió a coger a Michael de la mano–. Síganme.

Cuando pasaban por delante de la casa de McAllister en dirección a las escaleras, Sean comentó:

–He oído decir que, incluso aquí, los precios del alquiler han subido mucho.

–Incluso aquí –repitió Dave–. Parece que quieran convertirlo en un barrio similar al de la colina, con una tienda de antigüedades en cada esquina.

–Sí, la colina –dijo Sean con una risa sofocada–. ¿Recuerdas la casa de mi padre? Ahora es un bloque de pisos.

–¡No puede ser! –exclamó Dave–. ¡Con lo bonita que era!

–Evidentemente la vendió antes de que los precios se pusieran por las nubes.

–¡Y ahora es un bloque de pisos! –se lamentó Dave, mientras la voz le resonaba en la estrecha escalera. Negó con la cabeza–. Estoy seguro de que los ejecutivos que lo compraron sacan por cada piso la misma cantidad por la que se la vendió tu padre.

–Sí, más o menos –respondió Sean–. Pero ¿qué se puede hacer?

–No lo sé. Pero debe de haber alguna manera de detener a esa gente. Devolverles al lugar que les corresponde a ellos y a sus malditos teléfonos móviles. Sean, el otro día un amigo mío me dijo: «Lo que este barrio necesita es una buena oleada de delitos, joder». –Dave se rió–. «Eso haría que los precios de compra, y con ello también los de alquiler, volvieran al nivel que les pertenece.»

–Si siguen asesinando a chicas en el Pen Park, señor Boyle, es posible que su deseo se haga realidad –apuntó el sargento Powers.

–No es mi deseo en absoluto –replicó Dave.

–Ya me lo imagino –dijo el sargento Powers.

–Papá, has dicho la palabra esa que empieza por «j» –dijo Michael.

–Lo siento, Mike. No volverá a suceder –guiñó un ojo a Sean por encima del hombro mientras abría la puerta de la casa.

–¿Está su mujer en casa, señor Boyle? –le preguntó el sargento Powers mientras entraban.

–¿Eh? No, no está. Mike, ahora vete a hacer los deberes, ¿de acuerdo? De aquí a un rato tenemos que ir a casa del tío Jimmy y de la tía Annabeth.

–¡Venga! Yo...

–Mike –repitió Dave mirando a su hijo–. Haz el favor de irte arriba. Estos señores y yo tenemos que hablar.

Michael adoptó esa expresión de abandono que los niños suelen poner cada vez que se sienten excluidos de las conversaciones de los mayores; se dirigió hacia las escaleras, con los hombros caídos y arrastrando los pies como si tuviera bloques de hielo atados a los tobillos. Soltó el suspiro que había aprendido de su madre y comenzó a subir las escaleras.

–Debe de ser algo generalizado –comentó el sargento Powers mientras tomaba asiento en el sofá de la sala de estar.

–¿El qué?

–Ese gesto de los hombros. Cuando tenía su edad, mi hijo solía hacer lo mismo cada vez que lo mandábamos a dormir.

–¿De verdad? –exclamó Dave; luego se sentó en el canapé que había al otro lado de la mesa auxiliar.

Durante un minuto más o menos, Dave observó a Sean y al sargento Powers, mientras éstos le miraban a él; los tres tenían las cejas alzadas y estaban a la espera.

–¿Te has enterado de lo de Katie Marcus? –le preguntó Sean.

–Por supuesto –contestó Dave–. Esta misma mañana he estado en su casa y Celeste aún está allí. ¡Santo cielo, Sean! ¿Qué puedo decir? Es el más terrible de los crímenes.

–Lo ha definido muy bien –apuntó el sargento Powers.

–¿Ya han cogido al responsable? –preguntó Dave.

Se frotó el puño derecho hinchado con la palma de su mano izquierda, y al darse cuenta de lo que estaba haciendo, se inclinó hacia atrás y se metió ambas manos en los bolsillos, intentando parecer tranquilo.

–En ello estamos. No le quepa ninguna duda, señor Boyle.

–¿Cómo lo lleva Jimmy? –preguntó Sean.

–Es difícil de decir.

Dave miró a Sean, contento de desviar la mirada de la del sargento Powers; había algo en el rostro de aquel hombre que no le gustaba: la forma que tenía de observar, como si pudiera verte las mentiras, todas y cada una de ellas desde la primera que uno había dicho en esta maldita vida.

–Ya sabes cómo es Jimmy –apuntó Dave.

–Realmente, no. Ya no lo sé.

–Bien, aún se lo guarda todo para él –dijo Dave–. No hay forma de adivinar lo que en realidad le pasa por la cabeza.

Sean hizo un gesto de asentimiento y añadió:

–El motivo de nuestra visita, Dave...

–La vi –declaró Dave–. No sé si lo sabíais.

Miró a Sean y éste separó las manos, expectante.

–Esa noche –prosiguió Dave–, supongo que fue la misma en que murió, la vi en el McGills.

Sean y el policía intercambiaron una mirada; luego Sean se inclinó hacia delante y, mirando a Dave con una expresión amistosa, le dijo:

–Sí, bien, Dave, en realidad eso es lo que nos ha traído hasta aquí. Tu nombre aparecía en la lista de gente que se encontraba esa noche en el McGills; nos la facilitó el camarero, que hizo un esfuerzo por recordar lo que había visto. Nos han dicho que Katie montó un buen espectáculo.

Dave asintió con la cabeza y dijo:

–Ella y una amiga suya se pusieron a bailar encima de la barra.

–Iban bastante borrachas, ¿no es cierto? –preguntó el policía.

–Sí, pero...

–Pero ¿qué?

–Era una borrachera inofensiva. Bailaban, pero no se estaban quitando la ropa ni nada de eso. No sé, supongo que con diecinueve años... ¿Entienden lo que les quiero decir?

–El hecho de que tuvieran diecinueve años y que les sirvieran en un bar implica que ese bar pierde el permiso de vender bebidas alcohólicas durante una temporada –dijo el sargento Powers.

–¿Usted nunca lo hizo?

–¿El qué?

–¿Beber antes de los veintiuno?

El sargento Powers sonrió, y la sonrisa se quedó grabada en el cerebro de Dave de la misma forma que lo habían hecho sus ojos, como si cada milímetro de aquel tipo le estuviera escudriñando.

–¿A qué hora cree que se marchó del McGills, señor Boyle?

Dave se encogió de hombros y respondió:

–A eso de la una.

El sargento Powers lo apuntó en la libreta que sostenía encima de las rodillas.

Dave miró a Sean.

—Sólo intentamos poner los puntos sobre las íes, Dave —aclaró Sean—. Estabas con Stanley Kemp, ¿no es así? ¿Stanley *el Gigante*?

—Así es.

—A propósito, ¿cómo está? Me han dicho que su hijo contrajo alguna especie de cáncer.

—Leucemia —contestó Dave—. Hará un par de años. Murió a los cuatro años de edad.

—¡Qué horror! —exclamó Sean—. ¡Mierda! ¡Nunca se sabe! Es como si en un momento dado todo fuera viento en popa, y un minuto después, al girar la esquina, uno pudiera contraer una extraña enfermedad en el pecho y morir cinco meses después. ¡Este mundo en el que vivimos!

—¡Este mundo! —asintió Dave—. Sin embargo, Stan está bien, teniendo en cuenta las circunstancias. Tiene un buen trabajo en Edison. Y sigue jugando al *croquet* todos los martes y jueves por la noche para entrenarse para la Liga del Parque.

—¿Aún sigue siendo tan malo jugando al ajedrez?

Sean soltó una risita.

—¡Y mira que llega a darle a los codos! —exclamó Dave con una risa sofocada.

—¿A qué hora dirías que las chicas se marcharon del bar? —le preguntó Sean, con los ecos de su risa resonando aún en al aire.

—No lo sé —contestó Dave—. Estaba finalizando el partido de los Sox.

¿Por qué Sean le había hecho esa pregunta en aquel preciso momento? Podría habérsela hecho de buen principio, pero había intentado tranquilizarle con toda la charla de Stanley *el Gigante*, ¿o no? O tal vez tan sólo había formulado la pregunta en el instante en que se le había ocurrido. Dave no estaba muy seguro del porqué. ¿Le consideraban sospechoso? ¿Le consideraban sospechoso de la muerte de Katie?

—Y el partido acabó muy tarde —añadió Sean—. En California.

—¿Eh? Sí, a las once menos veinticinco aproximadamente. Diría que las chicas se marcharon unos quince minutos antes de que yo lo hiciera.

—Digamos que sobre la una menos cuarto —dijo el otro policía.

—Sí, creo que sí.

–¿Tiene alguna idea de adónde pensaban ir?

Dave negó con la cabeza y contestó:

–Ya no las volví a ver.

–¿Está seguro?

El bolígrafo del sargento Powers permanecía inmóvil encima de la libreta que tenía apoyada en las rodillas.

Dave hizo un gesto de asentimiento y respondió:

–Del todo.

El sargento Powers garabateó algo en su libreta; el bolígrafo arañaba el papel como si fuera una pequeña zarpa.

–Dave, ¿recuerdas haber visto a un tipo lanzando las llaves a otro?

–¿Qué?

–A un tipo –repitió Sean, hojeando su propia libreta– llamado, eh... Joe Crosby. Sus amigos intentaron cogerle las llaves del coche. Se las lanzó a uno de ellos. Muy cabreado, ¿sabes? ¿Estabas allí cuando eso sucedió?

–No. ¿Por qué?

–Me parece una historia divertida –afirmó Sean–. Un tipo que intenta que no le quiten las llaves y va y se las tira a uno de ellos. Lógica propia de borracho, ¿no crees?

–Supongo.

–¿No notaste nada raro esa noche?

–¿Qué quieres decir?

–Pues, no sé, ¿había alguien en el bar que no mirara a las chicas con simpatía? Ya sabes a los tipos que me refiero: a esos que miran a las chicas jóvenes con una especie de odio oscuro, que aún siguen cabreados por haberse quedado en casa el día del baile del instituto, y que quince años después, se dan cuenta de que su vida sigue siendo una mierda. Esos que miran a las mujeres como si tuvieran la culpa de todo. ¿Sabes a qué tipo de hombres me refiero?

–Sí, claro. He conocido a unos cuantos.

–¿Esa noche viste a algún tipo así en el bar?

–No. De todas maneras, casi todo el rato estuve mirando el partido, Sean. Hasta que las chicas no se subieron encima de la barra, ni siquiera me había percatado de que estaban allí.

Sean hizo un gesto de asentimiento.

–¡Un buen partido! –exclamó el sargento Powers.

–Bien –añadió Dave–, contaban con Pedro. Si no llega a ser por su lanzamiento en el octavo, el equipo contrario se hubiera hecho con la pelota para el resto del partido.

–¡Así es! ¡Realmente se merece el sueldo que gana!

–Es el mejor jugador del momento.

El sargento Powers se volvió hacia Sean y ambos se pusieron en pie a la vez.

–¿Hemos acabado?

–Sí, señor Boyle. –Estrechó la mano de Dave–. Gracias por su colaboración, señor.

–Encantado de haberles podido ayudar.

–¡Mierda! –exclamó el sargento Powers–. He olvidado preguntarle algo. ¿Adónde fue al salir del McGills, señor?

Las palabras le salieron de la boca antes de que pudiera detenerlas:

–Volví aquí.

–¿A casa?

–Sí.

Dave mantuvo la mirada fija y la voz firme.

El sargento Powers abrió la libreta de nuevo y apuntó: «En casa alrededor de la una y cuarto». Se volvió hacia Dave mientras lo anotaba.

–¿Correcto?

–Sí, sí, más o menos.

–De acuerdo, señor Boyle. Gracias una vez más.

El sargento Powers se encaminó hacia las escaleras, pero Sean se detuvo junto a la puerta y le dijo:

–Me ha encantado volver a verte, Dave.

–A mí también –respondió Dave, intentando recordar qué era lo que le desagradaba tanto de Sean cuando eran niños; sin embargo, fue incapaz de encontrar una respuesta.

–Un día de estos deberíamos vernos para tomar una cerveza –sugirió Sean.

–Cuando quieras.

–Bien, pues, hasta entonces. Cuídate, Dave.

Se estrecharon la mano y Dave se esforzó por no hacer una mueca de dolor al sentir que le apretaban la mano hinchada.

–Tú también, Sean.

Sean empezó a bajar las escaleras mientras Dave permanecía en el rellano. Sean le saludó con la mano y Dave le devolvió el saludo, aunque sabía que Sean no podía verle.

Decidió tomarse una cerveza en la cocina antes de regresar a casa de Jimmy y de Annabeth. Albergaba la esperanza de que Michael, que con toda probabilidad habría oído a Sean y al otro policía marcharse, no bajara de inmediato, pues necesitaba unos minutos de tranquilidad, un poco de tiempo para poner sus ideas en orden. No estaba muy seguro de lo que acababa de ocurrir en la sala de estar. Por las preguntas que le habían hecho Sean y el otro poli, no tenía muy claro si le consideraban testigo o sospechoso, y al habérselas formulado de una forma tan casual no acababa de ver cuál era el verdadero motivo que les había llevado hasta allí. Esa duda le había dejado con un horroroso dolor de cabeza. Cuando Dave no estaba seguro de algo o cuando el suelo bajo sus pies le parecía movedizo e inestable, el cerebro se le solía dividir en dos mitades, como si se lo partieran con un cuchillo. Eso le provocaba dolor de cabeza y, de vez en cuando, algo mucho peor.

Porque, a veces, Dave no era Dave. Era el chico. El chico que había escapado de los lobos. Y no sólo eso, sino el que había escapado de los lobos y que, además, se había convertido en un hombre. Y aquella criatura era muy diferente del Dave Boyle de siempre.

El chico que había escapado de los lobos era un animal de la noche que se desplazaba a través de los bosques, silencioso e invisible. Vivía en un mundo que los demás nunca veían ni reconocían ni querían saber que existía: un mundo que fluía cual corriente oscura junto al nuestro, un mundo de grillos y luciérnagas, que sólo se podía ver como un efímero destello con el rabillo del ojo, y que desaparecía en cuanto uno volvía la cabeza.

Ése era el mundo en el que Dave vivía casi todo el tiempo. No como Dave, sino como el niño que había escapado de los lobos. Y ese niño no había crecido bien. Se había vuelto más furioso y más paranoico, capaz de hacer cosas que el verdadero Dave ni siquiera habría podido imaginar. Por lo general, aquella criatura se limitaba a vivir en el mundo imaginario de Dave, un salvaje moviéndose a toda velocidad entre espesas hileras de árboles, y sólo en ocasionales destellos dejaba entrever a los demás vislumbres de sí mismo; mientras permaneciera en el bosque de los sueños de Dave, era inofensivo.

Sin embargo, Dave había sufrido ataques de insomnio desde que era niño. Podían presentarse después de muchos meses de sueño tranquilo y, de repente, se encontraba otra vez en ese mundo agitado y desapacible del constante despertar y la falta de descanso. Después de unos cuantos días así, Dave comenzaba a ver cosas con el rabillo del ojo: casi siempre ratones, que pasaban como un rayo sobre las tablas del suelo y por encima de las mesas; otras veces, veía moscardones negros que doblaban rápidamente las esquinas y entraban como un rayo en las habitaciones. El aire que le rodeaba estallaba inesperadamente y veía diminutas bolas de fuego luminoso. La gente empezaba a parecerle presuntuosa, y el niño cruzaba el umbral de su bosque imaginario para adentrarse en el mundo real. Por lo general, Dave era capaz de controlar a aquel niño, pero algunas veces le asustaba. El niño le gritaba al oído. El niño se reía cuando no debía. El niño amenazaba con mirar impúdicamente a través de la máscara que solía cubrir el rostro de Dave, y mostrarse tal como era ante los demás.

Hacía tres días que Dave no dormía muy bien. Se quedaba en la cama cada noche observando cómo dormía su mujer, mientras que el niño danzaba por su esponjoso tejido cerebral y rayos resplandecientes estallaban ante sus ojos.

«Lo único que necesito es poner en orden mis ideas –susurraba mientras tomaba un trago de cerveza–. Si lo consigo, todo irá bien –se decía a sí mismo mientras oía cómo Michael bajaba las escaleras–. Sólo tengo que actuar con lógica, tranquilizarme, conseguir dormir bien y el niño regresará al bosque; la gente dejará de parecerme estúpida, los ratones regresarán a sus agujeros y los moscardones se irán tras ellos.»

Eran más de las cuatro cuando Dave y Michael regresaron a casa de Jimmy y Annabeth. Ya no había tanta gente y se respiraba cierta sensación de que las cosas se habían estancado: las bandejas casi vacías de donuts y de pasteles, el aire de la sala de estar en la que la gente había estado fumando todo el día, la muerte de Katie. Durante la mañana y las primeras horas de la tarde se había respirado un aire sosegado y colectivo de amor y de dolor, pero cuando Dave regresó, se había convertido en algo más frío, en una especie de retraimiento tal vez, como si la gente empezara a irritarse por el rechinar continuo de las sillas y por las tristes despedidas del vestíbulo.

Según Celeste, Jimmy se había pasado casi toda la tarde en el porche trasero. Había entrado en casa unas cuantas veces para ver cómo estaba Annabeth y para recibir unos cuantos pésames más por la pérdida que había sufrido, pero tan pronto como podía se abría camino entre la multitud para regresar al porche; una vez fuera, se sentaba bajo la ropa que colgaba de la cuerda y que ya hacía rato que estaba seca y endurecida por el sol.

Dave preguntó a Annabeth si había algo que él pudiera hacer o si le podía ir a buscar alguna cosa, pero ella empezó a negar con la cabeza; Dave se dio cuenta de que había sido una estupidez preguntárselo. En el caso de que Annabeth necesitara algo, en la habitación había por lo menos diez personas, tal vez quince, a las que acudiría antes que a él; hizo un esfuerzo por recordarse a sí mismo qué le había llevado hasta allí y por no sentirse molesto por ello. Dave se había dado cuenta de que, por lo general, no era el tipo de persona a la que la gente acudía cuando necesitaba ayuda. Algunas veces sentía que ni siquiera estaba en el mismo planeta y sabía, con un pesar profundo y resignado, que sería el tipo de hombre que flotaría hasta el fin de sus días sin que nadie contara con él.

Salió al porche con ese aire fantasmagórico. Se acercó a Jimmy por detrás y vio que éste estaba sentado en una vieja silla playera bajo la ropa ondulante. Jimmy ladeó un poco la cabeza al oír que Dave se acercaba.

–¿Te molesto, Jim?

–¡Dave! –Jimmy sonrió mientras Dave se colocaba delante de él–. ¡No, hombre, no! ¡Siéntate!

Dave se sentó sobre una cajón de plástico para guardar botellas de leche. Detrás de él, oía el ruido procedente de la casa: un zumbido de voces apenas perceptibles y el tintineo de la vajilla, el siseo de la vida.

–En todo el día no he tenido la oportunidad de hablar contigo –dijo Jimmy–. ¿Cómo estás?

–¿Cómo estás tú? –preguntó Dave–. ¡Mierda!

Jimmy extendió los brazos por detrás de la cabeza, bostezó y respondió:

–La gente no para de preguntármelo, ¿sabes? Supongo que es normal. –Bajó los brazos, se encogió de hombros y añadió–: Cambio de humor con mucha facilidad. En este preciso momento estoy bien; sin embargo, es bastante probable que de aquí a un rato ya no lo esté.

Volvió a encogerse de hombros, miró a Dave, y le preguntó:

–¿Qué te ha pasado en la mano?

Dave la miró con atención. Había tenido todo el día para inventarse una excusa, pero se había olvidado de hacerlo.

–¡Ah! ¿Esto? Estaba ayudando a un colega a trasladar un sofá y me di un golpe contra la jamba de la puerta mientras lo subíamos por la escalera.

Jimmy ladeó la cabeza, fijó la mirada en los nudillos y en la piel amoratada entre los dedos, y exclamó:

–¡Ah, bien!

Dave notó que no se lo creía y pensó que necesitaba inventarse una mentira más convincente para la siguiente persona que se lo preguntara.

–¡Una tontería! –precisó Dave–. ¡Uno se puede hacer daño de tantas formas!

En ese momento Jimmy le estaba mirando fijamente a los ojos, sin pensar en la mano. Aflojando la tensión del rostro, le dijo:

–Estoy muy contento de volver a verte.

«¿De verdad?», estuvo a punto de decir Dave.

En los veinticinco años que hacía que conocía a Jimmy, no recordaba haber tenido nunca la sensación de que Jimmy estuviera contento de verle. Algunas veces, había notado que a Jimmy no le importaba verle, pero eso no era lo mismo. Incluso cuando sus vidas volvieran a encontrarse, al haberse casado con dos primas hermanas,

Jimmy nunca le dio el más mínimo indicio de recordar que él y Dave habían sido algo más que conocidos. Después de un tiempo, Dave había empezado a aceptar como verdadera la versión que Jimmy tenía de su relación.

Jamás habían sido amigos. Nunca habían jugado al *stickball*[1] ni a dar patadas a las latas ni al póquer en la calle Rester. No habían pasado un año entero jugando todos los sábados con Sean Devine, haciendo batallitas en la cantera de grava de las afueras de Harvest, saltando de tejado en tejado en las naves industriales cercanas al Pope Park, viendo *Tiburón* en el cine Charles, acurrucados en los asientos y gritando. Nunca habían hecho derrapar la bicicleta juntos ni habían discutido por ver quién haría de Starsky o quién haría de Hutch, ni a quién le tocaría hacer de Kolchak en *The Night Stalker*[2]. Tampoco se habían estrellado con el trineo al bajar por Somerset Hill a toda pastilla durante los primeros días de la tormenta de nieve de 1975. Y el coche que olía a manzanas jamás se había detenido en la calle Gannon.

Con todo, ahí estaba Jimmy Marcus, el día después de encontrar muerta a su hija, diciéndole que estaba contento de volver a verlo; Dave sintió lo mismo que dos horas antes con Sean, que Jimmy decía la verdad.

—Yo también estoy encantado de volver a verte, Jim.

—¿Cómo lo llevan nuestras chicas? —preguntó Jimmy, y esbozó una sonrisa traviesa que le llegó casi a los ojos.

—Supongo que están bien. ¿Dónde están Nadine y Sara?

—Con Theo. Da las gracias a Celeste de mi parte, ¿quieres? ¡No sé que habríamos hecho sin ella!

—Jimmy, no tienes por qué agradecerlo a nadie. Celeste y yo estamos encantados de poder echar una mano en todo lo que podamos.

1. Variedad de béisbol que suele jugarse en la calle o en el parque, y en la que se usa una pelota de goma y un palo de escoba o algo similar, en vez de la pelota de béisbol reglamentaria y su correspondiente bate. *(N. de la T.)*

2. Serie norteamericana que ha sido designada como el «Expediente X» de los años setenta. Se basa en la historia de Kolchak, un periodista que trabaja para el Independent News Service de Chicago. *(N. de la T.)*

–Ya lo sé. –Jimmy alargó la mano y le dio un apretón a Dave en el antebrazo–. Gracias.

En ese instante, Dave habría levantado una casa por Jimmy y la habría sostenido con el pecho hasta que éste le dijera dónde la tenía que colocar.

Casi olvidó por qué había salido al porche: necesitaba contar a Jimmy que había visto a Katie el sábado por la noche en el McGills. Tenía la necesidad de contárselo antes de que pasara demasiado tiempo y de que Jimmy empezara a preguntarse por qué no se lo había dicho antes. Necesitaba contarlo a Jimmy antes de que éste se enterase por otra gente.

–¿Sabes a quién he visto hoy?

–¿A quién? –preguntó Jimmy.

–A Sean Devine –respondió Dave–. ¿Te acuerdas de él?

–¡Claro! –exclamó Jimmy–. Aún conservo su guante.

–¿Qué?

Jimmy hizo un gesto con la mano para quitarle importancia y añadió:

–Ahora es policía. De hecho, es el que se ocupa de investigar el... asunto de Katie. Bueno, es el que lleva el caso, como dicen ellos.

–Sí –asintió Dave–. Han pasado a verme.

–¿De verdad? –preguntó Jimmy–. ¿Por qué ha ido a verte, Dave?

Dave, haciendo un esfuerzo para que pareciera natural y espontáneo, respondió:

–Porque me encontraba en el McGills el sábado por la noche. Katie estaba allí. Sean vio mi nombre en la lista de gente que había estado ese día en el bar.

–Katie estaba allí –repitió Jimmy, alejando la mirada y empequeñeciendo los ojos–. ¿Viste a Katie el sábado por la noche, Dave? ¿A mi Katie?

–Sí, Jim. Lo que te quiero decir es que yo estaba allí y ella también. Después se marchó con sus dos amigas y...

–¿Con Diane y Eve?

–Sí, esas chicas con las que siempre salía. Se marcharon y eso fue todo.

–Eso fue todo –repitió Jimmy, con la mirada perdida.

–Bien, eso es todo lo que sé. Mi nombre aparecía en la lista.

–Sí, ya lo has dicho antes. –Jimmy sonrió, pero no a Dave, sino a algo que debía de haber visto al mirar a lo lejos–. Esa noche, ¿llegaste a hablar con ella?

–¿Con Katie? No, Jim. Estaba viendo el partido con Stanley *el Gigante*. Sólo la saludé desde lejos y cuando volví a levantar la cabeza ya se había marchado.

Jimmy permaneció en silencio un momento, inspirando aire por la nariz y haciendo repetidos gestos de asentimiento con la cabeza. Al cabo de un rato, se volvió hacia Jimmy, le dedicó una pequeña sonrisa, y dijo:

–Está bien.

–¿El qué? –preguntó Dave.

–Estar aquí afuera sentado. Sentado sin hacer nada.

–¿Sí?

–Sí, simplemente sentarse y observar al vecindario –manifestó Jimmy–. Uno se pasa la vida arriba y abajo a causa del trabajo, los hijos y todo lo demás y excepto cuando duermes, nunca tienes tiempo de bajar el ritmo. Por ejemplo, hoy, un día muy poco corriente, aún tengo que ocuparme de ciertos detalles. Tengo que llamar a Pete y a Sal y asegurarme de que van a encargarse de la tienda. Tengo que ocuparme de asear y vestir a las niñas cuando se despierten, vigilar que mi mujer no se venga abajo. –Le dedicó una sonrisa un tanto extraña y se inclinó hacia delante, balanceándose un poco, con las manos muy juntas–. Tengo que estrechar manos, aceptar pésames, hacer sitio en la nevera para toda esa comida y las cervezas, aguantar a mi suegro, y después tengo que llamar a la oficina del forense para saber cuándo nos entregarán el cadáver de mi hija, puesto que debo hacer los preparativos con la funeraria Reed y con el padre Vera de Santa Cecilia, encontrar a un proveedor para el velatorio y una sala para después del funeral y...

–Jimmy –sugirió Dave–, nosotros podemos encargarnos de algunas de esas cosas.

Sin embargo, Jimmy siguió hablando, como si Dave ni siquiera estuviera allí.

–... no puedo meter la pata, no puedo permitirme el lujo de cagarla, porque sería como si ella muriera de nuevo y, de aquí a diez años, lo único que la gente recordaría es que su funeral fue un desastre, y no puedo permitir que nadie se lleve esa impresión, ¿sabes?, porque si algo se puede decir de ella desde que tenía unos seis años, es que era muy aseada, que se ocupaba de su ropa; y sí, está bien, salir aquí afuera y quedarse sentado, sin hacer nada más que contemplar el barrio e intentar pensar en algo relacionado con Katie que me haga llorar, porque, te juro, Dave, que el hecho de no haber llorado aún está empezando a mosquearme; se trata de mi propia hija y todavía no he sido capaz de llorar, joder.

–Jim.

–¿Sí?

–Ahora estás llorando.

–¡No me digas!

–¡Tócate la cara y lo verás!

Jimmy lo hizo y notó las lágrimas que le bajaban por las mejillas. Apartó la mano y se quedó mirando los dedos húmedos un momento.

–¡Vaya! –exclamó.

–¿Quieres que te deje solo?

–No, Dave, no. Quédate un poco más conmigo, si te va bien.

–Claro que me va bien, Jim. ¡Faltaría más!

17

Una pequeña investigación

Una hora antes de asistir a la reunión que tenían concertada en la oficina de Martin Friel, Sean y Whitey pasaron un momento por casa de Whitey para que pudiera cambiarse la camisa que se había manchado en el almuerzo.

Whitey vivía con su hijo, Terrance, en un bloque de pisos de ladrillos blancos en la zona sur de los límites de la ciudad. El piso estaba cubierto de punta a punta con una moqueta beis; tenía esas paredes blancuzcas y ese olor a aire viciado tan característico de las habitaciones de motel y de los pasillos de hospital. A pesar de que el piso estaba vacío, el televisor estaba en marcha cuando entraron, con el Canal de Entretenimiento y Deportes a un volumen muy bajo, y las distintas partes de un juego Sega estaban dispersas sobre la moqueta, ante la enorme pantalla negra de lo que parecía ser un centro lúdico. Delante del televisor había un sofá-cama futón, lleno de bultos; Sean se imaginó que, con toda probabilidad, la papelera estaría repleta de envoltorios de McDonald's y que el congelador se hallaría lleno de comida preparada.

–¿Dónde está Terry? –preguntó Sean.

–Creo que está jugando al hockey –respondió Whitey–. Aunque si tenemos en cuenta la época del año en que estamos, quizá esté jugando al béisbol; sin embargo, lo que más le gusta es el hockey.

Sean sólo había visto a Terry una vez. A los catorce años era gigantesco, un chico enorme, y cuando Sean pensaba en el tamaño que alcanzaría al cabo de dos años se imaginaba el miedo que tendrían los demás chicos al verlo correr como un rayo sobre el hielo humeante.

Whitey tenía la custodia de Terry porque su mujer no la quería. Hacía dos años que les había abandonado para irse con un abogado especializado en derecho civil adicto al *crack*, y cuyo problema haría que lo inhabilitasen para ejercer la abogacía y que lo demandaran por malversación de fondos. Sin embargo, su mujer se había quedado con el tipo, aunque seguía llevándose bien con Whitey. A veces, cuando le oías hablar de ella tenías que recordarte a ti mismo que estaban divorciados.

Es lo que hacía en aquel momento mientras conducía a Sean a la sala de estar y observaba el juego Sega del suelo; empezó a desabotonarse la camisa y le dijo:

—Suzanne siempre me dice que Terry y yo nos hemos montado aquí una verdadera casa de la fantasía. Cada vez que lo ve, suele quedarse pasmada. Pero yo creo que lo que le pasa es que está celosa. ¿Quieres una cerveza o alguna otra cosa?

Sean recordó lo que Friel le había dicho sobre el problema que Whitey tenía con la bebida y se imaginó la cara que Friel pondría si se presentaba a la reunión oliendo a Altoids y a Budweiser. Además, conociendo a Whitey, aquello podía tratarse también de una especie de prueba que le ponía, puesto que esos días todo el mundo estaba pendiente de Sean.

—¿Por qué no tomamos un poco de agua o una Coca-Cola? —sugirió Sean.

—¡Buen chico! —exclamó Whitey, sonriendo como si realmente hubiera puesto a Sean a prueba, aunque éste percibió su necesidad en la mirada inquieta y en la forma de apoyar la punta de la lengua en las comisuras de los labios.

—¡Dos Coca-Colas; marchando!

Whitey salió de la cocina con los dos refrescos y dio uno a Sean. Se encaminó hacia un pequeño cuarto de baño situado en el pasillo que salía de la sala de estar, y Sean oyó cómo se quitaba la camisa y hacía correr el agua.

—Este caso cada vez me parece más complicado —gritó Whitey desde el lavabo—. ¿También tienes esa sensación?

—Un poco —admitió Sean.

—Las coartadas de Fallow y de O'Donnell parecen bastante convincentes.

—Pero eso no quiere decir que no pudieran contratar a alguien para que lo hiciera —apuntó Sean.

–Estoy de acuerdo, pero ¿es eso lo que piensas?

–En realidad, no. No lo veo nada claro.

–Sin embargo, no podemos descartar esa posibilidad.

–No, desde luego que no.

–Tendremos que volver a entrevistar al chico ése de los Harris, aunque sólo sea porque no tiene coartada, pero no me lo imagino capaz de haberlo hecho. ¡Ese chico parece de gelatina!

–Aun así, tenemos que pensar en los motivos –advirtió Sean–. ¿Y si cada vez estaba más celoso de O'Donnell o algo así?

Whitey salió del cuarto de baño secándose la cara con una toalla; su panza blanca tenía un corte en forma de sonrisa, una serpiente roja de tejido cicatricial que le atravesaba desde un lado hasta la parte baja del tórax.

–Sí, pero ese chico... –empezó a decir mientras se dirigía hacia el dormitorio de la parte trasera.

Sean fue hasta el pasillo y dijo:

–Tampoco le creo capaz de cometer semejante atrocidad, pero debemos asegurarnos.

–Además está el padre y todos esos tíos chiflados, aunque ya tengo a unos cuantos hombres interrogando a la gente del barrio.

Sean se apoyó en la pared, tomó un sorbo de su Coca-Cola y añadió:

–Si alguien lo hizo sin tener motivo alguno, sargento... ¡mierda!

–Sí, y que lo digas. –Whitey salió al pasillo con una camisa limpia y empezó a abotonársela–. Pero la señora Prior nos ha dicho que no oyó gritar a nadie.

–Sólo oyó un disparo.

–Nosotros creemos que fue un disparo, aunque supongo que tenemos razón. Sin embargo, no oyó gritar a nadie.

–Tal vez la chica de los Marcus estuviera demasiado ocupada golpeando al tipo con la puerta del coche e intentando escapar.

–En eso estoy de acuerdo, pero... ¿y la primera vez que lo vio dirigiéndose hacia el coche?

Whitey pasó por delante de Sean y entró en la cocina.

Sean se apartó de la pared, le siguió y precisó:

–Eso quiere decir que le conocía; además, le dijo «hola».

–Sí –asintió Whitey–. Y si no fuera así, ¿por qué iba a parar el coche?

–Es verdad –respondió Sean.

–¿No estás de acuerdo?

Whitey se apoyó en la encimera y se volvió hacia Sean.

–Es verdad –repitió Sean–. El coche se estrelló y las ruedas estaban giradas hacia el bordillo.

–Sin embargo, no había marcas que indicaran que hubiera derrapado.

Sean asintió con la cabeza y añadió:

–Quizá sólo iba a veinticinco kilómetros por hora y algo le hizo desviarse bruscamente hacia el bordillo.

–¿Qué?

–¡Cómo coño quieres que lo sepa! ¡El jefe eres tú!

Whitey sonrió y se bebió la Coca-Cola de un trago. Abrió la nevera para coger otra y le preguntó:

–¿Qué podría hacer que alguien girase bruscamente sin darle al acelerador?

–Algo que hubiera en la carretera –respondió Sean.

Whitey levantó la segunda Coca-Cola en señal de asentimiento y recalcó:

–Sin embargo, cuando llegamos allí no había nada en la carretera.

–Pero eso fue a la mañana siguiente.

–¿Qué quieres decir, un ladrillo o algo así?

–Teniendo en cuenta que era de noche, un ladrillo es demasiado pequeño, ¿no crees?

–Pues un trozo de hormigón.

–De acuerdo.

–En todo caso, seguro que había algo –insistió Whitey.

–Algo –asintió Sean.

–Se desvía, choca contra el bordillo, quita el pie del embrague, y el coche se estrella.

–Y en ese preciso instante aparece el asesino.

–A quien ella conoce. Y después, ¿qué?, ¿sencillamente se acerca a ella y se la carga?

–Ella le da un golpe con la puerta y luego...

–¿Te han golpeado alguna vez con la puerta de un coche?

Whitey se levantó el cuello de la camisa, se puso la corbata y empezó a hacerse el nudo.

–De momento me he perdido esa experiencia.

–Es como un puñetazo. Por muy cerca que estés, si una mujer te golpea con la pequeña puerta de un Toyota, lo único que conseguirá es ponerte de mal humor. Karen Hughes nos contó que el asesino debía de estar a unos diez centímetros de distancia cuando realizó el primer disparo. ¡A diez centímetros!

Sean comprendía lo que le estaba insinuando, pero añadió:

–De acuerdo, pero tal vez se echara hacia atrás y le diera una patada a la puerta. Eso ya sería suficiente.

–Sin embargo, la puerta tenía que estar abierta. Aunque se hubiera pasado todo el día pegándole patadas, si hubiera estado cerrada, no habría conseguido hacerle ningún daño. Habría tenido que abrirla con la mano y empujarla con el brazo. O bien el asesino se echó hacia atrás y recibió el golpe de la puerta cuando no se lo esperaba, o...

–No pesa mucho.

Whitey dobló el cuello de la camisa por encima de la corbata y espetó:

–Eso me hace pensar en las huellas.

–¡Las malditas huellas! –exclamó Sean.

–Sí –vociferó Whitey–. ¡Las malditas huellas! –Se abrochó el botón superior y deslizó el nudo de la corbata hacia arriba–. Sean, el autor de los hechos persiguió a esa mujer a través del parque. Ella corría a toda velocidad y seguro que él la seguía cual animal enloquecido. Lo que te quiero decir es que atravesó ese parque como un rayo. ¿Estás insinuando que no dejó ni una sola huella?

–Llovió toda la noche.

–Sin embargo, encontramos tres huellas de Katie. ¡Venga, hombre! Hay algo que no encaja.

Sean apoyó la cabeza en al armario que tenía detrás e intentó imaginarse la situación: Katie Marcus, balanceando los brazos mientras bajaba por la oscura pendiente en dirección hacia la pantalla del autocine, la piel arañada por los arbustos, el pelo empapado a causa de la lluvia y el sudor, con la sangre goteándole por el brazo y el pecho.

Y el asesino, siniestro y sin rostro en la mente de Sean, persiguiéndola a pocos metros de distancia, también a toda velocidad, con las orejas palpitantes por la sed de sangre. Sean se imaginaba que era un hombre grande, un fenómeno de la naturaleza, e incluso inteligente. Lo bastante inteligente para colocar algo en medio de la carretera y hacer que Katie Marcus se diera con las ruedas delanteras contra aquel bordillo. Lo bastante listo para escoger un lugar de la calle Sydney en el que, con toda probabilidad, nadie vería ni oiría nada. El hecho de que la vieja señora Prior hubiera oído algo era una aberración; era lo único que el asesino no podía haber predicho, porque incluso Sean se había sorprendido al enterarse de que aún vivía alguien en aquel edificio tan chamuscado. Por todo lo demás, el tipo había sido muy listo.

–¿Crees que es lo bastante listo para hacer desaparecer sus propias huellas? –pregunto Sean.

–¿Cómo?

–El asesino. Tal vez después de matarla regresó al parque para echar barro sobre sus propias huellas.

–Es una posibilidad, pero ¿cómo iba a recordar todos los sitios que pisó? Era de noche y, aun cuando tuviera una linterna, es demasiado espacio que cubrir y demasiadas huellas que identificar y hacer desaparecer.

–Pero la lluvia...

–Sí –suspiró Whitey–. Me creeré la teoría de la lluvia si buscamos a un tipo que pese unos sesenta y cinco kilos o menos, si no es así...

–Brendan Harris no parecía pesar mucho más que eso.

Whitey soltó un gemido y le preguntó:

–¿De verdad crees que ese chico es capaz de haber hecho una cosa así?

–No.

–Yo tampoco. ¿Y qué me dices de tu amigo? Es un tipo muy delgado.

–¿Quién?

–Boyle.

Sean bajó de la encimera de la cocina y dijo:

–¿Qué te hace pensar que pudo haber sido él?

—Bueno, está en la lista, ¿no?

—No, espera un momento...

Whitey alzó un brazo y le interrumpió:

—Nos dijo que salió del bar alrededor de la una, ¡y una mierda! Lanzaron las llaves del coche contra el maldito reloj ese cuando ya pasaban diez minutos de esa hora. Katherine Marcus salió del bar a la una menos cuarto. Mi teoría es sólida: la coartada de tu amigo falla en quince minutos; además, ¿cómo podemos saber a qué hora llegó realmente a casa?

Sean se rió y espetó:

—Whitey, mi amigo tan sólo era uno de los tipos que se encontraban en el bar.

—En el bar en que Katie fue vista con vida por última vez, Sean. Tú mismo lo has dicho.

—¿Qué es lo que he dicho?

—Pues que podríamos estar buscando a un tipo que se hubiera quedado en casa el día del baile de fin de curso.

—Yo sólo...

—No te estoy diciendo que haya sido él. Ni siquiera lo he insinuado, pero hay algo en ese tipo que no me acaba de cuadrar. ¿Oíste todo eso que dijo sobre la necesidad de que hubiera una oleada de delitos en esta ciudad? Lo decía totalmente en serio.

Sean dejó la lata vacía de Coca-Cola en la encimera y le preguntó:

—¿Reciclas?

—No.

Whitey frunció el entrecejo.

—¿Ni aunque te pagaran cinco centavos por cada lata?

—¡Sean!

Sean tiró la lata a la basura y añadió:

—¿Estás insinuando que crees que un hombre como Dave Boyle fue capaz de asesinar a la prima segunda de su mujer sólo porque estuviera cabreado por el aburguesamiento del barrio? Es la tontería más grande que he oído en mi vida.

—Una vez arresté a un tipo que mató a su mujer porque a ella no le gustaba su forma de cocinar.

–¡Pero era un matrimonio, hombre! Son las tensiones típicas que van aumentando con los años. Estás hablando de un tipo que pensaría: «Mierda, no puedo pagar el alquiler. Debería ir matando gente hasta que el precio de los alquileres baje de nuevo».

Whitey se rió.

–¿Qué? –preguntó Sean.

–De acuerdo, si lo cuentas así –apuntó Whitey– parece estúpido. Aun así, hay algo en ese tipo que no me encaja. Si tuviera una coartada perfecta no diría nada, y tampoco lo haría si no hubiera visto a la víctima una hora antes de que muriera. Sin embargo, su coartada no cuadra, vio a Katie y hay algo en él que no me acaba de gustar. Nos contó que se había ido directamente a casa, pero me gustaría que su mujer nos lo confirmara. Quiero que el vecino de la primera planta nos diga que le oyó subir las escaleras a la una y cinco de la mañana. Cuando eso suceda, me olvidaré de él. ¿Le viste la mano?

Sean no dijo nada.

–Tenía la mano derecha tan hinchada que su tamaño era casi el doble que el de la izquierda. A ese tipo hace poco que le pasó algo y quiero saber qué fue. Cuando sepa que ha sido por una pelea en un bar, o algo así, me retiraré y le dejaré en paz.

Whitey apuró su segunda Coca-Cola y la tiró al cubo de la basura.

–Dave Boyle –dijo Sean–. ¿De verdad quieres investigar a Dave Boyle?

–Sí –contestó Whitey–, aunque sólo sea una pequeña investigación.

Se reunieron en la sala de conferencias de la tercera planta que compartían los de Homicidios y los de Delitos Mayores en la Oficina del Fiscal del Distrito; Friel siempre quería celebrar allí las reuniones porque era una sala fría y utilitaria, las sillas eran duras, la mesa era negra y las paredes de color gris ceniza. No era una sala que incitara a hacer ingeniosos comentarios aparte ni a soltar incongruencias. En aquella sala nadie perdía el tiempo; decían lo que tenían que decir y luego volvían al trabajo.

Esa tarde había nueve sillas en la sala y todas estaban ocupadas. Friel presidía la mesa; a su derecha estaba la subdirectora del Departamento de Homicidios de la Oficina del Fiscal del Distrito del Condado de Suffolk, Maggie Mason, y a su izquierda el sargento Robert Burke, que dirigía las otras brigadas del Departamento de Homicidios. Whitey y Sean estaban sentados uno frente al otro a ambos lados de la mesa, junto a Joe Souza, Chris Connolly, y los otros dos detectives del Departamento de Homicidios del Estado, Payne Brackett y Shira Rosenthal. Todo el mundo tenía montones de informes de campo o de fotocopias de éstos sobre la mesa, así como fotografías del lugar del crimen, los informes de los forenses, los informes de la Policía Científica, además de todas las libretas y blocs de notas de cada uno de ellos, unas cuantas servilletas con nombres garabateados, y algunos esquemas del lugar del crimen dibujados de modo rudimentario.

Whitey y Sean fueron los primeros en hablar; contaron las entrevistas que habían hecho a Eve Pigeon y Diane Cestra, a la señora Prior, a Brendan Harris, a Jimmy y Annabeth Marcus, a Roman Fallow y a Dave Boyle, al que Whitey, para gratitud de Sean, sólo se refirió como «mero testigo del bar».

Brackett y Rosenthal fueron los siguientes en tomar la palabra; Brackett se encargó de contarlo todo, pero Sean estaba convencido, si lo que había pasado con anterioridad se podía usar como referente, de que todo el trabajo duro lo habría hecho Rosenthal.

Todos los empleados de la tienda del padre tenían coartadas sólidas y ninguno tenía motivos aparentes. Todos coincidieron en afirmar que la víctima, que ellos supieran, no tenía enemigos conocidos ni deudas astronómicas ni adicción a las drogas. Al examinar el dormitorio de la víctima sólo encontraron setecientos dólares en metálico, aunque no hallaron ningún diario ni sustancias ilegales. Una revisión de su cuenta bancaria mostró que los depósitos coincidían con la cantidad de dinero que ganaba. No había ingresado ni retirado grandes cantidades de dinero hasta la mañana del viernes en que había cancelado la cuenta. Era el dinero que habían encontrado en la cómoda de su dormitorio y que confirmaba la teoría del sargento Powers de que la víctima tenía intención de abandonar la ciudad el domingo. Las entrevistas preliminares que se habían hecho a los vecinos no indicaban nada que pudiera hacer creer que existieran problemas familiares.

Brackett juntó todas las hojas sobre la mesa para indicar que había terminado, y Friel se volvió hacia Souza y Connolly.

—Redactamos las listas de la gente que había estado en los mismos bares que la víctima, en su última noche con vida. De una posible lista de setenta y cinco clientes, entrevistamos a veintiocho de ellos, sin contar a los dos que entrevistaron el sargento Powers y el agente Devine, es decir, Fallow y el Dave Boyle ese. Los policías Hewlett, Darton, Woods, Cecchi, Murray y Eastman se encargaron de entrevistar a los restantes y ya nos han pasado los informes preliminares.

—¿Qué hay de Fallow y O'Donnell? —preguntó Friel a Whitey.

—Están limpios. Sin embargo, eso no quiere decir que no contrataran a alguien para que lo hiciera.

Friel se recostó en la silla y puntualizó:

—A lo largo de todos estos años he visto muchos asesinatos a sueldo, pero este caso no me lo parece.

—Si hubiera sido un asesino a sueldo —apuntó Maggie Mason—, podría haberse limitado a pegarle un tiro dentro del coche.

—¡Bien, ya lo hizo! —exclamó Whitey.

—Diría que lo que ella insinúa es que le habría pegado más de uno, que habría vaciado el cargador.

—Se le podría haber atascado la pistola —sugirió Sean. Los demás le miraron con ojos entreabiertos—. Es algo que no hemos tenido en cuenta. Imaginemos que se le atascó la pistola y que Katherine Marcus tuvo tiempo de reaccionar; podría haber derribado al tipo y echar a correr.

Esas palabras silenciaron la sala un momento, y Friel, pensando en hacer un gesto con el dedo índice, dijo:

—Es posible. Lo es, pero ¿por qué le pegó con un palo, con un bate o con algo similar? A mí no me parece obra de un profesional.

—No creo que Fallow y O'Donnell trabajen con profesionales —apuntó Whitey—. Bien podrían haber contratado a cualquier drogadicto a cambio de un par de billetes y un bolígrafo. Sin embargo, acaban de contarnos que la señora Prior oyó cómo la víctima saludaba a su asesino. ¿Creen que habría actuado así si se le hubiera acercado un adicto al *crack*, colocado?

Whitey, haciendo una especie de gesto de asentimiento, dijo:

–Un punto interesante.

Maggie Mason se apoyó en la mesa y sugirió:

–¿Qué les parece si nos basamos en la teoría de que la víctima conocía a su asesino?

Sean y Whitey cruzaron una mirada; luego se volvieron hacia Friel y asintieron con la cabeza.

–No es que East Bucky no tenga una buena cantidad de drogadictos, particularmente en las marismas, pero ¿creen que una chica como Katherine Marcus se relacionaría con ellos?

–Otro punto interesante. –Whitey soltó un suspiro–. Así es.

–Ojalá fuera obra de un profesional –declaró Friel–. Sin embargo, el hecho de que la golpearan de ese modo, no sé, a mí me sugiere rabia y falta de dominio sobre uno mismo.

Whitey hizo un gesto de asentimiento y puntualizó:

–Lo único que estoy diciendo es que no lo podemos descartar del todo.

–De acuerdo, sargento.

Friel se volvió de nuevo hacia Souza, que parecía un poco cabreado por la digresión.

Se aclaró la voz y, mirando sus notas con calma, prosiguió:

–De todos modos, estuvimos hablando con un tal Thomas Moldanado, que estaba bebiendo en el Last Drop, el último bar al que fue Katherine Marcus antes de llevar a sus amigas a casa. Según parece, en el bar sólo había un cuarto de baño, y Moldanado nos contó que había mucha cola cuando las chicas se marcharon. Así pues, salió a la parte trasera del aparcamiento a mear y vio a un tipo sentado en un coche, con las luces apagadas. Moldanado nos contó que era la una y media, ni un minuto más ni un minuto menos. Nos dijo que llevaba un reloj nuevo y que quería ver si brillaba en la oscuridad.

–¿Y brillaba?

–Eso parece.

–Sin embargo, el tipo del coche –precisó Robert Burke– podría haber estado durmiendo la mona.

–Eso mismo es lo primero que le respondimos, sargento. Moldanado nos dijo que él había pensado lo mismo al principio, pero que el tipo estaba erguido y con los ojos bien abiertos. También nos contó que, de no ser porque tenía un coche pequeño y extranjero, algo parecido a un Honda o un Subaru, habría creído que era un poli.

–Metido en ese asiento tan pequeño estaría un poco estrecho, ¿no creen? –preguntó Connolly.

–Así es –respondió Souza–. Luego Moldanado se imaginó que debía de ser algún cliente, ya que, de noche, esa zona suele llenarse de prostitutas. Pero, en ese caso, ¿qué hacía dentro del coche? ¿Por qué no estaba paseando por la avenida?

–Bien, entonces... –dijo Whitey.

Souza levantó el brazo y exclamó:

–¡Un momento, sargento! –Se quedó mirando a Connolly con los ojos resplandecientes e inquietos–. Volvimos al aparcamiento a echar un vistazo y encontramos sangre.

–Sangre.

Asintió con la cabeza y continuó:

–Era tan espesa y tan densa que cualquiera habría pensado que alguien había estado cambiando el aceite del coche en el aparcamiento. Sin embargo, empezamos a examinar el lugar y encontramos una gota aquí, y otra más allá, alejándose del charco. Encontramos algunas gotas más en las paredes y en el suelo del callejón trasero del bar.

–Agente –espetó Friel–, ¿qué demonios intenta decirnos?

–Que ayer por la noche alguien más resultó herido fuera de ese bar.

–¿Cómo sabe que sucedió la misma noche? –le preguntó Whitey.

–La Policía Científica lo ha confirmado. Un vigilante nocturno dejó el coche en el aparcamiento esa noche, justo encima del charco de sangre, evitando, así, que la lluvia lo borrara. Quienquiera que fuera la víctima, estaba herida de gravedad, y la persona que la atacó también debía de estarlo. Encontramos dos tipos de sangre diferentes en el aparcamiento. Ahora estamos comprobando los hospitales y las compañías de taxis, por si la víctima hubiera subido en uno. También encontramos fibras capilares cubiertas de sangre, trozos de piel y tejido cerebral. Estamos a la espera de recibir noticias de seis médicos de urgencias. Los demás nos han respondido negativamente, pero tengo la certeza de que encontraremos a la víctima que el sábado por la noche, o a primera hora del domingo, fue a alguna sala de urgencias con un traumatismo craneal grave.

Sean alzó la mano y masculló:

—¿Nos está diciendo que la misma noche que Katherine Marcus salió del Last Drop le machacaron el cerebro a otra persona en el aparcamiento del mismo bar?

—Sí. —Souza sonrió.

Connolly prosiguió con la explicación:

—La Policía Científica encontró sangre seca, de los tipos A negativo y B negativo. Mucha más del tipo A que del B, por lo que dedujimos que la víctima era del tipo A.

—Katherine Marcus era del tipo O —apuntó Whitey.

Connolly hizo un gesto de asentimiento y añadió:

—Las fibras capilares indican que la víctima era un hombre.

—¿A qué conclusión han llegado? —les preguntó Friel.

—A ninguna todavía. Lo único que sabemos es que la misma noche que Katherine fue asesinada, a alguien más le partieron la cabeza en el aparcamiento del bar en el que ella había estado.

—Hubo una pelea en el aparcamiento —dijo Maggie Mason—. ¿Y eso qué tiene de raro?

—Ninguno de los clientes del bar recuerda que se hubiera producido ninguna pelea, ni dentro ni fuera del bar. Entre la una y media y las dos menos diez de la madrugada, las únicas personas que salieron del bar fueron Katherine Marcus, sus dos amigas y Moldanado, que entró de nuevo en el bar en cuanto acabó de orinar. Tampoco entró nadie más. Moldanado también recuerda haber visto a alguien en el aparcamiento a eso de la una y media, un tipo que, según su descripción, tenía un aspecto normal, unos treinta y cinco años y pelo oscuro. El tipo ese ya se había marchado cuando Moldanado se fue del bar a las dos menos diez.

—A esa hora la chica de los Marcus ya debía de estar corriendo por el Pen Park.

Souza hizo un gesto de asentimiento y repuso:

–No estamos diciendo que haya una conexión clara; es posible que ni siquiera estén relacionados, pero nos parece una coincidencia muy extraña.

–Se lo vuelvo a preguntar –insistió Friel–, ¿a qué conclusión han llegado?

Souza se encogió de hombros y contestó:

–No lo sé, señor. Lo único que sabemos con certeza es que fue un asesinato. Creo que el tipo del aparcamiento estaba esperando a que la chica saliera del bar, y cuando ésta lo hizo, llamó por teléfono al autor de los hechos; a partir de ese momento, éste se ocupó de ella.

–Y después ¿qué? –preguntó Sean.

–¿Después qué? Pues que la mató.

–No, me refiero al hombre de dentro del coche. ¿Qué hizo? ¿De repente le entraron ganas de golpear a alguien con una roca o algo así? ¿Así, por las buenas?

–Es posible que alguien le provocara.

–¿Cuándo? –preguntó Whitey–. ¿Mientras hablaba por el móvil? ¡Mierda! ¡No sabemos si este caso guarda alguna relación con el asesinato de Katherine Marcus!

–Sargento –repuso Souza–, si quiere lo dejamos. Nos olvidamos y ya está.

–¿En algún momento he insinuado dejarlo?

–Bueno...

–¿Lo he insinuado? –repitió Whitey.

–No.

–No, ¿verdad que no? Pues a ver si respetas un poco más a tus superiores, Joseph, porque si no te voy a mandar de nuevo a las celdas de drogadictos de Springfield, para que te relaciones con los motoristas y las tías esas que huelen tan mal y que comen manteca de cerdo directamente de la lata.

Souza, intentando refrenarse, profirió un suspiro y concluyó:

–Tan sólo creía que podría ser importante. Eso es todo.

–Eso no se lo discuto, agente. Lo que quiero que entienda es que debemos tener más información antes de poner a más personal a trabajar en un incidente que probablemente no guarde ningún tipo de relación con el asesinato que nos ocupa. Además, el Last Drop está bajo jurisdicción del Departamento de Policía de Boston.

–Ya nos hemos puesto en contacto con ellos –espetó Souza.

–¿Se están ocupando del caso?

Souza asintió con la cabeza.

Whitey alzó las manos y exclamó:

–¡Lo ve! ¡Razón de más! Limítese a estar en contacto con el detective que está encargado y manténganos informados; por lo demás, olvídese.

–Ya que estamos hablando de conclusiones, sargento –apuntó Friel–, ¿a qué conclusión ha llegado usted?

Whitey se encogió de hombros y respondió:

–Sólo tengo un par: Katherine Marcus murió a causa del impacto de bala que recibió en la nuca y ninguna de las otras heridas, ni siquiera la herida de bala del bíceps izquierdo, eran lo bastante graves para haberle causado la muerte. La golpearon con un artilugio de madera con los cantos lisos: un palo o un trozo de madera. El médico forense ha afirmado con rotundidad que no la agredieron sexualmente. Después de hacer muchas preguntas, hemos conseguido averiguar que planeaba fugarse con Brendan Harris. Ella y Bobby O'Donnell habían sido novios. El problema radicaba en que O'Donnell no quería aceptar que ya no lo eran. Al padre no le caían bien ni O'Donnell ni Harris.

–¿Por qué no le gustaba Brendan Harris?

–No lo sabemos. –Whitey lanzó una mirada rápida a Sean–. No obstante, estamos haciendo todo lo posible por averiguarlo. Así pues, lo que suponemos es que tenía intención de pasarse la noche bailando antes de marcharse de la ciudad a la mañana siguiente.

Celebró una especie de despedida de soltera con sus dos amigas; Roman Fallow les obligó a que se marcharan de uno de los bares y ella las acompañó a casa en coche. En ese momento estaba empezando a llover, el limpiaparabrisas no le funcionaba bien y tenía los cristales sucios; entonces, o bien perdió el control del volante por un instante porque iba borracha y chocó contra el bordillo o bien se desvió bruscamente para no topar con algo que había en la carretera. Al margen de la causa, lo que está claro es que chocó contra la acera. El coche se averió y alguien se le acercó. Según la versión de la anciana señora Prior, Katherine dijo «hola». Creemos que entonces fue cuando el asesino le disparó por primera vez. Consiguió darle un golpe con la puerta del coche, tal vez pudo hacer que la pistola le cayera al suelo, no lo sé, y echó a correr en dirección al parque. Como creció en el barrio, quizá pensó que allí tendría más oportunidades de despistarle. Una vez más, no sabemos por qué fue hacia el parque, a no ser que fuera porque era lo más cercano desde la calle Sydney y porque tampoco había ningún vecino que pudiera ayudarla en cuatro manzanas a la redonda. Si se hubiera quedado allí mismo, el asesino podría haberla atropellado con su propio coche o podría haber vuelto a dispararle con facilidad. Así pues, salió corriendo hacia el parque. A partir de ese momento, se encaminó, de forma bastante constante, hacia el sudeste, atravesó el jardín vallado, intentó esconderse en el barranco de debajo del puente de madera y luego fue en línea recta hacia la pantalla del autocine; después...

–El camino que escogió hizo que se adentrara cada vez más en el bosque –apuntó Maggie Mason.

–Así es, señora.

–¿Por qué?

–¿Por qué?

–Bien, sargento –dijo mientras se quitaba las gafas y las colocaba sobre la mesa que tenía delante–, si yo fuera una mujer a la que estuvieran persiguiendo a través de un parque y conociera muy bien el lugar, lo primero que haría sería llevar a mi perseguidor hasta allí con la esperanza de que se perdiera o que se quedara atrás. No obstante, tan pronto como pudiera, intentaría salir de allí. ¿Por qué no se dirigió hacia el norte, hacia la calle Roseclair? ¿Por qué no dio la vuelta para regresar a la calle Sydney? ¿Por qué se adentró cada vez más en el parque?

–Es posible que estuviera muy conmocionada y asustada. El miedo hace que la gente no pueda pensar con claridad. Debemos recordar, además, que el nivel de alcoholemia en la sangre era muy alto. Estaba borracha.

Negó con la cabeza y añadió:

–Eso no me lo trago. Y hay algo más; según lo que nos acaban de contar, ¿debo suponer que la señorita Marcus corría más deprisa que su perseguidor?

Whitey entreabrió la boca, pero pareció olvidarse de lo que iba a decir.

–Según su informe, sargento, la señorita Marcus prefirió, como mínimo en dos ocasiones, esconderse que correr. Se escondió en el jardín vallado y bajo el puente de madera. Eso me dice dos cosas: que corría más rápido que su perseguidor (si no hubiera sido así, no habría tenido suficiente tiempo para intentar esconderse), y que paradójicamente sabía que el hecho de llevarle ventaja no era suficiente. Si añade eso al hecho de que no hizo ningún esfuerzo por salir del parque, ¿qué opina?

A nadie se le ocurrió respuesta alguna.

Al cabo de un rato, Friel le preguntó:

–¿Usted qué opina, Maggie?

–Bien, creo que cabe la posibilidad de que se sintiera rodeada.

Por un momento, Sean tuvo la sensación de que el aire de la sala se volvía electrostático y que hacía estallar corrientes eléctricas.

–¿Está pensando en una banda o algo así? –preguntó Whitey al rato.

–O algo así –repitió Maggie–. No lo sé, sargento. Lo único que hago son conjeturas de su informe. No me cabe en la cabeza que a esa mujer, que según parece corría más rápido que su agresor, no se le ocurriera intentar salir del parque lo más rápido posible, a menos que pensara que alguien más la estuviera rodeando.

Whitey inclinó la cabeza y dijo:

–Con el debido respeto, señora, si hubiera sido así, habría habido muchas más pruebas físicas en el escenario del crimen.

–Usted mismo citó la lluvia varias veces en su informe.

–Bien –asintió Whitey–, pero si hubiera habido un grupo de gente, o tan sólo dos personas, persiguiendo a Katherine Marcus, habríamos encontrado muchas más pruebas. Como mínimo, unas cuantas huellas más. Alguna cosa, señora.

Maggie Mason se puso las gafas de nuevo y miró el informe que tenía en la mano. A cabo de un rato, precisó:

–Es una hipótesis, sargento. Y, basándome en su propio informe, creo que vale la pena no descartarla.

Whitey mantuvo la cabeza baja, pero Sean podía sentir cómo la indignación le subía por los hombros, cual gas de alcantarilla.

–¿Qué opina, sargento? –preguntó Friel.

Whitey levantó la cabeza, les dedicó una exhausta sonrisa y contestó:

–La tendré en cuenta. No obstante, en este preciso momento no creo que haya muchas bandas en el barrio. Si aceptamos esa hipótesis y creemos que fue obra de dos personas, volvemos a la posible teoría de que fue asesinada por un mercenario.

–De acuerdo...

–Pero si ése fuera el caso, y al principio de esta reunión hemos acordado que no era fácil saberlo, el otro tipo habría vaciado la pistola en el mismo momento en que Katherine Marcus hubiera golpeado a su compañero con la puerta. Esto sólo tendría sentido si se tratara de un asesino que se hiciera acompañar de una mujer asustada y borracha, que se hubiera mareado al ver tanta sangre, que no pudiera pensar con claridad o que hubiera tenido muy mala suerte.

–Sin embargo, confío en que tendrá usted en cuenta mi hipótesis –apuntó Maggie Mason, con una sonrisa amarga y con la mirada puesta en la mesa.

–Desde luego que sí –respondió Whitey–. En este momento estoy dispuesto a aceptar cualquier hipótesis. Se lo aseguro. Parece ser que conocía al asesino; sin embargo, ya hemos descartado a todos los posibles sospechosos que pudieran tener algún motivo. Cuanto más tiempo llevamos trabajando en este caso, más probable me parece que fuera una agresión no premeditada. La lluvia ha borrado dos terceras partes de nuestras pruebas, Katherine Marcus no tenía ni un solo enemigo, ni secretos financieros ni adicción a las drogas ni tampoco había presenciado ningún asesinato de los que tenemos archivados. Por lo que de momento sabemos, no hay nadie que haya salido ganando con su muerte.

–A excepción de O'Donnell –apuntó Burke–. Él no quería que la señorita Marcus se fuera de la ciudad.

–A excepción de O'Donnell –repitió Whitey–, pero tiene una coartada perfecta y no parece probable que contratara a alguien. ¿Qué otros enemigos tenía? Ninguno.

–Y, a pesar de todo eso, está muerta –recalcó Friel.

–Y, a pesar de todo eso, está muerta –repitió Whitey–. Por eso creo que fue algo fortuito. Si uno descarta el dinero, el amor y el odio como posibles motivos, la verdad es que se queda con bien poco. Sólo cabe pensar que fuese algún tipo de esos que están al acecho y que tienen una página web dedicada a la víctima o alguna estupidez parecida.

Friel alzó las cejas.

Shira Rosenthal dijo de forma inesperada:

–Eso ya lo estamos comprobando, señor. De momento, nada.

–Entonces, ¿no saben lo que buscan? –preguntó Friel después de un largo silencio.

–Claro que lo sabemos –espetó Whitey–. Buscamos a un tipo con una pistola. ¡Ah, sí, y con un palo!

18

Palabras que él conocía

Después de dejar a Dave en el porche, y con el rostro y los ojos secos de nuevo, Jimmy se dio la segunda ducha del día. Sentía una necesidad de llorar en lo más profundo de su ser. Le fue creciendo en el pecho como si fuera un globo, hasta que se quedó sin aire.

Se había ido a la ducha porque quería intimidad; temía no poder contener las lágrimas como lo hizo en el porche. Temía llegar a convertirse en un charco tembloroso, acabar llorando tal como lo había hecho de niño en la oscuridad de su dormitorio, con la certeza de que al nacer había estado a punto de matar a su madre y de que su padre le odiaba por ello.

En la ducha, volvió a sentir aquella sensación: la antigua oleada de tristeza, esa que le hacía sentirse viejo y que le había acompañado desde siempre, la certeza de que una tragedia se cernía sobre su futuro, una tragedia tan pesada como los mismísimos bloques de piedra caliza. Como si un ángel le hubiera predicho el futuro mientras se encontraba en el útero, y Jimmy hubiera salido del seno de su madre con las palabras del ángel grabadas en el cerebro, aunque no en los labios.

Jimmy alzó los ojos hacia el grifo de la ducha. Sin pronunciar palabra, dijo:

«En el fondo de mi alma sé que he contribuido a la muerte de mi hija. Lo noto. No obstante, no sé cómo.»

Y la voz sosegada le respondió: «Ya lo sabrás».

«Dímelo.»

«No.»

«¡Vete al infierno!»

«Todavía no he acabado.»

«¡Ah!»

«Ya lo sabrás.»

«¿Tendré que maldecirme por ello?»

«Eso depende de ti.»

Jimmy inclinó la cabeza y pensó en el hecho de que Dave viera a Katie poco antes de que ésta muriera. Katie, viva, borracha y bailando. Bailando y feliz.

Cuando se dio cuenta de que otra persona había visto a Katie con vida después de él pudo, por fin, llorar.

La última vez que Jimmy había visto a Katie fue cuando ésta salía de la tienda al acabar su turno del sábado. Eran las cuatro y cinco de la tarde y Jimmy se encontraba al teléfono hablando con su proveedor de Frito-Lay, haciendo pedidos, distraído, mientras Katie se inclinaba hacia él para besarle en la mejilla y decirle:

–Hasta luego, papá.

–Hasta luego –le había respondido; después había observado cómo salía por la trastienda.

No, eso no era verdad. No la había observado, tan sólo la había oído salir, ya que su mirada estaba puesta en la hoja de pedidos que tenía sobre la mesa y junto al secante.

En realidad, pues, la última imagen que tenía de ella fue cuando, apartando los labios de su mejilla, le había dicho: «Hasta luego, papá».

Hasta luego, papá.

Jimmy se dio cuenta de que era aquel «luego», que hacía referencia a esa misma noche y a los últimos minutos de su vida, lo que más le dolería. Si hubiera estado allí, si esa misma noche hubiera podido pasar un poco más de tiempo con su hija, tal vez habría sido capaz de retener una imagen más reciente de Katie.

Sin embargo, no podía. Pero Dave, Diane y Eve, y su asesino, sí que podrían hacerlo.

«Si tenías que morir –pensaba Jimmy–, si las cosas ya estaban predestinadas, ojalá hubieras muerto mirándome a los ojos. Me habría dolido mucho verte morir, Katie, pero, como mínimo, habría sabido que no te sentías tan sola al mirarme a los ojos.

»Te quiero. Te quiero mucho. A decir verdad, te quiero más de lo que amé a tu madre, más que a tus hermanas, más que a Annabeth, que Dios me perdone. Y las quiero con locura, pero a ti te quiero mucho más, porque cuando salí de la cárcel y me sentaba contigo en la cocina, éramos las únicas personas que quedaban sobre la capa de la tierra. Olvidados y despreciados. Ambos estábamos tan asustados, tan confundidos y tan absolutamente abandonados. Sin embargo, conseguimos superarlo, ¿no es verdad? Convertimos nuestras propias vidas en algo bueno, hasta que llegó un día en que dejamos de sentirnos asustados y abandonados. Habría sido incapaz de hacerlo sin ti. No hubiera podido. No soy tan fuerte.

»Te habrías convertido en una bella mujer. Tal vez en una bella esposa. En un milagro de madre. Eras mi amiga, Katie. Viste mi miedo, pero no echaste a correr. Te quiero más que a mi vida. Echarte de menos será mi cáncer. Y eso me matará.»

Y por un instante, de pie en la ducha, Jimmy sintió cómo Katie le acariciaba la espalda con la palma de la mano. Eso era lo que había olvidado sobre la última vez que la había visto. Le había pasado la mano por la espalda mientras se inclinaba hacia él para besarle la mejilla. Se la había apoyado en la columna vertebral, entre los omóplatos, y le había hecho sentir bien.

Permaneció en la ducha, sintiendo cómo Katie seguía apoyando la mano en su piel mojada, y notó que se le pasaban las ganas de llorar. Volvió a sentirse fuerte en su dolor. Se sentía querido por su hija.

Whitey y Sean aparcaron el coche en la esquina de la tienda de Jimmy y echaron a andar en dirección a la avenida Buckingham. El anochecer se estaba volviendo frío y el cielo se teñía de un tono azul marino; Sean se sorprendió a sí mismo preguntándose qué estaría haciendo Lauren en ese momento, si estaría cerca de una ventana, si podría ver el mismo cielo que él estaba viendo, si también podría sentir cómo avanzaba el frío.

Antes de llegar al bloque de tres plantas en el que Jimmy y su mujer vivían, rodeados de varios Savage lunáticos y de sus respectivas mujeres o novias, vieron a Dave Boyle apoyado en la ventanilla abierta de un Honda que estaba aparcado delante de la casa. Dave alargó la mano hacia la guantera, la cerró de golpe, y se alejó del coche con una cartera en la mano. Se percató de la presencia de Sean y de Whitey en el preciso instante que cerraba el coche con llave. Les sonrió y exclamó:

–¡Otra vez por aquí!

–Somos como la gripe –puntualizó Whitey–. Nunca desaparecemos del todo.

–¿Qué tal, Dave? –preguntó Sean.

–Las cosas no han cambiado mucho en cuatro horas. ¿Vais a ver a Jimmy?

Hicieron un gesto de asentimiento.

–¿Habéis averiguado... algo más del caso?

Sean meneó la cabeza y respondió:

–Sólo vamos a presentarles nuestros respetos y a ver cómo va todo.

–Ahora están bien. Creo que se sienten un poco cansados, ¿saben? Por lo que sé, Jimmy no ha dormido desde ayer. A Annabeth le han entrado muchas ganas de fumar, así que me he ofrecido para ir a comprarle un paquete; no me acordaba de que me había dejado la cartera en el coche –dijo mientras la sostenía con su mano hinchada y después se la metía en el bolsillo.

Whitey también se metió las manos en los bolsillos, se balanceó sobre los talones, y le dedicó una tensa sonrisa.

–Parece doloroso –comentó Sean.

–¿Esto? –Dave alzó la mano de nuevo y se la quedó mirando–. En realidad, no me duele mucho.

Sean asintió con la cabeza, le dedicó una sonrisa igualmente tensa, y los dos se quedaron allí de pie observando a Dave.

–La otra noche estaba jugando al billar –explicó Dave–. Ya sabes, la mesa que tienen en el McGills, Sean. Más de la mitad de la mesa está contra la pared y uno siempre tiene que acabar usando el maldito taco corto.

–¡Claro! –exclamó Sean.

–La bola blanca estaba muy cerca del borde y la que quería golpear estaba en la otra punta de la mesa. Eché la mano hacia atrás para golpear la pelota con fuerza, y me olvidé de que estaba junto a la pared. ¡Y bum! Estuve a punto de atravesar la maldita pared con la mano.

–¡Ay! –exclamó Sean.

–¿Lo consiguió? –preguntó Whitey.

–¿El qué?

–La jugada.

Dave frunció el entrecejo y respondió:

–Me retiré de la partida, ya que era incapaz de seguir jugando.

–¡Por supuesto! –apuntó Whitey.

–Sí, la verdad es que me fastidió bastante porque hasta ese momento iba ganando –dijo Dave.

Whitey hizo un gesto de asentimiento, se volvió hacia el coche de Dave, y le dijo:

–Tiene el mismo problema que yo he tenido con el mío.

Dave se volvió para mirar su vehículo y respondió:

–No creo. Nunca he tenido ningún problema con éste.

–¡Mierda! El dispositivo de encendido de mi Accord me costó un ojo de la cara, sesenta y cinco mil dólares. Luego me enteré de que a un amigo mío le había pasado lo mismo. Con lo que me he gastado arreglándolo y lo que pagué por el examen de conducir, el coche me ha salido bien caro, ¿sabe?

–Sin embargo, el mío es estupendo. –Giró la cabeza para mirarlo, y luego se volvió de nuevo hacia ellos–. Bien, me voy a buscar esos cigarrillos. Ya nos veremos en la casa.

–Sí, hasta luego –respondió Sean saludándole con la mano antes de que Dave bajara de la acera y cruzara la avenida.

Whitey echó un vistazo al Honda y dijo:

–Tiene una buena abolladura en la parte delantera.

–¡Ostras, sargento, creía que no se había dado cuenta! –exclamó Sean.

–¡Y la historia que nos ha contado del taco de billar! –Whitey profirió un silbido–. ¿Qué hacía...? ¿Sostener el extremo del palo con la palma de la mano?

–No obstante, tenemos un problema –declaró Sean, mientras observaban cómo Dave entraba en Eagle Liquors.

–¿Ah, sí? ¿Cuál, superpoli?

–Si cree que Dave fue el tipo que Souza vio en el aparcamiento del Last Drop, entonces estaba aplastándole la cabeza a otra persona mientras asesinaban a Katie Marcus.

Whitey le dedicó una mueca de desaprobación y añadió:

–¿Es eso lo que piensa? Pues yo creo que fue el tipo que estaba sentado en el aparcamiento en el preciso instante en que salía del bar la chica que iba a morir media hora después. Creo que no estaba en casa a las dos menos diez, como quiso hacernos creer.

A través del escaparate de la tienda podían ver a Dave hablando con el dependiente junto al mostrador.

–Cabe la posibilidad de que la sangre que la Policía Científica encontró en el suelo del aparcamiento llevara varios días allí –apuntó Whitey–. No tenemos ninguna prueba de que esa noche hubiera una pelea en el bar. ¿Que la gente del local dice que esa noche no hubo ninguna pelea? ¿Y qué? Podría haber pasado el día anterior o esa misma tarde. No hay ninguna relación causal entre la sangre del aparcamiento y el hecho de que Dave Boyle estuviera sentado dentro de su coche a la una y media. Pero, desde luego, sí que la hay respecto a que estuviera sentado en ese coche en el momento en que Katie Marcus salió del bar. –Le dio un golpecito a Sean en el hombro–. ¡Venga, vamos a entrar!

Sean miró por última vez a Dave mientras éste pagaba al dependiente de la tienda. Dave le daba lástima. Al margen de lo que pudiera haber hecho, Dave provocaba ese sentimiento en la gente: lástima, en su estado más puro y un poco desagradable, tan afilada como una roca.

Celeste, que estaba sentada en la cama de Katie, oyó a los policías que subían por la escalera; sus zapatos pesados pisoteaban los viejos escalones al otro lado de la pared. Annabeth la había mandado allí, unos minutos antes, para que cogiera un vestido de Katie que Jimmy quería llevar a la funeraria; se había disculpado por no ser lo bastante fuerte para entrar ella misma en la habitación. Era un vestido azul con un corte en los hombros, y Celeste recordó a Katie con él en la boda de Carla Eigen, con una flor azul y amarilla prendida a un lado de su peinado alto, justo encima de la oreja. Ese día había causado literalmente unas cuantas exclamaciones de admiración; Celeste pensó que ella nunca estaría así de guapa en toda su vida, mientras que Katie no se daba cuenta de lo deslumbrante que su belleza podía llegar a ser. Cuando Annabeth mencionó un vestido azul, Celeste supo de inmediato a cuál se refería.

Así pues, había ido hasta allí, al mismo lugar en que la noche anterior había visto a Jimmy sosteniendo la almohada de Katie contra su rostro intentando recordar su olor, y había abierto la ventana para airear la habitación del aroma húmedo a pérdida. Encontró el vestido guardado en una bolsa para ropa al fondo del armario, lo sacó y se sentó en la cama un momento. Oía los sonidos procedentes de la avenida, el chasquido de las puertas de los coches al cerrarse, el parloteo esporádico y apagado de la gente que paseaba por la avenida, el siseo de un autobús al abrir las puertas en la esquina de la calle Crescent; miró una fotografía de Katie y de su padre que había sobre la mesilla de noche. Era de hacía unos cuantos años, y la niña, sentada sobre los hombros de su padre, sonreía con rigidez a causa del aparato corrector. Jimmy le sujetaba los tobillos con las manos y miraba a la cámara con aquella sonrisa tan maravillosamente franca que tenía, esa sonrisa que siempre acababa por sorprender a todo el mundo, aunque sólo fuera porque no había nada más en Jimmy que pareciera franco, como si esa sonrisa fuera el único lugar adonde no llegase su reserva.

Estaba cogiendo la fotografía de la mesilla en el preciso instante en que oyó a Dave decir: «¡Otra vez por aquí!».

Se quedó allí sentada, sintiéndose morir, mientras oía hablar a Dave y a los policías, y mientras oía lo que Sean Devine y su compañero decían cuando Dave hubo cruzado la calle para ir en busca de los cigarrillos de Annabeth.

Durante unos diez o doce segundos horribles, estuvo a punto de vomitar sobre el vestido azul de Katie. El diafragma le brincaba arriba y abajo, sintió que la garganta se le estrechaba y que el estómago le hervía. Se inclinó hacia delante, con la intención de reprimir esa sensación, y a pesar de que un ruido ronco y seco se le escapó de los labios varias veces, no vomitó. Luego se le pasó.

No obstante, seguía teniendo náuseas. Estaba mareada y tenía frío, y además tenía la sensación de que su cerebro había empezado a arder. Ardía con violencia, apagando las luces, y saturándole los senos y los espacios bajo los ojos.

Mientras Sean y su compañero subían por las escaleras, ella seguía tumbada en la cama, deseando que la partiera un rayo, que se hundiera el techo o que sencillamente alguna fuerza desconocida la levantara y la lanzara por la ventana abierta. Prefería cualquiera de esas situaciones antes que tener que enfrentarse con lo que se le avecinaba. Sin embargo, tal vez estuviera sólo protegiendo a otra persona, o había visto algo que no debía y le habían amenazado. Quizá el hecho de que la policía le interrogara sólo quisiera decir que lo consideraban sospechoso. Nada de eso significaba, sin duda, que su marido hubiera asesinado a Katie Marcus.

La historia del atracador era falsa. Eso lo había sabido desde el principio. Los últimos dos días había intentado olvidarlo, quitárselo de la cabeza del mismo modo que una gruesa nube hace desaparecer el sol. Pero tenía la certeza, desde la noche en que se lo contó, que los atracadores no suelen pegar puñetazos con una mano mientras sostienen una navaja en la otra, y que no pronunciaban frases inteligentes del tipo: «La cartera o la vida, hijo de perra. No pienso marcharme hasta que consiga una de esas dos cosas». También sabía que no era muy frecuente que hombres como Dave, que no había participado en una pelea desde la época del instituto, fueran capaces de desarmarles y de darles una paliza.

Si hubiera sido Jimmy el que hubiera llegado a casa contando esa historia, sería otra cosa. Jimmy, por muy delgado que fuera, parecía capaz de matar. Daba la impresión de que sabía pelear, pero que sencillamente había llegado a una madurez tal que la violencia ya no era necesaria en su vida. Aun así, Jimmy emanaba un aire de peligro, cierta capacidad de destrucción.

Dave exhalaba un aroma diferente. Era el de un hombre con secretos, con ruedas mugrientas que le giraban en torno a una cabeza igualmente sucia, con una vida de fantasía, tras aquellos ojos demasiado tranquilos, a la que nadie podía acceder. Llevaba ocho años casada con Dave, y siempre había pensado que llegaría un momento en que Dave le permitiría entrar en su mundo secreto; sin embargo, las cosas no habían ido de ese modo. Dave pasaba mucho más tiempo en ese mundo imaginario que se había construido que en el mundo real, y quizá esos dos mundos habían convergido, de modo que las tinieblas de la cabeza de Dave salpicaran su negrura en las calles de East Buckingham.

¿Habría sido capaz de matar a Katie?

Siempre le había caído bien, ¿o no?

Sinceramente, ¿podría Dave, su marido, ser capaz de asesinar a alguien? ¿De perseguir a la hija de un viejo amigo a través de un parque oscuro? ¿De golpearla y de oírla gritar y suplicar? ¿De pegarle un tiro en la nuca?

¿Por qué? ¿Por qué querría alguien hacer una cosa así? Y si uno aceptaba que alguien, en realidad, era capaz de cometer una atrocidad semejante, ¿era una suposición lógica pensar que Dave podía ser esa persona?

Sí, se dijo a sí misma. Dave vivía en un mundo secreto. Sí, con toda probabilidad, nunca se sentiría una persona entera debido a todas las bestialidades que había sufrido de niño. Sí, lo del atracador era mentira, pero tal vez pudiera justificar esa mentira de modo razonable.

Como, por ejemplo...

Katie fue asesinada en el Pen Park poco después de salir del Last Drop. Dave le había asegurado que se había peleado con un atracador en el aparcamiento de ese mismo bar. Afirmó que había dejado allí al atracador, inconsciente, pero nadie le había encontrado. Sin embargo, la policía acababa de comentar algo sobre la sangre del aparcamiento. Entonces, existía la posibilidad de que Dave hubiera dicho la verdad. Quizá.

Con todo, no dejaba de darle vueltas al asunto y a la hora en la que habían pasado los hechos. Dave le había contado que se encontraba en el Last Drop. Según parecía, había dicho una mentira a la policía. Katie fue asesinada entre las dos y las tres de la mañana. Dave había regresado a casa a las tres y diez, cubierto de sangre ajena, y le había contado una historia muy poco convincente para justificar toda aquella sangre.

Ésa era la más sorprendente de las coincidencias: a Katie la habían asesinado la misma noche en que Dave había regresado a casa cubierto de sangre.

Si no fuera su esposa, ¿dudaría siquiera de la conclusión a la que había llegado?

Celeste volvió a inclinarse hacia delante, haciendo un esfuerzo por no vomitar y por apartar la voz interna que no cesaba de susurrarle al oído:

«Dave ha matado a Katie. Santo cielo. Dave ha matado a Katie.»

«¡Por el amor Dios! Dave ha matado a Katie, y yo me quiero morir.»

—Entonces, ¿habéis descartado a Bobby y a Roman como sospechosos? —preguntó Jimmy.

Sean negó con la cabeza y respondió:

—Del todo, no. Cabe la posibilidad de que contrataran a alguien para que lo hiciera.

—Sin embargo —apuntó Annabeth—, por la expresión de su rostro creo que no lo consideran muy probable.

—Así es, señora Marcus.

—¿Tienen algún otro sospechoso? —preguntó Jimmy.

Whitey y Sean intercambiaron una mirada, y en ese momento Dave entró en la cocina; quitó el papel de celofán del paquete de cigarrillos, se lo dio a Annabeth y le dijo:

—¡Aquí tienes, Anna!

—Gracias. —Se volvió hacia Jimmy con una ligera expresión de turbación—. Me han entrado muchas ganas de fumar.

Jimmy sonrió con dulzura, le acarició la mano y le respondió:

—Cariño, haz lo que quieras. A mí no me supone ningún problema.

Se volvió hacia Whitey y Sean mientras encendía el cigarrillo, y declaró:

—Lo dejé hace diez años.

—Yo también —confesó Sean—. ¿Le puedo coger uno?

Annabeth se rió, con el cigarrillo temblándole entre los dedos, y Jimmy pensó que seguramente era el primer sonido agradable que había oído en las últimas veinticuatro horas. Vio cómo Sean sonreía mientras cogía un cigarrillo de su mujer y deseó darle las gracias por haberla hecho reír.

–Es un chico malo, agente Devine.

Annabeth le encendió el cigarrillo.

Sean dio una calada y comentó:

–No es la primera vez que me lo dicen.

–De hecho, si no recuerdo mal, te lo dijo el comandante jefe la semana pasada –terció Whitey.

–¿De verdad? –preguntó Annabeth, observando a Sean con cierto gesto de interés cariñoso; Annabeth era una de esas pocas personas que tienen tanto interés en escuchar a la gente como en hablar.

La sonrisa de Sean se hizo aún mayor cuando Dave se sentó con ellos, y Jimmy sintió que el aire de la cocina se volvía más ligero.

–Me suspendieron de mi empleo –admitió Sean–. Ayer fue mi primer día de trabajo después de la sanción.

–¿Qué hiciste? –preguntó Jimmy, apoyándose en la mesa.

–Es confidencial –respondió Sean.

–¿Sargento Powers? –preguntó Annabeth.

–Bien, el agente Devine aquí presente...

Sean le miró por encima del hombro y le amenazó:

–Yo también podría contar muchas historias sobre ti.

–Tienes razón –asintió Whitey–. Lo siento, señora Marcus.

–¡Vamos, hombre!

–No, no puede ser. Lo siento.

–Sean –dijo Jimmy.

Cuando Sean se volvió para mirarle, Jimmy le dio a entender con la mirada que eso estaba bien, que era precisamente lo que necesitaban en ese momento. Un respiro. Una conversación que no tuviera nada que ver con asesinatos ni funerarias ni pérdidas.

El rostro de Sean se suavizó y por un momento pareció la misma cara de cuando tenía once años; luego hizo un gesto de asentimiento.

Se volvió hacia Annabeth y le confesó:

–Arresté a un tipo por unas multas inexistentes.

–¿Que hizo qué?

Annabeth se inclinó hacia delante, sosteniendo el cigarrillo junto a la oreja y con los ojos abiertos de par en par.

Sean echó la cabeza hacia atrás, dio una calada, expulsó el aire hacia el techo, y prosiguió:

–Había un tipo que me caía muy mal. El porqué no importa. Pues bien, una vez al mes más o menos, introducía su número de matrícula en el Registro de Vehículos por haber cometido alguna infracción; iba cambiando de infracción: un día por haber aparcado demasiado tiempo en una zona azul, otro día por haber dejado el coche en una zona de carga y descarga, etc. Bien, la cuestión es que el tipo estaba fichado, pero él no lo sabía.

–Porque nunca recibió ninguna multa –aclaró Annabeth.

–Correcto. Además, cada veintiún días le recargaban cinco dólares más por falta de pago; en fin, que las facturas se le fueron amontonando hasta que un día recibió una citación judicial.

–Y se enteró de que debía unos mil doscientos dólares al Estado –recalcó Whitey.

–¡Mil doscientos! –repitió Sean–. Él insistió en que nunca había recibido ninguna multa, pero el tribunal no le creyó. Todo el mundo les va con el mismo cuento. Total, que el tipo está jodido. Después de todo, su nombre aparece en el ordenador, y los ordenadores no mienten.

–¡Es genial! –exclamó Dave–. ¿Lo haces muy a menudo?

–¡No! –contestó Sean, y Annabeth y Jimmy empezaron a reírse–. No, de verdad que no, David.

–¡Ten cuidado! –le advirtió Jimmy–. Ahora te llama «David».

–Sólo lo he hecho una vez y al tipo ese.

–¿Cómo te descubrieron?

–Su tía trabajaba para el Registro de Vehículos –contestó Whitey–. ¿No os parece increíble?

–¡Y tanto! –exclamó Annabeth.

Sean asintió con la cabeza y añadió:

–¿Y yo cómo iba a saberlo? Total, que el tipo pagó las multas, pero se lo contó a su tía y ésta siguió la pista y se enteró de que había sido alguien de mi comisaría; como yo ya había tenido algún que otro percance con el caballero en cuestión, fue muy fácil para el comandante jefe atar cabos y reducir la lista de sospechosos; así es como me pillaron.

–¿Qué marrón te cayó exactamente por esto? –preguntó Jimmy.

–¡Uno bueno! –admitió Sean, y esa vez se rieron los cuatro.

–¡Un marrón enorme, interminable y espantoso!

Sean se percató de que a Jimmy le brillaban los ojos, y también empezó a reírse.

–No ha sido un año muy bueno para el pobre agente Devine –declaró Whitey.

–Tuvo suerte de que no se enterara nadie de la prensa –apuntó Annabeth.

–¡Ya nos ocupamos nosotros mismos de castigarle! –repuso Whitey–. Y en realidad, la mujer que trabajaba en el Registro de Vehículos sólo averiguó la comisaría en la que fueron expedidas las multas, pero no sabía quién lo había hecho. ¿Qué podíamos alegar? ¿Un error administrativo?

–Fallo técnico del ordenador –dijo Sean–. El comandante jefe me obligó a indemnizarle, bla, bla, bla, me suspendió una semana sin paga y me ha puesto a prueba por un período de tres meses. No obstante, podría haber sido mucho peor.

–Podrían haberle degradado –explicó Whitey.

–¿Por qué no lo hicieron? –preguntó Jimmy.

Sean apagó el cigarrillo, extendió los brazos y contestó:

–Porque soy Superpoli. ¿No lees los periódicos, Jim?

–Lo que el egocéntrico éste les está intentando decir es que, en los últimos meses, ha resuelto unos cuantos casos importantes –dijo Whitey–. Es la persona que ha resuelto más casos en mi unidad. Antes de echarle, tenemos que esperar a que alguien le supere.

–¡Aquel caso de violencia en la carretera! –exclamó Dave–. Una vez vi tu nombre en el periódico.

–Dave sí que lee –dijo Sean a Jimmy.

–Sin embargo, no creo que lea libros sobre cómo jugar bien al billar –dijo Whitey con una sonrisa–. ¿Cómo tiene esa mano?

Jimmy se volvió hacia Dave, y sus miradas se cruzaron en el instante en el que Dave bajaba los ojos; Jimmy tuvo la sensación de que el poli grande se estaba metiendo con Dave, presionándole. Jimmy había tenido suficientes experiencias de ese tipo para saber que, por el tono de voz que utilizaba, le estaba tomando el pelo a Dave por lo de la mano. ¿Qué habría querido decir con lo del billar?

Dave abrió la boca para hablar, pero se quedó paralizado al ver algo por encima del hombro de Sean. Jimmy le siguió la mirada y se puso rígido de la cabeza a los pies.

Sean se volvió y vio a Celeste Boyle con un vestido azul oscuro en la mano; sostenía la percha a la altura del hombro, por lo que el vestido se balanceaba a su lado, como si cubriera un cuerpo que nadie alcanzaba a ver.

Celeste vio la expresión del rostro de Jimmy y le dijo:

—Ya lo llevaré yo a la funeraria, Jim. No hay ningún problema.

Daba la impresión de que Jimmy había olvidado cómo moverse.

—No tienes por qué hacerlo —repuso Annabeth.

—Me gustaría hacerlo —respondió Celeste con una sonrisa extraña y desesperada—. De verdad. Me gustaría. Así me dará el aire un rato. Quiero hacerlo, Anna.

—¿Estás segura? —preguntó Jimmy, y la voz le salió de la boca con un suave gruñido.

—¡Claro que sí! —contestó Celeste.

Sean era incapaz de recordar cuándo había sido la última vez que viera a alguien tan desesperado por salir de una habitación. Se levantó de la silla, se dirigió hacia ella y alargó la mano.

—Nos hemos visto unas cuantas veces. Soy Sean Devine.

—¡Ah, sí!

Celeste tenía la mano pegajosa por el sudor cuando estrechó la de Sean.

—Una vez me cortó el pelo —añadió Sean.

—Sí, ya lo sé. Ahora me acuerdo.

—Bien... —dijo Sean.

—Bien.

—No quisiera entretenerla.

Celeste volvió a soltar aquella risa desesperada y repuso:

—No, no. Me ha encantado volver a verle. Ahora tengo que marcharme.

—¡Adiós!

–¡Hasta la vista!

–¡Adiós, cariño! –le dijo Dave.

Pero Celeste ya iba pasillo adelante hacia la puerta principal como si hubiera olido un escape de gas.

–¡Mierda! –exclamó Sean, volviéndose hacia Whitey.

–¿Qué? –preguntó Whitey.

–Me he dejado la libreta de notas en el coche patrulla.

–Pues más vale que vayas a buscarla –propuso Whitey.

Mientras Sean se alejaba por el pasillo, oyó a Dave decir:

–¿Qué pasa? ¿No puede coger una hoja prestada de su libreta?

No alcanzó a oír lo que fuera que Whitey le contestara, porque cruzó el umbral y bajó las escaleras a toda velocidad; llegó al porche delantero en el instante en que Celeste llegaba al coche. Metió la llave en la cerradura y abrió la puerta; después alargó el brazo, abrió la puerta de atrás y dejó el vestido con cuidado en el asiento trasero. Al cerrar la puerta, miró por encima del coche y vio a Sean bajando las escaleras; Sean vio una expresión de profundo terror en el rostro de Celeste, como si estuviera a punto de ser atropellada por un autobús.

Podría ser sutil o directo, pero al mirarle a la cara supo que la única esperanza que le quedaba era ser directo. Conseguir que le respondiera mientras, por la razón que fuere, se encontrara así de alterada.

–Celeste –dijo–. Sólo quiero hacerle una pregunta rápida.

–¿A mí?

Hizo un gesto de asentimiento mientras se acercaba al coche y apoyaba las manos en el techo.

–¿A qué hora regresó Dave a casa el sábado por la noche?

–¿Qué?

Le repitió la pregunta, sin dejar de mirarla a los ojos.

–¿Por qué está tan interesado en lo que hizo Dave el sábado por la noche? –le preguntó.

–Pura rutina, Celeste. Hoy le hemos hecho unas cuantas preguntas a Dave porque se encontraba en el McGills a la misma hora que Katie. Mi compañero está un poco preocupado porque las respuestas no acababan de encajar. Me imagino que esa noche Dave se tomó unas cuantas copas y que es incapaz de recordar los detalles con exactitud, pero mi compañero no para de darme la tabarra. Por lo tanto, sólo quiero saber con exactitud a qué hora llegó a casa, para poder quitarme a mi compañero de encima y concentrarme en la búsqueda del asesino de Katie.

–¿Cree que lo hizo Dave?

Sean se apartó del coche, la miró con una ligera inclinación de cabeza, y exclamó:

–¡Yo no he dicho eso, Celeste! ¡Caramba, cómo iba a pensar yo una cosa así!

–Nunca se sabe.

–Ha sido usted quien lo ha dicho.

–¡Qué! –exclamó Celeste–. ¿De qué estamos hablando? Estoy confundida.

Sean le dedicó la sonrisa más reconfortante que pudo y añadió:

–Cuanto antes sepa a qué hora llegó Dave a casa, antes podré convencer a mi compañero para que deje de molestarme con las incoherencias de la historia de su marido, y podremos pasar a otros asuntos.

Parecía tan abandonada y tan confusa que, por un instante, parecía que se iba a tirar bajo las ruedas de un coche; Celeste le inspiró a Sean la misma lástima que solía sentir por su marido.

A pesar de que estaba convencido de que Whitey le pondría muy mala nota en el informe final de los tres meses de prueba, si llegaba a oír lo que estaba a punto de decir, lo hizo:

–Celeste, no creo que Dave haya hecho nada. Lo juro por Dios. Sin embargo, mi compañero sí que lo cree, y él es mi superior. Él es el que decide qué rumbo debe tomar la investigación. Si me dice a qué hora llegó Dave a casa, ya habremos acabado y Dave no tendrá que volver a preocuparse por nosotros.

–Pero han visto el coche –apuntó Celeste.

–¿Qué?

–Antes les oí hablar. Alguien vio este coche aparcado delante del Last Drop la noche que Katie fue asesinada. Su compañero cree que Dave mató a Katie.

«¡Mierda!» Sean no podía dar crédito a lo que estaba oyendo.

–Mi compañero sólo quiere esclarecer unas cuantas cosas sobre Dave. No es lo mismo. Aún no tenemos ningún sospechoso, Celeste. ¿Queda claro? No tenemos ningún sospechoso. Sin embargo, la historia de Dave tiene algunas cosas que no encajan. Una vez que las hayamos aclarado, habremos terminado. Se habrán acabado las preocupaciones.

«Le atracaron —quería decir Celeste—. Regresó a casa cubierto de sangre, pero sólo porque le atracaron. Él no lo hizo. Aunque yo misma pudiera pensar que lo hizo, hay algo dentro de mí que me dice que Dave no es esa clase de persona. Hago el amor con él. Me casé con él. Nunca me habría casado con un asesino, ¿sabes, maldito poli?»

Intentó recordar lo que había planeado para no perder la calma cuando la policía llegara haciendo preguntas. Aquella noche, mientras lavaba la ropa bañada en sangre, estaba segura de que tenía un plan para afrontar esa situación. Pero en aquel momento aún no le habían dicho que Katie estaba muerta, ni que la policía la interrogaría sobre la implicación de su marido en la muerte de Katie. ¿Cómo iba ella a predecirlo? Además, ese policía tenía un pico algo chulo y encantador. No era del tipo barrigón, resacoso y entrecano que se había imaginado. Era un viejo amigo de Dave, y éste le había contado que Sean Devine también estaba en la calle con él y con Jimmy Marcus el día que lo secuestraron. Y ahora se había convertido en un hombre alto, elegante, atractivo, con una voz que uno podría pasarse la noche entera escuchándole, y con unos ojos que parecían escudriñar en tu interior.

¡Santo cielo! ¿Cómo iba a resolver esa situación? Necesitaba tiempo. Necesitaba tiempo para pensar, para estar sola y para estudiar la situación con calma. No tenía por qué aguantar aquello: un vestido de una chica muerta mirándola desde el asiento de atrás, y un poli al otro lado del coche observándola con ojos venenosos y seductores.

—Estaba dormida —respondió.

—¿Qué?

—Que estaba dormida —repitió—. Cuando Dave llegó a casa el sábado por la noche, yo ya estaba en la cama.

El policía asintió con la cabeza. Volvió a apoyarse en el coche y empezó a dar golpecitos en el techo. Pareció satisfecho. Parecía que todas sus preguntas hubieran sido respondidas. Celeste recordó que él solía tener una buena mata de pelo de color castaño claro, con me-

chas prácticamente color caramelo en la coronilla. Recordó haber
pensado que nunca tendría que preocuparse por quedarse calvo.

–Celeste –dijo con aquella voz ronca y ambarina que le caracterizaba–. Creo que está asustada.

Celeste tuvo la sensación de que una mano sucia le apretaba el corazón.

–Creo que está asustada y que sabe algo. Quiero que entienda que
estoy de su parte, y también de la de Dave. Pero más de la suya, porque, tal como he dicho, tiene miedo.

–No tengo miedo –farfulló, y abrió la puerta del coche.

–Sí que lo tiene –insistió Sean, y se apartó del coche mientras ella
entraba y se alejaba por la avenida.

19

Lo que había planeado ser

Cuando Sean regresó a la casa, se encontró a Jimmy en el pasillo, hablando por un teléfono móvil.

–Sí, recordaré lo de las fotografías. Gracias –dijo Jimmy antes de colgar. Después se volvió hacia Sean–. Los de la funeraria Reed han ido a la sala del médico forense para recoger el cadáver. Me han dicho que ya puedo pasar a buscar sus efectos personales –afirmó, y se encogió de hombros– y a ultimar los detalles de la ceremonia y todas esas cosas.

Sean hizo un gesto de asentimiento.

–¿Ya tienes la libreta de notas?

Sean se tocó el bolsillo y añadió:

–Aquí está.

Jimmy se golpeó el muslo varias veces con el móvil y dijo:

–Supongo que debería ir a la funeraria.

–Creo que deberías dormir un poco.

–No, estoy bien.

–De acuerdo.

Cuando Sean iba a pasar por delante de él, Jimmy le preguntó:

–¿Podrías hacerme un favor?

Sean se detuvo y respondió:

–¡Claro!

–Me imagino que Dave se marchará pronto para llevar a Michael a casa. No sé qué horario haces, pero esperaba que te pudieras quedar un rato para hacer compañía a Annabeth. Para que no se quede sola, ¿comprendes? Celeste estará de vuelta pronto, así que no será mucho rato. Val y sus hermanos se han llevado a las niñas al cine, y no hay nadie en casa, y sé que Annabeth aún no quiere ir a la funeraria, así que, no sé, me he imaginado que...

–No creo que haya ningún problema –respondió Sean–. Tengo que preguntarlo al sargento, pero el horario oficial acabó hace dos horas. Deja que hable con él, ¿de acuerdo?

–Te lo agradezco.

–¡Faltaría más! –Sean empezó a andar en dirección a la cocina, pero luego se detuvo y se quedó mirando a Jimmy–. De hecho, Jim, tengo que preguntarte algo.

–¡Dispara! –exclamó, con esa mirada cansada de convicto que le caracterizaba.

Sean regresó por el pasillo y le dijo:

–En un par de informes se menciona que tienes problemas con el chico que mencionaste esta mañana, ese Brendan Harris.

Jimmy se encogió de hombros y replicó:

–En realidad, no tengo ningún problema con él. Sencillamente no me cae bien.

–¿Por qué?

–No lo sé. –Jimmy se metió el móvil en el bolsillo de delante–. Hay gente que te cae mal desde el principio, ¿sabes?

Sean se le acercó, le puso la mano en el hombro y afirmó:

–Salía con Katie, Jim. Tenían intención de fugarse juntos.

–¡Eso no es verdad! –exclamó Jimmy, mirando al suelo.

–Encontramos unos cuantos folletos de Las Vegas en la mochila de Katie, Jim. Hicimos unas cuantas llamadas y averiguamos que los dos habían hecho una reserva con la TWA. Brendan Harris nos lo confirmó.

Jimmy apartó la mano de Sean y preguntó:

–¿Ha matado a mi hija?

–No.

–Pareces estar completamente seguro.

–Casi del todo. Pasó el detector de mentiras sin ningún problema. Además, el chico no me parece el tipo de persona que haría una cosa así. Me dio la impresión de que quería a tu hija de verdad.

–¡Joder! –exclamó Jimmy.

Sean se apoyó en la pared y esperó; le dio tiempo a Jimmy para que pudiera asimilarlo.

–¿Fugarse? –preguntó Jimmy al cabo de un rato.

–Así es, Jim. Según Brendan Harris y las dos mejores amigas de Katie, te oponías totalmente a que salieran juntos. Lo que no entiendo es por qué. No me pareció que fuera un chico problemático, ¿sabes? Tal vez un poco soso, no sé. Sin embargo, me pareció honrado, un buen chico. No lo acabo de entender.

–¿No lo entiendes? –Jimmy soltó una risita–. Acabo de enterarme de que mi hija, que, como sabes, está muerta, había planeado fugarse, Sean.

–Ya lo sé –replicó Sean, bajando la voz hasta que sólo fue un susurro, con la esperanza de que Jimmy hiciera lo mismo, ya que no lo había visto tan nervioso desde la tarde anterior junto a la pantalla del autocine–. Sólo es curiosidad, hombre, ¿por qué te oponías de modo tan tajante a que tu hija saliera con ese chico?

Jimmy se apoyó en la pared junto a Sean, inspiró profundamente unas cuantas veces, soltó el aire y contestó:

–Conocí a su padre. Le llamaban Ray.

–¿Por qué? ¿Era juez?

Jimmy negó con la cabeza y añadió:

–En aquella época había mucha gente que se llamaba Ray; ya sabes, Ray Bucheck *el Loco*, Ray Dorian *el Anormal*, Ray de la calle Woodchuck, y, por lo tanto, Ray Harris se quedó con el nombre de Simplemente Ray, porque todos los apodos buenos ya estaban colocados. –Se encogió de hombros–. De todas formas, nunca me había caído bien y después abandonó a su mujer cuando ésta estaba embarazada del chico mudo ése que tiene ahora y Brendan sólo tenía seis años, y no sé, pensaba: de tal palo, tal astilla, y todo eso, no quería que se viera con mi hija.

Aunque Sean no se lo tragó, hizo un gesto de asentimiento. Había algo extraño en el modo en que Jimmy había dicho que el tipo nunca le había caído bien: había cambiado el tono de voz al decirlo, y Sean ya había oído demasiadas historias incoherentes en el pasado para no reconocer una de inmediato, por muy lógica que pudiera parecer.

–¿Eso es todo? –preguntó Sean–. ¿No hay ninguna otra razón?

–Eso es todo –contestó Jimmy y, apartándose de la pared, volvió al pasillo.

—Creo que es una buena idea —afirmó Whitey mientras permanecía delante de la casa con Sean—. Quédate con la familia un rato y a ver si puedes averiguar algo más. A propósito, ¿qué le dijiste a la mujer de Dave Boyle?

—Le dije que parecía asustada.

—¿Confirmó la coartada de Dave?

Sean negó con la cabeza y respondió:

—Me dijo que estaba dormida.

—Sin embargo, tú crees que estaba asustada.

Sean se volvió hacia la ventana que daba a la calle. Le hizo un gesto a Whitey, señalando con la cabeza hacia el otro lado de la calle; Whitey le siguió hasta la esquina.

—Oyó nuestra conversación sobre el coche.

—¡Mierda! —exclamó Whitey—. Si se lo cuenta a su marido, es posible que éste escape.

—¿Y adónde va a ir? Es hijo único, su madre está muerta, gana muy poco dinero, y no es que tenga muchos amigos precisamente. No me parece probable que abandone el país para irse a vivir a... Uruguay.

—No obstante, eso no quiere decir que no pueda hacerlo.

—Sargento —replicó Sean—, no podemos acusarle de nada.

Whitey dio un paso hacia atrás y observó a Sean bajo el resplandor de la farola que había junto a ellos.

—¿Te estás cachondeando de mí, Superpoli?

—Sencillamente, no creo que haya sido él. Para empezar, no tenía ninguna razón para hacerlo.

—Su coartada es una mierda, Sean. Sus historias tienen tantos agujeros que si fueran una barca, ya estarían en el fondo del océano. Tú mismo has dicho que su esposa estaba asustada. Enfadada no, asustada.

—De acuerdo. Es obvio que me estaba ocultando algo.

—¿De verdad crees que estaba dormida cuando Dave regresó a casa?

Sean conocía a Dave desde que eran niños. Le había visto subir a aquel coche, con lágrimas en los ojos. Le había visto en la oscuridad y en la lejanía del asiento trasero mientras el coche doblaba la esquina. Deseaba darse con la cabeza en la pared hasta borrar las malditas imágenes de su cerebro.

–No –respondió–. Creo que ella sabe a qué hora regresó. Y ahora que nos ha oído hablar, también sabe que Dave se encontraba en el Last Drop esa misma noche. Tal vez le rondaran por la cabeza un montón de cosas que no encajaban y ahora está atando cabos.

–¿Y por eso está tan asustada?

–Podría ser. No lo sé. –Sean pegó una patada a una piedra del suelo–. Creo que...

–¿Qué?

–Que tenemos mucha información que no encaja, que hay algo que no sabemos.

–¿De verdad crees que Boyle no lo hizo?

–No lo descarto del todo. Si por un segundo pudiera imaginarme un motivo, le creería capaz de haberlo hecho.

Whitey se echó hacia atrás, levantó el talón y lo apoyó en la parte inferior de la farola. Miró a Sean de la misma manera que solía mirar a los testigos que creía incapaces de soportar la presión del tribunal.

–De acuerdo, el hecho de que no tenga ningún motivo para haberlo hecho también me preocupa a mí. Pero no mucho, Sean. No mucho. Creo que hay algo que no sabemos que le relaciona con este caso. Si no fuera así, ¿por qué coño iba a mentirnos?

–¡Venga, hombre! –exclamó Sean–. Son gajes del oficio. La gente nos miente sencillamente para ver qué pasa. Por la noche, en las calles adyacentes al Last Drop, pasa de todo: suele haber prostitutas, travestidos y malditos niños que siguen sus pasos. Es posible que Dave se lo estuviera pasando de maravilla en el coche y que no quiera que su mujer se entere. Quizá tenga una amante. ¿Quién sabe? Sin embargo, de momento no hay nada que lo pueda relacionar, en lo más mínimo, con el asesinato de Katherine Marcus.

–Nada, a excepción de un montón de mentiras y de mi intuición que me dice que el tipo es culpable.

–¡Tu intuición! –exclamó Sean.

–Sean –insistió Whitey, empezando a contar con los dedos–, nos mintió sobre la hora en que se marchó del McGills; nos mintió sobre la hora en que regresó a casa. Estaba aparcado delante del Last Drop cuando la víctima se marchó. Estuvo en dos de los bares a los que fue la víctima; además, está intentando ocultar esa información. Tiene la mano lastimada y la historia que cuenta sobre el motivo no se sostiene por ninguna parte. Conocía a la víctima, y hemos llegado a la conclusión de que nuestro sospechoso debía de conocerla. Responde al perfil del típico asesino de pies a cabeza: es blanco, ronda los treinta y cinco años, tiene un empleo mal pagado y, basándome en lo que tú mismo me contaste, abusaron de él cuando era niño. ¿Por quién me tomas? En teoría, ya debería estar en la cárcel.

–Tú mismo lo acabas de decir. Abusaron de él sexualmente, pero nadie agredió sexualmente a Katherine Marcus. No tiene ningún sentido, sargento.

–Tal vez se masturbara delante de ella.

–No había ni rastro de semen en el escenario del crimen.

–Llovió.

–En el lugar en que encontraron el cuerpo, no. En los asesinatos en serie no premeditados, el semen está presente en el 99,99 por ciento de los casos. ¿Lo ha estado en el caso que nos ocupa?

Whitey bajó la cabeza y empezó a golpear la farola con la palma de la mano.

–Eras amigo del padre de la víctima y del sospechoso en potencia cuando...

–¡Venga, hombre!

–... erais niños. Eso te pone en un compromiso, y no me lo niegues. Tienes que asumir tus responsabilidades.

–¿Que tengo que asumir qué? –Sean bajó la voz y apartó la mano del pecho–. Mira, no estoy de acuerdo contigo por lo que respecta al perfil del asesino. No te estoy diciendo que si encontramos algo más que simples incoherencias en su historia no vaya a estar contigo para arrestarle. Sabes que lo estaré. No obstante, si vas al fiscal del distrito con lo que tenemos ahora, ¿qué va a hacer?

Whitey empezó a golpear la farola con más fuerza.

–De verdad –insistió Sean–. ¿Qué crees que puede hacer?

Whitey se pasó los brazos por detrás de la cabeza y bostezó con violencia. Se volvió hacia Sean y, mirándole con el entrecejo fruncido, le dijo:

–Entendido, pero –continuó y levantó un dedo– quiero que sepas, maldito abogado defensor de los pobres, que pienso encontrar el palo con el que la golpearon, o la pistola, o ropa con rastros de sangre. No sé muy bien lo que voy a encontrar, pero puedes estar seguro de que voy a encontrar algo. Y cuando lo haga, encarcelaré a tu amigo.

–No es amigo mío –replicó Sean–. Y si resulta que tienes razón, seré el primero en esposarle.

Whitey se apartó de la farola y se dirigió hacia Sean.

–No te comprometas con esto, Devine. Si lo haces, acabarás comprometiéndome a mí, y te hundiré. ¡Te destinaré a la maldita zona de los Berkshires, para que te encargues de controlar un radar desde una jodida motonieve!

Sean se pasó ambas manos por el rostro y por el pelo, con la intención de librarse del cansancio que sentía.

–Los de Balística ya deben de haber vuelto –advirtió.

Whitey se apartó un poco de él y anunció:

–Sí, me voy hacia allí ahora mismo. Además, seguro que los resultados del laboratorio de las huellas dactilares ya están en el ordenador. Voy a echarles un vistazo, espero que tengamos suerte. ¿Llevas el móvil?

Sean se tocó el bolsillo y respondió:

–Sí.

–Te llamaré más tarde.

Whitey se alejó de Sean y bajó por la calle Crescent en dirección al coche patrulla. Sean tuvo la sensación de que le había fallado a su jefe, y, de repente, el período de prueba le pareció mucho más real de lo que le había parecido aquella misma mañana.

Empezó a subir por la calle Buckingham para regresar a casa de Jimmy en el preciso instante en que Dave y Michael bajaban las escaleras de la puerta principal.

–¿Te vas a casa?

Dave se detuvo y le contestó:

–Sí. No me puedo creer que Celeste aún no haya vuelto con el coche.

–Seguro que está bien –le aseguró Sean.

–Sí, claro –contestó Dave–. El único problema es que tendré que volver a casa a pie.

Sean se rió y le preguntó:

–¿A cuánta distancia está tu casa? ¿A unas cinco manzanas?

–Casi a seis, si uno lo cuenta bien –respondió Dave.

–Más vale que os vayáis –advirtió Sean–, mientras aún quede un poco de luz. Que vaya bien, Michael.

–¡Adiós! –contestó Michael.

–¡Cuídate! –exclamó Dave, y dejaron a Sean junto a las escaleras.

Dave andaba con dificultad debido, con toda probabilidad, a las cervezas que se habría bebido de un trago en casa de Jimmy. Sean empezó a pensar: «Si de verdad lo hiciste, Dave, más te valdría dejar de beber ahora mismo, porque si Whitey y yo decidimos ir a por ti, vas a necesitar todas las células de tu cerebro. ¡Hasta la última!».

El Pen Channel se veía plateado a aquella hora de la noche; aunque el sol ya se había puesto, todavía quedaba un poco de luz en el cielo. Sin embargo, las cimas de los árboles del parque se habían vuelto negras y, desde allí, la pantalla del autocine tan sólo era una penosa sombra. Celeste estaba sentada dentro del coche en la zona de Shawmut, contemplando el canal, el parque y el barrio de East Bucky, que se alzaba, cual vertedero de basuras, detrás de él. Las marismas quedaban casi ocultas por el parque, a excepción de algunos campanarios y de los tejados más altos. No obstante, las casas de la colina se elevaban por encima de las marismas y lo contemplaban todo desde lomas pavimentadas y onduladas.

Celeste ni siquiera recordaba cómo había llegado hasta allí. Había entregado el vestido a uno de los hijos de Bruce Reed; éste vestía de negro de pies a cabeza, pero tenía las mejillas tan bien afeitadas y unos ojos tan joviales que más bien parecía que estuviera a punto de irse al baile de final de curso. Se había marchado de la funeraria y lo siguiente que recordaba es que se había detenido en la parte trasera de la planta siderúrgica Isaak, que llevaba mucho tiempo cerrada. Había atravesado las naves vacías de unos edificios de dimensiones gigantescas y había estacionado en un extremo del aparcamiento;

había rozado los barrotes putrefactos con el parachoques del coche y había seguido con la mirada el lento fluir del canal, a medida que éste avanzaba hacia las esclusas del puerto.

Desde que oyera hablar a los dos policías del coche de Dave, de su coche, del mismo coche en el que estaba sentada en ese momento, se había sentido ebria. Pero no ebria de un modo divertido: suelta, relajada y con un suave zumbido. No, se sentía como si hubiera estado bebiendo vino barato toda la noche, para luego ir a casa y caer redonda; como si después se hubiera despertado, todavía con la cabeza espesa y la lengua seca, agotada por el veneno, torpe, dura de mollera e incapaz de concentrarse.

«Estás asustada», le había dicho el policía, y le había acertado en pleno corazón, de modo que lo único que había sido capaz de hacer era negarlo con rotundidad. «No, no lo estoy. Sí, sí que lo estás. No, no lo estoy. Sí que lo estás. Sí que lo estás. No, no, no.»

Estaba asustada. En realidad, estaba aterrorizada. Tenía tanto miedo que se sentía desfallecer.

Se decía a sí misma que hablaría con él. Después de todo, seguía siendo Dave: un buen padre, un hombre que nunca le había levantado la mano o mostrado predisposición alguna a la violencia en todos los años que hacía que le conocía. Nunca había llegado a dar una patada a la puerta ni a golpear una pared. Estaba convencida de que aún podría hablar con él.

Le diría: «Dave, ¿de quién era la sangre que lavé de tu ropa? ¿Qué sucedió en realidad el sábado por la noche?».

«Puedes contármelo. Soy tu mujer. Puedes explicármelo todo.»

Eso es lo que haría. Hablaría con él. No tenía ningún motivo para tenerle miedo. Era Dave. Se amaban y todo se arreglaría de un modo u otro. Estaba segura.

Con todo, seguía allí, en el extremo más alejado del canal, al amparo de una planta siderúrgica abandonada que hacía poco había sido comprada por un inversor, con la supuesta intención de convertirlo en un aparcamiento si seguían adelante con los planes de construir un estadio al otro lado del río. Se quedó mirando el parque en el que Katie Marcus había sido asesinada. Esperaba que alguien le dijera cómo ponerse en marcha otra vez.

Jimmy se sentó con el hijo de Bruce Reed, Ambrose, en la oficina de su padre, para repasar los detalles, y deseó poder hablar con Bruce en persona en vez de con aquel chico que parecía recién salido de la universidad. Era más fácil imaginárselo jugando al Frisbee que levantando un féretro, y Jimmy era incapaz de imaginarse sus manos lisas y suaves en la sala de embalsamamiento, tocando a los muertos.

Había dicho a Ambrose la fecha de nacimiento y el número de la Seguridad Social de Katie, y el chico lo había apuntado con un bolígrafo de oro en un formulario que tenía encima de una carpeta; después, con una voz aterciopelada que era una versión más juvenil de la de su padre, le había dicho:

–Bien, bien. Veamos, señor Marcus, ¿desea una ceremonia católica? ¿Con velatorio y misa?

–Sí.

–Entonces, creo que el velatorio debería ser el miércoles.

Jimmy asintió con la cabeza y añadió:

–Ya hemos reservado la iglesia para las nueve de la mañana del jueves.

–Las nueve de la mañana –repitió el chico, a medida que lo anotaba–. ¿A qué hora quiere que se celebre el velatorio?

–Queremos dos –contestó Jimmy–. Uno de tres a cinco, y otro de siete a nueve.

–De siete a nueve –iba apuntando el chico–. Bien, veo que ha traído las fotografías.

Jimmy contempló la pila de fotografías enmarcadas que tenía en el regazo: Katie en la fiesta de su graduación, Katie y sus hermanas en la playa. Katie y él en la inauguración de la tienda cuando Katie tenía ocho años, Katie con Eve y Diane; Katie, Annabeth, Jimmy, Nadine y Sara en el parque temático Six Flags. Katie el día que cumplió dieciséis años.

Colocó la pila de fotografías en una silla que había junto a él; sintió un ligero resquemor en la garganta que desapareció tan pronto como tragó saliva.

–¿Se ha encargado de las flores? –preguntó Ambrose Reed.

–Esta misma tarde he hecho un pedido en la floristería Knopfler's –respondió.

–¿Y la esquela?

Jimmy, mirando al chico a los ojos por primera vez, exclamó:

–¡La esquela!

–Sí –contestó el chico mientras miraba la carpeta–. Con lo que quiere que aparezca en el periódico. Podemos ocuparnos nosotros mismos si nos informa un poco de lo que quiere que ponga. Si prefieren donativos en vez de flores, cosas de ese estilo.

Jimmy apartó la mirada de los reconfortantes ojos del chico y se quedó mirando al suelo. Debajo de ellos, en algún lugar del sótano de aquel blanco edificio victoriano, Katie yacía en la sala de embalsamamiento. Estaría desnuda mientras que Bruce Reed, y el chico aquél y sus dos hermanos se disponían a trabajar; a lavarla, retocarla y mantenerla en buen estado. Sus manos serenas y bien cuidadas le recorrerían el cuerpo. Le levantarían algunas partes. Le cogerían la barbilla con el dedo pulgar y el índice y se la girarían. Le pasarían peines por el pelo.

Pensaba en su hija, desnuda y desprotegida, con la carne pálida, a la espera de que aquellos extraños la tocaran por última vez; sin lugar a dudas, con cuidado, pero un cuidado insensible, aséptico. Después, una vez en el féretro, le pondrían cojines de raso tras la cabeza, y la llevarían sobre ruedas hasta la sala del velatorio, con un rostro helado de muñeca y su vestido favorito de color azul. La gente la miraría de cerca, rezaría por ella, hablaría de ella y lamentaría su pérdida; y luego, finalmente, sería enterrada. La meterían en un agujero que habría sido cavado por hombres que tampoco la conocían, y Jimmy oiría el ruido sordo y distante de la tierra al caer, como si él mismo estuviera dentro del ataúd con ella.

Yacería en la oscuridad dos metros bajo tierra, hasta que se convirtiera en hierba y en aire que ella nunca podría ver ni sentir ni oler ni tocar. Permanecería allí miles de años, incapaz de oír las pisadas de la gente que iba a visitar su lápida, incapaz de oír ningún sonido procedente del mundo que había abandonado a causa de esos metros de tierra que les separaban.

«Voy a matarle, Katie. Haré todo lo posible por encontrarle antes que la policía y le mataré. Le meteré en un agujero mucho peor del que te van a meter a ti. No dejaré nada para embalsamar, nada para lamentar. Voy a hacerle desaparecer como si nunca hubiera existido, como si su nombre y todo lo que fue, o lo que piensa que es en este preciso momento, fuera tan sólo un sueño que cruzó la mente de alguien por un instante y fue olvidado antes de que se despertara.

»Encontraré al hombre que te ha puesto en esa mesa de ahí abajo, y le borraré de la faz de la tierra. Y la gente que le ama, si es que hay alguien, sufrirá mucho más que nosotros, Katie, porque nunca sabrán a ciencia cierta lo que le ha sucedido.

»Y no te preocupes por si seré capaz de hacerlo, nena. Papá puede hacerlo. Nunca lo supiste, pero papá ya ha matado antes. Papá siempre ha hecho lo que tenía que hacer, y puede volver a hacerlo.»

Se volvió de nuevo hacia el hijo de Bruce, que aún era demasiado nuevo en el oficio para que las largas pausas le pusieran nervioso.

–Me gustaría que pusiera: «Marcus, Katherine Juanita, amada hija de James y Marita, difunta, hijastra de Annabeth, hermana de Sara y Nadine...».

Sean se sentó en el porche trasero con Annabeth Marcus, mientras ésta tomaba sorbitos de un vaso de vino blanco y fumaba cigarrillos que apagaba a la mitad, con la cara iluminada por una bombilla pelada que había encima de ellos. Era un rostro con fuerza: seguramente nunca había sido bonita, pero era sorprendente. Sean supuso que estaba acostumbrada a que la observaran, pero con toda probabilidad no le debía de importar que la gente se tomara la molestia de hacerlo. A Sean le recordaba a la madre de Jimmy, aunque sin su aire de resignación y de derrota, y le recordaba a su propia madre por aquella serenidad tan completa y natural; en ese sentido, de hecho, también le recordaba a Jimmy. Le parecía evidente que Annabeth Marcus debía de ser una mujer divertida, aunque nunca frívola.

–Bien –dijo a Sean mientras éste le encendía un cigarrillo–, ¿qué piensa hacer cuando haya acabado de consolarme?

–Yo no...

Sean hizo un gesto con la mano para indicar que no le suponía ningún esfuerzo.

–Se lo agradezco. ¿Qué va a hacer?

–Voy a ir a ver a mi madre.

–¿De verdad?

Asintió con la cabeza y añadió:

–Hoy es su cumpleaños. Lo celebraré con ella y con el viejo.

–¡Ajá! –exclamó–. ¿Cuánto tiempo hace que está divorciado?

–¿Se nota?

–Lo lleva escrito en la frente.

–De hecho, separado. Debe de hacer poco más de un año.

–¿Ella vive aquí?

–Ya no. Viaja.

–Ha dicho «viaja» con amargura.

–¿Sí? –Se encogió de hombros.

Levantó una mano y confesó:

–No me gusta nada hacerle esto: intentar quitarme a Katie de la cabeza a su costa. Así pues, no tiene por qué responder a ninguna de mis preguntas. Sólo soy un poco curiosa y usted es un tipo interesante.

–No, no lo soy. –Esbozó una sonrisa–. De hecho, soy muy aburrido, señora Marcus. Si no fuera por mi trabajo, no sería nadie.

–Annabeth –espetó–. Llámeme Annabeth, haga el favor.

–Sí, claro.

–Me cuesta mucho creer que sea tan aburrido, agente Devine. Sin embargo, ¿sabe lo que me choca de usted?

–¿El qué?

Cambió de posición, se le quedó mirando y respondió:

–Pues que no me parece el tipo de persona que acusara a nadie por multas inexistentes.

–¿Por qué?

–Porque es infantil –contestó–. Y usted no me parece infantil en absoluto.

Sean se encogió de hombros. Él creía que todo el mundo era infantil en un momento u otro de la vida. Era a lo que uno solía recurrir cuando la mierda se amontonaba.

En más de un año, nunca había hablado de Lauren con nadie: ni con sus padres ni con sus contados y dispersos amigos, ni siquiera con el psicólogo de la policía con el que el comandante le había hecho mantener una pequeña conversación, cuando la comisaría entera ya se había enterado de que Lauren se había marchado de casa. No obstante, allí estaba Annabeth, una extraña que había sufrido una pérdida, haciéndole preguntas sobre su propia pérdida, con la necesidad de entenderlo, de compartirlo, o algo parecido; con la necesidad de saber, se imaginó Sean, que no era la única.

–Mi mujer es empresaria teatral –explicó Sean con tranquilidad–. Y tiene que ir de gira, ¿sabe? El año pasado, se encargó de la gira estatal de *Lord of the Dance*. Suele ocuparse de cosas así. Creo que ahora está haciendo *Annie Get your Gun*. A decir verdad, no estoy muy seguro. Lo que sea que repongan este año. Éramos una pareja muy rara. Quiero decir, por el trabajo; ¿puede haber dos tipos de empleo más dispares?

–Sin embargo, la amaba –repuso Annabeth.

Él hizo un gesto de asentimiento y dijo:

–Todavía la amo. –Tomó aire, se recostó en la silla, y lo expulsó–. El tipo al que le mandé las multas...

Se le secó la boca, movió la cabeza de un lado a otro, y sintió un deseo repentino de abandonar el porche y la casa.

–¿Era un rival? –preguntó Annabeth con un tono de voz suave.

Sean cogió un cigarrillo del paquete, lo encendió, hizo un gesto de asentimiento y repuso:

–Lo ha definido muy bien. Sí, digamos que era un rival. Además, mi mujer y yo estábamos pasando una mala época. Ninguno de los dos estaba mucho tiempo en casa, y el rival ese aprovechó la oportunidad.

–Y usted se lo tomó mal –dijo Annabeth.

Fue una afirmación, no una pregunta.

Sean puso los ojos en blanco y le preguntó:

–¿Conoce a alguien que se lo tome bien?

Annabeth le miró con dureza, como si deseara sugerirle que el sarcasmo no iba con él, o que a ella no le gustaba demasiado.

–No obstante, todavía la quiere.

–¡Claro! Además, creo que ella aún me ama. –Apagó el cigarrillo–. Me llama continuamente. Me llama por teléfono, pero no me dice nada.

–Espere, ¿me está...

–Ya lo sé.

–... intentando decir que le llama pero que no habla?

–Eso es. Debe de hacer unos ocho meses que dura.

Annabeth se rió y exclamó:

–¡No se ofenda, pero hacía tiempo que no me contaban algo tan extraño!

–No se lo pienso discutir. –Vio cómo una mosca se acercaba y se apartaba de la bombilla pelada–. Supongo que un día de éstos me dirá algo. Es la única esperanza que me queda.

Oyó cómo su propia risa forzada se desvanecía en la oscuridad y el eco le hizo sentirse violento. Así pues, permanecieron en silencio durante un rato, fumando, escuchando el zumbido de la mosca al precipitarse contra la luz.

–¿Cómo se llama? –preguntó Annabeth–. En todo este rato que hemos estado hablando, no ha pronunciado su nombre ni una sola vez.

–Lauren –contestó él–. Se llama Lauren.

Su nombre, cual hilo suelto de telaraña, flotó en el aire por un instante.

–¿La amaba desde que eran niños?

–Desde el primer año de la universidad –respondió–. Sí, supongo que por aquel entonces éramos niños.

Recordó una tormenta de noviembre, cuando se besaron por primera vez en un portal, sintiendo la carne de gallina de su piel, ambos temblando.

–Tal vez ése sea el problema –repuso Annabeth.

–¿Que ya no seamos niños?

Sean la miró.

–Como mínimo, uno de los dos –apuntó.

Sean no le preguntó a cuál de los dos se refería.

–Jimmy me ha dicho que usted le contó que Katie planeaba fugarse con Brendan Harris.

Sean asintió con la cabeza.

–Bien, de eso se trata, ¿no es verdad?

Sean se dio la vuelta en la silla y preguntó:

–¿De qué?

Expulsó el humo en dirección a la cuerda vacía de tender y respondió:

–De esos sueños tontos que tenemos cuando somos jóvenes. ¿Cómo iban a ganarse la vida Katie y Brendan Harris en Las Vegas? ¿Cuánto tiempo habría durado ese pequeño edén? Es posible que incluso hubieran conseguido una caravana mejor para vivir, que fueran en busca del segundo hijo, pero tarde o temprano se habrían dado cuenta: la vida no consiste en ser siempre feliz, en doradas puestas de sol y tonterías parecidas. La vida es trabajo. La persona que amamos rara vez se merece todo el amor que le damos, porque nadie vale tanto en realidad, y quizá tampoco merezca tener que cargar con ello. Uno acaba por sufrir una decepción. Se desilusiona, deja de confiar y tiene que aguantar muchos días malos. Pierde más de lo que gana, y acaba por odiar a la persona que ama en la misma medida que la ama. Sin embargo, uno se arremanga y se pone a trabajar, en todos los aspectos, porque eso forma parte del proceso de hacerse mayor.

–Annabeth –masculló Sean–. ¿Le han dicho alguna vez que es usted una mujer muy fuerte?

Se volvió hacia él, con los ojos cerrados y una sonrisa distraída.

–Me lo dicen continuamente.

Aquella noche, Brendan Harris entró en su dormitorio y tuvo que enfrentarse con la maleta de debajo de la cama. La había llenado hasta los topes con pantalones cortos, camisas hawaianas, una cazadora y dos pantalones vaqueros, pero no había añadido ningún suéter ni pantalones de lana. Había puesto lo que contaba con llevar en Las Vegas; no había metido ropa de abrigo porque Katie y él habían decidido no volver a comprar más prendas térmicas ni tener el limpiaparabrisas cubierto de hielo. Al abrir la maleta, pues, lo que recibió fue una alegre colección de colores pastel y motivos florales, una explosión de verano.

Eso era lo que habían planeado ser: gente bronceada y libre, sin el peso de las botas, de los abrigos o de las expectativas de los demás. Habrían tomado refrescos con nombres tontos en vasos de daiquiri, habrían pasado las tardes en la piscina del hotel, oliendo a loción solar y a cloro. Habrían hecho el amor en una habitación refrescada por el aire acondicionado, aunque cálida por los rayos de sol que habrían entrado por las rendijas de las persianas; al llegar el frío de la noche, se habrían puesto sus mejores ropas y habrían paseado por la avenida principal. Imaginaba a los dos haciendo todo aquello, como si lo contemplara desde la distancia, como si observara desde lo alto de un edificio a los dos amantes pasear entre las luces de neón, y esas mismas luces borraran el alquitrán negro y lo revistieran de tenues tonos rojizos, amarillentos y azulados. Allí estaban ellos, Brendan y Katie, paseaban tranquilamente por la parte central del amplio bulevar, diminutos entre los edificios y el parloteo de los casinos que salía por las puertas.

«¿A cuál quieres ir esta noche, cariño?»

«Elige tú.»

«No, elige tú.»

«Venga, elige tú.»

«De acuerdo. ¿Qué te parece éste?»

«Bien.»

«Pues vayamos a ése.»

«Te quiero, Brendan.»

«Yo también te quiero, Katie.»

Y habrían subido por las escaleras enmoquetadas entre blancas columnas para adentrarse en el clamor del palacio estridente y humeante. Habrían hecho todo aquello como marido y mujer, empezando juntos una nueva vida (todavía unos niños, en realidad), y East Buckingham les habría parecido a miles de kilómetros de distancia, y aún más lejos a cada paso que daban.

Así es como habría sido.

Brendan se sentó en el suelo. Necesitaba sentarse un momento. Sólo uno o dos segundos. Se sentó y juntó las suelas de sus zapatos, asiéndose los tobillos como si fuera un niño pequeño. Se balanceó un rato, dejando caer la barbilla sobre el pecho, con los ojos cerrados y, por un instante, sintió que el dolor disminuía. Sintió cierta calma en la oscuridad y en el balanceo.

Luego, sin embargo, se le pasó, y el horror de saber que Katie había desaparecido de la tierra, su ausencia tan total, volvió a recorrerle las venas del cuerpo y se sintió morir.

Había una pistola en la casa. Era de su padre, y su madre la había guardado detrás de la tablilla desmontable del techo de la antecocina, en el mismo sitio donde siempre la tenía su padre. Si uno se sentaba en la encimera de la antecocina y metía la mano por debajo de la moldura curva de madera, acababa por tocar las tres tablillas y notaba el peso de la pistola. Lo único que tenía que hacer era empujar, meter la mano y coger la pistola con los dedos. Había estado allí desde que Brendan tenía uso de razón; uno de sus primeros recuerdos se remontaba a una noche en la que tropezó al salir del cuarto de baño y vio que su padre sacaba la mano de debajo de la moldura. Brendan, a los trece años, había llegado incluso a sacar la pistola para enseñarla a su amigo Jerry Diventa. Jerry la había observado con los ojos muy abiertos y había exclamado: «¡Vuelve a ponerla en su sitio!». Estaba cubierta de polvo y era bastante probable que nunca hubiera sido utilizada, pero Brendan sabía que sólo era cuestión de limpiarla.

Podría sacar la pistola esa misma noche y encaminarse al Café Society, donde Roman Fallow solía pasar muchas horas, o al garaje Atlantic, que era propiedad de Bobby O'Donnell y el lugar en que, según Katie, éste dirigía la mayor parte de sus negocios desde la oficina trasera. Podría ir a uno de esos dos sitios, o mejor aún, a ambos, apuntarles a la cara con la pistola de su padre y apretar el maldito gatillo, una y otra vez hasta que la recámara estuviera vacía, para que ni Roman ni Bobby pudieran matar a ninguna otra mujer.

Podría hacerlo, ¿o no? Es lo que hacían en las películas. Si a Bruce Willis le hubieran asesinado a la novia, seguro que no estaría sentado en el suelo, asiéndose los tobillos, y balanceándose como si fuera un deficiente mental. Seguro que estaría preparando la venganza, ¿no?

Brendan se imaginó el rostro carnoso de Bobby, suplicando: «¡No, por favor, Brendan! ¡No, por favor!».

Y Brendan le diría alguna frase fantástica, del tipo: «¡Mírame bien, cabrón, y púdrete en el infierno!».

En ese momento empezó a llorar, sin dejar de balancearse ni de asirse los tobillos, porque sabía que él no era Bruce Willis, y porque Bobby O'Donnell era una persona de carne y hueso, y no el personaje de una película; además, la pistola necesitaba un repaso, un repaso importante, y ni tan sólo sabía si tenía balas, porque ni siquiera estaba seguro de saber abrirla, y cuando la tuviera en la mano, lo más probable es que empezara a temblar. Estaba convencido de que las manos le temblarían del mismo modo que le temblaban cuando era un niño y sabía que no había escapatoria, o que estaba a punto de meterse en una pelea. La vida no era ninguna película, sino que era una vida de mierda. No pasaba lo mismo que en la pantalla, en que el bueno ganaba a las dos horas, y todo el mundo sabía que lo haría. Brendan no se conocía muy bien en ese sentido; tenía diecinueve años y nunca se había encontrado con una situación similar. Pero no estaba seguro de poder ir al negocio de un tipo (eso si las puertas no estaban cerradas con llave y no había un montón de tipos vigilando la puerta) y dispararle a la cara. No estaba seguro.

No obstante, la echaba de menos. La echaba tanto de menos... y el dolor que le provocaba no verla, y saber que no la volvería a ver nunca más, hacía que los dientes le dolieran de tal modo que pensó que tenía que hacer algo, aunque sólo fuera para dejar de sentirse de esa manera un segundo de su desgraciada nueva vida.

«De acuerdo –decidió–. Mañana limpiaré la pistola. La limpiaré y me aseguraré de que tiene balas. Sólo haré eso: limpiaré la pistola.»

Entonces Ray entró en el dormitorio, con los patines aún puestos y, usando su nuevo palo de hockey como un bastón, se balanceó sobre la cama con pies inseguros. Brendan se puso en pie de un salto y se secó las lágrimas de las mejillas.

Ray, con la mirada puesta en su hermano, se quitó los patines y le dijo con gestos:

–¿Estás bien?

–No –respondió Brendan.

–¿Puedo hacer algo por ti? –gesticuló Ray.

–No, no puedes hacer nada por mí –contestó Brendan–. Pero no te preocupes por ello.

–Mamá dice que estarás mucho mejor aquí.

–¡Qué! –exclamó Brendan.

Ray se lo repitió.

–¿Ah, sí? –inquirió Brendan–. ¿Y por qué lo dice?

Ray, moviendo las manos con rapidez, contestó:

–Si te hubieras marchado, mamá se habría derrumbado.

–No, lo habría superado.

–Tal vez.

Brendan se volvió hacia su hermano, que estaba sentado sobre la cama y mirándole a los ojos.

–Ahora no me hagas cabrear, Ray. ¿De acuerdo? –Se le acercó, sin dejar de pensar en la pistola–. Yo la amaba.

Ray le devolvió la mirada, con un rostro tan vacío como una máscara de goma.

–¿Te puedes imaginar lo que se siente, Ray?

Ray negó con la cabeza.

–Es como si supieras todas las respuestas del examen en el momento de sentarte a la mesa, como si supieras que todo irá bien el resto de tu vida. Triunfarás, todo saldrá bien. Sabes que seguirás adelante, te sientes liberado porque has ganado. –Se dio la vuelta–. Es así como te sientes.

Ray golpeó el pilar de la cama para hacer que se volviera, y añadió:

–Volverás a sentirte así.

Brendan se arrodilló y, empujando el rostro de Ray con el suyo, exclamó:

–No, no es verdad. ¿Lo entiendes, joder? Nunca jamás sentiré lo mismo.

Ray colocó los pies sobre la cama y se echó hacia atrás; Brendan se sintió avergonzado, aunque enfadado, porque así era como te hacía sentir la gente muda: te hacían sentir estúpidos por hablar. Todo lo que Ray decía, le salía de forma sucinta, tal como quería. No sabía lo que era titubear en busca de una palabra o tartamudear, al intentar hablar más rápido que el cerebro.

Brendan deseaba sacarlo todo de golpe; deseaba que las palabras le salieran de la boca en una apasionada ráfaga de frases dolorosas, aunque poco sensatas, que expresaran con sinceridad lo que Katie había significado para él, cómo se había sentido al apretar su nariz contra su cuello en aquella misma cama, al entrelazar uno de sus dedos con el suyo, al sorberle helado de la barbilla, al ir junto a ella en el coche y observar cómo movía los ojos de un lado a otro cuando llegaban a un cruce, al oírla hablar, dormir, roncar...

Deseaba continuar durante horas. Deseaba que alguien le escuchara y que comprendiera que las palabras no sólo servían para comunicar ideas u opiniones. A veces, servían para expresar vidas enteras. Y aunque uno supiera, incluso antes de abrir la boca, que iba a fracasar, lo que importaba era el hecho de intentarlo. La intención era lo único que uno tenía.

Ray, sin embargo, era incapaz de entenderlo. Para Ray, las palabras eran tan sólo chasquidos de los dedos, gestos hábiles y movimientos de manos. Ray no malgastaba las palabras. La comunicación no era lo suyo. Decía exactamente lo que quería decir y ya había acabado. Descargar su dolor ante el rostro inexpresivo de su hermano sólo habría conseguido avergonzar a Brendan. No le habría ayudado en lo más mínimo.

Contempló a su asustado hermano pequeño, apoyado en la cama y mirándole fijamente con ojos saltones, y le tendió la mano.

–Lo siento –masculló–. Lo siento, Ray. ¿De acuerdo? No quería ofenderte.

Ray le estrechó la mano y se puso en pie.

–Así pues, ¿va todo bien? –gesticuló Ray, con la mirada puesta en Brendan, como si estuviera dispuesto a saltar por la ventana en el siguiente arrebato.

–Todo va bien –respondió Brendan por medio de señas–. Supongo que sí.

20

Cuando ella regrese a casa

Los padres de Sean vivían en Wingate Estates, una urbanización va-
llada a unos cincuenta kilómetros al sur de la ciudad, formada por casas de estuco de dos dormitorios. Cada sección constaba de veinte
casas, tenía su propia piscina y un centro recreativo en el que hacían
baile los sábados por la noche. Un pequeño recorrido de golf de par
tres se extendía alrededor de uno de los extremos del complejo como
si fuera la otra mitad de una media luna; desde finales de primavera
hasta principios de otoño, el aire zumbaba con el runrún de los motores de los carros.

El padre de Sean no jugaba al golf. Hacía mucho tiempo que había decidido que era un juego de ricos y aprender a jugar le parecía
una forma de traicionar sus raíces de clase obrera. Sin embargo, la
madre de Sean había intentado jugar durante un tiempo, aunque lo
había dejado porque creía que sus compañeras se reían en secreto de
su estilo, de su ligero acento irlandés y de su ropa.

Por lo tanto, llevaban una vida tranquila y prácticamente sin amigos, aunque Sean sabía que su padre había hecho amistad con un irlandés retaco llamado Riley, que también había vivido en uno de los
barrios periféricos de la ciudad antes de trasladarse a Wingate. Riley,
que tampoco tenía ningún interés en el golf, a veces quedaba con el
padre de Sean para tomarse unas cervezas en el Ground Round, al otro
lado de la Ruta 28. La madre de Sean, que era una persona reflexiva
y bondadosa por naturaleza, solía relacionarse con gente mayor con
alguna dolencia. Les llevaba en coche a la farmacia a buscar sus me-
dicamentos o al médico a recoger las recetas nuevas para guardarlas
junto a las viejas. Su madre, que casi tenía setenta años, se sentía joven y viva cuando les acompañaba; además, si tenía en cuenta que la

mayoría de la gente a la que ayudaba era viuda, pensaba que la buena salud de la que gozaban tanto ella como su marido era una bendición del cielo.

«Están solos –había dicho una vez a Sean en relación a sus amigos enfermos–, y aunque el médico no se lo diga, es de eso de lo que se están muriendo.»

A menudo, cuando pasaba por delante de la caseta del vigilante y seguía carretera arriba, con bandas de frenado amarillas cada diez metros que le hacían vibrar el eje del coche, Sean casi alcanzaba a ver las calles fantasma, los barrios fantasma y las vidas fantasma que los residentes de Wingate habían dejado atrás, como si los pisos con agua fría y pequeñas habitaciones blancas y sombrías, las escaleras de incendios de hierro forjado y los ruidosos niños flotaran a través de ese paisaje de estuco de cáscara de huevo y jardines puntiagudos, cual niebla matinal más allá de los límites de su visión periférica. Le invadía un sentimiento irracional de culpa: la culpa del hijo que ha llevado a sus padres a una residencia. Irracional, porque Wingate Estates no era, en realidad, una urbanización para mayores de sesenta años (aunque, a decir verdad, Sean nunca había visto a un residente que fuera más joven), y sus padres se habían trasladado allí por voluntad propia, empaquetando todas sus eternas quejas sobre la ciudad, el ruido, los actos violentos y los atascos para mudarse allí; tal como decía su padre: «Allí podían salir de noche sin tener que darse la vuelta continuamente para comprobar si les seguían».

Con todo, Sean sentía que les había fallado, como si ellos hubieran esperado que él hubiera luchado más para tenerlos cerca. Sean observaba el lugar y lo único que veía era muerte, o como mínimo un lugar en el que esperarla, pero no sólo odiaba el hecho de que sus padres estuvieran allí, esperando el momento en que otra gente tuviera que llevarlos a ellos al médico, sino que también detestaba imaginarse a él mismo allí o en lugar parecido. Aunque sabía que las probabilidades de no acabar en un sitio así eran ínfimas: aún más en aquel preciso momento en que no tenía ni mujer ni hijos. Tenía treinta y seis años, a más de medio camino de tener un piso en Wingate, y con toda probabilidad la segunda mitad de su vida pasaría mucho más rápido que la primera.

Su madre sopló las velas del pastel que habían colocado sobre una mesita que ocupaba un hueco entre la diminuta cocina y una sala de estar más espaciosa; lo comieron en silencio y sorbieron el té al ritmo de las agujas del reloj de pared que había sobre ellos y del zumbido del aire acondicionado.

Cuando hubieron acabado, su padre se puso en pie y dijo:

–Voy a lavar los platos.

–No, ya lo haré yo.

–No, tú siéntate.

–No, deja que lo haga yo.

–Siéntate, hoy es tu cumpleaños.

Su madre se sentó de nuevo y esbozó una ligera sonrisa, mientras su padre apilaba los platos y los llevaba a la cocina.

–¡Ten cuidado con las migas! –le advirtió la madre.

–Ya lo tengo.

–Si no limpias bien el fregadero, volveremos a tener hormigas.

–Sólo hemos tenido una hormiga. Una.

–No, había más –explicó a Sean.

–De eso hace seis meses –se oyó que decía su padre entre el sonido del agua.

–Y ratones.

–Nunca hemos tenido ratones.

–Pero la señora Feingold sí que tuvo. Dos. Y tuvo que poner trampas.

–Nunca hemos tenido ratones en casa.

–Porque yo me aseguro de que no dejes migas en el fregadero.

–¡Santo cielo! –exclamó el padre de Sean.

La madre de Sean se bebió el té y se quedó mirando a su hijo por encima de la taza.

–He recortado un artículo para Lauren –anunció después de colocar la taza encima del platillo–. Lo tengo guardado en alguna parte.

La madre de Sean siempre recortaba artículos de periódico y se los daba cada vez que iba a visitarles. Si no, se los mandaba por correo en grupos de nueve o diez; Sean abría el sobre y se los encontraba perfectamente doblados, como un recordatorio del tiempo que había pasado desde que los visitara por última vez. Los artículos iban de temas diferentes, pero casi siempre trataban de cuestiones domésticas o de autoayuda: métodos para prevenir que se incendiara la secadora, cómo evitar que se quemara el congelador, las ventajas e inconvenientes de hacer el testamento en vida, cómo evitar los robos cuando uno estaba de vacaciones, consejos de salud para hombres con trabajos que producían mucho estrés (*¡Lleva tu corazón a lo más alto!*). Sean sabía que era la forma que tenía su madre para expresarle su amor, algo similar a abrocharle el abrigo y a ponerle bien la bufanda antes de que se fuera a la escuela en una mañana de enero; a Sean aún le hacía gracia el recorte que le había mandado dos días antes de que Lauren se fuera: *Atrévase con la fecundación in vitro*. Sus padres nunca habían comprendido que el hecho de que Lauren y él no tuvieran hijos era por propia elección, si cabe, provocada por un miedo compartido (aunque nunca comentado) de que serían unos padres terribles.

Cuando, por fin, ella se había quedado embarazada, se lo habían ocultado a sus padres, para tener tiempo de decidir si tendrían el bebé, mientras su matrimonio se iba a pique; Sean acababa de enterarse de que Lauren había tenido un lío con un actor, y no había parado de preguntarle: «¿De quién es el niño, Lauren?». Y Lauren siempre le había respondido: «Si estás tan preocupado, hazte la prueba de paternidad».

Habían dejado de ir a cenar con sus padres, se inventaban excusas para no estar en casa cada vez que ellos iban a la ciudad, y Sean se sentía enloquecer por miedo de que el hijo no fuera suyo, y por el hecho de que, aunque lo fuera, quizá tampoco lo quisiera.

Desde que Lauren se marchó, la madre de Sean se refería a su ausencia como «el tiempo que se había tomado para reflexionar», y los recortes ya no eran para él, sino para ella, como si algún día el cajón donde los guardaba fuera a estar tan lleno que tuvieran que volver a estar juntos, aunque sólo fuera para poder cerrar el cajón.

–¿Has tenido noticias suyas? –le preguntó su padre desde la cocina, con el rostro escondido detrás de la pared verde menta que les separaba.

–¿De Lauren?

–¡Ajá!

–¿De quién va a ser? –dijo su madre alegremente mientras hurgaba en un cajón del aparador.

–Llama por teléfono, pero no dice nada.

–Tal vez sólo hable de banalidades porque...

–No. Lo que os intento decir es que no dice nada, que no habla.

–¿Nada de nada?

–Nada.

–Entonces, ¿cómo sabes que es ella?

–Porque lo sé.

–¿Cómo?

–¡Santo cielo! –exclamó Sean–. Porque la oigo respirar, ¿de acuerdo?

–¡Qué extraño! –comentó su madre–. ¿Tú le hablas?

–A veces, pero cada vez menos.

–Bien, por lo menos os comunicáis de un modo u otro –repuso su madre, mientras le colocaba el último recorte delante–. Le dices que he pensado que esto le podría interesar. –Se sentó y alisó una arruga del mantel con la palma de la mano–. Cuando regrese a casa... –añadió, sin dejar de observar cómo la arruga desaparecía bajo su mano–. Cuando regrese a casa... –repitió, con una voz tenue, parecida a la de una monja, como si estuviera segura del orden esencial de todas las cosas.

–¿Te acuerdas del día en que Dave Boyle desapareció de delante de casa? –preguntó Sean a su padre una hora más tarde, sentados junto a una de aquellas mesas altas del Ground Round.

Su padre frunció el entrecejo y después se concentró en acabar de echar su Killian's en una copa helada. A medida que la espuma llegaba al borde de la copa y que la cerveza se convertía en un espeso chorro de gotas, su padre le sugirió:

–¿Por qué no lo miras en algún periódico viejo?

–Bien...

–¿Por qué me lo preguntas a mí? ¡Mierda! Salió por la televisión.

–Sin embargo, no dieron ninguna información cuando encontraron al secuestrador –replicó Sean, con la esperanza de que eso bastara, de que su padre dejara de preguntarle con insistencia por qué le preguntaba a él, ya que ni él mismo sabía por qué lo había hecho.

En cierta manera, necesitaba que su padre le situara en el contexto del evento, que le ayudara a verse a sí mismo por aquel entonces, de una forma que los periódicos y los archivos de los casos antiguos no podían hacer. O tal vez albergara la esperanza de poder hablar con su padre de cosas que no sólo fueran las noticias del día o de que el equipo de los Sox necesitaba un nuevo lanzador de reserva para la base izquierda.

A veces, Sean tenía la sensación de que, en algún momento de su vida, él y su padre habían hablado de cosas que no eran puramente insustanciales (tal como le parecía que le había sucedido con Lauren), pero por mucho que lo intentara, era incapaz de recordar de qué cosas habían hablado. Entre la neblina que rodeaba sus recuerdos de juventud, temía haberse inventado intimidades y momentos de clara comunicación entre su padre y él que, a pesar de haber sido mitificadas a lo largo de los años, nunca habían sucedido.

Su padre era un hombre de silencios y de frases a medio decir que se iban desvaneciendo para quedar en nada; Sean se había pasado casi toda la vida interpretando esos silencios, llenando los espacios en blanco que quedaban a raíz de esos elipses, formulando el concepto de lo que su padre intentaba decir. Hacía tiempo que Sean se preguntaba si él mismo acababa las frases tal como pensaba que hacía, o si él también era una criatura de silencios, silencios que había visto, asimismo, en Lauren, y que no habían surtido ningún efecto hasta que ese silencio era lo único que había quedado de ella. Eso y el zumbido del aire a través del teléfono cada vez que llamaba.

–¿Por qué quieres recordar todo eso? –preguntó su padre al cabo de un rato.

–¿Sabes que han asesinado a la hija de Jimmy Marcus?

Su padre se volvió hacia él y le preguntó:

–¿Es la chica que han encontrado en Pen Park?

Sean asintió con la cabeza.

–Vi el nombre en el periódico –apuntó su padre–, y me imaginé que debía de tratarse de algún pariente, pero ¿su hija?

–Así es.

–Tiene la misma edad que tú. ¿Cómo podía tener una hija de diecinueve años?

–Jimmy la tuvo cuando tenía, no sé, unos diecisiete años, un par de años antes de que le mandaran a Deer Island.

–¡Dios mío! –exclamó su padre–. ¡Ese pobre desgraciado! ¿Su padre aún sigue en la cárcel?

–Está muerto, papá –respondió Sean.

Sean se dio cuenta de que la respuesta había afectado a su padre, de que le había transportado de repente a la cocina de la calle Gannon, en la que él y el padre de Jimmy habían pasado las tardes de los sábados bebiendo cerveza, mientras sus hijos jugaban en el patio trasero, el estruendo de sus risas estallando en el aire.

–¡Mierda! –exclamó su padre–. Al menos, debió de morir fuera de la cárcel.

Sean contempló la posibilidad de mentirle, pero ya estaba haciendo un gesto negativo con la cabeza:

–No. Murió en la cárcel de Walpole, de cirrosis.

–¿Cuándo?

–Al poco tiempo de que te mudaras aquí. Debe de hacer unos seis años, tal vez siete.

La boca de su padre se ensanchó al pronunciar un «siete» silencioso. Tomó un trago de cerveza, y las manchas del dorso de las manos le parecieron más pronunciadas bajo la luz amarillenta que les iluminaba.

–Es tan fácil perder la pista de la gente, perder el concepto del tiempo...

–Lo siento, papá.

Su padre hizo una mueca. Era su única forma de responder a la amabilidad o a los cumplidos.

–¿Por qué lo sientes? Tú no has hecho nada. Tim se sentenció a sí mismo el día que mató a Sonny Todd.

–Y todo por una partida de billar, ¿no es verdad?

Su padre se encogió de hombros y respondió:

–Los dos estaban borrachos. ¿Quién sabe? Habían bebido y ambos eran unos bocazas y tenían muy mal genio. Tim incluso tenía peor carácter que Sonny Todd. –Su padre tomó otro trago de cerveza–. ¿Qué tiene que ver el secuestro de Dave Boyle con la muerte de... cómo se llamaba? Katherine, Katherine Marcus.

–Eso es.

–¿Qué tiene que ver una cosa con la otra?

–En ningún momento he dicho que los dos casos estén relacionados.

–Tampoco has afirmado lo contrario.

Sean sonrió a su pesar. Prefería tener que vérselas con cualquier violador reincidente, con cualquier tipo que se vanagloriara de saber más del sistema judicial que los mismísimos jueces, ya que Sean sabía cómo tratarles. Sin embargo, con cualquiera de esos viejos cabrones desconfiados y resistentes de la generación de su padre, gente inflexible de clase trabajadora con mucho orgullo, pero sin ningún respeto por las instituciones estatales o municipales, uno podría insistir la noche entera, y si no te querían contar una cosa, a la mañana siguiente aún estarías allí sin nada, a excepción de las mismísimas preguntas sin responder.

–Padre, ¿por qué no dejamos de preocuparnos por la posible relación entre los dos casos?

–¿Por qué?

Sean alzó una mano y respondió:

–Porque me complacería mucho.

–Claro, es precisamente eso lo que me mantiene vivo: la posibilidad de poder complacer a mi hijo algún día.

Sean, notando que tensaba la mano alrededor del asa de la jarra, explicó:

–He echado un vistazo al archivo del caso del secuestro de Dave. El agente que se encargó de la investigación está muerto. Nadie más recuerda el caso y aún está en la lista de casos por resolver.

–¿Y?

–Pues que recuerdo que un día, debía de ser un año después de que Dave regresara a casa, entraste a mi habitación y me dijiste: «Todo ha terminado. Han cogido a esos tipos».

Su padre se encogió de hombros y replicó:

–Sólo pillaron a uno.

–Entonces, ¿por qué no...?

–En Albany –prosiguió su padre–. Vi la fotografía en el periódico. El tipo confesó haber perpetrado abusos un par de veces en Nueva York y afirmó que había realizado unos cuantos más en Massachusetts y Vermont. Se ahorcó en la celda antes de explicar los detalles. Pero reconocí el rostro de ese hombre a partir del esbozo que la policía dibujó en nuestra cocina.

–¿Estás seguro?

Hizo un gesto de asentimiento y contestó:

–Del todo. El detective encargado del caso se llamaba...

–Flynn –afirmó Sean.

Su padre asintió y añadió:

–Mike Flynn, así se llamaba. Seguí en contacto con él durante un tiempo, y le llamé después de ver la fotografía en el periódico, y me dijo que sí, que era el mismo tipo. Además, Dave se lo había confirmado.

–¿Cuál?

–¿Cómo dices?

–¿Cuál de los dos?

–El... ¿Cómo lo describíais? El grasiento que parecía estar dormido.

Las palabras que Sean había pronunciado de niño le parecieron extrañas al salir de boca de su padre.

–El que iba en el asiento del copiloto.

–Eso es.

–¿Y su compañero? –preguntó Sean.

Su padre negó con la cabeza y respondió:

–Murió en un accidente de coche. O como mínimo, eso es lo que nos contó su compañero. Eso es todo lo que recuerdo, pero no te lo tomes muy en serio. ¡Deberías haberme dicho que Tim Marcus había muerto!

Sean apuró lo que le quedaba en la jarra, señaló la copa vacía de su padre y le preguntó:

–¿Quieres otra?

Su padre se quedó mirando la copa por un instante y respondió:

–¡Qué caramba! ¡Pues claro!

Cuando Sean regresó de la barra con las cervezas, su padre estaba viendo *Jeopardy!*[1] sin volumen en una de las pantallas que había sobre la barra. Mientras Sean tomaba asiento, su padre, sin apartar los ojos del televisor, le preguntó:

---

1. Uno de los concursos televisivos más populares de Estados Unidos. *(N. de la T.)*

—¿Quién es Robert Oppenheimer?

—¿Cómo puedes saber que hablan de él si no hay volumen? –preguntó Sean.

—Porque lo sé –respondió su padre, echando la cerveza en la jarra y frunciendo el entrecejo por la estupidez de la pregunta de Sean–. Siempre hacéis lo mismo. Nunca lo entenderé.

—¿Hacer el qué? ¿Hacemos?

Su padre le hizo un gesto con la jarra de cerveza y respondió:

—La gente de tu edad. Hacéis un montón de preguntas y ni siquiera os dais cuenta de que si lo pensarais un poco vosotros mismos encontraríais la respuesta.

—¡Ah! –exclamó Sean–. ¡De acuerdo!

—Como toda esa historia de Dave Boyle –añadió su padre–. ¿Qué importa lo que le sucedió a Dave hace veinticinco años? Ya sabes lo que pasó. Dos tipos que abusaban de niños le retuvieron durante cuatro días. Lo que en verdad sucedió es exactamente lo mismo que piensas que sucedió. Pero tú insistes en volver a sacarlo a la luz porque... –Su padre tomó un trago de cerveza–. ¡No sé por qué, joder!

Su padre le dedicó una sonrisa de aturdimiento y Sean le respondió del mismo modo.

—Papá.

—¿Sí?

—¿No hay nada de tu pasado en lo que no pienses a menudo y que no te puedas quitar de la cabeza?

Su padre suspiró y contestó:

—No es lo mismo.

—Sí, sí que lo es.

—No, no lo es. A todo el mundo le pasan cosas malas, Sean. A todo el mundo. Tú no eres especial. Pero a los de tu generación os gusta remover la mierda. Sois incapaces de dejar las cosas como están. ¿Tienes alguna prueba de que Dave esté relacionado con la muerte de Katherine Marcus?

Sean se rió. A su padre se le había visto el plumero. Le había estado pegando el rollo con los de «su generación» cuando en realidad lo único que quería saber era si Dave estaba involucrado en la muerte de Katie.

–Digamos que hay un par de detalles que nos llevan a vigilar a Dave de cerca.

–¿A eso le llamas tú una respuesta?

–¿A eso le llamas tú una pregunta?

La fantástica sonrisa de su padre le estalló en el rostro y se quitó unos quince años de encima; Sean recordó que cuando era joven, esa sonrisa solía extenderse por la casa e iluminarlo todo.

–Así pues, me estás insistiendo con lo de Dave porque piensas que lo que le hicieron esos dos tipos podría haberle convertido en un hombre capaz de asesinar a una chica.

Sean se encogió de hombros y contestó:

–Sí, más o menos.

Su padre reflexionó sobre ello mientras jugaba con los cacahuetes del cuenco y se bebía otro trago de cerveza.

–No lo creo.

Sean se rió entre dientes y espetó:

–¡Claro!, ¿cómo le conoces tan bien?

–No, sencillamente le recuerdo de niño. No haría ese tipo de cosas.

–Hay muchos niños buenos que se convierten en adultos que hacen cosas que ni siquiera te podrías llegar a imaginar.

Su padre le miró con las cejas levantadas y le preguntó:

–¿Intentas darme lecciones sobre la naturaleza humana?

Sean negó con la cabeza y respondió:

–Sólo cumplo con mi deber de policía.

Su padre se reclinó en la silla y, esbozando una sonrisa, le dijo:

–¡Venga, instrúyeme!

Sean, sintiéndose enrojecer, exclamó:

–¡Oye, yo no, sólo...!

–¡Por favor!

Sean se sintió estúpido. La rapidez con la que su padre le podía hacer sentir así era sorprendente: lo que la mayoría de la gente que Sean conocía consideraría como un montón de observaciones normales y corrientes, a los ojos de su padre, era como si el niño Sean intentara actuar como un adulto y adoptar un aire ostentoso.

–Confía un poco en mí. Creo tener cierto conocimiento sobre la gente y los delitos que cometen. Mi trabajo consiste en eso, ¿sabes?

–¿Crees a Dave capaz de haber asesinado a una chica de diecinueve años? ¡El mismo Dave con el que solías jugar en el patio trasero! ¡Aquel niño!

–Pienso que todo el mundo es capaz de todo.

–Si eso es lo que piensas, podría haberlo hecho yo. –Su padre se llevó la mano al pecho–. O tu madre.

–No.

–Más nos valdría verificar nuestras coartadas.

–¡Por el amor de Dios! ¡No he dicho eso!

–¡Claro que lo has hecho! ¡Has dicho que todo el mundo era capaz de todo!

–Dentro de los límites de la razón.

–¡Ah! –exclamó su padre en voz alta–. ¡Esa parte no la he oído!

Lo estaba haciendo de nuevo: envolviéndole con sus hilos, enredándole de la misma forma que Sean hacía con los sospechosos. No era de extrañar que Sean fuera tan bueno en los interrogatorios. Había aprendido de un maestro.

Permanecieron en silencio un momento; finalmente, su padre confesó:

–Tal vez tengas razón.

Sean se volvió hacia él, esperando la frase clave.

–Quizá Dave haya sido capaz de hacer lo que piensas. No lo sé. Sólo recuerdo al niño, pero no conozco al hombre.

Sean intentó verse a través de los ojos de su padre. Se preguntaba si era eso lo que su padre veía, el niño, no el hombre, cada vez que miraba a su hijo. Debía de ser difícil hacerlo de otro modo.

Recordó la forma en que sus tíos solían hablar de su padre, el menor de una familia de doce que había emigrado de Irlanda cuando su padre tenía cinco años. El viejo Bill solían decir para referirse al Bill Devine que había existido antes de que Sean naciera. El alborotador. Sólo entonces fue capaz de oír sus voces y el tono paternalista que las generaciones más mayores usaban con las más jóvenes; al fin y al cabo, la mayoría de los tíos de Sean tenían entre doce y quince años más que su padre.

Todos habían muerto. Los once hermanos y hermanas de su padre. Y ahí estaba el benjamín de la familia, a punto de cumplir los setenta y cinco, refugiado en las afueras de la ciudad junto a un campo de golf que nunca utilizaría. El último que quedaba, pero aun así el más joven, siempre el más joven, intentando evitar ese tono de superioridad con el que se le dirigían, especialmente su hijo. Dispuesto, si hacía falta, a borrar el mundo entero, antes de tener que soportarlo de nuevo, ya que todos aquellos que habían tenido el derecho de tratarle de esa forma habían muerto hacía mucho tiempo.

Su padre echó un vistazo a la cerveza de Sean, lanzó unas cuantas monedas encima de la mesa para la propina, y le preguntó:

–¿Te falta mucho?

Atravesaron la Ruta 28 para regresar a casa y luego subieron por el camino de entrada que tenía todas aquellas bandas de frenado amarillas y aspersores automáticos.

–¿Sabes qué le gusta mucho a tu madre? –le insinuó su padre.

–¿Qué?

–Que le escribas. Que le mandes una postal de vez en cuando, sin tener motivo alguno. Me ha contado que le mandas postales divertidas y que le gusta tu forma de escribir. Las guarda en un cajón del dormitorio. Algunas son de cuando ibas a la universidad.

–De acuerdo.

–¿Por qué no le mandas alguna postal de vez en cuando?

–Sí, lo haré.

Llegaron hasta el coche de Sean, y su padre observó las ventanas oscuras de su piso.

–¿Se habrá ido a dormir? –preguntó Sean.

Su padre hizo un gesto de asentimiento y contestó:

–Por la mañana tiene que llevar a la señora Coughlin a rehabilitación. –De repente su padre alargó la mano y estrechó la de Sean–. Me ha gustado mucho volver a verte.

–A mí también.

–¿Piensa regresar?

A Sean no le hacía falta preguntar a quién se refería.

–No lo sé. De verdad que no lo sé.

Su padre le observó bajo la amarillenta luz de la farola y, por un momento, Sean vio que a su padre le dolía que sufriera, que lo hubieran abandonado, y lastimado; sabía que el daño sería permanente, ya que a uno le habían privado de una sensación que nunca volvería a recuperar.

–Bien –dijo su padre–. Tienes buen aspecto. Da la impresión de que te cuidas. ¿Bebes demasiado, o algo así?

Sean negó con la cabeza y contestó:

–Lo único que hago en exceso es trabajar.

–Trabajar es bueno –respondió su padre.

–Sí –asintió Sean, sintiendo como algo amargo y desamparado le subía por la garganta.

–Bien, pues...

–Bien.

Su padre le dio una palmadita en el hombro y dijo:

–Entonces, adiós. No te olvides de llamar a tu madre el domingo.

Dejó a Sean junto al coche y se encaminó hacia la puerta principal con el paso de un hombre veinte años más joven.

–¡Cuídate! –exclamó Sean, y su padre levantó la mano en señal de reconocimiento.

Sean usó el mando a distancia del coche, y cuando estaba a punto de abrir la puerta, oyó decir a su padre:

–¡Un momento!

–¿Qué pasa?

Se dio la vuelta y vio a su padre junto a la puerta principal, con el torso envuelto en una suave oscuridad.

–Hiciste muy bien en no subir a ese coche. Recuérdalo.

Sean se apoyó en el coche, con las palmas sobre el techo, intentando divisar el rostro de su padre en la negrura de la noche.

–Sin embargo, deberíamos haber protegido a Dave.

–Erais unos niños –replicó su padre–. No podíais saber lo que iba a pasar. Y aunque lo hubierais sabido, Sean...

Sean dejó que esas palabras hicieran mella en él. Tamborileó el techo del coche con los dedos y, escudriñando la oscuridad en busca de los ojos de su padre, respondió:

–Eso es precisamente lo que me digo a mí mismo.

–¿Y bien?

Se encogió de hombros y añadió:

–Creo que deberíamos haberlo sabido, ¿no crees?

Durante un minuto ninguno de los dos pronunció palabra alguna; Sean oyó los grillos entre el siseo de los aspersores automáticos.

–¡Buenas noches, Sean! –oyó decir a su padre entre el sonido del aspersor.

–¡Buenas noches! –respondió Sean.

Antes de subir al coche y de alejarse esperó a que su padre entrara en casa.

21

Duendes

Dave estaba sentado en la sala de estar cuando Celeste regresó a casa. Sentado en una esquina del viejo sofá de piel con dos hileras de cervezas vacías junto al brazo del sillón, sosteniendo una cerveza llena en la mano, el mando a distancia sobre el muslo. Miraba una película en la que todo el mundo parecía gritar.

Celeste se quitó el abrigo en el vestíbulo y notó que el rostro de Dave se apagaba; los gritos se hicieron más altos y aterradores, se entremezclaban con efectos de sonido propios de Hollywood que imitaban el ruido de mesas al romperse y lo que sólo podía ser el estrujamiento de miembros.

—¿Qué estás viendo? —le preguntó.

—Una película de vampiros —respondió, sin dejar de mirar la pantalla mientras se llevaba la Bud a los labios—. El jefe de los vampiros se está cargando a todos los asesinos de vampiros que habían asistido a una fiesta. Trabajan para el Vaticano.

—¿Quiénes?

—Los asesinos de vampiros. ¡Joder! —exclamó Dave—. ¡Acaba de arrancarle la cabeza!

Celeste entró en la sala de estar, y miró la pantalla en el preciso instante en que un tipo vestido de negro sobrevolaba la habitación y cogía a una asustada mujer por el cuello y se lo partía.

—¡Por el amor de Dios, Dave!

—¡Está muy bien, porque ahora James Woods está cabreado!

—¿Quién es James Woods?

—El jefe de los asesinos de vampiros. Es un cabronazo.

En ese momento apareció en pantalla: James Woods con una chaqueta de cuero y unos vaqueros ceñidos; cogía una especie de ballesta y apuntaba al vampiro. Pero el vampiro era demasiado rápido. Lo lanzó de un lado a otro de la habitación como si fuera una polilla; luego, otro tipo entró corriendo en el cuarto y empezó a disparar al vampiro con una pistola automática. No pareció surtir mucho efecto, ya que de repente empezaron a correr por delante del vampiro, como si se hubieran olvidado de dónde estaban.

–¿Es ése uno de los hermanos Baldwin? –preguntó Celeste.

Se sentó en el brazo del sofá y apoyó la cabeza en la pared.

–Sí, creo que sí.

–¿Cuál?

–No lo sé. He perdido el hilo.

Celeste les vio atravesar a toda prisa una habitación de motel con tantos cadáveres que Celeste nunca se habría podido imaginar que cupieran en un espacio tan pequeño. Su marido exclamó:

–¡El Vaticano tendrá que entrenar a otro equipo entero de asesinos!

–¿Por qué el Vaticano se interesa otra vez por los vampiros?

Dave sonrió y la miró con aquel rostro de niño y los bonitos ojos que le caracterizaban.

–Representan una gran amenaza, cariño. Es bien sabido que roban cálices.

–¡Roban cálices! –exclamó, sintiendo un deseo irresistible de sentarse junto a él y acariciarle el pelo, ya que no deseaba que aquella tonta discusión pusiera fin al día tan horrible que había pasado–. ¡No lo sabía!

–¡Y tanto! ¡Son un gran problema! –respondió Dave, apurando la cerveza mientras James Woods, el hermano Baldwin y una chica con aspecto de drogadicta conducían una camioneta a toda velocidad por una carretera vacía con el vampiro pisándoles los talones–. ¿Dónde has estado?

–He ido a dejar el vestido a la funeraria.

–De eso hace horas –replicó Dave.

–Después pensé que necesitaba sentarme en algún sitio para pensar, ¿sabes?

–Pensar –repitió Dave–. ¡Claro, claro! –Se levantó del sofá, se fue a la cocina y abrió la nevera–. ¿Quieres una?

En realidad no la quería, pero contestó:

–Sí, vale.

Dave regresó a la sala de estar y le dio la cerveza. Si Dave le abría la lata solía indicar que estaba de buen humor; sin embargo, en aquel momento Celeste no lo tenía muy claro: Dave le había abierto la lata, pero no sabía con certeza si era buena o mala señal.

–¿En qué has estado pensando? –preguntó.

Al abrir su propia lata hizo mucho más ruido que el rechinar de neumáticos de la camioneta al volcar.

–¡Ya lo sabes!

–No, no lo sé, Celeste.

–En cosas –contestó, tomando un trago de cerveza–. En el día que he pasado, en la muerte de Katie, en Jimmy y Annabeth, y cosas por el estilo.

–Cosas por el estilo –repitió Dave–. ¿Sabes en lo que pensaba yo mientras traía a Michael a casa, Celeste? Pensaba en lo violento que debía de haber sido para él ver cómo su madre se marchaba sin decirle a nadie adónde iba ni cuándo regresaría. Pensé mucho en eso.

–Te lo acabo de decir, Dave.

–¿El qué? –Se volvió hacia ella y le sonrió de nuevo, pero esa vez no había nada de infantil en la sonrisa–. ¿Qué me has dicho, Celeste?

–Que tenía ganas de pensar. Siento mucho no haber llamado, pero estos dos últimos días han sido muy duros para mí. No me reconozco a mí misma.

–Nadie se reconoce a sí mismo.

–¿Qué?

–En la película pasa lo mismo –apuntó Dave–. No saben ni quién es la gente de verdad ni quiénes son los vampiros. Ya lo he visto muchas veces. El hermano Baldwin ese acabará por enamorarse de la chica rubia, a pesar de que sabe que la han mordido. Ella se convertirá en vampiro, pero a él no le importa, ¿de acuerdo? Porque la ama, por muy vampiro que sea. Ella le chupará la sangre y lo convertirá en muerto viviente. El vampirismo consiste en eso, Celeste: tiene su atractivo, por mucho que sepas que te matará, que condenará tu alma para la eternidad y que tendrás que pasarte el resto de tu vida mordiendo el cuello a la gente, escondiéndote del sol y de las brigadas del Vaticano. Quizá un día te despiertes y hayas olvidado en qué consiste ser humano. Si eso sucede, seguro que te acostumbras. Te han envenenado, pero ese veneno no es tan malo una vez que te has habituado a vivir con él. –Apoyó los pies en la mesa auxiliar y tomó un largo trago de cerveza–. De todos modos, eso es lo que pienso.

Celeste se quedó inmóvil, sentada en el brazo del sofá y observando a su marido.

–Dave, ¿de qué coño me estás hablando?

–De los vampiros, cariño. De los hombres lobo.

–¿De los hombres lobo? Lo que dices no tiene ningún sentido.

–¿Ah, no? Piensas que maté a Katie, Celeste. Eso sí que tiene sentido, ¿verdad?

–Yo no... ¿Qué te ha hecho pensar eso?

Manoseó la lata con los dedos y contestó:

–Antes de marcharte eras incapaz de mirarme a los ojos en la cocina de Jimmy. Sostenías el vestido como si ella aún estuviera dentro y no te atrevías a mirarme. Empecé a pensar en ello. ¿Por qué motivo me rechazaba mi propia esposa? Entonces lo vi claro: Sean. Te dijo algo, ¿verdad? Sean y esa rata que tiene por compañero te han estado haciendo preguntas.

–No.

–¿No? ¡No me lo creo!

A Celeste no le hacía ninguna gracia verlo tan tranquilo. Podría atribuirlo a la cerveza (Dave siempre había tenido borracheras muy tranquilas), pero en aquel momento había algo que no le acababa de gustar, la sensación de que algo le oprimía demasiado.

–David...

–¡Ahora vuelvo a ser «David»!

–... no pienso nada de eso. Tan sólo estoy confundida.

Ladeó la cabeza, la miró de nuevo y añadió:

–Pues saquémoslo todo, cariño. Una buena comunicación es lo más importante de una relación.

Tenía ciento cuarenta y siete dólares en la cartilla y un límite de quinientos dólares en la tarjeta de crédito, aunque ya se había gastado unos doscientos cincuenta. Aunque consiguiera sacar a Michael de allí, no llegarían muy lejos. Después de dos o tres noches en un motel, seguro que Dave les encontraría. Nunca había sido estúpido. Estaba convencida de que les encontraría.

La bolsa. Podría entregar la bolsa de basura a Sean Devine y él hallaría restos de sangre en la ropa de Dave. Había oído hablar de todos los avances que se habían llevado a cabo en las técnicas relacionadas con el ADN. Encontrarían la sangre de Katie en la ropa de Dave y le arrestarían.

–¡Venga! –insistió Dave–. ¡Hablemos, cariño! ¡Aclaremos las cosas! Te lo digo en serio. Me gustaría disipar tus temores.

–No estoy asustada.

–Pues lo parece.

–No lo estoy.

–De acuerdo. –Quitó los pies de encima de la mesa–. Cuéntame lo que te preocupa, cielo.

–Estás borracho.

Dave asintió con la cabeza y añadió:

–Es verdad; sin embargo, eso no quiere decir que no pueda mantener una conversación.

En la televisión, el vampiro decapitaba de nuevo a otra persona, esta vez un cura.

–Sean no me preguntó nada –repuso Celeste–. Les oí hablar mientras tú ibas a por los cigarrillos de Annabeth. No sé qué les has contado, Dave, pero no se lo creen. Saben que estuviste en el Last Drop cuando estaban a punto de cerrar.

–¿Qué más?

–Alguien vio nuestro coche en el aparcamiento a la hora en que Katie se marchó. Tampoco se creen la historia de cómo te lastimaste la mano.

Dave alzó la mano, la flexionó y dijo:

–¿Eso es todo?

–Es todo lo que oí.

–¿Y eso qué te ha hecho pensar?

Estuvo a punto de tocarle otra vez. Durante un momento, la amenaza parecía haberle abandonado el cuerpo y haber sido sustituida por una sensación de derrota. Lo notaba en sus hombros, en su espalda, y quería alargar los brazos y tocarle, pero se refrenó.

–Dave, cuéntales lo del atracador.

–El atracador.

–Sí. Tal vez te lleven a los tribunales. ¿Y qué? Eso es preferible a que te acusen de asesinato.

«Ahora es el momento –pensó–. Di que no lo hiciste. Di que nunca viste a Katie salir del Last Drop. Dilo, Dave.»

–Ya veo cómo te funciona la mente –espetó Dave–. De verdad que sí. Regresé a casa cubierto de sangre el mismo día en que Katie fue asesinada. Por lo tanto, debo de haberla matado.

–¿Y bien? –dijo Celeste de repente.

Dave dejó la cerveza sobre la mesa y empezó a reírse. Levantaba los pies del suelo, se apoyaba en los cojines del sofá y no paraba de reírse. Se reía como si le hubiera dado un ataque, cada vez que cogía aire para respirar se convertía en una sonora carcajada. Se reía tanto que las lágrimas le saltaban de los ojos y la parte superior del cuerpo le temblaba.

–Yo... yo... yo... –Era incapaz de decirlo.

La risa se lo impedía. Las ganas de reírse no le abandonaban y un torrente de lágrimas le caía por las mejillas y por la boca abierta, burbujeando sobre sus labios.

Era oficial: Celeste no había estado tan asustada en toda su vida.

–¡Ja, ja, ja, Henry! –exclamó, riéndose con menos intensidad.

–¿Qué?

–Henry –repitió–. Henry y George, Celeste. Así se llamaban. ¿No te parece divertido? Y déjame que te diga que George era curioso a más no poder. Henry, en cambio, era muy soso.

–¿De qué estás hablando?

–De Henry y de George –respondió alegremente–. Te estoy hablando de Henry y de George. Me llevaron a dar una vuelta. Una vuelta que duró cuatro días. Y me encerraron en un sótano con suelo de piedra y tan sólo un saco de dormir viejo y agujereado. Y Celeste, te puedo asegurar que se lo pasaron muy bien. Entonces no fue nadie a ayudar al pobre Dave. Nadie hizo ningún esfuerzo por rescatar a Dave. Dave tuvo que imaginarse que aquello le estaba pasando a otra persona. Tuvo que hacerse tan fuerte mentalmente que el cerebro se le partió en dos. Eso es lo que hizo Dave: morir. No tengo ni idea de quién diablos es el niño que salió de aquel sótano; bueno, de hecho, soy yo, pero no cabe ninguna duda de que no es Dave. Dave está muerto.

Celeste se quedó sin habla. En ocho años, Dave nunca había hablado de lo que todo el mundo sabía que le había sucedido. Lo único que le había contado es que se encontraba jugando con Jimmy y Sean cuando se lo llevaron, y que había conseguido escapar. Nunca le había explicado nada más ni había oído pronunciar los nombres de esos tipos. Jamás le había dicho lo del saco de dormir. Era la primera vez que oía todo aquello. Era como si en ese preciso momento se despertaran del sueño que había sido su matrimonio para enfrentarse, en contra de su voluntad, con todos los razonamientos, medias mentiras, deseos ocultos y personalidades secretas sobre las que lo habían construido. Observando cómo se desmoronaba al darse cuenta de la aplastante verdad de que nunca se habían conocido, que tan sólo habían esperado llegar a conseguirlo algún día.

—La cuestión —dijo Dave— es que es lo mismo que te estaba diciendo sobre los vampiros, Celeste. Es lo mismo. Se trata de lo mismo, joder.

—¿El qué? —susurró ella.

—Que no te puedes librar de eso. Una vez que está dentro, sigue ahí para siempre. —Miraba la mesita de nuevo y Celeste sentía cómo se iba alejando de ella.

Le acarició el brazo y le preguntó:

—Dave, ¿qué es de lo que no te puedes librar? ¿A qué te refieres con lo de lo mismo?

Dave le miró la mano como si estuviera a punto de clavarle los dientes con un gruñido y de arrancársela de la muñeca, y respondió:

—Ya no soy capaz de controlar mi mente, Celeste. Te advierto que ya no puedo fiarme de mi propia mente.

Apartó la mano y él sintió un hormigueo allí donde Celeste le había tocado.

Dave, vacilante, se puso en pie. Inclinó la cabeza y la miró como si no estuviera seguro de quién era y de cómo había ido a parar hasta su sofá. Se volvió hacia el televisor en el momento que James Woods disparaba la ballesta al pecho de alguien; luego, susurró:

–Cárgatelos a todos, asesino. Cárgatelos a todos.

Se volvió hacia Celeste, le dedicó una mueca de borracho y le anunció:

–Voy a salir.

–Muy bien –respondió ella.

–Voy a salir para pensar un rato.

–¡Sí, claro! –exclamó ella.

–Cuando consiga aclararme las ideas volveré a sentirme bien. Sólo necesito pensar un poco.

Celeste no preguntó qué era lo que necesitaba aclarar.

–Entonces, hasta luego –dijo, y se encaminó hacia la puerta principal. La abrió y ya había cruzado el umbral cuando Celeste vio que asía la puerta con la mano y que asomaba la cabeza.

–A propósito, ya me he encargado de la basura –apuntó, mirándola fijamente desde la puerta.

–¿Qué?

–De la bolsa de basura –respondió él–. De la bolsa donde metiste la ropa y todo lo demás. Hace un rato que me he deshecho de ella.

–¡Ah! –exclamó, y volvió a tener ganas de vomitar.

–¡Hasta luego!

–Sí –asintió Celeste mientras él desaparecía de su vista–. ¡Ya nos veremos!

Prestó atención a sus pisadas hasta que llegó al rellano de la planta baja. Oyó cómo crujía la puerta principal al abrirse y cómo Dave salía al porche y bajaba los escalones. Se asomó a la escalera que conducía al dormitorio de Michael y oyó que dormía profundamente. Después, se dirigió al cuarto de baño y vomitó.

No sabía dónde había aparcado Celeste el coche y era incapaz de encontrarlo. A veces, especialmente durante las tormentas de nieve, uno tenía que conducir ocho manzanas para encontrar un sitio donde aparcar; por lo tanto, Celeste bien podría haberlo aparcado en la colina, a pesar de que vio varios no muy lejos de su casa. De hecho, quizá no fuera tan importante, ya que, con toda probabilidad, estaba demasiado cansado para conducir y un buen paseo le ayudaría a serenarse.

Subió por la calle Crescent y cuando llegó a la avenida Buckingham, giró a la izquierda, preguntándose qué demonios le habría pasado por la cabeza para intentar explicar cosas a Celeste. ¡Santo cielo, incluso había pronunciado aquellos nombres: Henry y George! ¡Incluso había hablado de hombres lobo! ¡Mierda!

Además, se lo había confirmado: la policía sospechaba de él. No había duda de que le vigilarían. Se había acabado lo de considerar a Sean como un viejo amigo al que hacía mucho tiempo que no veía. Eso se había acabado y Dave empezó a recordar lo que le desagradaba de Sean cuando eran niños: el aire de superioridad, aquella certeza de que siempre tenía razón, como todos los demás niños que eran lo bastante afortunados (y sólo se trataba de eso, de suerte) para tener padre y madre, una casa bonita, ropa nueva y material deportivo.

¡Que se fuera a la mierda! Sean, sus ojos, su voz, y el hecho de que a las mujeres se les cayeran las bragas al suelo cada vez que Sean entraba en una habitación. A la mierda con él y con su atractivo. A la mierda con esa pose de superioridad moral, con sus historias divertidas, con su pavoneo de poli y con el hecho de que su nombre apareciera en el periódico.

Él tampoco tenía nada de estúpido. Cuando se hubiera relajado, sería capaz de estar a la altura de las circunstancias. Sólo necesitaba aclararse las ideas, aunque ello implicara quitarse y volverse a poner la cabeza; si ése fuera el caso, ya encontraría él una manera de hacerlo.

El problema más grave que tenía en ese momento era que el chico que había escapado de los lobos y que había crecido estaba haciendo acto de presencia muy a menudo. Dave había albergado la esperanza de tranquilizarle con lo que había hecho el sábado por la noche. Pensaba que habría calmado a aquel desgraciado, que lo habría devuelto a las profundidades de la mente de Dave. Esa noche, el chico había querido sangre, había deseado causar dolor; por lo tanto, Dave se había visto obligado a hacerlo.

Al principio, no había sido nada importante, unos puñetazos y una patada, pero luego había perdido el control, y Dave había sentido cómo la rabia iba en aumento a medida que el chico se apoderaba de él. Y el chico era un cliente exigente: no estaba contento hasta que veía trozos de cerebro.

Pero cuando todo había acabado, el chico se retiró. Se marchó y dejó que Dave se encargara de arreglarlo todo. Dave lo había hecho. Además, había realizado un trabajo estupendo (quizá no tan bien como habría esperado, pero decididamente muy bueno). Lo había llevado a cabo para que el chico se mantuviera alejado una buena temporada.

No obstante, el chico era un gilipollas. Allí estaba el chico otra vez llamando a su puerta, diciendo a Dave que iba a salir, al margen de que éste estuviera preparado o no. «Tenemos trabajo, Dave.»

La avenida le parecía un poco borrosa, y se movía de un lado a otro mientras andaba, pero Dave sabía que no faltaba mucho para llegar al Last Drop. Se estaban acercando a esas calles de mierda llenas de tipos raros y prostitutas, en las que la gente estaba encantada de vender lo que a Dave le habían arrancado.

«Me lo arrancaron a mí –dijo el chico–. Tú ya has crecido. No intentes llevar mi cruz.»

Los niños eran los peores. Parecían duendes. Salían disparados de las puertas o de los chasis de coches abandonados y se ofrecían a chupártela. Por sólo veinte pavos podías follar con ellos. Estaban dispuestos a todo.

El más joven, el que Dave había visto el sábado por la noche, no debía de tener más de once años. Tenía cercos de mugre alrededor de los ojos y una piel muy pálida, y una enmarañada mata pelirroja que no hacía más que subrayar su apariencia de duende. Debería haber estado en casa viendo comedias, pero en vez de eso estaba en la calle, ofreciendo mamadas a tipos raros.

Dave le había visto desde el otro lado de la calle mientras salía del Last Drop y se acercaba al coche. El chaval estaba apoyado en una farola, fumándose un cigarrillo, y cuando sus miradas se encontraron, Dave lo sintió: la emoción, el deseo de fundirse con él, de coger al chico pelirrojo de la mano y de llevárselo a un sitio tranquilo. Dar rienda suelta a sus deseos sería muy fácil, relajante y agradable. Rendirse a lo que había sentido, como mínimo, en los últimos diez años.

«Sí –le había dicho el chico–. Hazlo.»

No obstante (y ése era el instante en que el cerebro de Dave siempre se partía en dos), en lo más profundo de su alma sabía que estaba a punto de cometer el peor de los pecados. Sabía que cruzaría una línea, por muy atrayente que fuera, de la que no habría retorno posible. Sabía que si la cruzaba, nunca jamás sería capaz de sentirse entero, y que ya se podría haber quedado en ese sótano con Henry y George para el resto de su vida. Se lo repetía a sí mismo en situaciones tentadoras: cuando pasaba por delante de paradas de autobuses escolares y de parques, y de piscinas en verano. Intentaba convencerse a sí mismo de que no se convertiría ni en Henry ni en George. Él era mucho mejor que ellos. Tenía un hijo y amaba a su mujer. Sería fuerte. Cada año que pasaba se lo tenía que repetir a sí mismo con más frecuencia.

Sin embargo, no le había servido de nada el sábado por la noche. Nunca había sentido un deseo tan fuerte como el sábado. Además, había tenido la sensación de que el chico pelirrojo que estaba apoyado en la farola lo sabía. Le había sonreído tras el humo del cigarrillo, y Dave se había sentido atraído hacia la acera. Se sentía bajar descalzo por una pendiente de raso.

Al rato, un coche había aparcado al otro lado de la calle, y después de hablar un poco, el chaval, que había mirado a Dave con una expresión de lástima, se había subido al coche. Dave se había fijado en que el coche, un Cadillac de tonos azules y blancos, había avanzado por la avenida hasta llegar al aparcamiento del Last Drop. Dave entró en su propio coche, y el Cadillac se dirigió hacia la arboleda abandonada que se extendía a lo largo de la valla caída. El conductor apagó las luces, pero dejó el motor en marcha; el chico le había susurrado al oído: Henry y George, Henry y George, Henry y George...

Esa noche, antes de llegar al Last Drop, Dave había dado media vuelta a pesar de que el chico gritaba. No paraba de gritar: «Yo soy tú, yo soy tú, yo soy tú...».

Dave ansiaba detenerse y llorar. Quería apoyar los brazos en la pared más cercana y sollozar, porque sabía que el chico tenía razón. El chico que había escapado de los lobos y había crecido se había convertido en un lobo. Se había convertido en Dave.

Dave *el Lobo*.

Debía de haber sucedido recientemente, ya que Dave no recordaba ningún movimiento brusco del cuerpo que hubiera hecho que su alma se desvaneciera para dejar sitio libre a aquella nueva entidad. Sin embargo, había sucedido. Con toda probabilidad, mientras dormía.

No obstante, era incapaz de detenerse. Ese trozo de avenida era demasiado peligroso, y era muy probable que estuviera repleta de yonquis que verían a Dave, borracho como estaba, como una presa fácil. Sin ir más lejos, delante de sus mismas narices había un coche que avanzaba poco a poco, observándole, esperando a que exhalara olor a víctima.

Respiró profundamente y enderezó el paso, concentrándose en dar una apariencia de seguridad y frialdad. Alzó levemente los hombros, puso una mirada de «que te jodan», y se fue por el mismo camino por el que había ido, de vuelta hacia casa, sin sentirse más despejado, ya que el chico no cesaba de gritarle al oído; Dave decidió no hacerle caso. Eso sí que lo podía hacer. Era fuerte. Era Dave *el Lobo*.

En realidad, el chico sí bajó el tono de voz. Se volvió más familiar a medida que atravesaba las marismas para volver a casa.

«Yo soy tú –le dijo el chico en un tono amistoso–. Yo soy tú.»

Celeste, al salir de casa con Michael medio dormido en el hombro, vio que Dave se había llevado el coche. Lo había aparcado a media manzana de allí, sorprendida de conseguir un sitio donde aparcar a esas horas de la noche de un día laborable, pero en ese momento había un jeep azul en su lugar.

Eso no lo tenía previsto. Había planeado sentar a Michael en el asiento del copiloto, las bolsas en el de atrás y conducir los cuatro kilómetros que la separaban del motel Econo de la autopista.

–¡Mierda! –exclamó en voz alta, reprimiendo el deseo de gritar.

–¿Mamá? –musitó Michael.

–Todo va bien, Mike.

Y quizá fuera así, porque levantó los ojos y vio un taxi que doblaba la esquina de la calle Perthshire en dirección a la avenida Buckingham. Celeste alzó la mano con la que sostenía la bolsa de Michael, y el taxi se detuvo ante ella. Celeste pensó que bien podía permitirse el lujo de gastarse los seis dólares que le iba a costar el trayecto hasta el motel. Estaba dispuesta a gastarse cien dólares, si con ello conseguía salir de allí, e irse lo bastante lejos para reflexionar sin tener que estar pendiente del pomo de la puerta y de si regresaba el hombre que ya había decidido que ella era una vampira, merecedora tan sólo de que le clavaran una estaca en el corazón y una decapitación rápida para asegurarse.

–¿Adónde se dirige? –preguntó el taxista mientras Celeste dejaba las bolsas en el asiento y se sentaba junto a ellas con Michael en el hombro.

«A cualquier parte –le quería decir–. A cualquier parte menos aquí.»

IV

Aburguesamiento

22

El pez cazador

–¡Que te has llevado su coche! –exclamó Sean.

–Sólo ordené que lo hicieran –respondió Whitey–. No es lo mismo.

Mientras se alejaban del tráfico de la hora punta de la mañana y se dirigían hacia la rampa de salida de East Buckingham, Sean le preguntó:

–¿Con qué pretexto?

–Con el de que estaba abandonado –contestó Whitey, silbando alegremente mientras giraba la esquina de la calle Roseclair.

–¿Dónde? –preguntó Sean–. ¿Delante de su casa?

–¡No! –exclamó Whitey–. Encontraron el coche en la alameda de Rome Basin. Por suerte, dicha alameda se encuentra bajo jurisdicción estatal, ¿no es verdad? Según parece, alguien lo robó, fue a dar una vuelta, y luego lo abandonó. Esas cosas pasan muy a menudo, ¿sabes?

Esa mañana, Sean se había despertado de un sueño en el que sostenía a su hija en brazos y había pronunciado su nombre, a pesar de que no lo sabía, y no podía recordar lo que había dicho en el sueño; por lo tanto, aún se sentía un poco confuso.

–Hemos encontrado sangre –declaró Whitey.

–¿Dónde?

–En el asiento delantero del coche de Boyle.

–¿Cuánta?

Whitey, separando un poco el dedo pulgar del índice, contestó:

–Un poco, pero hemos encontrado más en el maletero.

–En el maletero –repitió Sean.

–En efecto, ahí hemos encontrado mucha.

–¿Y bien?

–Pues que está en el laboratorio.

–No –replicó Sean–, lo que te quiero decir es qué pasa si han encontrado sangre en el maletero. A Katie Marcus nunca la pusieron en ningún maletero.

–Sí, claro, eso dificulta las cosas.

–Sargento, le reprenderán por haber examinado el coche.

–No.

–¿No?

–El coche fue robado y abandonado bajo jurisdicción estatal. Lo hice puramente por motivos del seguro y, además, podría añadir que, para mayor beneficio del propietario...

–Ha llevado a cabo una investigación y ha redactado un informe.

–¡Qué rápido eres, chico!

Aparcaron delante de la casa de Dave Boyle. Whitey apagó el motor y dijo:

–Tengo suficientes pruebas para llevarlo a comisaría e interrogarlo. En este momento es lo único que quiero.

Sean asintió con la cabeza, a sabiendas de que era inútil tratar de discutir con él. Whitey se había convertido en sargento del Departamento de Homicidios a causa de su incansable tenacidad con respecto a sus corazonadas. Uno no tenía más remedio que soportarlas.

–¿Qué han dicho los de Balística? –preguntó Sean.

–Los resultados también son un tanto extraños –contestó Whitey mientras observaban la casa de Dave desde el coche, ya que el sargento no parecía tener ninguna prisa en salir de allí–. La pistola era una Smith del 38, tal como nos habíamos imaginado. Era parte del armamento que le robaron a un traficante de armas de New Hampshire en el ochenta y uno. La misma pistola que mató a Katherine Marcus fue utilizada en un atraco que se produjo en una tienda de licores en el ochenta y dos. Aquí mismo, en Buckingham.

–¿En las marismas?

Whitey negó con la cabeza y añadió:

–En Roman Basin, en un lugar llamado Looney Liquors. Lo atracaron dos hombres y ambos llevaban caretas de goma. Entraron por la puerta trasera después de que el propietario cerrara las puertas de delante, y el primer tipo que entró disparó una bala de aviso que atravesó una botella de whisky de centeno y quedó incrustada en la pared. El robo se produjo sin ningún otro altercado, pero recuperaron la bala. Los de Balística han verificado que procedía de la misma pistola que mató a Katie Marcus.

–Eso cambia el rumbo de la investigación, ¿no crees? –insinuó Sean–. En el ochenta y dos Dave tenía diecisiete años y acababa de empezar a trabajar para Raytheon. No creo que por aquel entonces se dedicara a atracar tiendas.

–Eso no implica que la pistola hubiera podido caer en sus manos. ¡Joder, tío, ya sabes con qué facilidad pasa de un lado a otro! –Whitey no parecía tan seguro como la noche anterior–. ¡Vamos a por él! –abrió la puerta del coche de golpe.

Sean salió del coche y ambos se encaminaron hacia la casa de Dave; Whitey manoseaba las esposas que le colgaban de la cadera como si albergara la esperanza de encontrar una excusa para poder usarlas.

Jimmy aparcó el coche y atravesó el aparcamiento de alquitrán descascarillado con una bandeja de cartón repleta de tazas de café y una bolsa de donuts, en dirección al río Mystic. Los coches pasaban a toda velocidad entre las arcadas metálicas del puente Tobin. Katie estaba arrodillada junto a la orilla con Ray Harris, y los dos observaban el río de cerca. Dave Boyle también estaba allí, con la mano tan hinchada que parecía un guante de boxeo. Dave estaba sentado en una tumbona junto a Celeste y Annabeth. Celeste tenía una especie de cremallera en la boca y Annabeth fumaba dos cigarrillos a la vez. Los tres llevaban gafas de sol negras y ninguno miraba a Jimmy. Miraban fijamente la cara inferior del puente, y despedían cierto aire que parecía indicar que preferirían que nadie les molestara y que les dejaran solos en las tumbonas.

Jimmy dejó el café y los donuts junto a Katie y se arrodilló entre ella y Ray Harris. Miró el agua y vio su reflejo, y también el de Katie y el de Ray mientras se volvían hacia él. Ray sujetaba un gran pez rojo, todavía vivo, entre los dientes.

–Se me ha caído el vestido al río –dijo Katie.

—Pues no lo veo —repuso Jimmy.

El pez se soltó de los dientes de Ray Harris y cayó al agua; se veía alejarse sobre la superficie del agua.

—Él lo cogerá. Es un pez cazador —afirmó Katie.

—Tenía sabor a pollo —añadió Ray.

Jimmy sintió la cálida mano de Katie en su espalda, y luego sintió la de Ray en la nuca.

—¿Por qué no vas a buscarlo, papá? —le sugirió Katie.

Le empujaron hasta el agua y Jimmy vio cómo el agua negra y el pez se alzaban para darle la bienvenida; Jimmy sabía que iba a ahogarse. Abrió la boca para gritar y el pez se le metió dentro, impidiéndole respirar, y cuando su rostro se sumergió en el agua, ésta le pareció pintura negra.

Abrió los ojos, volvió la cabeza y vio que el reloj marcaba las siete y dieciséis minutos; ni siquiera recordaba haberse metido en la cama. Sin embargo, debía de haberlo hecho, porque ahí estaba él, con Annabeth durmiendo a su lado. Se despertó pensando en el nuevo día y en que tenía que pasar a recoger una lápida en menos de una hora, mientras Ray Harris y el río Mystic seguían llamando a su puerta.

La clave de un buen interrogatorio estaba en conseguir el máximo de tiempo antes de que el sospechoso solicitara la presencia de su abogado. En los casos difíciles (los de traficantes, violadores, motoristas y mafiosos), siempre pedían un abogado sin deliberación. Podías hacerles algunas preguntas, intentar ponerles nerviosos antes de que se presentara el abogado, pero por lo general, tenías que basarte en pruebas para poder llevar el caso. Sean casi nunca había sacado nada de llevarse a uno de esos tipos duros a la comisaría.

En cambio, cuando tratabas con ciudadanos normales y corrientes o con delincuentes aficionados, siempre acababas por resolver los casos durante el interrogatorio. El caso de «violencia en la carretera», hasta entonces el más importante de Sean, se había resuelto de aquel modo. En las afueras de Middlesex, un tipo regresaba a casa una noche, y el neumático delantero de la derecha salió disparado de su coche deportivo cuando iba a ciento treinta kilómetros por hora. El neumático se soltó y siguió rodando por la autopista. El deportivo dio nueve o diez vueltas de campana y el tipo, Edwin Hurka, murió en el acto.

Resultó que las tuercas de los neumáticos delanteros estaban sueltas. Creían que se trataba de un caso de homicidio involuntario, ya que casi todo el mundo pensaba que había sido un error del mecánico; Sean y su compañero, Adolph, averiguaron que la víctima se había hecho cambiar los neumáticos unas cuantas semanas antes del accidente. Sin embargo, Sean había encontrado un trozo de papel en la guantera del coche que le preocupaba. Era el número de una matrícula apuntado con prisas, y cuando Sean lo verificó en el ordenador del Registro de Vehículos, vio que pertenecía a un tal Alan Barnes. Sean se había presentado en casa de Barnes, y le había preguntado al tipo que había abierto la puerta si él era Alan Barnes. El hombre, que estaba muy nervioso, le había preguntado: «Sí, ¿por qué?». Y Sean, sintiendo su nerviosismo, le había dicho: «Me gustaría hablar con usted sobre unas tuercas».

Barnes se desmoronó allí mismo. Contó a Sean que sólo tenía la intención de hacer un pequeño estropicio en el coche, que lo único que quería era asustarle; una semana antes habían discutido en el carril que conducía al túnel del aeropuerto, y Barnes estaba tan enfadado al final de la discusión que se había quedado atrás, había faltado a su cita, y había seguido a Edwin Hurka hasta su casa, y antes de manipular los neumáticos, había esperado a que Hurka hubiera apagado todas las luces de su casa.

La gente era estúpida. Se mataba por las cosas más tontas, esperaban a que los pillaran, y se declaraban inocentes en el tribunal después de entregar a la policía una confesión firmada de cuatro páginas. La mejor arma de la policía era saber hasta qué punto eran estúpidos. Dejarles hablar. Siempre. Dejar que se explicaran. Dejarles confesar su culpa mientras uno les iba ofreciendo tazas de café y las bobinas de la grabadora seguían girando.

Cuando pedían un abogado (el ciudadano medio casi siempre lo pedía), uno fruncía el entrecejo y les preguntaba si estaban seguros de si era aquello lo que querían en realidad; luego uno dejaba que las vibraciones negativas llenaran la sala hasta que decidieran que querían ser todos amigos; con eso quizá hablaran un poco más antes de que llegara el abogado y estropeara la disposición de ánimo.

Sin embargo, Dave no solicitó la presencia de un abogado. Ni una sola vez. Se sentó en una silla que chirriaba cada vez que se inclinaba hacia atrás. Parecía tener resaca, y estar enfadado y molesto, especialmente con Sean, aunque no parecía ni asustado ni nervioso; Sean se daba cuenta de que Whitey empezaba a ponerse tenso.

–Mire, señor Boyle –apuntó Whitey–, sabemos que se marchó del McGills antes de lo que nos dijo. Sabemos que media hora más tarde se encontraba en el aparcamiento del Last Drop, a la misma hora en que se marchó Katie Marcus. Y estamos totalmente seguros de que no se lastimó la mano contra una pared mientras jugaba una partida de billar.

Dave soltó un gemido y les sugirió:

–¿Por qué no me traen un Sprite o algo así?

–Enseguida –respondió Whitey por cuarta vez en la media hora que llevaban allí–. Cuéntenos lo que sucedió aquella noche, señor Boyle.

–Ya lo he hecho.

–Nos ha mentido.

Dave se encogió de hombros y exclamó:

–¡Si es eso lo que creen!

–No –replicó Whitey–. Son los hechos. No nos dijo la verdad respecto a la hora en que se marchó del McGills. El maldito reloj dejó de funcionar cinco minutos antes de la hora que nos dijo que se había marchado, señor Boyle.

–¿Cinco minutos enteros?

–¿Cree que esto es divertido?

Dave se reclinó en la silla y Sean esperó oír el crujido que emitía antes de doblarse, pero no lo oyó, ya que Dave no se apoyó del todo.

–No, sargento, no me parece divertido. Estoy cansado y tengo resaca. Además de robarme el coche, ahora me dice que no piensa devolvérmelo. Está empeñado en que me fui del McGills cinco minutos antes de lo que dije.

–Como mínimo.

–De acuerdo, lo reconozco. Tal vez lo hiciera. No miro el reloj con tanta frecuencia como ustedes. Así pues, si dicen que me marché del McGills a la una menos diez en vez de a la una menos cinco, pues muy bien. Quizá tengan razón. Eso es todo, porque después regresé directamente a casa. No fui a ningún otro bar.

–Le vieron en el aparcamiento del...

–No –replicó Dave–, vieron un Honda con la parte delantera abollada. ¿De acuerdo? ¿Sabe cuántos Hondas hay en esta ciudad? ¡Venga, hombre!

–Sin embargo, ¿cuántos debe de haber que tengan una abolladura en el mismo sitio que el suyo, señor Boyle?

Dave se encogió de hombros y contestó:

–Supongo que un montón.

Whitey se volvió hacia Sean y éste se dio cuenta de que estaban perdiendo la batalla. Dave tenía razón: seguramente podrían encontrar veinte Hondas con una abolladura en la parte delantera. Veinte, como mínimo. Y si Dave ya era capaz de rebatirles su teoría, no había duda de que su abogado lo haría mejor.

Whitey se colocó detrás de la silla de Dave y le sugirió:

–Cuéntenos cómo llegó esa sangre a su coche.

–¿Qué sangre?

–La sangre que encontramos en el asiento delantero. Empecemos por ahí.

–¿Qué pasa con mi Sprite, Sean? –preguntó Dave.

–Ahora te lo traigo –contestó Sean.

Dave sonrió y añadió:

–Veo que eres un poli bueno. De paso, ¿por qué no me traes un bocadillo de albóndigas?

Sean, que ya estaba levantándose, se sentó de nuevo y dijo:

–No soy tu criada, Dave. Parece que tendrás que esperarte un poco.

–Pero sí que eres la criada de alguien, ¿no es verdad, Sean? –lo dijo con una mirada maliciosa y un tono de superioridad.

Sean empezó a pensar que quizá Whitey tuviera razón. Sean se preguntó si su padre, al ver a ese Dave Boyle, tendría la misma opinión de él que la noche anterior.

–La sangre del asiento delantero –repitió Sean–. Haz el favor de responder al sargento.

Dave alzó la mirada hacia el sargento y dijo:

–Tenemos una valla de tela metálica en el patio trasero de casa. Sabe de qué le hablo, ¿no? Esas cuya parte superior se dobla hacia dentro. El otro día estaba arreglando el patio, ya que mi casero es muy mayor, y si me ocupo del mantenimiento no me sube el precio del alquiler. Así pues, estaba cortando esos tallos parecidos al bambú...

Whitey suspiró, pero Dave no pareció darse cuenta.

–... y resbalé. Sostenía unas tijeras de podar en la mano y no quería soltarlas, así que al resbalar, me caí encima de la valla de tela metálica y me corté. –Se pasó la mano por el pecho–. Aquí mismo. No fue nada grave, pero sangré sin parar. Diez minutos más tarde, tenía que ir a recoger a mi hijo, que estaba entrenándose para la liga infantil de béisbol. Supongo que, cuando me senté en el coche, aún no había parado de sangrar. Es la única explicación que se me ocurre.

–Entonces la sangre del asiento delantero es suya –concluyó Whitey.

–Tal como le he dicho, es la única explicación que se me ocurre.

–¿Qué grupo sanguíneo tiene?

–B negativo.

Whitey le sonrió mientras andaba alrededor de la silla y se apoyaba en el borde de la mesa.

–¡Qué raro! Es del mismo grupo sanguíneo que la sangre que encontramos en el asiento delantero.

Dave alzó las manos y exclamó:

–¿Lo ven?

Whitey imitó el gesto que Dave había hecho con las manos, y añadió:

–¿Le importaría explicarnos de dónde procede la sangre del maletero? No es del grupo B negativo.

–No sabía que hubiera sangre en mi maletero.

Whitey soltó una risita y le preguntó:

–¿No tiene ni idea de cómo un cuarto de litro de sangre ha ido a parar al maletero de su coche?

–No, no lo sé –contestó Dave.

Whitey se le acercó, le dio una palmada en la espalda, y añadió:

–Creo que debería decirle, señor Boyle, que así no vamos a llegar a ninguna parte. ¿Cómo cree que va a quedar ante el tribunal cuando afirme que no sabe cómo la sangre de otra persona fue a parar al maletero de su coche?

–Supongo que bien.

–¿Qué se lo hace pensar?

Dave se reclinó de nuevo en la silla y Whitey apartó la mano.

–Usted mismo redactó el informe, sargento.

–¿Qué informe? –preguntó Whitey.

Sean lo vio venir y pensó: «¡Mierda! ¡Nos ha pillado!».

–El informe del coche robado –respondió Dave.

–¿Qué quiere decir con eso?

–Pues que ayer por la noche yo no tenía el coche. No sé lo que hizo con él la persona que lo robó, pero tal vez quiera usted averiguarlo, porque no parece que fuese nada bueno.

Durante unos largos treinta segundos, Whitey permaneció en silencio, y Sean se percató de que empezaba a comprenderlo: se había pasado de listo y se había metido en un buen lío. Cualquier cosa que encontraran en ese coche no sería aceptada ante el tribunal, porque el abogado de Dave podría sostener que lo habían puesto allí los mismos ladrones.

–La sangre estaba seca, señor Boyle. Llevaba allí bastante tiempo.

–¿De verdad? –exclamó Boyle–. ¿Puede probarlo? ¿Con pruebas decisivas, sargento? ¿Está seguro de que no se secó con rapidez? Al fin y al cabo, ayer no fue una noche muy húmeda.

–Podemos probarlo –afirmó Whitey, pero Sean pudo oír la duda en su voz, y estuvo seguro de que Dave también lo percibió.

Whitey alzó los codos de la mesa y se volvió de espaldas a Dave.

Se tapó la boca con los dedos y empezó a darse golpecitos en el labio superior, mientras se dirigía hacia Sean con la mirada puesta en el suelo.

–¿Qué probabilidades hay de que me traigan el Sprite? –preguntó Dave.

–Vamos a traer al niño con el que habló Souza, ese que vio el coche. Tommy...

–Moldanado –añadió Sean.

–Eso es –asintió Whitey, con un tono de voz apagado y una expresión de aturdimiento en el rostro; la mirada de alguien al que le han quitado la silla de debajo, y que se encuentra de pronto sentado en el suelo, preguntándose cómo ha ido a parar hasta allí–. Sí, pondremos a Boyle entre unos cuantos sospechosos, a ver si Moldanado lo reconoce.

–¡Más vale eso que nada! –exclamó Sean.

Whitey se apoyó en la pared del pasillo mientras una secretaria pasaba por delante de ellos; llevaba el mismo perfume que Lauren, y Sean pensó que quizá la llamara al móvil para saber cómo le iban las cosas y para ver si le hablaba.

–Se siente demasiado cómodo –comentó Whitey–. Es la primera vez que lo llevan a la comisaría y ni siquiera está sudando.

–Sargento, esto no pinta nada bien, ¿sabe?

–¡No hace falta que me lo recuerdes!

–Lo que quiero decir es que aunque no nos reprendieran por lo del coche, la sangre no coincide con el grupo sanguíneo de Katie Marcus. No tenemos nada que pueda relacionarlo con el caso.

Whitey se volvió hacia la puerta de la sala de interrogatorios y declaró:

–Puedo acabar con él.

–Acaba de machacarnos, sargento –replicó Sean.

–Ni siquiera he empezado.

Sean, no obstante, se lo notaba en la cara: la duda, el primer fallo de su corazonada principal. Whitey era tozudo, y si creía que tenía razón podía llegar a ser cruel, pero era lo bastante inteligente para no insistir con una corazonada que presentaba un montón de lagunas cada vez que intentaba justificarla.

–Mira –dijo Sean–, dejémosle que sude un poco ahí adentro.

–¡Pero si no suda!

–Puede que empiece a hacerlo, si le dejamos solo y comienza a pensar.

Whitey, que observaba la puerta como si deseara prenderle fuego, contestó:

–Puede que tengas razón.

–Creo que es la pistola –dijo Sean–. Deberíamos averiguar algo más sobre ella.

Whitey hizo una mueca, y al cabo de un rato asintió:

–Sí, deberíamos obtener más información sobre la pistola. ¿Te encargas tú de hacerlo?

–¿La tienda todavía pertenece al mismo propietario?

–No lo sé –respondió Whitey–. El archivo del caso es del año ochenta y dos; por aquel entonces, el propietario era Lowell Looney.

Sean sonrió al oír el nombre y dijo:

–Tiene un nombre gracioso, ¿no crees?

–¿Por qué no te llegas hasta la tienda? –sugirió Whitey–. Yo vigilaré al desgraciado ese a través del cristal, a ver si empieza a cantar canciones sobre chicas muertas en el parque.

Lowell Looney debía de tener unos ochenta años, aunque parecía capaz de ganar a Sean en una carrera de cien metros lisos. Llevaba una camiseta naranja del gimnasio Porter, pantalones de chándal azules con ribetes blancos y unas Reebok relucientes; por la forma de moverse, era evidente que sería capaz de coger la botella de la estantería más alta si alguien se lo pidiera.

–Ahí mismo –le dijo a Sean, señalando una hilera de botellas de medio litro que había tras el mostrador–. Atravesó una botella y se quedó incrustada en esa pared.

–Espeluznante, ¿no cree? –espetó Sean.

El viejo se encogió de hombros y respondió:

–Quizá se lo parezca, pero me asustan más algunas de las noches que he tenido que soportar. Hará unos diez años, un tipo muy excéntrico me apuntó con una pistola en la cara; tenía una mirada de perro rabioso y no cesaba de parpadear a causa del sudor. ¡Eso sí que me asustó, hijo! Sin embargo, los que incrustaron la bala esa en la pared eran profesionales. Con ésos no tengo ningún problema. Sólo quieren el dinero, no están cabreados con el mundo.

–Así pues, esos dos tipos...

–¡Venga a la trastienda! –exclamó Lowell Looney, moviéndose a toda velocidad hacia el otro extremo del mostrador, del que colgaba una cortina negra–. Ahí atrás hay una puerta que conduce a la zona de carga y descarga. Por aquel entonces tenía un chaval que trabajaba para mí a media jornada, y cada vez que sacaba la basura se fumaba un porrito ahí afuera. Cuando volvía a entrar, más de la mitad de las veces se olvidaba de cerrar la puerta con llave. O era cómplice de los atracadores o le habían observado lo suficiente para saber que era un descerebrado. Esa noche, entraron por la puerta abierta, dispararon al aire para avisarme de que no cogiera mi pistola, y se llevaron lo que habían venido a buscar.

–¿Cuánto le robaron?

–Seis mil dólares.

–¡Eso es mucha pasta! –exclamó Sean.

–Los jueves solía cobrar cheques –explicó Lowell–. Ahora ya no lo hago, pero entonces era estúpido. Sin lugar a dudas, si los ladrones hubieran sido un poco más listos, me habrían atracado por la mañana, antes de que cambiara muchos de los cheques. –Se encogió de hombros–. Le he dicho que eran profesionales, pero supongo que no eran de los más listos.

–El chico que dejó la puerta abierta... –dijo Sean.

–Se llama Marvin Ellis –respondió Lowell–. Quizá estuviera involucrado. Le despedí al día siguiente. La cuestión es que supongo que hicieron ese disparo porque sabían que yo guardaba un arma debajo del mostrador. Y no es que yo lo fuera diciendo por ahí; por lo tanto, o se lo dijo Marvin o uno de los dos atracadores había trabajado aquí con anterioridad.

–¿Le contó todo eso a la policía?

–¡Claro! –El viejo agitó el brazo al recordarlo–. Revisaron mis archivos e interrogaron a toda la gente que había trabajado para mí. Por lo menos, eso es lo que me dijeron. Nunca arrestaron a nadie. ¿Dice que se ha usado la misma pistola en otro delito?

–Sí –contestó Sean–. Señor Looney...

–¡Por el amor de Dios! ¡Llámeme Lowell, por favor!

–Lowell –preguntó Sean–, ¿aún guarda la lista de los antiguos empleados?

Dave miraba fijamente el espejo semitransparente de la Sala de Interrogatorios, a sabiendas de que el compañero de Sean, y quizá el mismo Sean, le estaría observando desde el otro lado.

«Bien.

»¿Cómo va todo? Estoy disfrutando de mi Sprite. ¿Qué le ponen? ¿Limón? Eso es. Me gusta mucho el limón, sargento. Mmmm, ¡qué bueno! ¡Sí, señor! ¡Qué ganas tengo de que me traigan otra lata!»

Dave miraba directamente al centro del espejo desde el otro lado de la larga mesa, y se sentía muy bien. Cierto, no sabía dónde estaban Celeste y Michael, y ese hecho le enturbiaba el cerebro mucho más que las quince cervezas que se había tragado la noche anterior. Pero ella volvería. Parecía recordar que el día anterior la había asustado. Sin lugar a dudas, no tenía mucho sentido haberle hablado de vampiros y de cosas que te entran en el cuerpo para siempre; tal vez se hubiera asustado un poco.

No podía echarle la culpa de eso. En realidad, no tendría que haber permitido que el chico tomara el control y mostrara su lado más oscuro y salvaje.

Pero al margen de que Celeste y Michael se hubieran ido, se sentía fuerte. La indecisión de los últimos días había desaparecido. ¡Incluso había conseguido dormir seis horas seguidas la noche anterior! Se había despertado con una sensación de pesadez y con la boca seca, como si la cabeza le cayera por el peso del granito, pero aun así, se sentía despejado.

Sabía quién era. Sabía que había hecho lo que tenía que hacer. Matar a alguien (y Dave ya no podía seguir culpando al chico, porque era él, Dave, el que había perpetrado el asesinato) le había fortalecido. Había oído que en ciertas civilizaciones antiguas se comían los corazones de la gente que asesinaban. Al comerse los corazones, poseían a los muertos. Les daba poder, el poder de dos, el espíritu de dos. Dave se sentía de ese modo. No, no se había comido el corazón de nadie. No estaba tan loco. No obstante, había sentido la gloria del depredador. Había matado. Había hecho lo que debía. Había apaciguado el monstruo que tenía dentro, el engendro que se moría por coger a un niño de la mano y fundirse con él en un abrazo.

Ese monstruo había desaparecido para siempre. Se había ido al infierno con la víctima de Dave. Al matar a alguien, había aniquilado su parte más débil, a ese monstruo que le había poseído desde que tuviera once años, de pie junto a su ventana, mirando la fiesta que celebraban en la calle Rester para festejar su retorno. En esa fiesta se había sentido débil e indefenso. Había tenido la sensación de que la gente se reía de él en secreto, los padres sonriéndole con la más falsa de las sonrisas; más allá de sus rostros, alcanzaba a ver que en el fondo sentían lástima por él, le temían y le odiaban, y él tuvo que marcharse de la fiesta para huir de ese odio que le hacía sentir como un trapo sucio.

Pero ahora el odio de los demás le fortalecería, porque ahora tenía un secreto que era mucho mejor que el anterior, ese que, de todos modos, todo el mundo parecía adivinar. Ahora tenía un secreto que, en vez de debilitarlo, le hacía poderoso.

Tenía ganas de decir a la gente: «Acércate, tengo un secreto. Si te acercas un poco más, te lo susurraré al oído».

«He matado a alguien.»

Dave miró fijamente al poli gordo que había al otro lado del espejo:

«He matado a alguien, y no puedes probarlo.»

«¿Quién es el débil, ahora?»

Sean encontró a Whitey en la oficina del otro lado del espejo semitransparente de la Sala de Interrogatorios C. Tenía un pie apoyado en un viejo sillón de piel; observaba a Dave y bebía café.

–¿Ya has hecho la rueda de reconocimiento?

–Todavía no –respondió Whitey.

Sean se sentó junto a él. Dave les miraba fijamente a los ojos; daba la impresión de que podía verles. Y lo que aún era más extraño es que les sonreía; levemente, pero les sonreía.

–No te encuentras muy bien, ¿verdad? –preguntó Sean.

Whitey se volvió hacia él y le respondió:

–He tenido días mejores.

Sean asintió con la cabeza.

Whitey, señalando a Dave con la taza de café, exclamó:

–¡Sé que has hecho algo, desgraciado! ¡Cuéntamelo!

Sean deseaba alargarlo un poco más, dejar que Whitey se pusiera nervioso con la espera, pero al final no tuvo valor para hacerlo.

–He averiguado que cierta persona trabajaba en la tienda de licores de Looney.

Whitey dejó la taza de café sobre la mesa que había detrás de él, quitó el pie de encima del sillón y preguntó:

–¿De quién se trata?

–De Ray Harris.

–¿Ray...?

Sean sintió cómo una sonrisa le iluminaba el rostro.

–El padre de Brendan Harris, sargento. Además, tiene antecedentes penales.

23

El pequeño Vince

Whitey estaba sentado en el escritorio vacío delante del de Sean, con el informe de libertad condicional en la mano: «Raymond Matthew Harris. Nació el 6 de septiembre de 1955. Se crió en el número 12 de la calle Mayhew de las marismas de East Bucky. Madre, Delores, ama de casa. Padre, Seamus, jornalero que abandonó a la familia en 1967. El padre fue arrestado por hurto menor en 1973 en Bridgeport, Connecticut. Después fue arrestado varias veces por conducción en estado de embriaguez y por otros muchos cargos. En 1979, el padre murió de un infarto de miocardio en Bridgeport. Ese mismo año, Raymond se casó con Esther Scannell (vaya cabrón más afortunado), y empezó a trabajar como maquinista para el metro de la Asociación de Transporte Metropolitano de Boston. El primer hijo, Brendan Seamus, nació en 1981. A finales de aquel año, Raymond fue procesado por estafa, por haber malversado veinte mil dólares en billetes de metro. Al final desestimaron la acusación, pero Raymond perdió su empleo en la Asociación de Transporte Metropolitano de Boston a causa del pleito. Después de eso, realizó diversos trabajos: empleado eventual para una empresa de restauración de edificios, encargado de almacén en la tienda de licores Looney, camarero, conductor de carretilla elevadora. Perdió el último empleo a causa de la desaparición de una pequeña cantidad de dinero. Una vez más, le acusaron, desestimaron la acusación y le despidieron. En 1982 le interrogaron en relación con el atraco de la licorería, pero le soltaron por falta de pruebas. Ese mismo año, también le interrogaron por el atraco de la licorería Blanchard en el condado de Middlesex; una vez más, lo dejaron marchar por falta de pruebas».

–No obstante, empezaba a labrarse una reputación –apuntó Sean.

–Sí, se estaba haciendo famoso –asintió Whitey–. Uno de sus colegas, un tal Edmund Reese, lo acusó de haber cometido un robo a mano armada para apoderarse de una colección de cómics antiguos...

–¡Robó una colección de cómics! –exclamó Sean–. ¡Realmente vas a por todas, Raymond!

–Era una colección valorada en ciento cincuenta mil dólares –añadió Whitey.

–¡Ah, entonces...!

–Raymond devolvió la colección en buen estado y le condenaron a cuatro meses de cárcel, a un año de libertad condicional, y sólo cumplió dos meses de condena. Según parece, salió de la cárcel con un pequeño problema de adicción a las sustancias químicas.

–¡Caramba con Raymond!

–Evidentemente era adicto a la cocaína, ya que estamos hablando de la década de los ochenta, y entonces fue cuando su lista de delitos empezó a crecer. De un modo u otro, Raymond fue lo bastante listo para mantener en secreto lo que fuera que hiciera para pagarse la cocaína, pero no lo suficiente para que no le pillaran en sus intentos por obtener el mencionado narcótico. Violó la libertad condicional y se pasó un año entero en la cárcel.

–Donde aprendió a reconocer las faltas en que había incurrido.

–Según parece, no. Lo arrestó un equipo conjunto de la Unidad de Delitos Mayores y del FBI por traficar con mercancía robada en diversos Estados. Esto te va a encantar. Adivina lo que robó. Piensa que estoy hablando del ochenta y cuatro.

–¿No me das ninguna pista?

–Déjate guiar por el instinto.

–Cámaras.

Whitey le lanzó una mirada y añadió:

–¡Cámaras, joder! ¡Ve a buscarme un poco de café, ya que has dejado de ser poli!

–¿Qué robó?

–Juegos del Trivial Pursuit –contestó Whitey–. Nunca te lo habrías imaginado, ¿verdad?

–Cómics y Trivial Pursuit. No se puede negar que nuestro hombre tiene estilo.

–No obstante, también tiene su parte de fracasos. Robó el camión en Rhode Island, y lo condujo hasta Massachusetts.

–Por eso tiene antecedentes en varios Estados.

–Por eso mismo –contestó Whitey mientras le lanzaba otra mirada–. Podemos decir que lo tenían bien pillado, pero no cumplió condena.

Sean se incorporó en el asiento, quitó los pies de encima de la mesa, y preguntó:

–¿Crees que colaboró con la policía?

–Eso parece –respondió Whitey–. Después de eso, nunca más se le acusó de nada. El que se ocupaba de hacer el seguimiento de su libertad condicional afirma que no se saltó ninguna de las citas hasta que le dejaron en libertad a finales del ochenta y seis. ¿Qué dice el informe de su situación laboral?

Whitey miró a Sean por encima del informe.

–¿Ya puedo hablar? –preguntó Sean, abriendo su propio informe–. Relación de empleos, informe fiscal, pagos a la Seguridad Social... Todo se interrumpe en agosto de 1987. ¡Puf, desaparecido!

–¿Lo has verificado en el ámbito nacional?

–La solicitud se está tramitando en este mismo momento, buen hombre.

–¿Qué posibilidades hay?

Sean volvió a apoyar los zapatos en la mesa, se reclinó en el sillón, y contestó:

–Primera, que esté muerto; segunda, que tenga protección policial por haber sido testigo; tercera, que estuviera muy bien escondido y sólo volviera al barrio para pegarle un tiro a la novia de diecinueve años de su hijo.

Whitey lanzó el informe encima de la mesa vacía y exclamó:

–¡Ni siquiera sabemos si la pistola es suya! ¡No sabemos nada! ¿Qué estamos haciendo aquí, Devine?

–Nos estamos preparando para el combate, sargento. ¡Venga, hombre, no me desanime tan pronto! Tenemos al sospechoso principal de un atraco que se perpetró hace dieciocho años y en el que usaron la misma pistola que en el asesinato. El hijo del sospechoso salía con la víctima. El tipo tiene antecedentes penales. Quiero averiguar más cosas sobre él y sobre su hijo. Ya sabe a quién me refiero, al que no tiene coartada.

–El mismo que pasó con éxito el detector de mentiras y el que los dos decidimos que no tenía agallas para hacerlo.

–Quizá estuviéramos equivocados.

Whitey se frotó los ojos con las manos y exclamó:

–¡Estoy harto de equivocarme!

–¿Reconoces que te equivocaste con Boyle?

Whitey, sin apartar las manos de los ojos y negando con la cabeza, contestó:

–No he dicho eso. Sigo pensando que Boyle es un mierda; no obstante, que pueda relacionarlo o no con la muerte de Katie Marcus es otro asunto. –Bajó las manos y dejó ver la piel hinchada y enrojecida de debajo de los ojos–. Pero el tema este de Raymond Harris tampoco parece muy prometedor. De acuerdo, volvamos a interrogar al hijo, e intentemos averiguar el paradero del padre. Pero después, ¿qué?

–Averiguaremos a quién pertenece esa pistola –replicó Sean.

–Esa pistola bien podría estar en el fondo del mar. Al menos, eso es lo que yo habría hecho con ella.

Sean, inclinando la cabeza hacia él, le preguntó:

–¿De verdad habrías hecho eso dieciocho años después de haber atracado una tienda?

–Sí.

–Pues nuestro hombre no lo hizo, y eso quiere decir...

–... que no es tan listo como yo –dijo Whitey.

–O como yo.

–Eso todavía está por ver.

Sean se reclinó en la silla, entrelazó los dedos, pasó los brazos por encima de la cabeza, y los elevó hacia el techo hasta que notó que los músculos se estiraban. Bostezó con estremecimiento y dejó caer la cabeza y las manos.

–Whitey... –dijo, intentando posponer al máximo la pregunta que sabía que acabaría haciéndole.

–¿Qué?

–¿Qué dice tu informe de los colegas de Harris?

Whitey cogió el informe de la mesa, lo abrió de golpe y pasó las primeras páginas.

–«Compañeros de delitos: Reginald (alias *el Duque Reggie*) Neil, Patrick Moraghan, Kevin *Matón* Sirracci, Nicholas Savage, mmm... Anthony Waxman...»

Se volvió hacia Sean, pero éste ya se lo imaginaba:

–James Marcus, alias *Jimmy de las marismas*, presunto líder de una banda denominada Los chicos de la calle Rester.

Whitey cerró el informe.

–Las desgracias nunca vienen solas, ¿verdad? –dijo Sean.

La lápida que Jimmy escogió era blanca y sencilla. El vendedor hablaba con un tono de voz suave y respetuoso, y daba la impresión de que preferiría estar en cualquier otra parte antes que allí; no obstante, no cesaba en el intento de convencer a Jimmy para que comprara una lápida más cara, con ángeles, querubines y rosas grabadas en el mármol.

–Quizá desee una cruz celta –sugirió el vendedor–, ya que son muy populares...

Jimmy esperó a que dijera «entre su gente», pero el vendedor se contuvo y dijo «actualmente».

Jimmy no habría reparado en gastos si hubiera sabido que un mausoleo habría hecho feliz a Katie, pero sabía que a su hija nunca le había gustado demasiado ni la ostentación ni el exceso de adornos. Siempre había llevado ropa y bisutería sencilla, nunca oro, y a no ser que se tratara de una ocasión especial, no se maquillaba. A Katie siempre le habían gustado las cosas sobrias con cierto toque de elegancia; ésa fue la razón por la que Jimmy encargó una lápida blanca y pidió que grabaran las letras en caligrafía, a pesar de que el vendedor le advirtió de que eso duplicaría el precio de la lápida; y Jimmy volvió la cabeza para mirar al pequeño buitre despectivamente, haciéndole retroceder unos pasos, mientras le decía:

–¿Qué prefiere, efectivo o talón?

Jimmy había pedido a Val que le llevara hasta allí, y al salir de la oficina, se sentó en el Mitsubishi 3000 GT de su cuñado. Jimmy se preguntó, por décima vez, cómo podía ser que un tipo de treinta y tantos años condujera un coche así y no se diera cuenta de que parecía estúpido.

—¿Adónde vamos ahora, Jimmy?

—Vayamos a tomar un café.

Val casi siempre ponía algún tipo de gilipollez rap a todo volumen, y el bajo retumbaba detrás de las ventanas oscuras, mientras cualquier chico negro de clase media o algún blanco pobre con pretensiones cantaba acerca de prostitutas, hijos de puta y de cómo iba a sacar de repente su pistola y a hacer lo que Jimmy suponía que estaba de rabiosa actualidad, esos mequetrefes que salían en MTV, que él nunca habría conocido a no ser por haber oído a Katie mencionarlos cuando ésta hablaba por teléfono con sus amigas. En cambio, esa mañana Val no puso música, y Jimmy se lo agradeció. Jimmy detestaba el rap, y no era porque fuera música de negros y porque proviniera de los barrios bajos (al fin y al cabo, de ahí procedían el funky, el soul y el maravilloso blues), sino porque, por mucho que lo intentara, no le encontraba ningún mérito. Consistía en juntar unos cuantos estribillos de canciones del estilo de *Man from Nantucket*, en conseguir un pinchadiscos que arañase unos cuantos discos adelante y atrás, y en sacar el pecho mientras uno hablaba por un micrófono. Sí, claro, era auténtico, era callejero, era acojonante. Pero también lo era escribir tu nombre meando en la nieve y vomitar. Jimmy había oído a un estúpido crítico musical decir por la radio que mezclar música de otra gente era una forma de arte. A Jimmy, que no sabía mucho de arte, le habían entrado ganas de meterse por el altavoz y darle de hostias a aquel mentecato, obviamente un blanco con estudios que carecía de vida sexual. Si mezclar música era arte, entonces la mayoría de los ladrones que había conocido también eran artistas. Seguramente ni ellos mismos lo sabían.

Tal vez sólo se estuviera haciendo mayor. Sabía que el hecho de no entender la música de las generaciones más jóvenes era el primer indicio de que ya habías pasado el relevo. Pero en lo más profundo de su corazón, tenía la certeza de que no era sólo eso. El rap era, lisa y llanamente, una mierda, y que Val lo escuchara era como el que condujera aquel coche: un intento por aferrarse a algo que nunca había valido la pena.

Se detuvieron en un Dunkin' Donuts, y tiraron la tapa del vaso en un cubo de basura al salir por la puerta; tomaron el café a sorbos apoyados en el alerón que tenía el maletero del deportivo.

–Ayer por la noche salimos y, tal como nos dijiste, estuvimos preguntando por ahí –dijo Val.

Jimmy le dio un golpecito en el puño con el suyo y respondió:

–¡Gracias, hombre!

Val le devolvió el toque y aclaró:

–No lo hice solamente porque una vez cumplieras dos años de condena por mí, Jimmy. Tampoco lo hice porque echo de menos que organices las cosas. Katie era mi sobrina, tío.

–Ya lo sé.

–Aunque no lo fuera de sangre, yo la quería.

Jimmy asintió y exclamó:

–¡Sois los mejores tíos que ningún niño pudiera tener!

–¡No jodas!

–En serio.

Val sorbió un poco de café, y se quedó un momento en silencio; luego, prosiguió:

–Bien, de acuerdo, esto es lo que averiguamos: parece ser que la pasma estaba en lo cierto respecto a O'Donnell y Farrow. O'Donnell estaba en la cárcel del condado. Farrow estaba en una fiesta, y hablamos con nueve tipos que nos lo confirmaron en persona.

–¿Te pareció que decían la verdad?

–La mitad de ellos, seguro –respondió Val–. También estuvimos husmeando por ahí y últimamente no se ha contratado a ningún asesino a sueldo. Además, Jim, ha pasado más de un año y medio desde la última vez que se contrató a alguien para que cometiera un asesinato; por lo tanto, supongo que nos habríamos enterado, ¿no crees?

Jimmy hizo un gesto de aprobación y bebió un poco más de café.

–La pasma se está tomando el caso muy en serio –apuntó Val–. Han peinado los bares, los negocios callejeros que hay alrededor del Last Drop, todos. Las prostitutas con las que he hablado habían sido interrogadas por la policía. Los camareros. Han interrogado a todo el mundo que estaba aquella noche en el McGills o en el Last Drop. Lo que quiero decir es que la policía realmente ha invadido el barrio. Está ahí fuera. Todo el mundo está haciendo un esfuerzo por recordar.

–¿Hablasteis con alguien que recordara alguna cosa?

Val, que alzó dos dedos al tomar otro sorbo, contestó:

–Con un tal Tommy Moldanado. ¿Le conoces?

Jimmy negó con la cabeza.

–Creció en Basin, en las casas pintadas de colores. Bueno, pues afirmó haber visto a alguien vigilando el aparcamiento del Last Drop poco antes de que Katie saliera del bar. También nos contó que estaba seguro de que no era poli. Conducía un coche extranjero con una abolladura en el lado derecho de la parte delantera.

–De acuerdo.

–Lo que me pareció muy extraño es lo que me explicó Sandy Greene. ¿Te acuerdas de cuando trabajaba en el Looey?

Jimmy la recordó sentada en la clase, con unas trenzas color castaño y los dientes torcidos, siempre mascando los lápices hasta que se le partían en la boca y tenía que escupir la mina.

–Sí, ya me acuerdo. ¿A qué se dedica?

–Hace la calle –contestó Val–. Se la ve muy castigada, tío, y eso que es de nuestra edad, ¿verdad? Mi madre tenía mejor aspecto en el ataúd. Pues bien, es la prostituta que lleva más años haciendo esa zona de los alrededores del Last Drop. Me contó que había medio adoptado a un niño, un pilluelo que también está en el oficio.

–¿Un niño?

–Sí, un niño de unos once o doce años.

–¡Santo cielo!

–¡La vida es dura! Bien, pues ella cree que ese niño se llama Vincent. Todo el mundo, a excepción de Sandy, le llamaba «Pequeño Vincent»; él prefería que le llamaran Vince. Pero Vincent actúa como si fuera mayor y se prostituye. Si uno intenta meterse con él, se defiende sin ningún problema; además, lleva una hoja de afeitar debajo de la correa de su Swatch. Estaba allí seis noches a la semana, hasta el sábado pasado, claro.

–¿Qué le pasó el sábado?

–Nadie lo sabe, pero desapareció. Sandy me explicó que a veces dormía en su casa. Cuando ella regresó a su casa el domingo por la mañana todas sus cosas habían desaparecido. Se esfumó de la ciudad.

–Pues mejor para él. Tal vez pueda abandonar ese estilo de vida.

–Eso mismo le dije yo, pero Sandy replicó que el chico estaba muy metido en ese mundo y que cuando se hiciera mayor sería de armas tomar. Pero de momento es un niño y tiene que cargar con ese tipo de trabajo. Nos explicó que sólo había una cosa que podía hacerle abandonar la ciudad: el miedo. Ella está convencida de que el chico vio algo, algo que le aterrorizó, y que debería ser algo terrible, porque Vincent no se asusta con facilidad.

–¿Habéis intentado averiguar dónde está?

–Sí, pero no es nada fácil. El negocio de los niños no está muy organizado, que digamos. Viven en la calle, ganan un par de dólares cuando se les presenta la oportunidad, y se marchan de la ciudad cuando les apetece. Pero tengo a gente buscándole. Si encontramos a Vincent, supongo que podrá decirnos algo sobre el tipo que estaba sentado en el aparcamiento del Last Drop; tal vez viera, ya sabes, el asesinato de Katie.

–Si es que tuvo algo que ver con el tipo del coche.

–Moldanado nos contó que ese tipo emitía muy malas vibraciones. Había algo raro en él, aunque estaba oscuro y no pudo ver muy bien al tío; sólo dijo que de aquel coche salían malas vibraciones.

«Malas vibraciones –pensó Jimmy–. ¡Eso sí que nos va a servir de ayuda!»

–¿Eso fue antes de que Katie se marchara?

–Sí, un momento antes. La policía prohibió el acceso al aparcamiento el lunes por la mañana y mandó a una unidad entera de policías para que examinaran el asfalto.

Jimmy hizo un gesto de asentimiento y dijo:

–Según parece, también ocurrió algo en ese aparcamiento.

–Sí, eso es precisamente lo que no acabo de entender. A Katie se la llevaron en la calle Sydney, y eso está a más de diez manzanas de distancia.

Jimmy apuró la taza de café y sugirió:

–¿Y si volvió?

–¿Qué?

–Al Last Drop. Ya sé que todo el mundo cree que llevó a Eve y a Diane a casa, subió por la calle Sydney, y entonces sucedió todo. Pero ¿qué pasaría si hubiera regresado al bar? Si lo hubiera hecho, se habría encontrado con ese tipo. Quizá la secuestrara y la obligara a conducir hasta el Pen Park, y después todo hubiera sucedido realmente como cree la policía.

Val, pasándose la taza vacía de café de una mano a otra, replicó:

–Es una posibilidad, pero ¿qué podía hacerle regresar al Last Drop?

–No lo sé. –Se encaminaron hacia el contenedor de basuras y tiraron dentro las tazas–. ¿Has averiguado alguna cosa del hijo de Ray Harris?

–He ido preguntando por ahí, y no hay ninguna duda de que es un bonachón. Nunca ha tenido problemas con nadie. Si no fuera tan atractivo, dudo mucho de que nadie recordara haberle conocido. Tanto Eve como Diane nos aseguraron que la amaba, Jim. Que la amaba de verdad y para siempre. Si quieres, puedo ir a verle.

–Dejémosle estar por ahora –repuso Jimmy–. Ya le vigilaremos cuando llegue el momento. Deberíamos intentar averiguar el paradero de Vincent.

–Sí, de acuerdo.

Jimmy abrió la puerta y se dio cuenta de que Val, que le observaba por encima del techo, no se lo había contado todo.

–¿Qué?

Val parpadeó a causa del sol, sonrió y espetó:

–¿Cómo dices?

–Sé que quieres decirme algo. ¿De qué se trata?

Val apartó la barbilla del sol, extendió los brazos sobre el techo, y contestó:

–Esta mañana he oído algo. Justo antes de que nos fuéramos.

–¿De verdad?

–Sí –respondió Val, volviendo la vista hacia el Dunkin' Donuts por un instante–. He oído decir que esos dos policías volvían a estar en casa de Dave Boyle. Sabes a quién me refiero, ¿verdad? A Sean de la colina y a su compañero, el gordo ese.

–Sí, ya sé de quién me hablas. Dave se encontraba allí esa noche –comentó Jimmy–. Tal vez se les hubiera olvidado preguntarle algo y tuvieran que volver.

Val se volvió hacia Jimmy y, mirándole fijamente a los ojos, dijo:

–Se lo llevaron, Jim. ¿Entiendes lo que te quiero decir? Le pusieron en el asiento trasero.

El jefe de policía Burden se presentó en el Departamento de Homicidios a la hora de comer, y llamó a Whitey mientras empujaba la pequeña puerta que había junto al mostrador de recepción.

–¿Son la gente que me está buscando?

–Sí, haga el favor de pasar –respondió Whitey.

Al jefe Burden le faltaba un año para cumplir los treinta años de servicio, y lo parecía. Tenía esos ojos húmedos y lechosos tan característicos de la gente que ha visto más del mundo y de sí mismo de lo que deseaba, y movía su cuerpo alto y fofo como si prefiriera ir hacia atrás y no hacia delante, como si sus articulaciones estuvieran en guerra con el cerebro, y el cerebro sólo quisiera salir de todo aquello. Hacía siete años que se encargaba de la Oficina de Objetos Perdidos, pero antes había sido uno de los agentes más importantes del Departamento Estatal de Policía. Se había preparado para el puesto de coronel, y había conseguido ascender de la Unidad de Narcóticos a la de Homicidios, y de ésta a la de Delitos Mayores sin un solo percance hasta que un día, según cuentan, se despertó asustado. Era una enfermedad que por lo general padecían los policías que trabajaban de paisano, y a veces los agentes de tráfico, que de repente no podían parar a un solo coche más, tan convencidos como estaban de que el conductor llevaba una pistola en la mano y no tenía nada que perder. Pero, de un modo u otro, el oficial Burden también se contagió, y empezó a ser el último en salir por la puerta y en responder a las llamadas, y se quedó paralizado en el escalafón mientras los demás seguían subiendo.

Tomó asiento junto al escritorio de Sean, desprendiendo un aire a fruta podrida, y hojeó el calendario del *Sporting News* que Sean tenía sobre la mesa, a pesar de que las hojas eran del mes de marzo.

–¿Devine, verdad? –preguntó, sin alzar los ojos.

–Así es –contestó Sean–. Encantado de conocerle. En la academia estudiamos sus métodos de trabajo, señor.

El oficial se encogió de hombros como si el recuerdo de su antiguo yo le violentara. Mientras hojeaba el calendario de nuevo, les preguntó:

–¿De qué se trata? Tengo que volver dentro de media hora.

Whitey deslizó la silla hasta situarse al lado de Burden, y le dijo:

–A principios de los ochenta, estuvo en un destacamento especial con los del FBI, ¿verdad?

Burden asintió con la cabeza.

–Pues arrestó a un delincuente de poca monta llamado Raymond Harris, que había robado un camión lleno de juegos de Trivial Pursuit de un área de descanso de Cranston, en Rhode Island.

Burden, que sonrió al leer una de las citas del yogui Berra[1] en el calendario, contestó:

–Sí, el camionero se paró para ir a mear, y no se dio cuenta de que lo vigilaban. Harris se subió al camión y se marchó, pero el camionero nos pidió ayuda, lo comunicamos al resto de los agentes, y al final lo detuvimos en Needham.

–Pero no le encarcelaron –apuntó Sean.

Burden le miró por primera vez; y Sean, que vio miedo y odio hacia sí mismo en aquellos ojos apagados, deseó no pillar nunca esa enfermedad.

–Sí que le arrestamos –replicó Burden–, pero conseguimos que nos dijera el nombre del tipo que le había contratado, un tal Stillson. Sí, Meyer Stillson.

Sean había oído hablar de la memoria de Burden, supuestamente fotográfica, pero ver cómo el individuo era capaz de remontarse dieciocho años atrás y recordar los nombres de aquella gente, como si hubiera estado hablando de ellos el día anterior, era humillante y deprimente a la vez. ¡Santo cielo! ¡Seguro que era capaz de recordarlo todo!

1. Nombre por el que se conocía a Lawrence Peter, famoso jugador de béisbol que nació en Misouri en 1925. Fue elegido para la galería de personajes famosos de béisbol nacional en 1972. (N. de la T.)

–Así pues, delató a su jefe y ahí acabó todo –espetó Whitey.

Burden frunció el entrecejo y replicó:

–Harris tenía antecedentes penales. No se libró solamente por darnos el nombre de su jefe. No, la Unidad contra el Delito Organizado del Departamento de Policía de Boston intervino en el interrogatorio, porque quería información sobre otro caso. Harris se chivó de nuevo.

–¿A quién delató?

–Al jefe de los chicos de la calle Rester, Jimmy Marcus.

Whitey se volvió hacia Sean, con una ceja alzada.

–Eso sucedió después del atraco del metro, ¿no es verdad?

–¿A qué atraco se refiere? –preguntó Whitey.

–Al atraco por el que Jimmy cumplió condena –contestó Sean.

Burden asintió y añadió:

–Marcus y otro tipo atracaron las oficinas de la Asociación de Transporte Metropolitano de Boston un viernes por la noche. Fue visto y no visto. Sabían a qué hora cambiaban de turno los guardas de seguridad. Sabían a qué hora exacta metían el dinero en bolsas. Pusieron a dos tipos en la calle para que detuvieran la camioneta que iba a recoger el dinero. Lo hicieron con gran rapidez, y con todo lo que sabían es evidente que tenían un cómplice dentro, o como mínimo conocían a alguien que hubiera trabajado allí con anterioridad.

–Ray Harris –añadió Whitey.

–Sí. A nosotros nos dio el nombre de Stillson, y al Departamento de Policía de Boston, los chicos de la calle Rester.

–¿Delató a toda la banda?

Burden negó con la cabeza y respondió:

–No, sólo a Marcus, pero él era el cerebro. Si te cortan la cabeza, el cuerpo muere, ¿no es verdad? La Policía de Boston lo pilló cuando salía de un almacén la mañana del desfile de San Patricio, el mismo día que iban a repartirse el botín; así pues, Marcus llevaba una maleta llena de dinero en la mano.

–¡Un momento! –exclamó Sean–. ¿Harris testificó en sesión pública?

–No. Marcus llegó a un acuerdo mucho antes de ir a juicio. Se negó a dar los nombres de la gente que trabajaba para él y asumió todas las consecuencias, a sabiendas de que no podían probar casi nada. Entonces debía de tener unos diecinueve o veinte años. Había sido el cabecilla de la banda desde los diecisiete y nunca le habían arrestado. El fiscal del distrito hizo un trato con él y lo condenó a dos años de prisión y a tres años de libertad condicional, porque sabía que era muy probable que no pudieran condenarle en sesión pública. Parece ser que los de la Unidad contra el Delito Organizado estaban muy cabreados, pero ¿qué podían hacer?

–Entonces Jimmy Marcus nunca se enteró de que Ray Harris fue el que le delató.

Burden volvió a apartar la mirada del calendario, y miró a Sean con aquellos ojos apagados y con una ligera expresión de desprecio.

–En un período de tres años, Marcus había dirigido más de dieciséis atracos de importancia. Una vez, incluso atracó doce joyerías a la vez en la Lonja de Joyeros de la calle Washington. Ni siquiera ahora hemos conseguido averiguar cómo coño lo hizo. Tuvo que burlar veinte alarmas diferentes: las alarmas de las líneas telefónicas, las de las antenas por satélite, las de los móviles, eso teniendo en cuenta que en aquella época era una tecnología totalmente nueva. Además, sólo tenía dieciocho años. ¿Se lo pueden creer? A esa edad era capaz de descifrar códigos de alarmas que ni siquiera los profesionales de cuarenta podían descifrar. ¿Se acuerdan del atraco a Keldar Technics? Él y su banda entraron por el tejado, interfirieron las frecuencias del Cuerpo de Bomberos, y después accionaron el sistema de riego por aspersión. Supusimos que permanecieron colgados del techo hasta que el sistema de riego causó un cortocircuito con los detectores de movimiento. El tipo ese era un genio. Si en vez de trabajar para él mismo trabajara para la NASA, podría llevarse a su mujer y a sus hijos de vacaciones a Plutón. ¿Creen que un tipo así de listo era incapaz de averiguar quién le delató? Ray Harris desapareció de la capa de la tierra dos meses después de que Marcus saliera de la cárcel. ¿Qué les sugiere?

–A mí me sugiere que usted cree que Jimmy Marcus mató a Ray Harris –contestó Sean.

–O eso o encargó al enano ese de Val Savage que lo hiciera por él. Mire, llame a Ed Folan, del Distrito 7. Ahora es el capitán de ese distrito, pero antes trabajaba en la Unidad contra el Delito Organizado. Se lo puede contar todo sobre Marcus y Ray Harris. Cualquier poli que trabajase en East Bucky en los ochenta le dirá lo mismo. Si Jimmy Marcus no mató a Ray Harris, yo seré el próximo papa judío. –Apartó el calendario con el dedo, se puso en pie, y se subió los pantalones de un tirón–. Me voy a comer. ¡Tómenselo con calma, colegas!

Atravesó la sala, balanceando la cabeza mientras lo observaba todo, quizá el escritorio en el que solía trabajar, el tablón en que anotaban sus casos junto a los de todos los demás, la persona que había sido en esa sala antes de volverse «ausente sin permiso» y de acabar en la Oficina de Objetos Perdidos, rezando para que llegara el día en que pudiera fichar por última vez e irse a alguna parte donde nadie recordara quién podía haber llegado a ser.

–¿Papa Marshall *el Perdido*? –dijo Whitey, volviéndose a Sean.

Cuanto más rato llevaba sentado en aquel sillón desvencijado de esa fría habitación, más convencido estaba de que no era resaca lo que tenía, sino tan sólo la continuación de la borrachera de la noche pasada. La verdadera resaca solía empezar alrededor del mediodía, y avanzaba poco a poco por su interior cual grupo de termitas, apoderándose de su sangre y de su circulación sanguínea, apretándole el corazón y destrozándole el cerebro. La boca se le secaba y el sudor le mojaba el pelo, y de repente podía olerse a sí mismo a medida que el alcohol empezaba a supurarle por los poros. Las piernas y los brazos se le llenaban de barro. Le dolía el pecho. Y una suave pelusilla le bajaba por el cráneo y se le instalaba tras los ojos.

Ya no se sentía valiente. Ya no se sentía fuerte. La claridad que tan sólo dos horas antes le había parecido que iba a durar para siempre, había abandonado su cuerpo, salió de la sala y se fue calle abajo, para ser reemplazada por un miedo atroz que jamás había sentido. Estaba convencido de que iba a morir pronto y de forma desagradable. Tal vez muriera en esa misma silla y se golpeara la nuca contra el suelo mientras todo su cuerpo se estremecía por las convulsiones, con los ojos inyectados en sangre, y se tragaría la lengua tan profundamente que nadie podría volver a sacársela. Quizá muriera de un infarto de miocardio, pues el corazón ya empezaba a retumbarle en el pecho, como una rata en una caja metálica. O a lo mejor, cuando le permitieran salir de allí, si es que alguna vez lo hacían, saldría a la calle, oiría un bocinazo a su lado, caería redondo boca arriba, y los neumáticos de gruesos dibujos de un autobús le pasarían por encima de las mejillas y seguirían rodando.

¿Dónde estaba Celeste? ¿Se habría enterado de que le habían pillado y que le habían llevado hasta allí? Si así fuera, ¿le importaría? ¿Y qué había de Michael? ¿Echaría de menos a su padre? Lo peor de estar muerto era que Celeste y Michael seguirían con vida. Sí, seguro que les dolería un poco al principio, pero luego lo superarían y empezarían una nueva vida, pues eso era precisamente lo que hacía la gente cada día. Sólo en las películas la gente se consumía pensando en los muertos, y sus vidas se paralizaban como relojes averiados. En la vida real, la muerte era algo rutinario, un evento que todo el mundo podía olvidar, a excepción de uno mismo.

Dave a menudo se preguntaba si los muertos podían contemplar a los que habían dejado atrás y si lloraban al ver la facilidad con la que la gente que habían amado seguía con su vida. Como el hijo de Stanley *el Gigante*, Eugene. ¿Estaría en algún lugar etéreo con su cabecita calva y su bata blanca de hospital, observando cómo su padre se reía en un bar, y pensando: «¡Eh, papá! ¿Te acuerdas de mí? Antes estaba vivo»?

Michael tendría otro padre, y tal vez fuera a la universidad y contara a alguna chica cosas sobre el padre que le había enseñado a jugar a béisbol, aquel que apenas recordaba. Sucedió hace tanto tiempo, le diría. Ha pasado tanto tiempo...

No había ninguna duda de que Celeste era lo bastante atractiva para conseguir otro hombre. Acabaría haciéndolo. Contaría a sus amigas que la soledad la afectaba demasiado, que era un buen hombre y que trataba bien a Michael. Sus amigas traicionarían el recuerdo de Dave en un abrir y cerrar de ojos. «Estupendo, cariño –le dirían–. Es lo mejor que puedes hacer. Tienes que volver a subirte al tren y continuar viviendo.»

Dave estaría allá arriba con Eugene, y los dos les observarían, proclamando su amor con voces que ninguno de los vivos llegaría a oír.

¡Santo cielo! Dave deseaba acurrucarse en un rincón y abrazarse a sí mismo. Se estaba desmoronando. Sabía que si aquellos polis regresaban en ese momento, no lo soportaría. Estaba dispuesto a contarles cualquier cosa que desearan oír, con tal de que fueran afectuosos con él y le llevaran otro Sprite.

Entonces se abrió la puerta de la Sala de Interrogatorios ante Dave y su miedo y su necesidad de calor humano, y el agente que entró vestido de uniforme era joven, parecía fuerte y tenía la típica mirada de policía, impersonal e imperiosa a un tiempo.

–Señor Boyle, haga el favor de acompañarme.

Dave se puso en pie y se dirigió hacia la puerta, las manos le temblaban ligeramente por el alcohol que luchaba por abandonar su cuerpo.

–¿Adónde vamos? –preguntó.

–Tiene que ponerse en fila con unos cuantos sospechosos más. Hay alguien que desea echarle un vistazo.

Tommy Moldanado llevaba pantalones vaqueros y una camiseta verde con manchas de pintura. También había pequeñas manchas de pintura en su pelo castaño y rizado, en las botas color café y en la montura de sus gruesas gafas.

Eran precisamente las gafas lo que preocupaba a Sean. Cualquier testigo con gafas que se presentara en el tribunal se convertía en el blanco de todo abogado defensor. Y los miembros del jurado, aún peor. Eran expertos en gafas y leyes gracias a las series televisivas de *Matlock* y *The Practice*, y cuando subía al estrado gente con gafas, los olían como a traficantes de drogas, negros sin corbata o ratas de prisión que habían hecho algún trato con el fiscal del distrito.

Moldanado apoyó la nariz contra el cristal de la sala y se quedó mirando a los cinco hombres de la fila.

–Viéndoles de frente no estoy muy seguro. ¿Podrían volverse a la izquierda?

Whitey encendió el interruptor del estrado y dijo por el micrófono:

–Hagan el favor de volverse hacia la izquierda.

Los cinco hombres obedecieron.

Moldanado apoyó las manos en el cristal, entornó los ojos y afirmó:

–El número dos. Podría ser el número dos. ¿Podrían decirle que se acerque un poco más?

–¿El número dos? –preguntó Sean.

Moldanado lo miró por encima del hombro e hizo un gesto de asentimiento.

El segundo tipo de la fila era un traficante llamado Scott Paisner, que solía operar en el condado de Norfolk.

–Número dos –ordenó Whitey con un suspiro–, dé dos pasos hacia delante.

Scott Paisner era bajo y rechoncho, llevaba barba, y con muchas entradas. Tenía el mismo parecido con Dave Boyle que Whitey. Se puso de frente, se acercó al cristal y Moldanado exclamó:

–¡Sí, sí, ése es el tipo que vi!

–¿Está seguro?

–En un noventa y cinco por ciento –respondió–. Era de noche, ¿sabe? No hay farolas en ese aparcamiento y además iba colocado. Pero, aparte de eso, estoy casi seguro de que es el mismo tipo que vi.

–No dijo nada de la barba en su declaración –apuntó Sean.

–No, pero ahora creo que sí, que tal vez llevara barba.

–¿No hay nadie más en la fila que se le parezca? –preguntó Whitey.

–¡No! –exclamó–. ¡En lo más mínimo! ¿Quiénes son los demás? ¿Polis?

Whitey bajó la cabeza hacia el estrado, y susurró:

–¡Ni siquiera sé por qué me dedico a esto, joder!

–¿Qué? ¿Qué? –preguntó Moldanado con la mirada puesta en Sean. Sean abrió la puerta tras él y dijo:

–Gracias por venir, señor Moldanado. Estaremos en contacto.

–Pero lo he hecho bien, ¿no? Espero haberles sido útil.

–¡Por supuesto! –respondió Whitey–. Le mandaremos una condecoración.

Sean le dedicó una sonrisa y un gesto de asentimiento y cerró la puerta en cuanto Moldanado cruzó el umbral.

–No tenemos ningún testigo –afirmó Sean.

–¡No jodas!

–Las pruebas del coche no nos sirven para llevarle a juicio.

–Eso ya lo sé.

Sean vio cómo Dave se cubría la cara con la mano y entrecerraba los ojos a causa del sol. Parecía llevar un mes sin dormir.

–¡Vamos, sargento!

Whitey apartó la mirada del micrófono y le miró. También empezaba a tener cara de estar agotado, y tenía los ojos enrojecidos.

–¡A la mierda! –exclamó–. ¡Que lo suelten!

24

Una tribu desterrada

Celeste estaba sentada junto a la ventana de la cafetería Nate & Nancy, situada delante de casa de Jimmy Marcus en la avenida Buckingham, cuando Jimmy y Val Savage aparcaban el coche de éste media manzana más arriba y se encaminaban hacia la casa.

Si pensaba hacerlo de verdad, tenía que levantarse de la silla enseguida e ir hacia ellos. Se puso en pie, con las piernas temblando, y se golpeó la mano con la parte inferior de la mesa. Se la quedó mirando. También le temblaba, y vio un rasguño en la base del hueso del dedo pulgar. Se la llevó a los labios y se volvió hacia la puerta. Todavía no estaba muy segura de poder hacerlo, de pronunciar las palabras que se había preparado aquella mañana en la habitación del motel. Había decidido contar a Jimmy sólo lo que sabía, la forma en que Dave se había comportado desde primera hora del domingo por la mañana, aunque sin sacar conclusiones, para que él mismo se formara su propia opinión. Sin la ropa que Dave había llevado esa noche, no tenía mucho sentido ir a la policía. Se lo repetía, porque no estaba muy segura de que la policía pudiera protegerla. Después de todo, ella tenía que seguir viviendo en el barrio, y lo único que podía protegerla de los peligros del barrio era el barrio mismo. Si se lo contaba a Jimmy, entonces él y los Savage podrían erigir una especie de foso alrededor de ella, que Dave nunca se atrevería a cruzar.

Salió por la puerta en el momento en que Jimmy y Val se acercaban a las escaleras de la entrada principal. Alzó su mano lastimada. Llamó a Jimmy mientras avanzaba por la avenida, convencida de que debía de parecer una loca: despeinada, con los ojos hinchados y ciegos a causa del miedo.

–¡Jimmy! ¡Val!

Se dieron la vuelta cuando subían el primer escalón y se la quedaron mirando. Jimmy le dedicó una sonrisa diminuta y perpleja, y Celeste se percató una vez más de lo franca y encantadora que era su sonrisa. Era natural, intensa y genuina. Decía: «Soy amigo tuyo, Celeste. ¿En qué puedo ayudarte?».

Alcanzó la acera y Val le besó en la mejilla.

—¡Hola, prima!

—¡Hola, Val!

Jimmy también le dio un beso rápido, y tuvo la sensación de que le atravesaba la carne y le hacía temblar la garganta.

—Annabeth te ha estado llamando esta mañana —dijo Jimmy—, pero no estabas ni en casa ni en el trabajo.

Celeste asintió con la cabeza y añadió:

—He estado... —Apartó la mirada del rostro pequeño y curioso de Val que la examinaba—. Jimmy, ¿podría hablar contigo un momento?

—¡Por supuesto! —respondió Jimmy, dedicándole otra vez una sonrisa de desconcierto. Después se volvió hacia Val—. Ya hablaremos de nuestros asuntos más tarde, ¿de acuerdo?

—¡Claro! ¡Hasta pronto, prima!

—Gracias, Val.

Val entró en la casa, y Jimmy se sentó en el tercer escalón y dejó un espacio para Celeste a su lado. Ella se sentó, se meció la mano herida en el regazo, e intentó encontrar las palabras. Jimmy la observó un momento, expectante, y pareció darse cuenta de que estaba bloqueada y de que era incapaz de dar rienda suelta a sus pensamientos.

Con voz suave, le dijo:

—¿Sabes de lo que me estaba acordando el otro día?

Celeste negó con la cabeza.

—De cuando estaba de pie junto a las escaleras de la calle Sydney. ¿Te acuerdas de cuando íbamos allí a ver las películas del autocine y a fumar canutos?

Celeste sonrió y comentó:

—Por aquel entonces salías con...

—¡No me lo digas!

—... Jessica Lutzen y su extraordinario cuerpo, y yo salía con Duckie Cooper.

–Sí, con el Pato Donald –añadió Jimmy–. ¿Qué habrá sido de él?

–Me contaron que se enroló en la Marina, que pilló una extraña enfermedad cutánea en el extranjero, y que ahora vive en California.

–¡Ajá!

Jimmy alzó la barbilla, recordando el pasado, y de repente Celeste vio que hacía lo mismo que dieciocho años atrás, cuando su pelo era más rubio y él estaba más loco; Jimmy solía subirse a los postes telefónicos en días de tormenta, mientras las chicas le observaban y rezaban para que no se cayera. Pero hasta en los momentos más enloquecidos, había esa tranquilidad, esas pausas repentinas de reflexión, esa sensación que emanaba de él, incluso de niño, de que lo examinaba todo con mucho cuidado, a excepción de su propia piel.

Se volvió y le dio una palmadita en la rodilla con la mano.

–¿Qué te pasa, cielo? Pareces un poco...

–Puedes decirlo.

–Bueno, pareces un poco cansada, eso es todo. –Se apoyó en el escalón y suspiró–. Supongo que todos lo estamos, ¿no?

–Ayer pasé la noche en un motel, con Michael.

Jimmy se quedó mirando al frente y respondió:

–De acuerdo.

–No lo sé, Jimmy. Creo que he hecho bien en dejar a Dave.

Notó que le cambiaba el rostro y que se le desencajaba la mandíbula, y de repente Celeste tuvo la sensación de que Jimmy sabía lo que estaba a punto de decirle.

–Has dejado a Dave –constató Jimmy con un tono de voz monótono y mirando la avenida.

–Eso es. Últimamente se comporta de un modo muy raro. No es el mismo, y ha empezado a asustarme.

Entonces Jimmy se volvió hacia ella y le dedicó una sonrisa tan fría que podría haberla golpeado con la mano. En sus ojos, veía de nuevo al chico que se había subido a los postes telefónicos bajo la lluvia.

–¿Por qué no empiezas desde el principio? –sugirió Jimmy–. Desde el momento en que Dave empezó a comportarse de manera extraña.

–¿Qué sabes, Jimmy? –le preguntó.

–¿De qué?

–Sabes algo. No pareces sorprendido.

La fea sonrisa se desvaneció y Jimmy se inclinó hacia delante, con las manos entrelazadas en su regazo.

–Sé que la policía se lo ha llevado esta mañana. Sé que tiene un coche extranjero con una abolladura en la parte delantera. Sé que la historia que me contó de cómo se había hecho daño en la mano no coincidía con la que le había contado a la policía. Sé que vio a Katie la noche en que murió, pero que no me lo contó hasta después de que la policía le interrogara acerca de ello. –Separó las manos y las estiró–. No sé lo que significa con exactitud, pero sí, está empezando a preocuparme.

Celeste sintió una punzada repentina de lástima por su marido, y se lo imaginó en alguna sala de interrogatorios de la policía, tal vez esposado a una mesa, con una luz desagradable iluminándole el pálido rostro. Después vio al Dave que había asomado la cabeza por la puerta esa noche, alterado y enloquecido, y la sensación de miedo anuló la de lástima.

Respiró profundamente y lo soltó:

–A las tres de la madrugada del domingo, Dave regresó a casa cubierto de sangre ajena.

Estaba fuera. Las palabras habían salido de su boca y habían quedado suspendidas en el aire. Formaron un muro delante de ella y de Jimmy, y de él brotó luego un techo y otro muro a sus espaldas; de repente se vieron atrapados en una celda diminuta creada por una única frase. El ruido de la avenida se atenuó y la brisa desapareció, y lo único que Celeste podía oler era la colonia de Jimmy y el sol cálido de mayo que les calentaba los pies.

Cuando Jimmy habló, parecía que alguien le estrujara la garganta con las manos.

–¿Qué sucedió, según él?

Ella se lo contó. Le explicó todo lo que sabía, incluso las locuras de vampiros de la noche anterior. Se lo contó, y se percató de que cada palabra que brotaba de su boca se convertía en una palabra más de la que él quería huir. Le quemaban. Le atravesaban la piel como dardos. Torcía la boca y los ojos ante ellas, y se le tensó tanto la piel del rostro que Celeste podía ver su esqueleto debajo, y la temperatura de su cuerpo descendió al imaginárselo en un ataúd, con las uñas largas y afiladas, la mandíbula deshecha y un musgo largo y suelto en vez de pelo.

Cuando las lágrimas empezaron a rodarle en silencio por las mejillas, reprimió el deseo de apretarle la cara contra su cuello y sentir cómo aquel líquido le entraba por la blusa y le bajaba por la espalda.

Siguió hablando, porque sabía que si se paraba no podría volver a empezar y no podía parar porque tenía que contar a alguien por qué se había ido, por qué había abandonado a un hombre al que había prometido ayudar tanto en los buenos momentos como en los malos, al hombre que era el padre de su hijo, que le contaba chistes, que le acariciaba la mano y que le ofrecía su pecho para que se durmiera sobre él. Un hombre que nunca se había quejado y que nunca le había pegado, y que había sido un padre maravilloso y un buen marido. Necesitaba contar a alguien lo confusa que estaba al ver que aquel hombre había desaparecido, como si la máscara que había llevado por rostro le hubiera caído al suelo, dejando ante ella un monstruo de mirada lasciva.

Acabó su explicación diciendo:

—Todavía no sé lo que hizo, Jimmy. Aún no sé de quién era la sangre. De verdad que no lo sé. Como mínimo, no de forma concluyente. Pero estoy muy asustada.

Jimmy se dio la vuelta en el escalón y apoyó la parte superior del cuerpo en la barandilla de hierro forjado. Las lágrimas se le habían secado sobre la piel, y su boca formaba un óvalo de disgusto. Miró a Celeste con una mirada tan penetrante que la atravesó y bajó por la avenida, para quedarse clavada en algo que estaba a manzanas de distancia y que nadie más podía ver.

—Jimmy... —dijo Celeste.

Éste le hizo un gesto con la mano para indicarle que se callara y cerró los ojos con fuerza. Bajó la cabeza e inspiró aire por la boca.

La celda que les rodeaba se evaporó, y Celeste saludó a Joan Hamilton cuando ésta pasó por delante y les echó una mirada compasiva, aunque un tanto sospechosa, antes de alejarse taconeando por la acera. Los sonidos de la avenida regresaron con sus pitidos, el chirriar de las puertas y las voces distantes.

Cuando Celeste se volvió de nuevo hacia Jimmy, no pudo apartar la mirada de él. Tenía los ojos despejados, la boca cerrada y se había llevado las rodillas a la altura del pecho. Tenía los brazos apoyados en las piernas y Celeste sintió que emanaba una inteligencia cruel y beligerante; la mente le había empezado a funcionar con mucha más rapidez y originalidad de la que la mayoría de la gente sería capaz en toda su vida.

–¿La ropa que llevaba ha desaparecido? –preguntó.

Celeste hizo un gesto de asentimiento y respondió:

–Sí, lo he comprobado.

Colocó la barbilla sobre las rodillas y le preguntó:

–¿Hasta qué punto estás asustada? Dime la verdad.

Celeste se aclaró la voz y contestó:

–Ayer por la noche, Jimmy, creía que me iba a morder. Y que luego seguiría mordiendo a más gente.

Jimmy inclinó la cabeza y apoyó la mejilla izquierda en las rodillas; luego cerró los ojos y susurró:

–Celeste...

–¿Sí?

–¿Crees que Dave mató a Katie?

Celeste sintió que la respuesta le retumbaba dentro del cuerpo como las náuseas de la noche anterior. Sentía cómo le aporreaba el corazón.

–Sí –contestó.

Jimmy abrió los ojos de par en par.

–¿Jimmy? ¡Que Dios tenga piedad de mí! –exclamó Celeste.

Sean observaba a Brendan Harris desde el otro lado de su escritorio. El chico parecía confundido, cansado y asustado, tal como lo quería Sean. Había mandado a dos agentes para que lo recogieran en su casa y lo llevaran hasta allí; después le había ordenado que se sentara al otro lado de la mesa mientras él iba leyendo en la pantalla del ordenador toda la información que había obtenido sobre el padre del chico, tomándoselo con calma, sin prestarle ninguna atención, y permitiéndole que siguiera allí sentado y se pusiera nervioso.

Se volvió de nuevo hacia la pantalla, le dio un golpecito a la tecla de avance de página con el lápiz, con la única intención de darse importancia, y le ordenó:

–Cuéntame cosas de tu padre, Brendan.

–¿Cómo dice?

–Que me cuentes cosas de tu padre, de Raymond padre. ¿Te acuerdas de él?

–Muy poco. Sólo tenía seis años cuando nos abandonó.

–Entonces, ¿no te acuerdas de él?

Brendan se encogió de hombros y contestó:

–Recuerdo pequeñas cosas. Cuando estaba borracho solía entrar en casa cantando. Una vez me llevó al parque del lago Canobie y me compró algodón azucarado; me comí la mitad y cuando me monté en el tiovivo no paré de vomitar. No estaba mucho en casa, de eso sí que me acuerdo. ¿Por qué?

Sean, con la mirada puesta otra vez en la pantalla, le preguntó:

–¿Qué más recuerdas?

–No sé. Olía a cerveza y a chicle de menta. Él...

Sean percibió una sonrisa en la voz de Brendan, alzó la mirada, y vio que ésta se deslizaba suavemente por su rostro.

–¿Qué más, Brendan?

Brendan cambió de posición, con la vista fija en algo que no estaba en el cuarto, ni siquiera en el huso horario corriente.

–Solía llevar un montón de monedas, ¿sabe? Le abultaban los bolsillos y hacían ruido al andar. Cuando era niño, me sentaba en la sala de estar de la parte delantera de la casa. Era un lugar diferente del que vivimos ahora. Era una casa bonita. Me sentaba allí a eso de las cinco de la tarde y cerraba los ojos hasta que le oía llegar acompañado del tintineo de las monedas. Entonces salía disparado de la casa para verle y si llegaba a adivinar cuánto dinero llevaba en el bolsillo, aunque no lo acertara con exactitud, me lo daba. –Brendan sonrió y negó con la cabeza–. ¡Siempre tenía cambio!

–¿Recuerdas alguna pistola? –preguntó Sean–. ¿Tu padre tenía pistola?

La sonrisa se le congeló y miró a Sean con los ojos entornados, como si no comprendiera su idioma.

–¿Qué?

–¿Tu padre tenía una pistola?

–No.

Sean asintió y añadió:

–Pareces estar muy seguro, a pesar de que sólo tenías seis años cuando se marchó.

Connolly entró en la sala con una caja de cartón bajo el brazo. Se dirigió hacia Sean y depositó la caja sobre la mesa de Whitey.

–¿Qué hay dentro? –preguntó Sean.

–Un montón de cosas –contestó Connolly, examinando el interior–. Informes de la Policía Científica, de los de Balística, análisis de huellas dactilares, la cinta de la conversación telefónica... Muchas cosas.

–Eso ya lo has dicho. ¿Hay alguna novedad en cuanto a las huellas?

–No corresponden a nadie que tengamos fichado en el ordenador.

–¿Lo has comprobado en la base nacional de datos?

–Sí, y en la de Interpol –respondió Connolly–. Y nada. Hay una huella impecable que encontramos en la puerta. Es de un dedo pulgar. Si es la del asesino, es bajo.

–Bajo –repitió Sean.

–Sí, bajo. Sin embargo, podría ser de cualquiera. Conseguimos seis huellas claras, pero no corresponden a nadie que esté fichado.

–¿Has escuchado la cinta?

–No. ¿Debería haberlo hecho?

–Connolly, deberías familiarizarte con cualquier cosa que guarde relación con el caso, hombre.

Connolly asintió y preguntó:

–¿Usted piensa escucharla?

–Para eso ya te tengo a ti –contestó Sean. Luego se volvió hacia Brendan Harris–. Estábamos hablando de la pistola de tu padre.

–Mi padre no tenía pistola –replicó Brendan.

–¿De verdad que no?

–De verdad.

–¡Qué raro! –exclamó Sean–. Entonces supongo que nos han informado mal. A propósito, Brendan, ¿solías hablar mucho con tu padre?

Brendan negó con la cabeza, y respondió:

–No. Nos dijo que salía a tomar una copa y nunca regresó. Nos abandonó a mí y a mi madre, y eso que ella estaba embarazada.

Sean, asintiendo como si él mismo pudiera sentir el dolor, comentó:

–Sin embargo, tu madre nunca comunicó su desaparición a la policía.

–Porque no había desaparecido –espetó Brendan, con una expresión airada en los ojos–. Le había dicho a mi madre que no la amaba, y que siempre le estaba agobiando. Dos días más tarde, se marchó.

–¿Nunca intentó encontrarle ni nada de eso?

–No, como le mandaba dinero, a la mierda con él.

Sean apartó el lápiz del teclado y lo dejó sobre la mesa. Observó a Brendan Harris, intentando obtener información del chico, ya que sólo conseguía sacarle indicios de depresión y de ira acumulada.

–¿Os mandaba dinero?

Brendan asintió y contestó:

–Una vez al mes, religiosamente.

–¿Desde dónde?

–¿Qué?

–¿Desde dónde enviaba los sobres de dinero?

–Desde Nueva York.

–¿Siempre?

–Sí.

–¿En metálico?

–Sí. Casi siempre nos mandaba quinientos dólares al mes. En Navidades, nos mandaba más.

–¿Alguna vez os mandó alguna nota? –preguntó Sean.

–No.

–Entonces, ¿cómo sabes que lo mandaba él?

–¿Quién más iba a mandarnos dinero una vez al mes? Se sentía culpable. Mi madre siempre decía que él era así: que hacía cosas malas, y que como luego se arrepentía, ya no contaban, ¿sabe?

–Me gustaría ver algunos de esos sobres –declaró Sean.

–Mi madre siempre los tira.

—¡Mierda! —exclamó Sean, apartando la pantalla del ordenador fuera de su ángulo de visión.

Los detalles del caso estaban empezando a molestarle: que Dave Boyle fuera sospechoso, que Jimmy Marcus fuera el padre de la víctima, que a ésta la hubieran asesinado con la pistola del padre de su novio. Además, había algo más que le fastidiaba, aunque no tuviera nada que ver con el caso.

—Brendan —dijo—, si tu padre abandonó la familia cuando tu madre estaba embarazada, ¿por qué le puso el nombre de tu padre a tu hermano?

Brendan, con la mirada perdida, respondió:

—Mi madre no está muy bien de la cabeza, ¿sabe? Se esfuerza y todo eso, pero...

—De acuerdo.

—Dice que le puso Ray para que no se le olvidara.

—¿El qué?

—De lo que eran capaces los hombres. —Se encogió de hombros—. Hasta qué punto le podían joder a uno la vida si se les daba la oportunidad, aunque sólo fuera para demostrar que eran capaces de hacerlo.

—Cuando tu hermano se quedó mudo, ¿cómo se sintió tu madre?

—Cabreada —contestó Brendan, esbozando una tímida sonrisa—. De alguna manera, confirmaba que ella tenía razón. Por lo menos, así lo creía.

Pasó la mano sobre la bandeja sujetapapeles del escritorio de Sean, y la sonrisa se desvaneció.

—¿Por qué me ha preguntado si mi padre tenía una pistola?

Sean, que de repente se sentía cansado de aquellos juegos, de ser educado y prudente, le respondió:

—¡Si tú ya lo sabes!

—No —replicó Brendan—. No lo sé.

Sean se apoyó en la mesa, casi incapaz de reprimir el deseo inexplicable de continuar, de abalanzarse contra Brendan Harris y estrujarle el cuello con las manos.

—La pistola que mató a tu novia, Brendan, es la misma que tu padre usó en un atraco hace dieciocho años. ¿Te gustaría contarme algo más?

–Mi padre no tenía pistola –replicó Brendan, pero Sean se percató de que algo empezaba a funcionar en el cerebro del chico.

–¿No? ¡A mí no me la pegas! –Golpeó la mesa con tanta fuerza que podría haber tirado al chico de la silla–. Y dices que amabas a Katie Marcus. Pues bien, Brendan, déjame que te cuente lo que me gusta a mí: me encanta mi sueldo, la habilidad que tengo para resolver los casos en setenta y dos horas. Ahora me estás mintiendo.

–No, no es verdad.

–Sí, sí que me estás mintiendo. ¿Sabes que tu padre era un ladrón?

–Trabajaba para la Asociación de Transporte...

–¡Era un maldito ladrón! Trabajaba con Jimmy Marcus, que también era un ladrón. ¡Y ahora va y matan a la hija de Jimmy con la pistola de tu padre!

–Mi padre no tenía pistola.

–¡Que te jodan! –vociferó Sean. Connolly pegó un salto en la silla y se volvió hacia ellos–. ¿Tienes ganas de fastidiarme, chico? Pues lo haces en tu celda.

Sean cogió las llaves del cinturón y se las lanzó por encima de la cabeza a Connolly.

–¡Encierra a este gusano!

Brendan se puso en pie y exclamó:

–¡Yo no he hecho nada!

Sean observó cómo Connolly se colocaba detrás de Brendan, tensando las articulaciones de los pies.

–No tienes coartada, Brendan, mantuviste relaciones con la víctima, y la asesinaron con la pistola de tu padre. Hasta que no se aclare todo esto, te mantendré bajo arresto. Descansa y piensa en todo lo que me acabas de decir.

–¡No me puede encerrar! –Brendan miró a Connolly, que estaba detrás de él–. ¡No puede hacerlo!

Connolly se volvió hacia Sean, con los ojos desorbitados, ya que el chico tenía razón. En teoría, no podían encerrarle hasta que no le acusaran formalmente. Y, de hecho, no podían acusarle de nada. En aquel estado era ilegal acusar a alguien por el mero hecho de ser sospechoso.

Pero Brendan no sabía nada de eso, y Sean lanzó a Connolly una mirada que decía: «Bienvenido al Departamento de Homicidios».

–Si no me cuentas algo más ahora mismo –le amenazó Sean–, pienso encerrarte.

Brendan abrió la boca, y Sean vio cómo unos oscuros pensamientos le atravesaban, cual anguila eléctrica. Después cerró la boca y negó con la cabeza.

–Sospechoso de asesinato en primer grado –sentenció Sean–. ¡A la celda con él!

Dave regresó a su casa vacía a media tarde y se fue directo a la nevera para cóger una cerveza. No había comido nada y sentía el estómago vacío y lleno de aire. No era el mejor momento para beberse una cerveza, pero a Dave le hacía falta. Necesitaba suavizar su fatigada cabeza y librarse de la tensión del cuello, aliviar los violentos latidos de su corazón.

La primera le pasó muy bien mientras paseaba por la casa vacía. Celeste podría haber regresado a casa mientras él estaba fuera y haberse ido a trabajar, y pensó en llamar a la peluquería para ver si estaba allí, cortando cabellos y hablando con las señoras, flirteando con Paolo, el homosexual que hacía el mismo turno que ella y que coqueteaba de esa manera natural, aunque no del todo inofensiva, tan característica de los homosexuales. O tal vez fuera a la escuela de Michael, y le saludara efusivamente y le diera un fuerte abrazo, para luego acompañarlo hasta casa, y parar a medio camino a tomarse un batido de chocolate.

Pero Michael no estaba en la escuela y Celeste tampoco estaba en el trabajo. De alguna manera, Dave sabía que se escondían de él; por lo tanto, se acabó su segunda cerveza sentado a la mesa de la cocina, sintiendo cómo le hacía efecto, cómo lo calmaba todo, convirtiendo el aire que le rodeaba en pequeños torbellinos y tiñéndolo de color plateado.

Debería habérselo dicho. Desde un buen principio, debería haberle contado a su mujer lo que en realidad había sucedido. Debería haber confiado en ella. Seguro que no había muchas mujeres que hubiesen aguantado a un antiguo campeón de béisbol de instituto, del que habían abusado sexualmente de niño, y que era incapaz de conservar un puesto de trabajo estable. Pero Celeste lo había hecho. Al recordarla junto al fregadero esa noche, lavando la ropa y diciéndole que se encargaría de eliminar las pruebas... ¡No había duda de que era una mujer extraordinaria! ¿Cómo podía haberlo olvidado? ¿Por qué llegaba un momento en que uno dejaba de ver a la gente que siempre le rodeaba?

Dave sacó la tercera y última cerveza de la nevera y siguió andando por la casa un poco más, con el cuerpo repleto de amor hacia su mujer e hijo. Deseaba acurrucarse junto al cuerpo desnudo de su mujer mientras ésta le acariciaba el pelo, para decirle lo mucho que la había echado de menos en aquella sala de interrogatorios, con su silla rota y su frialdad. Un poco antes, había pensado que deseaba calor humano, pero lo que en realidad quería era el calor de Celeste. Quería estrecharla entre sus brazos, hacerla sonreír, besarle los párpados, acariciarle la espalda y fundirse con ella.

«No es demasiado tarde –le diría cuando ella regresara a casa–. Lo único que pasa es que mi cerebro se ha liado un poco últimamente; tan sólo se me habían cruzado los cables. Supongo que la cerveza no sirve de mucha ayuda, pero la necesito hasta que regreses a casa. Cuando lo hagas, dejaré de beber. Dejaré la bebida, iré a clases de informática o algo así, y conseguiré un empleo en una oficina. La Guardia Nacional se ofrece a pagar los estudios, y yo podría hacerlo. Podría estudiar un fin de semana al mes y unas cuantas semanas en verano; podría hacerlo por mi familia. Por ellos, lo podría hacer con los ojos cerrados. Me ayudaría a ponerme en forma, a perder el peso que he ganado con la cerveza, y a aclararme las ideas. Y cuando haya conseguido el trabajo de oficina, entonces nos iremos de aquí, de este barrio que tiene unos alquileres que no paran de subir, proyectos para construir estadios y que se está llenando de burgueses. ¿Por qué luchar contra ello? Tarde o temprano, nos echarán. Se librarán de nosotros y se construirán un mundo a su medida, para hablar de sus segundas residencias en las cafeterías y en las secciones de alimentos integrales de los supermercados.

»Iremos a un buen sitio –le diría a Celeste–. Iremos a un lugar limpio donde podamos criar a nuestro hijo. Empezaremos de cero. Y te contaré lo que sucedió, Celeste. No es nada bueno, pero no es tan malo como piensas. Te explicaré que tengo algunas cosas sobrecogedoras y perversas en mi cabeza, y que tal vez tenga que ir a ver a alguien para librarme de ellas. Tengo ciertas necesidades que me horrorizan, cariño, pero estoy esforzándome. Estoy intentando ser un hombre bueno y enterrar al chico. O, como mínimo, enseñarle un poco de compasión.»

Tal vez fuera eso lo que andaba buscando el tipo del Cadillac: un poco de compasión. Pero el chico que había escapado de los lobos no se sentía nada compasivo el sábado por la noche. Tenía aquella pistola en la mano y le había dado un golpe al tipo ese a través de la ventana abierta; Dave había oído cómo le rompía los huesos mientras el niño pelirrojo no paraba de moverse en el asiento contiguo, observándole con la boca abierta mientras Dave le golpeaba una y otra vez. Había entrado en el coche y le había sacado arrastrándole por el pelo, y el tipo no se encontraba tan desvalido como le había hecho creer. Había estado haciéndose el muerto, y Dave sólo alcanzó a ver el cuchillo cuando le rasgó la camisa y se lo clavó en la carne. Era una navaja, y no se la había clavado con mucha fuerza, pero estaba lo bastante afilada para herir a Dave, hasta que éste consiguió golpearle la muñeca con las rodillas y apretarle el brazo contra la puerta del coche. Cuando la navaja cayó al suelo, Dave le dio una patada y fue a parar bajo el coche.

El niño pelirrojo parecía estar asustado, pero también conmocionado. Dave, que en ese momento ya estaba fuera de sí, le dio al tipo un golpe en la cabeza con la culata de la pistola con tanta fuerza que rompió la empuñadura. El tipo empezó a retorcerse de dolor, y Dave le saltó encima, sintiendo el lobo, odiando a aquel hombre, a aquel monstruo, a aquel jodido degenerado abusador infantil, y cogió por los pelos a ese desgraciado y le golpeó la cabeza contra la acera. Una y otra vez, hasta que lo dejó hecho polvo, a Henry, a George, santo cielo, Dave, Dave.

«Muérete, cabrón. Muérete, muérete, muérete.»

En ese instante el niño pelirrojo se fue corriendo; Dave volvió la cabeza y se dio cuenta de que estaba pronunciando las palabras en voz alta: «Muérete, muérete, muérete, muérete». Dave vio cómo el niño atravesaba el aparcamiento a toda velocidad y empezó a perseguirle a gatas, con la sangre del hombre goteándole por las manos. Deseaba decirle al niño que lo había hecho por él. Le había salvado. Y que si él quería, le protegería para siempre.

Permaneció en el callejón de detrás del bar, sin aliento, a sabiendas de que el niño ya estaría muy lejos. Alzó los ojos hacia el oscuro cielo y dijo:

–¿Por qué? ¿Por qué me has metido en esto? ¿Por qué me has dado esta vida? ¿Por qué me has dado esta enfermedad que tanto odio? ¿Por qué permites que mi cerebro disfrute de momentos de belleza, ternura y amor intermitente por mi hijo y mi mujer? En realidad, son sólo vislumbres de lo que mi vida podría haber sido si aquel coche no se hubiera detenido en la calle Gannon y no me hubieran encerrado en ese sótano. ¿Por qué? Contéstame, por favor. Por favor, te lo suplico, contéstame.

Pero, evidentemente, no hubo respuesta. No se oyó nada, a excepción del silencio, del goteo de las alcantarillas y de la lluvia que empezaba a caer con fuerza.

Unos minutos más tarde salió del callejón y se encontró al hombre tendido junto a su coche.

«Caramba –pensó Dave–. Le he matado.»

Pero entonces el hombre se dio la vuelta, boqueando como un pez. Tenía el pelo rubio y una gran panza a pesar de que era un hombre delgado. Dave intentó recordar qué aspecto tenía antes de que él hubiera metido la mano por la ventana abierta y le hubiera golpeado con la pistola. Lo único que recordaba es que sus labios le habían parecido rojos y carnosos en exceso.

Su rostro, sin embargo, había desaparecido. Parecía que hubiera chocado contra un motor a reacción, y Dave sintió náuseas al observar cómo aquella cosa sangrienta hacía un esfuerzo por respirar; era repugnante.

Daba la impresión de que el hombre no era consciente de la presencia de Dave. Se puso de rodillas y empezó a gatear. Se arrastró hacia los árboles de detrás del coche. Consiguió llegar hasta el pequeño terraplén y apoyó las manos en la valla de tela metálica que separaba el aparcamiento de la empresa de chatarra que había al otro lado. Dave se quitó la camisa de franela que llevaba encima de la camiseta. Envolvió la pistola con ella mientras se dirigía a la criatura sin rostro.

La criatura consiguió agarrarse en lo alto de la valla, pero luego las fuerzas le flaquearon. Se cayó de espaldas y se inclinó hacia la derecha, y acabó sentado contra la valla, con las piernas extendidas, observando cómo se acercaba Dave.

–No –susurró–. No.

Pero Dave sabía que no lo decía en serio. Estaba tan cansado de ser quien era como el mismo Dave.

El chico se arrodilló ante el hombre, y le colocó el envoltorio de la camisa de franela en el torso, justo encima del abdomen; Dave se cernía sobre ellos y les observaba.

–¡Por favor! –refunfuñó el hombre.

–¡Ssh! –exclamó Dave, y el chico apretó el gatillo.

El cuerpo de la criatura sin rostro se convulsionó de tal forma que le dio una patada en la axila, pero luego el aire lo abandonó, con un silbido de tetera.

Y el chico dijo: «Bien».

Cuando ya había metido al tipo en el maletero del Honda, Dave se dio cuenta de que debería haber usado el Cadillac. Ya había subido las ventanillas y apagado el motor, y ya había limpiado con la camisa de franela el asiento delantero y todo lo que había tocado. No obstante, ¿qué sentido tenía ir dando vueltas con el tipo dentro del maletero de su Honda para encontrar un lugar adecuado para deshacerse de él, cuando la respuesta estaba delante de sus narices?

Por lo tanto, Dave aparcó el Honda junto al Cadillac, con la mirada puesta en la puerta del bar; hacía un buen rato que no salía nadie. Abrió su maletero y después el del Cadillac, y pasó el cuerpo de un coche a otro. Cerró los dos maleteros, envolvió la navaja y la pistola con la camisa de franela, la lanzó sobre el asiento delantero del Honda, y se fue de allí a toda prisa.

Tiró la camisa, la navaja y la pistola desde el puente de la calle Roseclair, y fue a parar al Penitentiary Channel; no se percató hasta mucho después de que mientras él estaba haciendo aquello, Katie Marcus seguramente estaría encontrando la muerte en el parque adyacente.

428

Después había regresado a casa, con la certeza de que pronto alguien encontraría el coche y el cadáver.

Se había pasado por el Last Drop a última hora del domingo, y vio que había un coche aparcado junto al Cadillac, pero que el resto del aparcamiento estaba vacío. Sabía que el otro coche pertenecía a Reggie Damone, uno de los camareros. El Cadillac parecía inocente, olvidado. El mismo día había vuelto al lugar un poco más tarde, y casi tuvo un ataque al corazón cuando vio que el Cadillac ya no estaba. Era evidente que no podía ir haciendo preguntas sobre el coche, ni siquiera de forma casual: «Reggie, ¿llamáis a la grúa si un coche lleva demasiado tiempo en el aparcamiento?», pero después se dio cuenta de que al margen de lo que hubiera sucedido con el coche, no había ningún indicio que guardara relación con él.

Nada, a excepción del niño pelirrojo.

Pero a medida que pasaba el tiempo, se le ocurrió que aunque el niño se había asustado, también se había sentido complacido, emocionado. Estaba de parte de Dave. No tenía por qué preocuparse.

La policía no tenía nada. No había testigos. No habían conseguido pruebas del coche de Dave, o como mínimo, pruebas que pudieran usar ante un tribunal. Por lo tanto, Dave podía relajarse. Podría hablar con Celeste y contárselo todo, dejar que las cosas siguieran su curso, y ofrecer a su mujer la posibilidad de que lo aceptara de nuevo, con defectos pero con intención de cambiar. Como si fuera un buen hombre que ha hecho una cosa mala por un buen motivo. Como un hombre que hacía todo lo posible por eliminar al vampiro que le corrompía el alma.

«Dejaré de merodear por los parques y las piscinas públicas –se dijo Dave a sí mismo mientras apuraba la tercera cerveza–. Esto también lo dejaré», pensó mientras sostenía la lata vacía.

Pero hoy no. Ya llevaba tres, pero, qué demonios, no daba la impresión de que Celeste se fuera a presentar pronto en casa. Tal vez al día siguiente. Eso estaría bien. Les daría un poco de espacio y de tiempo para que pudieran recuperarse del disgusto. Cuando Celeste regresara a casa, se encontraría con un hombre nuevo, un Dave mucho mejor que ya no tenía secretos.

—Porque los secretos son venenosos –dijo en voz alta en la misma cocina en la que había hecho el amor con su mujer por última vez–. Los secretos son como muros –sentenció; luego sonrió–. Me he quedado sin cerveza.

Mientras salía de casa para ir a la licorería Eagle, se sentía bien, casi alegre. Era un día precioso y el sol inundaba las calles. Cuando eran niños, el tren elevado solía pasar por allí, partiendo la calle Crescent por la mitad, llenándola de hollín y tapando la luz del sol. No hacía más que aumentar la sensación de que las marismas era un lugar apartado del resto del mundo, arrinconado como una tribu desterrada, libre de vivir como quisiera, siempre que lo hiciera en el exilio.

Cuando arrancaron las vías del tren, la luz volvió, y durante cierto tiempo pensaron que era bueno. Con menos hollín y más sol, la piel recobraría un aspecto más saludable. Pero sin el manto que les cubría, todo el mundo podía verles, apreciar las hileras de casas de ladrillo, la vista del canal y la proximidad al centro de la ciudad. De repente, habían dejado de ser una tribu desterrada para pasar a ser unas propiedades muy valoradas.

Cuando llegara a casa, Dave tendría que reflexionar sobre cómo habían llegado a aquella situación; tendría que formular una teoría con la ayuda de la caja de doce cervezas. O también podría buscar un bonito bar, sentarse a la sombra en un día soleado, pedirse una hamburguesa y hablar con el camarero, para ver si entre los dos podían averiguar en qué momento las marismas había empezado a desintegrarse, y el mundo entero había empezado a girar a su alrededor.

Tal vez debería hacer eso. ¡Claro! Escogería un asiento de piel en un bar color caoba, y así pasaría la tarde. Haría planes para el futuro. Planearía el futuro de su familia. Pensaría en todas las formas posibles de expiar sus culpas. Era sorprendente lo bien que podían sentar tres cervezas después de un día largo y duro. Llevaban a Dave de la mano mientras éste subía la colina en dirección a la avenida Buckingham. Le decían: «¿No estás encantado de que te acompañemos? ¿No te parece maravilloso empezar una vida nueva, desenterrar los secretos, dispuesto a renovar las promesas a tus seres queridos y a convertirte en el hombre que siempre sabías que podías ser? ¿No te parece estupendo?

»Y mira a quién tenemos ahí delante, ganduleando en la esquina junto a su reluciente coche deportivo. Nos está sonriendo. Val Savage, todo sonrisas, indicándonos con la mano que vayamos hacia él. ¡Venga! ¡Vamos a decirle hola!».

—¡Dandi Dave Boyle! —exclamó Val mientras Dave se acercaba al coche—. ¿Cómo va todo, colega?

—Muy bien —respondió Dave, agachándose junto al coche. Apoyó los codos en la ventanilla de la puerta y se quedó mirando a Val—. ¿Qué haces?

Val se encogió de hombros y contestó:

—Poca cosa, la verdad. Buscaba a alguien para ir a tomarme una cerveza, o para comer algo.

Dave no se lo podía creer. Era lo mismo que había estado pensando él.

—No me digas.

—Sí. Podríamos ir a tomar algo y a jugar una partida de billar. ¿Qué te parece, Dave?

—¡Genial!

De hecho, Dave estaba un poco sorprendido. Se llevaba bien con Jimmy, y con Kevin, el hermano de Val, a veces incluso con Chuck, pero no recordaba ni un solo día en que Val no hubiera mostrado la más grande de las apatías en su presencia. Se imaginó que debía de ser por Katie. Su muerte había hecho que se sintieran más próximos. Se sentían más unidos por su pérdida, y estrechaban lazos al compartir la tragedia.

—¡Entra! —dijo Val—. Iremos a un lugar que conozco al otro lado de la ciudad. Está muy bien y es de un amigo mío.

—¡Al otro lado de la ciudad! —exclamó Dave, observando la calle vacía que acababa de recorrer—. Bien, pero luego tengo que regresar a casa.

—¡Claro, claro! —contestó Val—. Te llevaré a casa cuando quieras. ¡Venga! ¡Entra! Nos correremos una juerga nocturna de hombres a plena luz del día.

Dave sonrió y no dejó de hacerlo mientras daba la vuelta al coche de Val para llegar hasta la puerta del copiloto. Una juerga de hombres a pleno día. Precisamente lo que necesitaba. Val y él de copas como viejos amigos. Ésa era una de las cosas que más le gustaban de su barrio, y que temía que pudiera perderse: el modo en que los viejos sentimientos y el pasado se olvidaban con el tiempo, a medida que uno envejecía, cuando te dabas cuenta de que todo estaba cambiando y que lo único que seguía igual era la gente con la que uno había crecido y el lugar del que uno provenía. El barrio. «Ojalá viva para siempre –pensó Dave mientras abría la puerta–, aunque sólo sea en nuestra imaginación.»

25

El tipo del maletero

Whitey y Sean comieron tarde en Pat's Diner, en una salida de la autopista. El restaurante existía desde la Segunda Guerra Mundial, y hacía tanto tiempo que era el lugar favorito del cuerpo de policía que a Pat *el Tercero* le gustaba vanagloriarse de que su familia era con toda probabilidad la única que había resistido tres generaciones sin que la atracaran.

Whitey se tragó un trozo de hamburguesa con queso y la hizo bajar con un trago de gaseosa.

—No se te habrá pasado por la cabeza que lo hizo Brendan, ¿verdad?

Sean comió un trocito de su bocadillo de atún, y contestó:

—Sé que me estaba mintiendo. Creo que sabe alguna cosa sobre esa pistola. Y considero que existe la posibilidad de que su padre siga con vida.

Whitey bañó un trozo de cebolla en salsa tártara, y preguntó:

—¿Lo dices por los quinientos dólares al mes que alguien les manda desde Nueva York?

—Sí. ¿Sabes a cuánto asciende esa cantidad a lo largo de todos esos años? A casi ochenta mil dólares. ¿Quién mandaría ese dinero si no fuera el padre?

Whitey se limpió los labios con una servilleta y luego siguió comiendo su hamburguesa con queso. Sean se preguntaba cómo había conseguido evitar un ataque al corazón, comiendo y bebiendo como lo hacía, y trabajando setenta y cuatro horas a la semana cuando un caso le interesaba de veras.

—Supongamos que está vivo —sugirió Whitey.

—De acuerdo.

–¿De qué va todo esto, pues, de una conspiración genial para vengarse de Jimmy Marcus matando a su hija? ¿A qué jugamos? ¿A ser los protagonistas de la película?

Sean soltó una risita y contestó:

–¿Quién crees que interpretaría tu papel?

Whitey fue sorbiendo la gaseosa con una paja hasta que sólo quedó hielo.

–Pienso mucho en eso, ¿sabes? Podría suceder, si no resolvemos este caso, Superpoli. Si vamos contando por ahí la historia del Fantasma de Nueva York, sabes perfectamente que seríamos el hazmerreír de todo el mundo. Y Brian Dennehy tendría muchas posibilidades de interpretar mi papel.

Sean lo consideró y añadió:

–No me parece tan descabellado –dijo, a la vez que se preguntaba cómo era posible que no se hubiera dado cuenta antes–. No eres tan alto como él, sargento, pero tienes su barriga.

Whitey hizo un gesto de asentimiento, apartó el plato y dijo:

–Estaba pensando que cualquiera de esos mentecatos que salen en la serie *Friends* podría interpretar tu papel. De hecho, esos tipos parecen pasarse una hora cada mañana recortándose los pelos de la nariz y depilándose las cejas; seguro que se hacen la pedicura una vez a la semana. Sí, cualquiera de ellos lo haría muy bien.

–Estás celoso.

–Sí, pero tengo razón –apuntó Whitey–. El enfoque que le estamos dando al asunto de Ray Harris no nos lleva a ninguna parte. Tiene un cociente de probabilidad de... seis.

–¿De seis sobre diez?

–No, de seis sobre mil. Pista equivocada, ¿no crees? Ray Harris delata a Jimmy Marcus, éste se entera, sale de chirona, y va a por Ray. Digamos que Harris consigue salir de la ciudad, se va a Nueva York, y encuentra un empleo lo bastante estable para mandar quinientos dólares al mes durante los siguientes trece años. Un día se despierta y se marcha. Ha llegado la hora de vengarse. Se sube a un autobús, llega a la ciudad, y se carga a Katherine Marcus. Y no lo hace de cualquier manera, sino que se la carga sin ningún tipo de compasión. Lo que vimos en ese parque es obra de un psicópata cabreado. Y después, el viejo Ray (y le llamo viejo, porque a pesar de que ya debe de tener unos cuarenta y cinco años, recorrió todo el parque, tras ella) se sube al autobús y regresa a Nueva York con su pistola. ¿Lo has verificado con el Departamento de Policía de Nueva York?

Sean hizo un gesto de asentimiento y dijo:

—No aparece en la lista de la Seguridad Social, no tiene tarjetas de crédito a su nombre, no existe nadie con su nombre y de su edad que tenga historial laboral. El Departamento de Policía de Nueva York y los estatales nunca han arrestado a nadie con sus huellas dactilares.

—Pero aun así, crees que mató a Katherine Marcus.

Sean negó con la cabeza y contestó:

—No. Lo que quiero decir es que no estoy seguro. Ni siquiera sé si está vivo. Lo único que intento decirte es que podría estarlo. Además, parece muy probable que el asesinato se perpetrara con su pistola. Estoy convencido de que Brendan sabe algo y, además, no tiene a nadie que pueda confirmar que estuviera durmiendo en casa a la hora en que asesinaron a Katie Marcus. Me queda la esperanza de que si pasa una temporada encerrado, nos contará unas cuantas cosas.

Whitey expulsó un eructo que desgarró el aire.

—¡Es un encanto, sargento!

Whitey se encogió de hombros y apuntó:

—Ni siquiera sabemos si en realidad fue Ray Harris el que atracó esa tienda de licores hace dieciocho años. No sabemos si la pistola era suya. Todo son conjeturas. Aunque así fuera, tampoco tenemos pruebas. Nunca le llevaron a juicio. ¡Qué caramba, un buen ayudante del fiscal del distrito ni se molestaría en exponer el caso!

—Sí, pero tengo la corazonada de que tengo razón.

—¡Corazonada! —exclamó Whitey. Se volvió hacia Sean en el momento en que la puerta se abría tras él—. ¡Lo que faltaba, los gemelos imbéciles!

Souza apareció junto a su asiento, y Connolly lo hizo unos cuantos pasos detrás.

–¡Y dijo que no era importante, sargento!

Whitey se puso la mano detrás de la oreja, y alzó los ojos hacia Souza:

–¿De qué se trata, chico? Ya sabes que no oigo muy bien.

–Hemos estado repasando la lista de coches que la grúa se ha llevado del aparcamiento del Last Drop.

–Eso está bajo jurisdicción del Departamento de Policía de Boston –protestó Whitey–. ¿No os lo había dicho?

–Hemos encontrado un coche que no ha reclamado nadie, sargento.

–¿Y?

–Pues que le dijimos al empleado que volviera a comprobar si el coche todavía estaba ahí. Cuando se puso de nuevo al teléfono, nos dijo que el maletero goteaba.

–¿Qué era lo que goteaba? –preguntó Sean.

–No lo sé, pero nos contó que olía a mil demonios.

Era un Cadillac de dos colores: la cubierta blanca sobre la carrocería azul. Whitey se agachó junto a la ventana del copiloto, con las manos a ambos lados de los ojos.

–Diría que esa mancha marrón que hay junto a la puerta del conductor parece un poco sospechosa.

Connolly, de pie junto al maletero, exclamó:

–¡Caramba, qué pestazo! ¡Apesta igual que la marea baja en Wollaston!

Whitey se acercó al maletero en el instante en que el empleado le entregaba un punzón a Sean.

Sean se colocó junto a Connolly y, apartándolo de en medio, le aconsejó:

–Use la corbata.

–¿Cómo dice?

–¡Para taparse la boca y la nariz, hombre! ¡Use la corbata!

–¿Y ustedes qué usan?

Whitey señaló su resplandeciente labio superior y contestó:

–Nos hemos puesto Vicks en el coche. Lo siento, chicos, pero se nos ha terminado.

Sean cogió el punzón de uno de los extremos, lo pasó por la cerradura del maletero del Cadillac y lo clavó hasta el fondo, sintiendo cómo el metal se deslizaba sobre el metal, y cómo presionaba el cilindro de la cerradura.

–¿Lo has conseguido? –le preguntó Whitey–. ¿A la primera?

–Sí –contestó Sean.

Tiró con fuerza hacia atrás, arrastrando el cilindro de la cerradura, vislumbrando el agujero que había hecho antes de que saltara el pestillo y se levantara la tapa del maletero. El olor a marea baja fue sustituido por algo mucho peor: era un hedor que parecía ser una mezcla de gases pantanosos y de carne hervida pudriéndose sobre una pila de huevos revueltos.

–¡Hostia! –exclamó Connolly, mientras se cubría el rostro con la corbata y se alejaba del coche.

–¿A alguien le apetece un bocadillo mixto? –preguntó Whitey, y Connolly se volvió del color de la hierba.

Souza, sin embargo, no tuvo ningún problema. Se acercó al maletero y, tapándose la nariz con una mano, preguntó:

–¿Dónde tiene la cara?

–Debe de ser eso –respondió Sean.

El hombre estaba acurrucado en posición fetal, con la cabeza ligeramente inclinada hacia atrás y hacia un lado, como si tuviera el cuello roto, y el resto del cuerpo hecho un ovillo en dirección contraria. El traje y los zapatos que llevaba eran de calidad, y Sean, después de examinarle las manos y el pelo, dedujo que debía de tener unos cincuenta años. Se dio cuenta de que había un agujero en la parte trasera de la chaqueta del traje, y utilizó un bolígrafo para apartar el tejido de la espalda del tipo. La camisa que llevaba debajo se había vuelto amarilla a causa del sudor y del calor, pero Sean encontró un agujero similar al de la chaqueta, en medio de la espalda, donde la camisa le había quedado incrustada en la piel.

–Le dispararon, sargento. No cabe ninguna duda. –Examinó el maletero durante un momento–. Sin embargo, no encuentro el cartucho.

Whitey se volvió hacia Connolly en el instante en que éste empezaba a tambalearse y le ordenó:

–Suba al coche y diríjase al aparcamiento del Last Drop. Primero informe al Departamento de Policía de Boston. Sólo nos faltaría tener que discutir con ellos por cuestiones de jurisdicción. Examine la zona del aparcamiento en la que encontró mayor cantidad de sangre. Hay muchas posibilidades de que la bala esté allí, agente. ¿Me ha entendido?

Connolly asintió con la cabeza, tragando saliva.

–La bala le atravesó el cuadrante inferior y le alcanzó el esternón, casi en el centro.

–Trae a la Policía Científica y a todos los agentes que puedas sin cabrear a los de Departamento de Policía de Boston –dijo Whitey a Connolly–. Si encuentras la bala, encárgate de llevarla personalmente al laboratorio.

Sean asomó la cabeza por el maletero y observó el rostro destrozado con atención.

–A juzgar por la cantidad de grava, alguien le aplastó la cara contra la acera hasta que no pudo más.

Whitey, cogiendo a Connolly por el hombro, le dijo:

–Di a los de la policía que van a necesitar un equipo completo de los de Homicidios: técnicos, fotógrafos, el ayudante del fiscal del distrito que esté de guardia y el médico forense. Diles también que el sargento Powers necesita a alguien que pueda hacer un análisis de grupo sanguíneo en el mismo lugar del crimen. ¡En marcha!

Connolly estaba contento de poder alejarse de aquel horrible olor. Se dirigió a su coche patrulla a toda prisa, lo puso en marcha, y en menos de un minuto ya había salido del aparcamiento.

Whitey usó un carrete entero para fotografiar el coche y los alrededores, y después le hizo un gesto de asentimiento a Souza. Éste se puso unos guantes de goma y empleó un trozo de alambre para forzar la cerradura de la puerta del coche.

–¿Has encontrado algún documento que le identifique? –preguntó Whitey a Sean.

–He encontrado su cartera en el bolsillo trasero –respondió Sean–. ¿Por qué no haces unas cuantas fotografías mientras me pongo los guantes?

Whitey se acercó al coche e hizo unas cuantas fotos, y luego, mientras garabateaba un diagrama de la escena del crimen en su libreta, dejó que la cámara le colgara del cordón que llevaba alrededor del cuello.

Sean extrajo la cartera del bolsillo trasero del cadáver, y la abrió de golpe en el instante en que Souza, desde la parte delantera del coche, decía:

–La matrícula está a nombre de un tal August Larson, residente en el número trescientos veintitrés de la calle Sandy Pine de Weston.

Sean echó un vistazo al carné de conducir, y exclamó:

–¡Se trata del mismo tipo!

Whitey le miró por encima del hombro y le preguntó:

–¿Ves algún carné de donante de órganos o algo así?

Sean buscó entre las tarjetas de crédito, las tarjetas de socio del videoclub, el carné de socio de un gimnasio, la tarjeta del Real Automóvil Club, y por fin encontró la tarjeta de asistencia médica. Lo levantó para que Whitey pudiera verlo.

–Grupo sanguíneo: A.

–Souza –dijo Whitey–, llama a la central y solicita una orden de busca y captura de David Boyle, que vive en el número quince de la calle Crescent de East Buckingham. Varón de raza blanca, pelo castaño, ojos azules, metro sesenta, setenta y cinco kilos. Con toda probabilidad va armado y es un individuo peligroso.

–¿Armado y peligroso? –exclamó Sean–. Lo dudo, sargento.

–Eso se lo cuentas al tipo del maletero –repuso Whitey.

La sede central de Policía tan sólo se encontraba a ocho manzanas de distancia del depósito de coches; por lo tanto, cinco minutos después de que Connolly se hubiera marchado, un batallón de coches patrulla y de coches camuflados atravesaba la entrada, seguidos de la furgoneta del equipo del médico forense y de la camioneta de la Policía Científica. Tan pronto como los vio, Sean se quitó los guantes y se alejó del maletero. Ahora era cosa suya. Sean estaba dispuesto a responder a cualquier pregunta que desearan hacerle, pero aparte de eso, daba por concluido su trabajo allí.

El primer agente del Departamento de Homicidios que salió del Crown Vic color café fue Burt Corrigan, un veterano de la quinta de Whitey que tenía el mismo historial de relaciones desafortunadas y mala alimentación. Le estrechó la mano a Whitey, ya que ambos acudían con frecuencia a las reuniones de los jueves de JJ Foley's, junto con los demás miembros del equipo de dardos.

–¿Ya le habéis multado o tenéis intención de esperar hasta después del funeral? –preguntó Burt a Sean.

–Muy buena –apuntó Sean–. ¿Quién te escribe las frases últimamente, Burt?

Burt le dio un golpecito en el hombro al acercarse al maletero. Lo examinó, lo olfateó y exclamó:

–¡Qué peste!

Whitey se acercó al maletero y le dijo:

–Creemos que el asesinato se cometió en el aparcamiento del Last Drop de East Bucky en la madrugada del domingo.

Burt asintió y preguntó:

–¿No fue allí uno de nuestros equipos forenses el lunes por la tarde?

Whitey hizo un gesto de asentimiento y contestó:

–Se trata del mismo caso. ¿Ha mandado algunos hombres al aparcamiento?

–Sí, hace tan sólo unos minutos. Tenían que encontrarse con un tal agente Connolly para buscar una bala.

–Correcto.

–También ha solicitado una orden de busca y captura, ¿no es así?

–Sí, de Dave Boyle –contestó Whitey.

Burt observó de cerca el rostro del tipo muerto, y dijo:

–Necesitaremos todas las notas que han tomado del caso, Whitey.

–No hay ningún problema. Me quedaré un rato por aquí para ver cómo van las cosas.

–¿Se ha duchado hoy?

–Lo primero que he hecho.

–De acuerdo. –Se volvió hacia Sean–. ¿Y usted?

–Desearía hablar con una persona que me está esperando –repuso Sean–. Ahora el caso es suyo. Me llevaré a Souza conmigo.

Whitey asintió y, mientras le acompañaba al coche, le dijo:

–Si Boyle tiene algo que ver en esto, podríamos relacionarlo con el asesinato de Katie Marcus, y solucionaríamos dos casos a la vez.

–¿Un doble homicidio a diez manzanas de distancia? –preguntó Sean.

–Tal vez Katie Marcus saliera del bar y lo viera.

Sean negó con la cabeza y añadió:

–Las horas no cuadran. Si Boyle mató a ese hombre, lo hizo entre la una y media y las dos menos cinco de la mañana. Entonces tendría que haber recorrido diez manzanas, y encontrarse a Katie Marcus conduciendo por esa calle a las dos menos cuarto. Me parece imposible.

Whitey se apoyó en el coche y respondió:

–A mí también.

–Además, el agujero que tenía ese hombre en la espalda es pequeño. Si quieres saber mi opinión, es demasiado pequeño para una pistola del calibre treinta y ocho. Pistolas diferentes, personas diferentes.

Whitey asintió y, mientras se observaba los zapatos, le preguntó:

–¿Vas a interrogar otra vez al chico de los Harris?

–No me quito de la cabeza lo de la pistola de su padre.

–Si tuvieras una fotografía del padre, tal vez alguien podría retocarla para que pareciera mayor, hacerla circular, y saber si alguien le ha visto.

Souza se les acercó, abrió la puerta del conductor y preguntó:

–¿Voy con usted, Sean?

Sean asintió, se volvió hacia Whitey y declaró:

–Es un pequeño detalle.

–¿El qué?

–Lo que nos falta. Seguro que es algo sin importancia. Si lo averiguamos, podremos resolver el caso.

Whitey sonrió y le preguntó:

–¿Cuándo fue la última vez que no pudiste resolver un caso de homicidio?

–Hace ocho meses, el de Eileen Fields –contestó Sean con rapidez.

–No todos lo casos son fáciles de solucionar –apuntó Whitey–. ¿Sabes lo que te quiero decir?

El rato que Brendan había pasado en la celda no le había sentado nada bien. Parecía más pequeño y más joven, aunque también más resentido, como si allí dentro hubiera visto cosas que jamás habría deseado ver. Pero Sean se había preocupado de ponerle en una celda vacía, lejos de la escoria de la sociedad y de los yonquis, por lo que no tenía ni idea de lo horrible que podía haber sido, a menos que el chico fuese incapaz de soportar el aislamiento.

–¿Dónde está tu padre? –le preguntó Sean.

Brendan se mordió una uña, se encogió de hombros y contestó:

–En Nueva York.

–¿No le has visto?

Brendan, que empezaba a morderse otra uña, respondió:

–No le he visto desde que tenía seis años.

–¿Mataste a Katherine Marcus?

Brendan apartó la uña de los labios y se quedó mirando a Sean.

–¡Contéstame!

–¡No!

–¿Dónde está la pistola de tu padre?

–Que yo sepa, mi padre no tenía ninguna pistola.

Esa vez no parpadeó. No apartó la mirada de la de Sean. Le miró fijamente a los ojos con una especie de cansancio cruel y abatido que hizo que Sean viera por primera vez que el chico era capaz de ponerse violento.

«¿Qué demonios le había sucedido en esa celda?»

–¿Qué motivo podía tener tu padre para matar a Katie Marcus? –preguntó Sean.

–Mi padre no ha matado a nadie –replicó Brendan.

–Sabes algo, Brendan, y no me lo quieres contar. Vamos a ver si el detector de mentiras está libre en este momento. Me gustaría hacerte unas cuantas preguntas más.

–Quiero hablar con un abogado –advirtió Brendan.

–Enseguida, pero...

–Quiero hablar con un abogado –repitió Brendan–. ¡Ahora mismo!

–¡Claro! –exclamó Sean sin cambiar el tono de voz–. ¿Conoces a alguno?

–Mi madre conoce a uno. Déjeme que haga mi llamada telefónica.

–Mira, Brendan...

–¡Ahora mismo! –espetó Brendan.

Sean suspiró, le acercó el teléfono y dijo:

–Antes tienes que marcar un nueve.

El abogado de Brendan era un viejo bocazas irlandés que había estado persiguiendo ambulancias desde la época en que eran conducidas por caballos, pero sabía lo suficiente para tener la certeza de que Sean no tenía ningún derecho a retener a su cliente por el mero hecho de no tener coartada.

–¡Retenerle! –exclamó Sean.

–Ha encerrado a mi cliente en una celda –alegó el abogado.

–Pero si ni siquiera estaba cerrada con llave –replicó Sean–. El chico quería echar un vistazo.

Por la expresión del abogado, parecía que Sean le había decepcionado. Brendan y él salieron de la sala sin volver la vista atrás. Sean empezó a leer los informes de algunos casos, pero las palabras no hacían mella. Cerró los informes, se reclinó en la silla, cerró los ojos, y vio a la Lauren y al hijo de sus sueños. Incluso sentía su olor.

Abrió la cartera, sacó un trozo de papel en el que tenía apuntado el número del móvil de Lauren, lo dejó sobre la mesa y alisó las arrugas con la mano. Nunca había querido tener hijos. Aparte de que sus prioridades nunca habían ido por ahí, no les encontraba ningún encanto. Se apropiaban de tu vida y te causaban miedo y agotamiento; además, la gente se comportaba como si tener hijos fuera un acontecimiento sagrado y hablaban de ellos con el mismo tono reverente que antes se reservaba para los dioses. Si uno se paraba a pensarlo, sin embargo, no podía olvidar que todos esos gilipollas que bloqueaban el tráfico, que andaban por la calle, que gritaban en los bares y ponían la música a todo volumen, que te atracaban, que te violaban y que te vendían coches amarillos, que todos esos gilipollas no eran más que niños que habían envejecido. No era ningún milagro, y no había nada sagrado en ello.

Además, ni siquiera estaba seguro de que fuera de él. Nunca se había hecho la prueba de paternidad, porque su orgullo le decía: «¡A la mierda! ¿Tengo que someterme a una prueba para demostrar que soy el padre? ¿Hay algo que pueda ser más humillante? Lo siento, pero me tienen que sacar un poco de sangre porque mi mujer se estaba follando a otro tío y se quedó embarazada».

¡A la mierda! Sí, la echaba de menos. Sí, la amaba. Y sí, había soñado con sostener a aquel niño entre sus brazos. ¿Y qué? Lauren le había traicionado, le había abandonado, había tenido a su hijo mientras estaba fuera y, lo que es peor, ni siquiera se había disculpado. Aún no le había dicho nunca: «Sean, estaba equivocada. Siento mucho haberte hecho daño».

¿Y él? ¿Le había hecho daño a ella? Sí, por supuesto. Cuando se había enterado de que tenía un lío, estuvo a punto de pegarle, pero retiró la mano en el último momento y se la metió en el bolsillo. No obstante, Lauren le había visto la expresión de furia en el rostro. Y todos los insultos que le había proferido. ¡Santo cielo!

Al fin y al cabo, su ira y el hecho de haberla apartado de él habían sido hechos reactivos. Era él el que había sido agraviado, no ella.

Se lo estuvo pensando un poco más.

Se volvió a meter el trozo de papel en la cartera, cerró los ojos de nuevo, y se quedó medio dormido en la silla. Le despertó el ruido de pasos en el vestíbulo, y abrió los ojos en el preciso instante que Whitey entraba en la oficina. Sean le vio el brillo de alcohol en los ojos antes de olerle el aliento. Whitey se dejó caer en el sillón, apoyó los pies sobre la mesa, y de una patada apartó la caja de pruebas varias que Connolly había dejado allí encima a primera hora de la tarde.

–¡Vaya día más largo, joder! –exclamó.

–¿Le has encontrado?

–¿A Boyle? –Whitey negó con la cabeza–. No, su casero me ha dicho que le oyó salir a eso de las tres, pero que todavía no había vuelto. También me ha dicho que hace mucho que no ve ni a la mujer ni al hijo. Le llamamos al trabajo. Hace el turno de miércoles a domingo, por lo tanto, tampoco le han visto. –Soltó un eructo–. ¡Ya aparecerá!

–¿Se sabe algo de la bala?

–Encontramos una en el Last Drop. El problema es que topó con un poste metálico que había detrás del tipo. Los de Balística nos han dicho que quizá puedan identificarla, pero que no es seguro. –Se encogió de hombros–. ¿Hay alguna novedad respecto a Brendan?

–Su abogado lo ha sacado de aquí.

–¿De verdad?

Sean se acercó a la mesa de Whitey y empezó a examinar los contenidos de la caja.

–No hay huellas dactilares –protestó Sean–, y las pocas que hay no corresponden a nadie con antecedentes. La pistola fue usada por última vez en un atraco que se perpetró hace dieciocho años. ¡Joder! –Volvió a meter el informe de Balística dentro de la caja–. La única persona que no tiene coartada es la única que no me parece sospechosa.

–¡Vete a casa! –le sugirió Whitey–. ¡De verdad!

–Sí, de acuerdo –asintió mientras sacaba la cinta de la caja.

–¿Qué es eso? –preguntó Whitey.

–Una cinta de Snoop Dogg.

–Creía que había muerto.

–No, el que murió fue Tupac.

–¡Es difícil estar al día!

Sean colocó la cinta en la grabadora que había en un extremo de la mesa y la puso en marcha.

—Aquí el Servicio de Urgencias de la Policía. ¿Cuál es el motivo de su llamada?

Whitey se pasó una goma por los dedos y la lanzó al ventilador del techo.

—Hay un coche con sangre... La puerta está abierta...

—¿Dónde se encuentra el coche?

—En las marismas, junto al Pen Park. Mi amigo y yo lo encontramos.

—¿Me puede dar la dirección?

Whitey se tapó un bostezo con la mano y cogió otra goma. Sean se puso en pie y se estiró, preguntándose qué tendría en la nevera para cenar.

—En la calle Sydney. Hay sangre y la puerta está abierta.

—¿Cómo te llamas, hijo?

—Quiere saber cómo se llama ella, y me ha llamado «hijo».

—¿Hijo? Te he preguntado cómo te llamas tú.

—¡Vayámonos de aquí! ¡Buena suerte!

La conexión se interrumpió y la operadora pasó la llamada a la central. Sean apagó la grabadora.

—Siempre había pensado que Tupac tenía un departamento con más ritmo —apuntó Whitey.

—Era Snoop. Ya te lo he dicho.

Whitey bostezó de nuevo, y repitió:

—¡Vete a casa! ¿De acuerdo?

Sean hizo un gesto de asentimiento y sacó la cinta de la grabadora. La guardó y la lanzó a la caja por encima de la cabeza de Whitey. Sacó su pistola Glock y la funda del cajón superior y se la colgó del cinturón.

—¡Ella! —exclamó.

—¿Qué? —preguntó Whitey volviéndose hacia él.

—El niño de la cinta dijo «cómo se llama ella». Dijo que quería saber su nombre; hablaba de Katie Marcus.

—¡Claro! —repuso Whitey—. Si uno habla de una chica muerta, se refiere a ella en femenino.

—Pero ¿cómo lo sabía?

—¿Quién?

—El niño que hizo la llamada. ¿Cómo sabía que la sangre del coche era de una mujer?

Whitey bajó los pies de la mesa y se quedó mirando la caja. Metió la mano y sacó la cinta. La lanzó al vuelo y Sean la cogió con las manos.

—¡Vuelve a ponerla! –le sugirió Whitey.

26

Perdidos en el espacio

Dave y Val atravesaron la ciudad, cruzaron el río Mystic, y llegaron a un bar muy cutre de Chelsea donde la cerveza era barata y fría, y no había mucha gente; tan sólo algunos viejos con aspecto de haberse pasado la vida entera trabajando en el puerto, y cuatro trabajadores de la construcción que tenían una polémica sobre una mujer llamada Betty, al parecer con las tetas muy grandes pero de mal comportamiento. El bar quedaba encajonado justo debajo del puente Tobin, de espaldas al río, y daba la impresión de que hacía varias décadas que estaba allí. Todo el mundo conocía a Val y le saludaba. El propietario, un tipo esquelético de pelo muy negro y una piel muy pálida, se llamaba Huey. Atendía la barra, y les invitó a las dos primeras rondas.

Dave y Val jugaron al billar durante un rato, y después se sentaron con una jarra y dos chupitos. Las pequeñas ventanas cuadradas que daban a la calle habían pasado de un tono dorado al añil, y había anochecido con tanta rapidez que Dave casi se sintió intimidado por la oscuridad. De hecho, Val era un tipo bastante simpático cuando uno le conocía. Contaba historias sobre la cárcel y sobre robos que habían salido mal, y aunque todo lo que contaba Val era un poco escalofriante, lo hacía de un modo que parecía gracioso. Dave se preguntó qué debía de sentir un hombre como Val, intrépido y seguro de sí mismo, pero tan condenadamente pequeño.

–Bueno, sigo con la historia, ¿de acuerdo? Una vez que encarcelaron a Jimmy, todos los demás nos esforzamos por mantener la banda unida. Todavía no nos habíamos dado cuenta de que el único motivo de que fuéramos ladrones era porque Jimmy lo planeaba todo por nosotros. Lo único que teníamos que hacer era escucharle y seguir sus instrucciones, y todo salía bien. Pero sin él, éramos unos imbéciles. Bueno, pues una vez atracamos a un coleccionista de sellos. Lo dejamos atado en su oficina, mi hermano Nick y yo, y el chico ése llamado Carson Leverett, que no sabía ni atarse los cordones de los zapatos él solo, nos montamos en el ascensor. Todo iba bien. Llevábamos traje y teníamos la sensación de que encajábamos. Una mujer entró en el ascensor y empezó a gritar. No teníamos ni idea de lo que estaba sucediendo. Teníamos una apariencia de lo más respetable, ¿de acuerdo? Me volví hacia Nick y vi que éste estaba mirando a Carson Leverett porque el desgraciado no se había quitado la careta. –Val empezó a dar golpes sobre la mesa, sin parar de reírse–. ¿No te parece increíble? Llevaba puesta una careta de Ronald Reagan, una de esas tan sonrientes. ¡Y no se la había quitado!

–¿Y no os habíais dado cuenta?

–No, ése fue el problema –respondió Val–. Salimos de la oficina, Nick y yo nos quitamos la careta, y dimos por sentado que Carson también lo habría hecho. Pequeñas cosas como ésas suceden continuamente en un oficio como éste. A veces, uno se olvida de los detalles más obvios porque está nervioso, es estúpido y lo único que quiere es acabar cuanto antes. Lo tienes delante de las narices, pero eres incapaz de verlo. –Soltó una risita y se bebió el chupito de un trago–. Ésa es la razón por la que echábamos de menos a Jimmy. No se le escapaba ni el más mínimo detalle, al igual que un buen *quarterback* que nunca pierde de vista la totalidad del campo de juego. Jimmy era capaz de ver el campo entero. Podía prever cualquier cosa que pudiera fallar. ¡Era un jodido genio!

–Pero luego se reformó.

–Sí, claro –asintió Val, encendiéndose un cigarrillo–. Lo hizo por Katie. Y después por Annabeth. Si te soy sincero, creo que nunca se lo llegó a tomar en serio del todo, pero la vida es así. A veces la gente crece. Mi primera mujer siempre me decía que ése era precisamente mi problema: que era incapaz de madurar. Me gusta demasiado la noche. El día sólo sirve para dormir.

–Siempre pensé que sería diferente –afirmó Dave.

–¿El qué?

–El proceso de crecer. Pensaba que me sentiría diferente, como un adulto, como un hombre.

–¿No te sientes adulto?

Dave sonrió y contestó:

–Algunas veces, sí, en lapsos muy breves. Pero casi nunca me siento diferente de la época en que tenía dieciocho años. Muchas veces me despierto pensando: «¿Tengo un hijo? ¿Tengo mujer? ¿Cómo ha sucedido?». –Dave sentía cómo se le trababa la lengua a causa del alcohol, y notaba que la cabeza le daba vueltas porque aún no habían pedido nada para comer. Sentía la necesidad de explicarse, de demostrar a Val quién era en realidad, y de caerle bien–. Supongo que siempre pensé que a partir de un momento dado uno no dejaría de sentirse adulto. ¿Entiendes lo que quiero decir? Como si un día te despertaras, te sintieras un hombre y fueras capaz de controlar las situaciones del mismo modo que hacen los padres en las series televisivas.

–¿Te refieres a personajes como los de Ward Cleaver? –preguntó Val.

–Sí, o incluso como esos sheriffs, ya sabes a quién me refiero, a James Arness, y a esos tipos como él. Siempre se comportaban como hombres de verdad.

Val asintió, tomó un trago de cerveza y añadió:

–Un tío me dijo en la cárcel: «La felicidad aparece muy rara vez, y sólo nos cabe esperar a que vuelva a aparecer. Pueden pasar años, pero la tristeza –prosiguió Val, parpadeando– nos invade siempre». –Apagó el cigarrillo–. Ese tipo me caía muy bien. No paraba de decir cosas interesantes. Me voy a pedir otro chupito. ¿Quieres otro? –Se puso en pie.

Dave negó con la cabeza y contestó:

–Todavía no me he terminado éste.

–¡Venga! –exclamó Val–. ¡De un trago!

Dave, observando su rostro arrugado y sonriente, respondió:

–De acuerdo.

–¡Bien hecho!

Val le dio un golpecito en el hombro y se dirigió hacia la barra.

Dave lo observó allí de pie, charlando con uno de los viejos trabajadores del muelle mientras esperaba que le sirvieran las bebidas. Dave pensó que aquellos tipos debían de saber lo que era ser hombres. Hombres sin vacilaciones, que nunca ponían en duda si obraban bien, que no estaban confundidos por el mundo o por lo que éste esperaba de ellos.

Supuso que era miedo. Eso era lo que él siempre había sentido, a diferencia de aquellos hombres. El miedo le había invadido desde una edad muy temprana, y de modo permanente, al igual que la tristeza, según el amigo de Val. El miedo se había instalado en su interior y nunca le había abandonado; por lo tanto, temía obrar mal, temía no estar a la altura, temía no ser lo bastante inteligente, temía no ser un buen marido o un buen padre o un hombre de verdad. Hacía tanto tiempo que tenía miedo que no estaba muy seguro de poder recordar cómo debía de ser vivir sin él.

La luz de un faro se reflejó en la puerta principal y le enfocó directamente a los ojos. Se abrió la puerta y Dave parpadeó varias veces, llegando sólo a entrever la silueta del hombre que entraba por la puerta. Era corpulento y le pareció que llevaba una chaqueta de piel. De hecho, se parecía un poco a Jimmy, pero era más grande y más ancho de hombros.

Cuando la puerta se cerró de nuevo y recobró la visión, se dio cuenta de que en realidad era Jimmy, con una chaqueta negra de piel encima de un jersey oscuro de cuello alto y de unos pantalones color caqui. Saludó a Dave mientras se acercaba a la barra para hablar con Val. Le susurró algo al oído; Val se dio la vuelta y miró a Dave, y luego le dijo algo a Jimmy.

Dave empezaba a sentirse mareado. Estaba convencido de que era porque no había comido nada. Pero también tenía algo que ver con Jimmy, con el modo de saludarle, y por su rostro pálido y su expresión decidida. ¿Por qué demonios le parecía tan fornido? Tenía la sensación de que había aumentado cuarenta kilos de peso desde el día anterior. ¿Qué estaba haciendo en Chelsea la noche anterior al funeral de su hija?

Jimmy se acercó, tomó asiento delante de él y le preguntó:

—¿Qué tal?

—Un poco borracho —admitió Dave—. ¿Has engordado?

Jimmy le dedicó una sonrisa burlona y contestó:

—No.

–Pareces más grande.

Jimmy se encogió de hombros.

–¿Qué haces por aquí? –le preguntó Dave.

–Vengo a este bar muy a menudo. Hace muchos años que conocemos a Huey. Muchísimos. ¿Por qué no te bebes el chupito, Dave?

Dave agarró el vaso y confesó:

–Creo que ya estoy bastante borracho.

–¡Qué más da! –exclamó Jimmy, y Dave se dio cuenta de que Jimmy también se iba a beber uno. Lo alzó y miró a Dave fijamente a los ojos–. ¡Por nuestros hijos!

–¡Por nuestros hijos! –repitió Dave con gran esfuerzo, sintiéndose indispuesto, como si se hubiera ausentado del día y de la noche, y hubiera entrado en un sueño, un sueño en el que las caras estaban demasiado cerca, pero en el que las voces sonaban como si procedieran del fondo de una alcantarilla.

Dave se bebió el chupito de un trago, haciendo una mueca al sentir un escozor en la garganta, y Val se sentó junto a él. Le pasó los brazos por los hombros y, después de tomar un trago de cerveza, le dijo:

–Siempre me ha gustado mucho este sitio.

–Es un buen bar –asintió Jimmy–. Nadie te molesta.

–En esta vida es muy importante que nadie te moleste –apuntó Val–. Que nadie se meta contigo ni con la gente que amas ni con tus amigos. ¿No estás de acuerdo, Dave?

–Completamente –respondió Dave.

–Dave es estupendo –dijo Val–. Siempre te hace sentir bien.

–¿Eso crees? –preguntó Jimmy.

–¡Y tanto! –respondió Val, apretándole el hombro a Dave–. ¡Éste es mi hombre!

Celeste estaba sentada al borde de la cama del motel mientras Michael miraba la televisión. Tenía el teléfono sobre el regazo, con la palma de la mano flexionada sobre el auricular.

Durante las últimas horas de la tarde que había pasado con Michael, sentada en sillas oxidadas junto a la pequeña piscina del motel, había empezado a sentirse diminuta y hueca, como si alguien pudiera verla desde lo alto y pareciera abandonada y tonta, y lo que era peor, desleal.

Su marido. Había traicionado a su marido.

Tal vez Dave hubiera matado a Katie. Era una posibilidad. Pero ¿en qué demonios debía de estar pensando para contárselo todo a Jimmy? ¿Por qué no había esperado un poco más? ¿Por qué no lo había pensado con calma? ¿Por qué no había tenido en cuenta otras alternativas? ¿Acaso tenía miedo de Dave?

El nuevo Dave que ella había visto durante los últimos días era una aberración, un Dave producto del estrés.

Quizá no hubiera matado a Katie. Quizá.

La cuestión era que, como mínimo, tendría que haberle dado el beneficio de la duda hasta que las cosas se aclararan. No estaba muy segura de poder seguir viviendo con él y de poner la vida de Michael en peligro, pero si de algo estaba segura era de que debería haber ido a la policía, en vez de hablar con Jimmy Marcus.

¿Había deseado herir a Dave? ¿Había esperado algo más al mirar a Jimmy directamente a los ojos y contarle sus sospechas? Y si era así, ¿qué era? Con toda la gente que había en el mundo, ¿por qué se lo había contado precisamente a Jimmy?

Había muchas respuestas posibles a aquella pregunta, pero no le gustaba ninguna. Descolgó el auricular y marcó el número de teléfono de Jimmy. Lo hizo con manos temblorosas y pensando: «Por el amor de Dios, que alguien coja el teléfono. Responde, por favor».

La sonrisa del rostro de Jimmy había empezado a moverse, a dibujarse y desdibujarse, de un lado a otro, y Dave intentó fijar la mirada en la barra, pero ésta también se movía, como si estuviera dentro de un bote y el mar empezara a enfurecerse.

–¿Te acuerdas del día que trajimos aquí a Ray Harris? –preguntó Val.

–¡Claro! –contestó Jimmy–. ¡El viejo y bueno de Ray!

–Ray –añadió Val, golpeando la mesa delante de Dave– era un hijo de perra de lo más divertido.

–Sí –asintió Jimmy en voz baja–. Ray era muy gracioso, siempre te hacía reír.

–La mayoría de la gente le llamaba Simplemente Ray –añadió Val, mientras Dave se esforzaba por adivinar de quién estaban hablando–. Pero yo le llamaba Ray *Retintín*.

Jimmy chasqueó los dedos, señaló a Val y dijo:

–¡Eso es! ¡Siempre tenía cambio!

Val se acercó a Dave y le susurró al oído:

–El tipo ése solía llevar diez pavos en monedas dentro de los bolsillos. Nadie sabía por qué. Sencillamente le gustaba llevar muchas monedas en los bolsillos, supongo que por si un día tenía que llamar por teléfono a Libia o un sitio así. ¿Quién sabe? Pero solía pasearse con las manos en los bolsillos, haciendo tintinear las monedas el día entero. Lo que te quiero decir es que el tipo era un ladrón, y ¿quién no le iba a oír llegar? Pero según parece, dejaba las monedas en casa cuando se iba a trabajar. –Val suspiró–. ¡Mira que llegaba a ser raro!

Val retiró el brazo del hombro de Dave y se encendió otro cigarrillo. El humo subió en espiral hasta el rostro de Dave, y éste sintió cómo le avanzaba por las mejillas para acabar abriéndose camino en su pelo. A través del humo, veía cómo Jimmy le observaba con aquella expresión insípida y resuelta; los ojos de Jimmy expresaban algo que no le gustaba, algo que le resultaba familiar.

Se dio cuenta de que era la mirada característica de los policías. La del sargento Powers. La sensación de que podía leerle los pensamientos. La sonrisa volvió al rostro de Jimmy, subiendo y bajando cual lancha neumática, y Dave sintió que su estómago iba al mismo son, botando como si estuviera montado en una ola.

Tragó saliva varias veces y respiró profundamente.

–¿Te encuentras bien? –le preguntó Val.

Dave alzó una mano. Si todo el mundo se callara, se encontraría perfectamente.

–Sí –respondió.

–¿Estás seguro? –le preguntó Jimmy–. Se te ha puesto la cara verde.

Sintió que una sensación nauseabunda le invadía el cuerpo y que se le cerraba la tráquea como un puño, para luego abrírsele de golpe. Le bajaban gotas de sudor por las cejas; exclamó:

–¡Mierda!

–Dave.

–Creo que voy a vomitar –advirtió, sintiendo náuseas de nuevo–. De verdad.

–De acuerdo –asintió Val, apartándose de la mesa a toda velocidad–. Sal por la puerta trasera. A Huey no le gusta tener que limpiar vómitos del cuarto de baño. ¿Entendido?

Dave se puso en pie, y Val le cogió los hombros y le hizo dar la vuelta para que viera la puerta trasera que había en un extremo de la barra, un poco más allá de la mesa de billar.

Dave se dirigió hacia la puerta, intentando andar en línea recta, un pie después de otro, un pie después de otro, pero seguía viendo la puerta inclinada. Era una puerta oscura y pequeña, y aunque la habían pintado de negro, la madera de roble estaba rota y astillada por el paso de los años. De repente, Dave sintió el calor del lugar. El ambiente era bochornoso y denso, y el aire le golpeaba mientras intentaba llegar hasta la puerta. Asió el pomo de bronce, agradecido por lo frío que estaba; a continuación lo giró y abrió la puerta.

Lo primero que vio fueron malas hierbas, luego agua. Tropezó, sorprendido por lo oscuro que estaba allí fuera y, en el momento justo, la luz de encima de la puerta se encendió e iluminó el alquitrán deteriorado que había delante de él. Oía las bocinas de los coches y los sonidos estridentes procedentes del puente que tenía encima y, de repente, se le pasaron las ganas de vomitar. Después de todo, quizá se encontrara bien. Inspiró el aire de la noche. A su izquierda, alguien había apilado plataformas de madera podridas y trampas de langosta oxidadas, y algunas de ellas tenían agujeros desiguales, como si hubieran sido atacadas por los tiburones. Dave se preguntó qué demonios debían de hacer esas trampas de langosta cerca de un río y en un lugar tan alejado del mar, pero después decidió que, de todos modos, estaba demasiado borracho para intentar hallar una respuesta. Un poco más lejos había una valla de tela metálica, tan oxidada como las trampas de langosta, recubierta de hierbajos. A su derecha, una hilera de malas hierbas más alta que la mayoría de la gente se extendía unos dieciocho metros a lo largo del pavimento roto y agujereado.

Dave volvió a sentir náuseas, las más desagradables que había tenido hasta entonces, y notó cómo le recorrían el cuerpo. Tropezó, cayó junto a la orilla del agua, y bajó la cabeza en el preciso instante en que el miedo, el Sprite y la cerveza salían a borbotones para ir a caer al grasiento río Mystic. Era líquido puro. No tenía nada más dentro. Era incapaz de recordar la última vez que había comido. Pero cuando se limpió la boca y se pasó un poco de agua se encontró mejor. Sintió el frescor de la noche en el pelo. Una ligera brisa se elevaba desde el río. Esperó, de rodillas, por si le entraban más ganas de devolver, aunque lo dudaba. Era como si le hubieran purificado.

Alzó los ojos y observó la parte inferior del puente; todo el mundo luchaba por entrar o salir de la ciudad, con prisas y de mal humor, seguramente a sabiendas de que cuando llegaran a casa tampoco se encontrarían mejor. La mitad de ellos saldría de sus casas enseguida e irían al supermercado a comprar algo que habían olvidado, a un bar, al videoclub, a un restaurante en el que tendrían que hacer cola otra vez, y todo eso, ¿para qué? ¿Para qué hacíamos tantas colas? ¿Adónde esperábamos llegar? Y una vez allí, ¿por qué no estábamos tan contentos como habíamos imaginado?

Dave se percató de que a su derecha había un pequeño bote con motor fueraborda. Estaba amarrado a un poste tan pequeño y hundido que no se podía calificar de muelle. Supuso que debía de ser la barca de Huey, y sonrió al imaginarse a aquel tipo de apariencia mortecina surcando aquellas aguas grasientas, con su negra cabellera al viento.

Se dio la vuelta y observó las plataformas y las malas hierbas.

No era de extrañar que la gente saliera allí a vomitar. Era un lugar de lo más apartado. A no ser que uno estuviera al otro lado del río con prismáticos, era imposible divisar el lugar. Estaba cerrado por tres lados, y era tan tranquilo que el sonido de los coches que pasaban por el puente era tan sólo un ruido apagado y distante; las malas hierbas lo ocultaban todo, a excepción de los graznidos de las gaviotas y del chapaleteo del agua. Si Huey fuera lo bastante listo, limpiaría las malas hierbas, quitaría las plataformas y construiría una terraza para atraer a algunos de los ejecutivos que se habían ido a vivir a Admiral Hill, con la intención de convertir Chelsea en el siguiente campo de batalla de los burgueses después de haber acabado con East Bucky.

Dave escupió unas cuantas veces y después se limpió la boca con la palma de la mano. Se puso en pie, y decidió que tendría que decir a Val y a Jimmy que necesitaba comer algo antes de seguir bebiendo. No hacía falta que fuera nada especial, tan sólo algo sustancioso. Cuando se dio la vuelta, estaban de pie junto a la puerta negra que habían cerrado a sus espaldas; Val, a la izquierda, y Jimmy, a la derecha. Dave pensó que tenían un aspecto gracioso, como si hubieran llegado hasta allí para entregar unos muebles y no supieran dónde dejarlos a causa de todos los hierbajos.

–¡Hola! ¿Habéis venido a comprobar que no me he caído al río? –preguntó Dave.

Jimmy se apartó de la pared y se dirigió hacia él; la luz que colgaba sobre la puerta se apagó. Jimmy, que apenas veía nada a causa de la oscuridad, empezó a acercársele despacio; el rostro pálido se le iluminaba con la luz procedente del puente, iba entrando y saliendo de las sombras.

–Déjame que te cuente una cosa sobre Ray Harris –sugirió Jimmy, con un tono de voz tan bajo que Dave tuvo que inclinarse hacia delante–. Ray Harris era amigo mío, Dave. Solía venir a visitarme cuando estaba en la cárcel. También pasaba a ver a Marita, a Katie y a mi madre por si les hacía falta algo. Al hacer todas esas cosas, pensé que era amigo mío, pero en realidad lo hacía porque se sentía culpable. La policía le había presionado y me había delatado. Se sentía muy mal por ello. Pero después de haber venido a verme a la cárcel durante meses, pasó una cosa muy extraña. –Jimmy llegó hasta donde estaba Dave, se detuvo y se le quedó mirando con la cabeza ligeramente inclinada–. Me di cuenta de que Ray me caía muy bien. De verdad, disfrutaba mucho de su compañía. Hablábamos de deportes, de Dios, de libros, de nuestras esposas, de nuestros hijos, de la política del momento, de cualquier cosa. Ray era el tipo de persona que podía hablar de cualquier cosa. Tenía interés por todo. Y ésa es una cualidad muy poco común. Después mi mujer murió, ¿sabes? Murió y enviaron un guarda a la celda que me dijo: «Lo siento, recluso, pero su mujer murió ayer a las ocho y cuarto de la tarde. Se ha ido para siempre». ¿Sabes qué es lo que más me dolió de la muerte de mi mujer, Dave? Pues que tuviera que pasar por todo aquello completamente sola. Ya sé lo que estás pensando: todos morimos solos. Es verdad, en el último momento uno siempre está solo. No obstante, mi mujer tenía cáncer de piel, y tuvo que pasarse los últimos seis meses muriendo poco a poco. Yo podría haber estado allí con ella. Podría haberla ayudado a enfrentarse a la muerte. No a la muerte en sí, sino al proceso de morir. Sin embargo, no pude estar con ella. Ray, un hombre al que apreciaba, nos lo impidió.

Dave vio un trozo de río color azul tinta, iluminado por las luces del puente y el resplandor, reflejado en las pupilas de Jimmy.

–¿Por qué me cuentas todo esto, Jimmy? –le preguntó Dave.

Jimmy señaló un lugar, por encima del hombro izquierdo de Dave y declaró:

–Hice que Ray se arrodillara allí mismo y le pegué dos tiros: uno en el pecho y otro en el cuello.

Val se apartó de la pared que había junto a la puerta, se dirigió hacia la izquierda de Dave y se tomó su tiempo; la maleza sobresalía tras él. A Dave se le cerró la garganta y se le secaron las tripas.

–Jimmy, no sé lo que... –farfulló Dave.

–Ray me suplicó –apuntó Jimmy–. Me dijo que éramos amigos. Que tenía mujer e hijo. También me explicó que su mujer estaba embarazada y que se mudarían a otra ciudad. Me aseguró que nunca jamás volvería a molestarme. Me suplicó que le dejara vivir para que pudiera ver nacer a su hijo. Me dijo que me conocía, que sabía que era un buen hombre, y que sabía que no quería hacerle daño. –Jimmy alzó la vista hacia el puente–. Deseaba darle alguna respuesta. Quería decirle que amaba a mi mujer, que ésta había muerto y que le consideraba responsable de ello y que, además, por principio, uno no delataba nunca a sus amigos si quería vivir muchos años. Pero no le dije nada, Dave. Estaba demasiado ocupado llorando. Fue muy patético. Los dos estábamos lloriqueando. Las lágrimas casi no me dejaban verle.

–Entonces, ¿por qué le mataste? –preguntó Dave, y en su voz había un lamento desesperado.

–Te lo acabo de contar –respondió Jimmy, como si se lo estuviera explicando a un niño de cuatro años–. Por principios. Me convertí en un viudo de veintidós años con una hija de cinco. Me había perdido los dos últimos años de la vida de mi mujer. Y el maldito Ray sabía perfectamente que la regla número uno de nuestro oficio era no delatar a los amigos.

–¿Qué es lo que piensas que he hecho, Jimmy? Dímelo –dijo Dave.

–Cuando maté a Ray –prosiguió Jimmy–, sentí, no sé, que no era yo mismo. Tuve la sensación de que Dios me estaba mirando mientras le empujaba y lo tiraba a ese río. Y Dios sólo negaba con la cabeza. En realidad, no parecía enfadado, sólo un poco disgustado y nada sorprendido, como cuando descubres que tu cachorrillo ha hecho caca en la alfombra. Estaba ahí mismo, detrás de donde tú estás ahora, contemplando cómo se hundía Ray, ¿sabes? Su cabeza fue lo último en desaparecer, y recuerdo que pensé que cuando era niño creía que si uno nadaba hasta lo más profundo del agua, sería capaz de atravesar el fondo marino y aparecer en el espacio exterior. Así era como me imaginaba el globo terráqueo. Así estaría, pues, mi cabeza sobresaldría de la Tierra, con todo el espacio, las estrellas y el cielo negro a mi alrededor, antes de iniciar la caída. Me hundiría en el espacio exterior y me alejaría flotando, y así seguiría durante un millón de años, en el frío de la noche. Eso fue lo que me imaginé cuando Ray se hundió: que seguiría sumergiéndose hasta hacer un agujero en el planeta, para luego vagar durante un millón de años por el espacio.

–Sé que te imaginas algo, Jimmy, pero estás equivocado –declaró Dave–. Crees que maté a Katie. Es eso, ¿verdad?

–No hables, Dave –le ordenó Jimmy.

–¡No, no, no! –gritó Dave. De repente se percató de que Val sostenía una pistola–. No tuve nada que ver con la muerte de Katie.

«Van a matarme –pensó Dave–. No, por favor. Uno debe disponer de tiempo para prepararse. Uno no debería salir de un bar para vomitar y enterarse de que su vida se acaba. No, tengo que ir a casa. Tengo que arreglar las cosas con Celeste. Tengo que comer.»

Jimmy se metió la mano en la chaqueta y sacó una navaja. Mientras la abría, la mano le temblaba un poco. Dave se dio cuenta de que también le temblaba el labio superior y un lado de la barbilla. Había esperanza. No podía permitirse que se le paralizara el cerebro. Había esperanza.

–La noche en que Katie murió llegaste a casa con toda la ropa cubierta de sangre, Dave. Has contado dos versiones diferentes de cómo te hiciste daño en la mano, y vieron tu coche aparcado delante del Last Drop a la hora en que Katie se fue. Mentiste a los policías y nos has estado engañando a todos nosotros.

–¡Mira, Jimmy! ¡Por favor, mírame!

Jimmy continuó mirando el suelo.

–Sí, Jimmy, llegué a casa cubierto de sangre. Le pegué a alguien. Le pegué mucho.

–¿Piensas contarnos la historia del atracador? –le preguntó Jimmy.

–No, era uno de esos que abusan de los niños. Estaba haciéndoselo en su coche con un chico. Era un vampiro, Jim. Estaba envenenando a aquel niño.

–Así pues, no hubo ningún atraco. Era un tipo que, si no lo he entendido mal, estaba abusando de un menor. Claro, Dave. Ya lo entiendo. ¿Le mataste?

–Sí. Bien, yo y... el chico.

Dave no tenía ni idea de por qué había dicho eso. Jamás le había hablado del chico a nadie. Uno no debía hacerlo, ya que la gente no lo entendía. Tal vez lo hubiera dicho a causa del miedo. Quizá necesitaba que Jimmy entendiera cómo le funcionaba la cabeza.

–Jimmy, compréndeme. Date cuenta de que no soy el tipo de persona que mataría a un inocente.

–Entonces, tú y el chico del que habían abusado...

–No –replicó Dave.

–¡Cómo que no! Acabas de decir que tú y el chico...

–¡No, no! ¡Olvídate de eso! A veces se me va la cabeza, yo...

–¡No me digas! –exclamó Jimmy–. Me estás contando que mataste a un pervertido, pero, en cambio, no se lo quieres explicar a tu mujer. Creo que debería haber sido la primera persona en saberlo. Especialmente ayer por la noche, cuando te confesó que no creía la historia del atracador. ¿Por qué no se lo dijiste? A la mayoría de la gente no le importa que muera un violador de niños, Dave. Tu mujer cree que mataste a mi hija. ¿Cómo quieres que me crea que preferiste que Celeste pensara que habías matado a Katie en vez de a un pederasta? ¿Me lo puedes explicar, Dave?

Dave deseaba decirle: «Le maté porque tenía miedo de convertirme en alguien como él. Si me comía su corazón, entonces aniquilaría y destruiría su espíritu. Pero no puedo decir eso en voz alta. No puedo contar *esa* verdad. Ya sé que hoy mismo he prometido que se habían acabado los secretos. Pero, por favor, esto no lo puedo contar, por muchas mentiras que tenga que decir para mantenerlo oculto».

–¡Venga, Dave! ¡Cuéntame por qué! ¿Por qué fuiste incapaz de decirle la verdad a tu propia mujer?

La única respuesta que se le ocurrió fue:

–No lo sé.

–¡No lo sabes! Bien, pues en este cuento de hadas, tú y el niño (¿quién se supone que es el niño, tú cuando eras pequeño?) vais y...

–Sólo lo hice yo –replicó Dave–. Yo maté a la criatura sin rostro.

–¿A quién coño dices? –preguntó Val.

–Al tipo. Al violador. Le maté. Yo. Yo solo. En el aparcamiento del Last Drop.

–No he oído decir que encontraran a un tipo muerto cerca del Last Drop –repuso Jimmy, volviéndose hacia Val.

–¿Qué estás haciendo, Jimmy? ¿Dejando que este cabronazo se explique? –protestó Val–. ¿Estás de broma, o qué?

–Es verdad –insistió Dave–. Os lo juro por mi hijo. Le metí en el maletero de su coche. No sé qué ha pasado con el coche, pero lo hice. ¡Os lo juro por Dios! Quiero ver a mi mujer, Jimmy. Quiero vivir mi vida. –Dave alzó los ojos hacia la oscura parte inferior del puente, y oyó el chirriar de los neumáticos allá arriba, las luces amarillas en tropel rumbo a sus respectivas casas–. ¡Jimmy, por favor! ¡No me prives de eso!

Jimmy miró a Dave a los ojos y Dave vio su muerte allí. Vivía dentro de Jimmy como los lobos. Dave deseó con fuerza ser capaz de enfrentarse a aquello, pero no lo consiguió. No podía hacer frente a la muerte. Ahí estaba, con los pies en el suelo, el corazón le bombeaba la sangre, el cerebro enviaba mensajes a los nervios, a los músculos y a los órganos, sus glándulas suprarrenales totalmente abiertas; y en cualquier momento, quizá fuese tan sólo cuestión de segundos, una navaja le atravesaría el pecho. A pesar del dolor tendría la certeza de que su vida (su vida y sus visiones, el hecho de comer, de hacer el amor, de reír, tocar y oler) llegaría a su fin. Era incapaz de afrontarlo con valentía. Suplicaría. Lo haría, sin duda. Si no le mataban, haría cualquier cosa que le pidieran.

–Dave, creo que hace veinticinco años te subiste a aquel coche, y regresó en tu lugar otra persona. Pienso que te frieron el cerebro o algo así –afirmó Jimmy–. Sólo tenía diecinueve años, ¿sabes? Diecinueve y nunca te hizo nada malo. De hecho, le caías muy bien. ¡Y la mataste! ¿Por qué? ¿Porque tu vida es una mierda? ¿Porque la belleza te hace daño? ¿Porque yo no me subí a aquel coche? ¿Por qué? Contéstame, Dave. Dímelo, dímelo –insistió Jimmy–. Si lo haces, te perdonaré la vida.

–¡Ni hablar! –protestó Val–. ¡No me digas que sientes lástima por este jodido cerdo! Escucha...

–¡Cállate, Val! –espetó Jimmy, señalándole con el dedo–. Te regalé mi coche cuando me encerraron en la cárcel y lo primero que hiciste fue destrozarlo. ¡Con todas las cosas que te he dado, y lo único que sabes hacer es usar la fuerza bruta y vender putas drogas! ¡No me des consejos, Val! ¡Ni se te ocurra!

Val se volvió, dio una patada a los hierbajos, y empezó a hablar en susurros rápidamente para sí.

–Cuéntamelo, Dave. Pero no me vengas con el cuento ese del violador de niños porque esta noche no estoy para tonterías, ¿de acuerdo? Dime la verdad. Si vuelves a contarme esa mentira, te rajo ahora mismo.

Jimmy inspiró aire varias veces. Sostenía la navaja delante del rostro de Dave, pero luego la apartó, se la deslizó entre el cinturón y los pantalones, y la colocó sobre su cadera derecha. Después, extendió las manos vacías.

–Dave, te dejaré vivir. Sólo quiero que me digas por qué la mataste. Irás a la cárcel. No te engaño. Pero vivirás, respirarás.

Dave se sintió tan agradecido que le entraron ganas de darle las gracias a Dios en voz alta. Quería abrazar a Jimmy. Treinta segundos antes, había sentido el peor de los desesperos. Habría estado dispuesto a arrodillarse, a suplicar, a decir: «No quiero morir. No estoy preparado. Aún no puedo marcharme. No sé qué me depara el más allá, y no creo que sea el cielo ni nada agradable. Creo que debe de ser algo oscuro, frío, un túnel interminable y vacío, como el agujero de tu planeta, Jim. No quiero estar solo en ese vacío, sumergido en la nada durante años, durante siglos de una fría inexistencia, mi corazón flotando, solo, solo, terriblemente solo».

Si mentía, podría seguir con vida. Sólo si tomaba una decisión y le contaba a Jimmy lo que éste quería oír. Con toda probabilidad le insultaría y le golpearía. Pero seguiría con vida. Podía verlo en la expresión de sus ojos. Jimmy no acostumbraba mentir. Los lobos se habían marchado y lo único que quedaba ante él era un hombre con una navaja que necesitaba poner fin a la cuestión, un hombre que se estaba desmoronando por el peso de no saber, y que lamentaba la pérdida de una hija que nunca jamás volvería a tocar.

«Regresaré a ti, Celeste. Conseguiremos que la vida nos sonría. Lo haremos. Y después, te prometo que no habrá más mentiras. No más secretos. Pero creo que debo decir esta última mentira, la peor de toda una vida llena de mentiras, porque no puedo decir la peor verdad de mi vida. Prefiero que piense que maté a su hija a que sepa por qué asesiné a ese pederasta. Es una buena mentira, Celeste. Nos devolverá la vida.»

–Cuéntamelo –insistió Jimmy.

Dave le contó lo más parecido a la verdad que se le ocurrió:

–Esa noche la vi en el McGills y me recordó un sueño que había tenido.

–¿Qué tipo de sueño? –preguntó Jimmy, con la cara hundida y la voz cascada.

–Un sueño de juventud –contestó Dave.

Jimmy bajó la cabeza.

–No recuerdo haber sido joven –declaró Dave–, y supongo que ella representaba ese sueño. Sencillamente se me fue la cabeza.

Le destrozó tener que explicarle aquello a Jimmy, destruirle de aquel modo, pero Dave sólo quería irse a casa, ordenar sus ideas y ver a su familia, y si eso era lo que tenía que hacer para conseguirlo, lo haría. Iba a hacer las cosas bien. Y un año más tarde, cuando hubieran detenido y condenado al verdadero asesino, Jimmy entendería su sacrificio.

–Hay una parte de mí –confesó Dave– que nunca salió de aquel coche, Jimmy. Tal como tú dijiste. Otra persona regresó al barrio vestida con la ropa de Dave, pero no era el Dave verdadero. Dave todavía seguía en el sótano.

Jimmy hizo un gesto de asentimiento, y cuando alzó la cabeza, Dave se dio cuenta de que tenía los ojos húmedos y vidriosos, llenos de compasión, quizá incluso de amor.

–Entonces, ¿fue por ese sueño? –preguntó Jimmy en un susurro.

–Sí –respondió Dave.

Sintió la frialdad de su mentira que se esparcía por todo su estómago, volviéndose tan intensa que pensó que tal vez estuviera hambriento, pues hacía tan sólo unos minutos que acababa de vaciar sus tripas en el río Mystic.

No obstante, era un frío diferente, distinto a cualquiera que hubiera sentido antes. Un frío helado. Tan frío que era casi caliente. No, era caliente. Era una sensación abrasadora que le bajaba por la ingle, le subía por el pecho y le cortaba la respiración.

Con el rabillo del ojo, vio cómo Val Savage daba un salto y gritaba:

–Sí, eso mismo es de lo que yo estoy hablando.

Le miró a los ojos. Jimmy, que movía los labios con demasiada rapidez y lentitud a la vez, dijo:

–Si enterramos nuestros pecados aquí, Dave, los purificaremos.

Dave se sentó y observó cómo la sangre le brotaba y le goteaba por encima de los pantalones. Era su propia sangre, y cuando se llevó la mano al abdomen, se percató de que tenía una raja que iba de un extremo a otro.

–Me has mentido –protestó.

Jimmy, agachándose junto a él, le preguntó:

–¿Cómo dices?

–Que me has mentido.

–¿Ves cómo se le mueven los labios? –exclamó Val–. ¡Está moviendo los labios!

–¡Ya lo veo, Val!

Dave sintió cómo la certeza le invadía, y era la certeza más desagradable a la que jamás se había tenido que enfrentar. Era mezquina e indiferente. Era cruel, y consistía sólo en saber que se estaba muriendo.

«No hay vuelta atrás. No puedo hacer trampas y escaparme de ésta. No puedo suplicar que me perdonen ni esconderme tras mis secretos. No hay ninguna esperanza de que me indulten por compasión. Compasión, ¿de quién? A nadie le importa. A nadie le importa. Pero a mí, sí, a mí me importa y mucho. Y no es justo. Soy incapaz de atravesar ese túnel completamente solo. Por favor, no lo permitas. Por favor, despiértame. Quiero despertarme. Quiero sentirte, Celeste. Quiero que me estreches entre tus brazos. Todavía no estoy preparado.»

Se esforzó por ver con claridad, al tiempo que Val le entregaba algo a Jimmy y éste lo ponía en la frente de Dave. Estaba frío. Era un círculo de frescor y de amabilidad que le aliviaba de su ardiente sensación.

«¡Espera! ¡No, no, Jimmy! Ya sé lo que es. Atisbo el gatillo. ¡No, no, no, no! ¡Mírame! ¡Fíjate en mí! ¡No lo hagas, por favor! Si me llevas al hospital, me curarán y no moriré. ¡Te lo suplico, Jimmy, no aprietes el gatillo! ¡Te he mentido, por favor, no lo hagas! ¡Aún no estoy preparado para que me metan una bala en el cerebro! Nadie lo está. ¡Por favor, no lo hagas!»

Jimmy dejó de apuntarle con la pistola.

–Gracias –dijo Dave–. Gracias, gracias.

Dave se echó hacia atrás y vio cómo los rayos de luz brillaban sobre el puente, atravesando la negrura de la noche, resplandecientes. «Gracias, Jimmy. De ahora en adelante me voy a portar bien. Me has enseñado algo. De verdad que lo has hecho. Te diré lo que me has enseñado tan pronto como recupere el aliento. Seré un buen padre. Seré un buen marido. Lo prometo. Juro que...»

–¡Bien, ya está! –exclamó Val.

Jimmy observó el cuerpo de Dave, el corte que le atravesaba el abdomen, el agujero de bala que le había perforado la frente. Se desprendió de los zapatos de una patada y se quitó la chaqueta. A continuación, se sacó el suéter de cuello alto y los pantalones color caqui que se habían manchado de la sangre de Dave. Se despojó del chándal de nailon que llevaba debajo y lo lanzó a la pila que había junto al cuerpo de Dave. Oyó cómo Val colocaba los bloques de hormigón y una cadena en el bote de Huey, y luego Val regresó con una gran bolsa de basura verde. Debajo del chándal, Jimmy llevaba una camiseta y pantalones vaqueros; Val sacó un par de zapatos de la bolsa de basura y se los lanzó. Jimmy se los puso y comprobó que no hubiera ningún rastro de sangre en la camiseta y en los vaqueros. No había ni una sola mancha. Ni siquiera el chándal se había manchado.

Se arrodilló junto a Val y metió su ropa dentro de la bolsa de basura. Después llevó la navaja y la pistola hasta uno de los extremos del muelle y los tiró uno tras otro al centro del río Mystic. Podría haberlos colocado dentro de la bolsa junto con la ropa, y lanzarlos más tarde desde el bote con el cuerpo de Dave, pero, por el motivo que fuera, necesitaba hacerlo en aquel momento, y experimentar el movimiento del brazo en el aire y cómo las armas daban vueltas en espiral, se arqueaban, caían en picado, y se hundían con un suave chapoteo.

Se arrodilló junto al agua. Ya hacía un buen rato que los vómitos de Dave se habían alejado río abajo, y Jimmy sumergió las manos en el río, grasiento y contaminado como estaba, para lavarse los restos de la sangre de Dave. A veces, en sueños, hacía lo mismo (lavarse en el Mystic) cuando la cabeza de Ray Harris salía de nuevo a la superficie y le miraba fijamente.

Ray Harris siempre decía lo mismo: «Es imposible correr más que un tren».

Y Jimmy, confundido, le replicaba: «Tienes razón, Ray».

Ray, sonriente, se hundía de nuevo, y añadía: «Y tú, mucho menos».

Trece años de aquellos sueños, trece años viendo la cabeza de Ray flotando en el agua, y Jimmy aún no sabía qué quería decir con eso.

27

¿A quién amas?

Cuando Brendan llegó a casa, su madre ya se había marchado a jugar al bingo y le había dejado una nota que rezaba: «Hay pollo en la nevera. Me alegro de que estés bien. No te acostumbres».

Brendan miró en su habitación y en la de Ray, pero éste también había salido. Cogió una silla de la cocina, la colocó delante de la despensa y se subió encima; la silla se torció un poco a la izquierda, pues a una de las patas le faltaba un tornillo. Observó la abertura del techo y vio marcas de dedos entre el polvo, y el aire que tenía justo delante de los ojos empezó a llenarse de diminutas motas de color oscuro. Apretó la trampilla con la mano derecha y la levantó un poco. Bajó la mano, se la limpió en los pantalones, e inspiró aire varias veces.

Había ciertas cosas de las que uno no deseaba conocer la respuesta. Brendan, al hacerse adulto, no había mostrado ningún interés en intimar con su padre, porque no quería mirarle a la cara y darse cuenta de la facilidad con la que podría dejarle. Tampoco le había hecho ninguna pregunta a Katie sobre sus antiguos novios, ni siquiera acerca de Bobby O'Donnell, porque no quería imaginársela tumbada sobre otra persona, besándola del mismo modo que le besaba a él.

Brendan sabía en qué consistía la verdad. En la mayoría de los casos, se trataba simplemente de decidir si uno quería saberla o disfrutar de la comodidad de la ignorancia y las mentiras. A menudo se subestimaba la mentira y la ignorancia. Casi toda la gente que Brendan conocía era incapaz de llegar al final del día sin una sarta de mentiras y una buena dosis de ignorancia.

Sin embargo, tenía que enfrentarse con aquella verdad, pues la había asumido en la celda de la prisión; le había atravesado como una bala y se le había instalado en el estómago. Y no conseguía librarse de ella; por tanto, ya no podía esconderse de ella ni convencerse de que no existía. Las mentiras habían dejado de formar parte de la ecuación.

–¡Mierda! –exclamó Brendan, mientras empujaba a un lado el tablón del techo y lo devolvía a la oscuridad.

Sólo tocó polvo, astillas de madera, y más polvo. Ni rastro de la pistola. Siguió tanteando el lugar un minuto más, a pesar de que sabía que la pistola había desaparecido. Era la pistola de su padre, y no estaba donde debía estar. Se hallaba fuera, en algún lugar del mundo y había matado a Katie.

Colocó el listón de nuevo en la abertura. Cogió una escoba y barrió el polvo que había caído al suelo. Volvió a llevar la silla a la cocina. Sentía la necesidad de ser preciso en sus movimientos. Sentía que era importante no perder la calma. Llenó un vaso de zumo de naranja y lo dejó sobre la mesa. Se sentó en la silla que cojeaba y se dio la vuelta para vigilar la puerta, desde el centro del piso. Tomó un sorbo de zumo de naranja y se dispuso a esperar a Ray.

–¡Mira esto! –exclamó Sean, mientras sacaba el archivo de huellas dactilares de la caja y lo abría delante de Whitey–. Es la huella más clara que encontraron en la puerta. Es pequeña porque es de un niño.

–La anciana señora Prior oyó a dos niños jugando en la calle minutos antes de que Katie chocara con el coche –apuntó Whitey–. Jugando con palos de hockey, dijo.

–También comentó que oyó a Katie decir «hola», pero quizá no fuera Katie. Es muy fácil confundir la voz de un niño con la de una mujer. ¡No había pisadas! ¡Claro que no! ¿Cuánto pesa un niño de esa edad? ¿Cuarenta kilos?

–¿Reconoces la voz del niño?

–Se parece mucho a la de Johnny O'Shea.

Whitey asintió con la cabeza y replicó:

–Pero el otro niño no dijo nada.

–¡Porque no puede hablar, joder! –exclamó Sean.

–¡Hola Ray! –dijo Brendan cuando los dos chicos entraron en casa. Ray hizo un gesto de asentimiento. Johnny le saludó con la mano. Se encaminaron hacia el dormitorio.

–Ven un momento, Ray.

Ray miró a Johnny.

–Sólo será un momento, Ray. Quiero preguntarte una cosa.

Ray se dio la vuelta, y Johnny O'Shea, dejando caer al suelo la bolsa de gimnasia que llevaba, se sentó en el borde de la cama de la señora Harris. Ray recorrió el corto pasillo, entró en la cocina y gesticuló con las manos como queriendo decir: «¿Qué pasa?».

Brendan enganchó una silla con el pie, la sacó de debajo de la mesa, e hizo un gesto de asentimiento.

Ray inclinó la cabeza ligeramente hacia arriba, como si oliera algo en el aire, algo que le desagradara. Se quedó mirando la silla y después se volvió hacia Brendan.

–¿Qué he hecho? –le preguntó por señas.

–Dímelo tú –sugirió Brendan.

–No he hecho nada.

–Entonces, siéntate.

–No quiero.

–¿Por qué no?

Ray se encogió de hombros.

–¿A quién odias, Ray? –preguntó Brendan.

Ray le miró como si pensara que estaba loco.

–¡Venga, dímelo! –insistió Brendan–. ¿A quién odias?

–A nadie –respondió Ray con un signo breve.

Brendan asintió con la cabeza, y le preguntó:

–Está bien. ¿A quién amas?

Ray le lanzó aquella mirada de nuevo. Brendan se inclinó hacia delante, con las manos en las rodillas, y repitió:

–¿A quién amas?

Ray bajó los ojos, y luego levantó la vista y miró a Brendan. Alzó la mano y señaló a su hermano.

–¿Me quieres?

Ray, nervioso, asintió.

–¿Y a mamá?

Ray negó con la cabeza.

–¿No quieres a mamá?

–Ni la odio ni la quiero –respondió Ray por medio de señas.

–Entonces, ¿soy la única persona a la que quieres?

Ray hizo un gesto de asentimiento con su diminuto rostro y frunció el entrecejo. Sus manos volaron al exclamar:

–¡Sí! ¿Puedo irme ya?

–No –respondió Brendan–. Siéntate.

Ray se quedó mirando la silla, con la cara enrojecida y airada. Levantó la mirada y contempló a Brendan. Alargó la mano, hizo un gesto con el dedo del medio, y se dio la vuelta con la intención de salir de la cocina. Brendan ni siquiera se dio cuenta de que se había movido hasta que tuvo a Ray cogido por los pelos y poniéndolo en pie. Lo arrastró hacia atrás como si tirase del cordón de un cortacésped oxidado; luego abrió la mano, y Ray se soltó y salió disparado sobre la mesa de la cocina. Se golpeó contra la pared y se desplomó en la mesa, haciéndola caer al suelo con él.

–¿Me quieres? –preguntó Brendan, sin mirar a su hermano–. Me quieres tanto que mataste a mi novia, ¿verdad?

Sus palabras hicieron que O'Shea reaccionara, tal como Brendan había esperado que haría. Johnny agarró su bolsa de gimnasia y voló disparado hacia la puerta; sin embargo, Brendan tuvo tiempo de atraparlo. Cogió al pequeño gilipollas por el cuello y lo lanzó contra la puerta de un golpe.

–Mi hermano nunca hace nada sin ti, O'Shea. Nunca.

Echó el puño hacia atrás, y Johnny gritó:

–¡No, Bren! ¡No lo hagas!

Brendan le pegó tal puñetazo en la cara que oyó cómo se le rompía la nariz. Luego le golpeó de nuevo. Cuando Johnny cayó al suelo, se acurrucó y empezó a escupir sangre sobre la madera. Brendan le gritó:

–¡Ahora vuelvo a por ti! ¡Vuelvo y te mato a palos, cabronazo de mierda!

Brendan entró de nuevo en la cocina, a Ray le temblaban las piernas y las zapatillas le resbalaban sobre los platos rotos. Brendan le abofeteó el rostro con tanta fuerza que Ray cayó encima del fregadero. Brendan asió a su hermano por la camisa; Ray le miraba fijamente mientras las lágrimas le brotaban de los ojos repletos de odio, y la sangre le empapaba la boca; lo tiró al suelo, le extendió los brazos y se arrodilló sobre ellos.

–¡Habla! –le ordenó Brendan–. ¡Sé que puedes hacerlo! ¡Habla, jodido monstruo, o te juro por Dios, Ray, que te mataré! ¡Habla! –Brendan lanzó un grito y le golpeó las orejas con el puño–. ¡Habla! ¡Di su nombre! ¡Dilo! ¡Di «Katie», Ray! ¡Di su nombre!

Los ojos de Ray se volvieron oscuros y sombríos, y la sangre que escupió le cayó en su propio rostro.

–¡Habla! –le ordenó Brendan–. Si no lo haces, te mataré.

Cogió a su hermano por el pelo de las sienes, le levantó la cabeza del suelo, y la sacudió de un lado a otro hasta que Ray le miró; Brendan le sostuvo la cabeza inmóvil, y observó con atención sus pupilas grises, y en ellas vio tanto amor y tanto odio que le entraron ganas de arrancársela de cuajo y lanzarla por la ventana.

–¡Habla! –repitió, pero esa vez sólo consiguió emitir un susurro ronco y entrecortado–. ¡Habla!

Oyó cómo alguien tosía en voz alta, y al mirar atrás vio a Johnny O'Shea de pie, escupiendo sangre por la boca y con la pistola del padre de Ray en la mano.

Sean y Whitey subían por las escaleras cuando oyeron el estrépito: los gritos procedentes del piso y el inconfundible sonido de los cuerpos al luchar. Oyeron a un hombre gritar: «Voy a matarte, desgraciado», y Sean sostenía su Glock cuando asió el pomo de la puerta.

–¡Espera! –le instó Whitey, pero Sean ya había girado el pomo, y cuando entró en el piso se encontró con que alguien le apuntaba el pecho a veinte centímetros de distancia.

–¡Detente! ¡No aprietes ese gatillo, chico!

Sean observó el rostro ensangrentado de Johnny O'Shea y lo que vio en él le dio un susto de muerte. No había nada, y con toda probabilidad nunca lo había habido. El chico no iba a apretar el gatillo porque estuviera enfadado o asustado. Lo haría porque Sean no era más que una imagen de un juego de vídeo de metro ochenta y cinco, y la pistola era un mando.

—Johnny, deja de apuntarme con esa pistola.

Sean oía la respiración de Whitey al otro lado del umbral.

—Johnny.

—¡Me ha dado puñetazos! —exclamó Johnny O'Shea—. ¡Dos veces! ¡Y me ha roto la nariz!

—¿Quién?

—Brendan.

Sean miró a su izquierda, y vio a Brendan de pie junto a la puerta de la cocina, con las manos a los lados, paralizado. Se dio cuenta de que Johnny O'Shea había estado a punto de disparar a Brendan cuando él cruzó la puerta. Podía oír la respiración de Brendan, superficial y lenta.

—Si quieres, le arrestaremos por ello.

—¡No quiero que le arresten! ¡Lo quiero muerto, joder!

—La muerte es una cosa muy grave, Johnny. Los muertos nunca regresan, ¿recuerdas?

—Ya lo sé —respondió el chico—. Ya sé de qué va todo eso. ¿Piensa usarla?

La cara del chico era un desastre; de la nariz rota no paraba de salir sangre y le goteaba por la barbilla.

—¿El qué? —preguntó Sean.

Johnny O'Shea señaló la cadera de Sean, y contestó:

—Esa pistola. Es una Glock, ¿verdad?

—Sí, lo es.

—Eso sí que es una pistola, tío. Me encantaría tener una. ¿Piensa usarla?

—¿Ahora?

—Sí. ¿Va a utilizarla?

Sean, con una sonrisa, respondió:

—No, Johnny.

—¿Por qué coño sonríe? —replicó Johnny—. Úsela y a ver qué pasa. Será divertido.

Le acercó la pistola, con el brazo extendido, con la boca tan sólo a dos centímetros de distancia del pecho de Sean.

–Diría que ya me tienes, compañero –dijo Sean–. ¿Sabes lo que te quiero decir?

–Ya es mío, Ray –gritó Johnny–. ¡Un maldito poli! ¡Yo solo! ¿Qué te parece?

–No dejemos que esto se salga de... –apuntó Sean.

–¿Sabe? Una vez vi una película en la que un poli perseguía a un negro por encima de un tejado. El negro lo lanzó desde arriba, y el poli no paró de gritar hasta que cayó al suelo. El negro era muy cabrón, no le importó lo más mínimo que el policía tuviera mujer e hijos esperándole en casa. ¡El negro aquel era genial, tío!

Sean ya había presenciado algo similar con anterioridad. Fue una vez que iba de uniforme y que le habían mandado a controlar a la multitud en el atraco a un banco que se había complicado. Durante un período de dos horas, el tipo se había ido haciendo gradualmente más fuerte, por el poder de la pistola y por el efecto que provocaba, y Sean le había observado mientras despotricaba a los monitores instalados junto a las cámaras del banco. Al principio, el atracador estaba aterrorizado, pero luego lo había superado. Se había enamorado de la pistola.

Por un momento, Sean vio a Lauren, que le miraba desde la almohada, con la cabeza apoyada en la mano. Vio a la hija que había soñado, la olió, y pensó lo horrible que sería morir sin llegar a conocerla o sin ver de nuevo a Lauren.

Se concentró en el rostro vacío que tenía ante él.

–¿Ves al tipo de tu izquierda, Johnny? –le preguntó Sean–. ¿El que hay junto a la puerta?

Johnny dirigió los ojos con rapidez hacia la puerta y respondió:

–Sí.

–No quiere dispararte. De verdad que no.

–Si me dispara, me da igual –replicó Johnny.

Sean se percató de que había surtido efecto, ya que el chico empezó a mover los ojos nerviosamente arriba y abajo.

–Pero si tú me disparas, no le quedará más remedio que hacerlo.

–No me da miedo la muerte.

–Ya lo sé. Pero no te creas que te pegará un tiro en la cabeza o algo así. No tenemos por costumbre matar a niños. Pero si te dispara desde donde está, ¿sabes adónde irá a parar la bala?

Sean siguió con la mirada puesta en Johnny, a pesar de que su cabeza parecía estar clavada a la pistola que el chaval sostenía en la mano, y deseaba mirarla y ver dónde estaba el gatillo, y si el chico pensaba apretarlo. Sean pensaba: «No quiero que me dispare, y mucho menos morir a manos de un niño». No se le ocurría otra forma más patética de morir. Tenía la sensación de que Brendan, paralizado, a unos tres metros a su izquierda, debía de estar pensando lo mismo.

Johnny se lamió los labios.

–Te atravesará la axila y la columna vertebral. Te quedarás paralítico. Serás como uno de esos niños de los anuncios. Ya sabes. Sentado en una silla de ruedas, con un lado paralizado, y la cabeza colgando fuera de la silla. No pararás de babear, Johnny. La gente tendrá que sostenerte el vaso para que bebas con una pajita.

Johnny tomó una decisión. Sean lo notó, como si una luz se hubiera encendido en el oscuro cerebro del chaval, y entonces Sean sintió que el miedo se apoderaba de él, y supo que el chico iba a apretar el gatillo aunque sólo fuera para oír el ruido que hacía al disparar.

–¡Mi nariz! –exclamó Johnny, volviéndose hacia Brendan.

Sean oyó, sorprendido, cómo su propia respiración le salía de la boca, y al bajar los ojos vio el arma que se apartaba de su cuerpo, como si diera vueltas en lo alto de un trípode. Extendió los brazos con tanta rapidez que parecía que otra persona le controlara los movimientos. Asió la pistola al tiempo que Whitey entraba en la habitación, apuntando con la Glock al pecho del chico. La boca del chico emitió un sonido, un grito de asombro y decepción, como si hubiera abierto un regalo de Navidad y se hubiera encontrado con un calcetín sucio; Sean le apoyó la frente contra la pared y le quitó la pistola.

–¡Cabronazo! –exclamó Sean, mientras le guiñaba un ojo a Whitey a través del sudor que le empapaba.

Johnny empezó a llorar como un niño de trece años, como si el mundo entero descansara sobre su cabeza.

Sean lo colocó de espaldas a la pared, le puso las manos detrás, y vio que Brendan finalmente respiraba profundamente aliviado, con labios y brazos temblorosos. Ray estaba de pie tras él en una cocina que parecía haber sido arrollada por un ciclón. Whitey se acercó a Sean, le puso una mano en el hombro y le preguntó:

–¿Cómo estás?

–Ha estado a punto de hacerlo –respondió Sean, sintiendo el sudor que le empapaba la ropa, incluso los calcetines.

–No es verdad –protestó Johnny–. Sólo bromeaba.

–¡Que te jodan! –le espetó Whitey, y acercó su cara a la del chico–. A excepción de tu madre, a nadie le importan tus lágrimas, desgraciado. Así que ya te puedes ir acostumbrando.

Sean le colocó las esposas a Johnny O'Shea y lo cogió de la camisa; a continuación lo llevó a la cocina y lo dejó caer en una silla.

–Ray, por el aspecto que tienes –apuntó Whitey–, cualquiera diría que te han tirado desde la parte trasera de un camión.

Ray se volvió hacia su hermano.

Brendan se apoyó en el horno, y su cuerpo se tambaleó de tal modo que Sean se imaginó que la más ligera de las brisas le haría caer al suelo.

–Lo sabemos –declaró Sean.

–¿Qué es lo que saben? –preguntó Brendan en un susurro.

Sean observó al chaval que lloriqueaba y al otro, mudo, que les miraba con la esperanza de que se marcharan pronto para poder volver a su habitación y jugar al *Doom*. Sean estaba prácticamente seguro de que cuando consiguieran un intérprete de sordomudos y un asistente social, los chicos tendrían un montón de justificaciones: dirían que lo habían hecho porque tenían la pistola, porque se encontraban en aquella calle cuando ella pasó por allí, tal vez porque a Ray nunca le había caído bien la chica, porque les pareció una idea divertida, porque nunca habían matado a nadie antes, porque cuando uno tenía el dedo alrededor del gatillo lo único que podía hacer era disparar, porque si no lo hacía, ese dedo le dolería durante semanas.

–¿Qué es lo que saben? –repitió Brendan, con una voz ronca y monótona.

Sean se encogió de hombros. Deseaba tener una respuesta para Brendan, pero contemplando a aquellos dos chavales, no se le ocurrió nada. Nada en absoluto.

Jimmy cogió una botella y se fue a la calle Gannon. Al final de la calle había una residencia de ancianos, un edificio de dos plantas típico de los sesenta, de piedra caliza y granito que se extendía media manzana más allá de Heller Court, la calle que empezaba donde Gannon acababa. Jimmy se sentó en los escalones blancos de la parte delantera y se dispuso a contemplar la calle. De hecho, circulaban rumores de que habían empezado a echar ancianos de allí, pues el barrio se había vuelto tan popular que el propietario del edificio decidió vendérselo a un tipo que se dedicaba a la construcción de pisos pequeños para parejas jóvenes. En realidad, el barrio de la colina había desaparecido. Siempre había sido el pariente rico del barrio de las marismas, pero entonces ni siquiera parecía pertenecer a la misma familia. Con toda probabilidad, muy pronto redactarían un estatuto, le cambiarían el nombre y lo borrarían del mapa de Buckingham.

Jimmy sacó la botella de medio litro de su chaqueta, echó un trago de whisky y contempló el lugar en el que habían visto a Dave Boyle por última vez el día que aquellos hombres se lo llevaron, mirando atrás por la ventanilla trasera, oscurecido por las sombras y alejándose en la distancia.

«Ojalá no lo hubieras hecho tú, Dave. De verdad.»

Brindó por Katie. «Papá le ha pillado, cariño. Papá ha acabado con él.»

–¿Estás hablando solo?

Jimmy alzó los ojos y vio a Sean saliendo del coche. Sean, que llevaba una cerveza en la mano, sonrió al ver la botella de Jimmy, y le preguntó:

–¿Qué excusa tienes tú?

–Ha sido una noche muy dura –respondió Jimmy.

Sean asintió con la cabeza y añadió:

–Para mí también. No me han matado de milagro.

Jimmy se hizo a un lado y Sean se sentó junto a él.

–¿Cómo has sabido que estaba aquí?

–Tu mujer me ha dicho que probablemente te encontrarías aquí.

–¿Mi mujer?

Jimmy nunca le había contado que solía ir a la calle Gannon. ¡Realmente era una mujer fuera de lo corriente!

478

–Sí. Jimmy, hemos arrestado a alguien.

Jimmy tomó un largo trago de la botella; el pecho le latió con fuerza. Repitió:

–Arrestado.

–Así es. Hemos cogido a los asesinos de tu hija y les hemos encerrado.

–¿Asesinos? –preguntó Jimmy–. ¿Hay más de uno?

Sean hizo un gesto de asentimiento y contestó:

–En efecto, son unos chavales de trece años. Se trata del hijo de Ray Harris, Ray hijo, y de un chico llamado Johnny O'Shea. Confesaron hace media hora.

Jimmy sintió cómo un cuchillo le atravesaba el cerebro de un extremo a otro. Un cuchillo afilado que le cortaba el cráneo en pedazos.

–¿Estáis seguros?

–Del todo.

–¿Por qué?

–¿Que por qué lo hicieron? Ni siquiera lo saben. Estaban jugando con una pistola y vieron que se acercaba un coche. Uno de ellos se plantó en medio de la carretera, el coche se desvió bruscamente, y frenó de golpe. Johnny O'Shea se dirigió a toda velocidad hacia el coche, pistola en mano. Nos ha dicho que sólo tenía intención de asustarla, pero que el arma se le disparó. Katie le golpeó con la puerta, y los chavales dicen que se asustaron. La persiguieron porque no querían que contara a nadie que tenían una pistola.

–¿Y la paliza que le dieron? –preguntó Jimmy, después de tomar otro trago.

–Ray hijo tenía un palo de hockey. No ha respondido a las preguntas. Es mudo, ¿sabes? Ha estado allí sentado pero no ha dicho nada. Sin embargo, Johnny O'Shea nos contó que la golpearon porque al ponerse a correr les había hecho enfadar. –Se encogió de hombros como si todos esos excesos le sorprendieran a él mismo–. ¡Chiquillos gilipollas! ¡La mataron porque tenían miedo de que los castigaran!

Jimmy se puso en pie. Abrió la boca para tragar un poco de aire, pero las piernas le flaquearon, y se encontró de nuevo sobre el escalón. Sean le colocó una mano en el codo.

–¡Tómalo con calma, Jim! ¡Respira profundamente!

Jimmy vio a Dave sentado en el suelo, tocándose la raja que Jimmy le había hecho de punta a punta del abdomen. Oyó su voz: «Mírame, Jimmy. Mírame».

–He recibido una llamada de Celeste Boyle –añadió Sean–. Me ha dicho que su marido ha desaparecido. Me ha contado que ella se había trastocado un poco estos últimos días y que quizá tú, Jimmy, sabrías dónde estaba Dave.

Jimmy intentó hablar. Abrió la boca, pero la tráquea se le llenó de algo parecido a trozos húmedos de algodón.

–Nadie más sabe dónde puede estar Dave –recalcó Sean–. Es muy importante que hablemos con él, Jim, porque podría saber algo de un tipo que fue asesinado la otra noche delante del Last Drop.

–¿Un tipo? –consiguió preguntar Jimmy antes de que su tráquea se cerrara de nuevo.

–Sí –contestó Sean, con un brusco tono de voz–. Un pederasta que ya había sido arrestado tres veces. Un cabronazo de la peor calaña. Creemos que alguien le pilló mientras se lo estaba montando con un niño, y se lo cargó. Bien, de todos modos –prosiguió Sean–, desearíamos hablar de ello con Dave. ¿Sabes dónde está, Jim?

Jimmy negó con la cabeza. Tenía problemas para ver más allá de lo que le rodeaba, le parecía que se había erigido un túnel ante sus ojos.

–¿No lo sabes? –insistió Sean–. Celeste nos ha confesado que te contó que creía que Dave había matado a Katie. También cree que eras de la misma opinión y que pensabas hacer algo al respecto.

Jimmy se quedó mirando una tapa de alcantarilla a través del túnel.

–¿Piensas mandarle quinientos dólares al mes también a Celeste, Jimmy?

Jimmy alzó los ojos, y los dos lo vieron al mismo tiempo en sus respectivos rostros: Sean vio lo que Jimmy había hecho, y Jimmy se percató de que Sean lo sabía.

–¡Maldita sea! Lo has hecho, ¿verdad? –le preguntó Sean–. ¡Le has matado!

Jimmy se puso en pie, apoyándose en la barandilla, y dijo:

–No sé de qué me estás hablando.

–Mataste a los dos, a Ray Harris y a Dave Boyle. ¡Por el amor de Dios, Jimmy! He venido aquí pensando que era una idea descabellada, pero tu mismo rostro te delata. ¡Eres un loco, un lunático y un maldito psicópata! ¡Lo has hecho! ¡Has matado a Dave! ¡Has matado a Dave Boyle, a nuestro amigo, Jimmy!

Jimmy soltó un bufido y replicó:

–Sí, claro, a nuestro amigo, el chico de la colina, tu gran amigo. Te pasabas el día con él, ¿verdad?

Sean se plantó ante él e insistió:

–Era nuestro amigo, Jimmy, ¿recuerdas?

Jimmy miró a Sean directamente a los ojos, y se preguntó si iba a asestarle un golpe.

–La última vez que vi a Dave –replicó Jimmy– fue ayer por la noche en mi casa. –Apartó a Sean y cruzó la calle–. Ésa fue la última vez que lo vi.

–¡Eso no te lo crees ni tú!

Se dio la vuelta, con los brazos abiertos mientras se volvía hacia Sean.

–Si estás tan seguro, ¿por qué no me arrestas?

–Conseguiré las pruebas –respondió Sean–. Puedes estar seguro de ello.

–No conseguirás nada –dijo Jimmy–. Gracias por arrestar a los asesinos de mi hija, Sean. De verdad. Pero si lo hubieras hecho un poco más rápido, quizá...

Jimmy se encogió de hombros, se dio la vuelta y empezó a bajar por la calle Gannon.

Sean le observó hasta que le perdió de vista en la oscuridad bajo una farola rota, delante de la antigua casa de Sean.

«Lo has hecho –pensó Sean–. ¡Lo has hecho de verdad, maldito animal desalmado! Y lo peor de todo es que sé lo inteligente que eres. No habrás dejado ni una sola pista con que podamos iniciar una investigación. Eso no es propio de ti, porque te ocupas del más mínimo detalle, Jimmy. ¡Maldito cabronazo!»

–¡Le has matado! –exclamó Sean en voz alta–. ¿No es verdad, amigo mío?

Tiró su lata de cerveza al suelo y se encaminó hacia el coche; a continuación llamó a Lauren desde el móvil.

Cuando ella respondió, Sean dijo:

–Soy Sean.

Silencio.

Entonces supo lo que ella necesitaba oír pero que él no le había dicho, aquello que él se había negado a decirle durante más de un año. Se había dicho a sí mismo que le diría cualquier cosa salvo aquello. No obstante, en ese momento lo dijo. Lo hizo mientras veía al chaval apuntándole el pecho con la pistola, ese chaval que no olía a nada, y viendo, también, al pobre Dave el día en que Sean quería invitarle a una cerveza, el indicio de esperanza que había visto en los ojos de Dave, como si fuera incapaz de creerse que nadie pudiera tener el más mínimo interés en invitarle a una cerveza. Lo dijo porque lo sentía en lo más profundo de su ser; necesitaba decirlo, tanto por Lauren como por él mismo.

–Lo siento.

Lauren preguntó:

–¿El qué?

–Haberte hecho responsable de todo.

–De acuerdo.

–Mira, yo...

–Verás...

–Sigue –sugirió Sean.

–Yo...

–¿Qué?

–Yo... Sean, también lo siento. No quería...

–No pasa nada –respondió–. De verdad –respiró profundamente, inspirando el aire viciado que olía a sudor rancio del coche patrulla–. Quiero verte. Quiero ver a mi hija.

–¿Cómo sabes que es tuya? –espetó Lauren.

–Es mía.

–Pero la prueba de paternidad...

–Es mía –repitió–. No necesito hacer ninguna prueba de paternidad. ¿Volverás a casa, Lauren? ¿Lo harás?

En algún lugar de la silenciosa calle, oía el zumbido de un generador.

–Nora –dijo Lauren.

–¿Qué?

–Así se llama tu hija, Sean.

–Nora –repitió, la palabra fresca en su boca.

Cuando Jimmy regresó a casa, Annabeth estaba esperando en la cocina. Se sentó en una silla al otro lado de la mesa y ella le dedicó aquella sonrisa pequeña y secreta que a él tanto le gustaba, esa que daba la impresión de que lo conocía tan bien que aunque él no abriera la boca durante el resto de su vida, ella sabría lo que le quería decir. Jimmy le cogió la mano y le recorrió los dedos con su pulgar, intentando encontrar la misma fuerza que veía en el rostro de ella.

El monitor para bebés estaba entre ambos, sobre la mesa. Lo habían usado el mes anterior cuando Nadine había tenido una grave infección para controlar los gorjeos de la niña mientras dormía; Jimmy imaginaba que su bebé podía ahogarse, y esperaba el sonido apagado de la tos, para saltar de la cama, cogerla en brazos rápidamente y llevarla a toda prisa a urgencias, en calzoncillos y camiseta. Y aunque su hija se había curado pronto, Annabeth no había vuelto a poner el monitor en la caja que guardaba en el armario del comedor. Solía encenderlo por la noche para controlar el sueño de Sara y Nadine.

En aquel momento no estaban durmiendo. Jimmy oía a través del pequeño altavoz sus risas y susurros y le horrorizaba imaginárselas y pensar en sus pecados a la vez.

«He matado a un hombre. Al hombre equivocado.»

Aquella certeza, aquella vergüenza ardía en su interior.

«He matado a Dave Boyle.»

Le chorreaba, todavía ardiente, sobre el vientre. Aquella lluvia lo calaba.

«He cometido un asesinato. He matado a un hombre inocente.»

–Cariño –dijo Annabeth, escudriñándole el rostro–. Cariño, ¿qué te pasa? ¿Es por Katie? Tienes muy mal aspecto.

Dio la vuelta a la mesa, con una temible mezcla de preocupación y de amor en sus ojos. Se sentó a horcajadas sobre Jimmy, le cogió la cara con las manos y le obligó a mirarle a los ojos.

–Cuéntamelo. Cuéntame qué te pasa.

Jimmy deseaba esconderse de ella. En aquel momento, el amor que ella le profesaba le dolía demasiado. Quería deshacerse de sus cálidas manos y encontrar algún lugar oscuro y profundo donde ni el amor ni la luz pudieran alcanzarle, donde pudiera acurrucarse para llorar su dolor y su odio hacia sí mismo en la oscuridad.

–Jimmy –susurró ella. Le besó los párpados–. Jimmy, háblame. Por favor.

Le apretó las sienes con las palmas de la mano, le deslizó los dedos a través del cabello hasta sujetarle el cráneo; luego le besó. Le introdujo la lengua en la boca y lo sondó, buscando con ahínco el motivo de su dolor, absorbiéndolo, capaz de convertirse si era necesario en un escalpelo que extirpase sus tumores y la librara de ellos.

–Cuéntamelo. Por favor, Jimmy. Cuéntamelo.

Y al contemplar a su amada, supo que si no se lo contaba todo estaría perdido. No estaba seguro de que ella pudiera salvarle, pero estaba convencido de que si no le abría su corazón, se moriría.

Así pues, se lo contó.

Se lo contó todo. Le contó lo de Ray Harris y le explicó la tristeza que había sentido en su interior desde que tenía once años, y que el hecho de haber amado a Katie había sido el único logro digno de admiración de toda su inútil vida; y que Katie, a los cinco años (aquella hija y extraña a la vez), le necesitaba y desconfiaba de él a un tiempo, que era la cosa más temible con la que se había enfrentado, y la única obligación de la que nunca se había desentendido. Le contó que amar y proteger a Katie había sido su esencia, y que al privarle de su hija, le habían despojado de esa misma esencia.

–Y entonces –prosiguió en la cocina, que cada vez le parecía más pequeña y asfixiante–, maté a Dave.

»Le maté y le tiré al río, y ahora acabo de enterarme, como si lo que he hecho no fuera bastante, de que era inocente.

»He hecho todas esas cosas, Anna, y no hay vuelta atrás. Creo que debería ir a la cárcel. Debería confesar el asesinato de Dave y volver a la cárcel, porque es allí donde me toca estar. De verdad, cariño. No me merezco vivir en sociedad. No se puede confiar en mí.

Su voz parecía la de otra persona. Sonaba tan diferente de la que normalmente oía salir de sus labios que se preguntó si Annabeth vería a un extraño ante ella, un Jimmy de papel, un Jimmy que se desvanecía en el éter.

Sin embargo, Annabeth mantenía el rostro tan sosegado y tranquilo que parecía estar posando para un retrato. La barbilla alzada, y los ojos transparentes e ilegibles.

Jimmy oía de nuevo los susurros de las chicas a través del monitor, como una suave ráfaga de viento.

Annabeth se agachó y empezó a desabrocharle la camisa, y Jimmy observó sus dedos hábiles y su propio cuerpo se entumecía. Le abrió la camisa y la dejó que colgara sobre los hombros, y luego colocó la mejilla junto a él, con la oreja sobre el centro de su pecho.

–Yo sólo... –dijo.

–¡Sshh! –susurró ella–. Quiero oírte el corazón.

Le pasó las manos por las costillas y por la espalda, y apretó con más fuerza la cabeza contra su pecho. Annabeth cerró los ojos, y una diminuta sonrisa apareció en sus labios.

Permanecieron así sentados durante un rato. El susurro del monitor se había convertido en el callado sonido del sueño de sus hijas.

Cuando Annabeth se apartó, Jimmy aún sentía su mejilla en el pecho como una marca permanente. Bajó de encima de su marido, se sentó en el suelo frente a él y se le quedó mirando a los ojos. Inclinó la cabeza hacia el monitor de bebés y, por un momento, escucharon cómo dormían sus hijas.

–¿Sabes lo que les dije hoy cuando las acosté?

Jimmy negó con la cabeza.

–Les dije que tenían que ser especialmente amables contigo durante un tiempo, porque si nosotros amábamos a Katie, tú la querías mucho más. La querías tanto porque la habías creado y porque la habías mecido en tus brazos cuando era pequeña, y que a veces tu amor por ella era tan grande que tu corazón se hinchaba como un globo y sentías que iba a explotar de amor.

–¡Santo cielo! –exclamó Jimmy.

–También les dije que su padre las amaba a ellas de ese modo. Que tenía cuatro corazones y que todos ellos eran globos, llenos de aire hasta los topes y dolorosos. Y que tu amor implicaba que nosotras nunca tendríamos que preocuparnos. Y Nadine me preguntó: «¿Nunca?».

—¡Por favor! —Jimmy se sentía como si estuviera aplastado bajo bloques de granito—. ¡Para!

Ella negó con la cabeza una vez, envolviéndole con su serena mirada.

—Dije a Nadine que no, que nunca tendríamos que preocuparnos, porque papá no era un príncipe, sino un rey. Y los reyes saben lo que se tiene que hacer, por difícil que sea, para arreglar las cosas. Papá es un rey y hará...

—Anna...

—... lo que deba hacer por aquellos a los que ama. Todo el mundo comete errores. Todos. Los grandes hombres intentan solucionar las cosas, y eso es lo que cuenta. De eso trata el gran amor. Ésa es la razón por la que papá es un gran hombre.

Jimmy se sintió cegado.

—No —dijo.

—Ha llamado Celeste —espetó Annabeth, y sus palabras fueron entonces dardos para él.

—No...

—Quería saber dónde estabas. Me contó que te había explicado sus sospechas sobre Dave.

Jimmy se secó los ojos con la palma de la mano, y observó a su mujer como si fuera la primera vez que la viera.

—Me lo contó, Jimmy, y yo pensé: «¿Qué clase de mujer va contando cosas así de su marido? ¡Qué despiadado se ha de ser para ir contando esas historias por ahí como quien no quiere la cosa!». ¿Y por qué te lo contó a ti? ¿Eh, Jimmy? ¿Por qué a ti precisamente?

Jimmy se lo imaginaba; siempre lo había pensado por la forma en que a veces le miraba, pero no dijo nada.

Annabeth sonrió, como si pudiera adivinar la respuesta en su rostro.

—Podría haberte llamado al móvil. Podría haberlo hecho. Cuando me contó lo que sabías y recordé que estabas con Val, adiviné lo que estabas haciendo, Jimmy. No soy estúpida.

Nunca lo había sido.

—Sin embargo, no te llamé. No te detuve.

La voz de Jimmy se entrecortó al preguntar:

—¿Por qué no lo hiciste?

Annabeth inclinó la cabeza hacia él, como si la respuesta hubiera sido obvia. Se puso en pie, le contempló con una mirada de curiosidad, y se quitó los zapatos de golpe. Se bajó la cremallera de los vaqueros y los deslizó pantorrillas abajo, se dobló por la cintura y los hizo bajar hasta los tobillos. Se los pasó por las piernas al tiempo que se quitaba la blusa y el sujetador. Levantó a Jimmy de la silla y estrechó su cuerpo contra el de ella; luego besó sus mejillas húmedas.

—Son débiles —espetó Annabeth.

—¿Quiénes?

—Todos —respondió—. Todos, salvo nosotros.

Le quitó la camisa de los hombros, y Jimmy vio su rostro reflejado en el Pen Channel la primera noche que habían salido juntos. Ella le había preguntado si llevaba el crimen en la sangre, y Jimmy la había convencido de que no era así, porque había pensado que ésa era la respuesta que ella había esperado oír. Sólo entonces, doce años y medio más tarde, entendió que todo lo que ella había querido de él era la verdad. Cualquiera que hubiera sido su respuesta, ella se habría adaptado. Le habría apoyado. Habrían construido sus vidas de acuerdo con ello.

—Nosotros no somos débiles —declaró ella.

Jimmy sintió que el deseo se apoderaba de él, como si hubiera estado aumentando desde el día en que nació.

Si hubiera podido comérsela viva sin causarle ningún dolor, le habría devorado los órganos y le habría clavado los dientes en la garganta.

—Nunca seremos débiles.

Annabeth se sentó sobre la mesa de la cocina, con las piernas colgando a los lados.

Jimmy miró a su mujer mientras se quitaba los pantalones, a sabiendas de que aquello era temporal, que tan sólo estaba aliviando el dolor del asesinato de Dave, eludiéndolo para adentrarse en la fuerza y en la carne de su mujer. Bastaría para aquella noche. Quizá no para el día siguiente y los días venideros. Pero, sin lugar a dudas, para esa noche sería más que suficiente. ¿Y no era así cómo uno empezaba a recuperarse? ¿Poco a poco?

Annabeth le puso las manos sobre las caderas, y le clavó las uñas en la carne, junto a la columna vertebral.

–Cuando acabemos, Jimmy...

–¿Sí?

Jimmy se sentía embriagado de ella.

–No te olvides de dar el beso de buenas noches a las niñas.

Epílogo

Jimmy el de las marismas
(Domingo)

28

Te guardaremos un sitio

El domingo por la mañana, Jimmy se despertó con el lejano sonido de tambores. No era el golpeteo ni el sonido de los platillos de cualquier banda moderna de música de un club sudoroso, sino el martilleo grave y constante de una partida de guerra acampada en los alrededores del barrio. A continuación oyó el quejido de los instrumentos de viento metálicos, repentino y desafinado. Una vez más, era un sonido lejano, que llevaba hasta allí el aire de la mañana desde unas diez o doce manzanas de distancia, y que se apagaba casi al empezar. En el silencio que seguía, él permanecía allí tumbado escuchando la vivificante tranquilidad propia de última hora de una mañana de domingo, y que, a juzgar por el fuerte resplandor amarillento que dejaban entrar las cortinas, también debía de ser soleada. Oyó el cloqueo y el arrullo de las palomas desde su lecho y el ladrido seco de un perro calle abajo. La puerta de un coche se abrió de golpe y se cerró, y esperó oír el ruido del motor, pero no llegó, y luego volvió a oír el sonido del tamtam regular y más seguro.

Miró el despertador de la mesilla de noche: las once de la mañana. La última vez que había dormido hasta tan tarde fue cuando... De hecho, ni siquiera recordaba la última vez que había dormido tanto. Hacía de ello años. Tal vez una década. Recordó el cansancio de aquellos últimos días, la sensación que tuvo de que el ataúd de Katie se elevaba y caía sobre su cuerpo como una caja de ascensor. Después, simplemente Ray Harris y Dave Boyle habían ido a visitarle la noche anterior cuando estaba tumbado y borracho en el sofá de la sala de estar, pistola en mano, y contempló cómo lo saludaban desde la parte trasera del coche que olía a manzanas. La nuca de Katie aparecía entre ellos mientras bajaban por la calle Gannon, aunque Katie nunca miró hacia atrás; simplemente Ray y Dave saludaban como locos, con una sonrisa burlona, al tiempo que Jimmy sentía que la pistola le escocía en la palma de la mano. Había olido el aceite y había contemplado la posibilidad de llevarse el cañón a la boca.

El velatorio había sido una pesadilla: Celeste se había presentado a las ocho de la tarde cuando estaba lleno de gente; había atacado a Jimmy, le había golpeado con los puños y le había llamado asesino. «Tú, como mínimo, tienes su cuerpo –le había gritado–. ¿Y yo, qué tengo? ¿Dónde está, Jimmy? ¿Dónde?» Bruce Reed y sus hijos se la habían quitado de encima y la sacaron de allí a rastras, pero Celeste no cesaba de gritar: «Asesino. Es un asesino. Ha matado a mi marido. Asesino».

«Asesino.»

Después habían celebrado el funeral, y el oficio religioso junto a la tumba. Jimmy había permanecido allí de pie mientras metían a su niña dentro del agujero y cubrían el ataúd con montones de barro y de piedras, y Katie desaparecía de su vista bajo toda aquella tierra como si nunca hubiera existido.

El peso de todos ellos le había penetrado hasta los mismísimos huesos la noche anterior, y le había calado muy hondo. El ataúd de Katie se elevaba y caía, se elevaba y caía, así que para cuando metió la pistola de nuevo en el cajón y se dejó caer pesadamente en la cama, se sentía inmovilizado, como si le hubieran rellenado la médula ósea de sus muertos y la sangre se estuviera coagulando.

«¡Dios mío! ¡Nunca me había sentido tan cansado! –pensó–. Tan cansado, tan triste, tan inútil y solo. Estoy exhausto a causa de mis errores, de mi rabia y de mi amarga tristeza. Agotado como consecuencia de mis pecados. ¡Dios, déjame solo y déjame morir para que no haga maldades, para no encontrarme cansado, y para no tener que seguir soportando la carga de mi naturaleza y de mi amor. Líbrame de todo eso, porque estoy demasiado cansado para hacerlo yo solo.»

Annabeth había intentado comprender su culpa, el horror que sentía por sí mismo, pero no lo había conseguido. Ella no había apretado ningún gatillo.

Y, él en cambio, había dormido hasta las once. Doce horas seguidas, y además fue un sueño profundo, ya que no oyó a Annabeth levantarse.

Jimmy había leído en alguna parte que uno de los síntomas de la depresión era un cansancio permanente, una necesidad compulsiva de dormir, pero a medida que se incorporaba sobre la cama y escuchaba el ruido de los tambores, acompañado entonces por los toques de aquellos instrumentos metálicos de viento, casi en armonía, se encontró como nuevo. Se sentía como si tuviera veinte años; muy despierto, como si no necesitara volver a dormir nunca más.

Pensó en el desfile. Los tambores y las trompetas procedían de la banda que se preparaba para desfilar por la avenida Buckingham al mediodía. Se levantó, se acercó a la ventana y corrió las cortinas. Aquel coche no había puesto en marcha el motor porque habían cerrado la calle desde la avenida Buckingham hasta Rome Basin. Treinta y seis manzanas. Observó la avenida a través de la ventana. Era una línea definida de asfalto azul grisáceo bajo un ardiente sol, y tan limpio que Jimmy no recordaba haberlo visto nunca así. Caballetes azules bloqueaban el acceso a cualquier calle que cruzara y se extendían de un extremo a otro del bordillo hasta donde Jimmy alcanzaba a ver en ambas direcciones.

La gente había empezado a salir de sus casas para coger sitio en la acera. Jimmy observó cómo se instalaban con sus neveras portátiles, sus radios y sus cestas de comida, y saludó a Dan y Maureen Guden mientras éstos desplegaban sus tumbonas delante de la lavandería Hennessey. Cuando le devolvieron el saludo, se sintió conmovido por la preocupación que vio en sus rostros. Maureen ahuecó las manos alrededor de su boca y le llamó. Jimmy abrió la ventana y se apoyó en la mosquitera, y le llegó un soplo del sol de la mañana, del aire diáfano, y los restos del polvo primaveral que estaban pegados a la tela metálica.

—¿Qué has dicho, Maureen?

—Te he preguntado cómo estás, cariño. ¿Estás bien?

—Sí —respondió Jimmy, sorprendiéndose al comprobar que, en realidad, se encontraba bien.

Todavía llevaba a Katie en su interior, como un segundo corazón herido y enfadado, estaba convencido de ello, cuyos latidos airados nunca cesarían. No se hacía ilusiones al respecto. El dolor que sentía se había convertido en algo constante, en algo más real que cualquiera de sus miembros. Pero, en cierto modo, durante su largo sueño, había conseguido aceptarlo. Allí estaba, formaba parte de él, y de ese modo podía manejarlo. Por lo tanto, dadas las circunstancias, se sentía mucho mejor de lo que podría haber esperado.

–Estoy... bien –les dijo a Maureen y a Dan–. Teniendo en cuenta la situación.

Maureen asintió con la cabeza, y Dan le preguntó:

–¿Necesitas algo, Jim?

–Cualquier cosa que necesites, nos la pides –insistió Maureen.

Jimmy sintió una oleada satisfactoria y eterna de amor hacia ellos y hacia el lugar en general, al contestar:

–Muchas gracias, de verdad, pero no me hace falta nada. Os lo agradezco de todo corazón.

–¿Vas a bajar? –le preguntó Maureen.

–Sí, creo que sí –respondió Jimmy, sin estar seguro hasta que las palabras le brotaron de la boca–. Nos vemos ahí abajo dentro de un rato.

–Te guardaremos un sitio –terció Dan.

Le saludaron con la mano; Jimmy les devolvió el saludo y se apartó de la ventana, con el pecho aún repleto de aquella arrolladora mezcla de orgullo y de amor. Ésa era su gente. Y aquél era su barrio. Su hogar. Le guardarían un sitio. Lo harían. A Jimmy el de las marismas.

Así le llamaban los grandullones en los viejos tiempos, antes de que le mandaran a Deer Island. Solían llevarle a los clubes sociales de la calle Prince en la zona del North End, y decían: «Hola, Carlo, éste es el amigo del que te hablé. Jimmy. Jimmy el de las marismas».

Carlo, Gino o cualquiera de los demás irlandeses abrían los ojos de par en par, y decían: «¿De verdad? Jimmy el de las marismas. Encantado de conocerte, Jimmy. Hace mucho tiempo que admiro tu trabajo».

A continuación, contaban chistes sobre su edad: «¿Forzaste tu primera caja fuerte cuando todavía llevabas pañales?», aunque Jimmy notaba el respeto, cuando no algo de temor, que aquellos tipos duros sentían en su presencia.

Él era Jimmy el de las marismas. Había dirigido su primera banda cuando tenía diecisiete años. ¡Sólo diecisiete! ¿No parece imposible? Un tipo serio, con el que nadie se metía. Un hombre que mantenía la boca cerrada, que conocía las reglas del juego y que sabía respetar a los demás. Un hombre que ganaba dinero para sus amigos.

Por aquel entonces era Jimmy el de las marismas, y todavía seguía siéndolo, y toda esa gente que empezaba a agruparse a lo largo de las calles por las que iba a pasar el desfile... le querían. Se preocupaban por él y compartían un poco de su dolor de la mejor forma que sabían. Y a cambio de su amor, ¿qué les daba él? Tuvo que preguntárselo. ¿Qué les daba él en realidad?

Lo más parecido a una presencia dominante en el barrio desde la época en que los federales y el Grupo Anticorrupción arrestaron a la banda de Louie Jello había sido... ¿qué? ¿Bobby O'Donnell? Bobby O'Donnell y Roman Fallow. Un par de traficantes de pacotilla, que se habían dedicado a cobrar por proteger establecimientos, a la usura y a la extorsión. Jimmy había oído rumores de que habían hecho un trato con las bandas vietnamitas de Rome Basin para evitar que los amarillos se introdujeran en el negocio, y, de ese modo, no tener que compartir su territorio. Después habían celebrado la alianza reduciendo la floristería de Connie a cenizas, como advertencia a cualquiera que se negara a pagar las primas de protección.

Las cosas no se hacían así. Uno hacía sus negocios fuera del barrio, y no convertía el barrio en un negocio. Uno debía mantener a su gente protegida y a salvo, y ellos, en agradecimiento, te cubrían las espaldas y te avisaban de posibles peligros. Y, si de vez en cuando, su gratitud se expresaba en un sobre, en un pastel o en un coche, era porque querían, como recompensa por haberles protegido.

Así era como debía dirigirse un barrio. Con benevolencia. Con un ojo puesto en sus intereses y el otro en los propios. No se podía permitir que los Bobby O'Donnell y aquellos mafiosos de ojos rasgados pensaran que podían, simplemente, entrar allí y tomar cuanto les viniera en gana. Como mínimo, si querían salir del barrio por su propio pie.

Jimmy salió del dormitorio y encontró el piso vacío. La puerta del final del pasillo estaba abierta; oía la voz de Annabeth desde el piso de arriba y los diminutos pies de sus hijas correteando sobre las tablas de madera del suelo mientras perseguían al gato de Val. Entró en el cuarto de baño y abrió el grifo de la ducha; se metió dentro cuando el agua empezó a salir caliente y expuso la cara al chorro.

La única razón por la que O'Donnell y Farrow nunca se habían preocupado por la tienda de Jimmy era porque sabían que era amigo de los Savage. Y al igual que cualquier persona que tuviera un poco de cerebro, O'Donnell les tenía miedo. Y si él y Roman temían a los Savage, eso quería decir, por asociación, que también tenían miedo a Jimmy.

Le temían. A él, a Jimmy el de las marismas. Porque, como Dios bien sabe, la cabeza le funcionaba muy bien. Y con los Savage cubriéndole las espaldas, tendría todos los músculos y todas las pelotas, toda la audacia ilimitada que pudiera necesitar. Jimmy Marcus y los hermanos Savage juntos podrían...

¿Qué?

Hacer que el barrio fuera un lugar tan seguro como se merecía. Controlar la ciudad entera.

Ser sus dueños.

«¡Por favor, no lo hagas, Jimmy! ¡Por el amor de Dios! Quiero ver a mi mujer. Quiero vivir mi vida. Jimmy, no me prives de eso. ¡Mírame!»

Jimmy cerró los ojos, y dejó que el agua dura y caliente le perforara el cráneo.

«¡Mírame!»

«Ya te estoy mirando, Dave. Te estoy mirando.»

Jimmy vio el rostro suplicante de Dave; la baba de sus labios no era muy diferente de la que le había caído a Ray Harris por el labio inferior y por la mandíbula trece años atrás.

«¡Mírame!»

«Ya te estoy mirando, Dave. Ya te estoy mirando. Nunca deberías haber salido de ese coche, ¿sabes? No deberías haber vuelto. Regresaste aquí, a tu hogar, pero las partes más importantes de tu ser habían desaparecido. Nunca conseguiste volver a encajar, Dave, porque te habían envenenado y ese veneno sólo estaba esperando la oportunidad de poder derramarse de nuevo.»

«No maté a tu hija, Jimmy. No maté a Katie. No lo hice. No lo hice.»

«Quizá no lo hicieras, Dave. Ahora ya sé que no. De hecho, parece ser que ni siquiera tuviste nada que ver con su muerte. Todavía existe una posibilidad remota de que la policía se equivocara al detener a esos niños, pero, con todo, debo admitir que todo parece indicar que no fuiste culpable del asesinato de Katie.»

«¿Así pues?»

«Aun así, mataste a alguien, Dave. Mataste a una persona. Celeste tenía razón. Además, ya sabes lo que pasa con los niños de quienes han abusado sexualmente.»

«¿No, Jim? ¿Por qué no me lo cuentas?»

«Tarde o temprano, ellos a su vez abusan sexualmente de niños. Llevan el veneno dentro y tiene que salir. No he hecho más que proteger a alguna pobre víctima futura de tu veneno, Dave. Tal vez de tu propio hijo.»

«¡No metas a mi hijo en esto!»

«De acuerdo, entonces quizá algún amigo de tu hijo; pero Dave, en algún momento, habrías acabado por mostrar tu verdadera naturaleza.»

«¿Es eso lo que piensas?»

«Después de subirte a aquel coche, nunca deberías haber regresado. Eso es lo que pienso. Habías dejado de ser uno de los nuestros. ¿No lo entiendes? Un barrio es eso precisamente: un lugar en el que vive la gente que es de allí. ¡Los demás no encajan, joder!»

La voz de Dave atravesó el agua y se grabó en el cráneo de Jimmy a fuerza de repetírselo: «Ahora vivo dentro de ti, Jimmy. No podrás librarte de mí».

«Sí, Dave, sí que podré.»

Jimmy cerró el grifo y salió de la ducha. Se secó e inspiró el suave vapor que le subía hasta la nariz. Le hizo sentirse aún más lúcido. Limpió el vapor de la ventanita de la esquina y observó el callejón que serpenteaba detrás de su casa. Hacía un día tan despejado y soleado que incluso el callejón parecía estar limpio. ¡Dios, qué día tan bonito! ¡Qué domingo tan perfecto! ¡Un día ideal para el desfile! Llevaría a sus hijas y a su mujer a la calle, se cogerían de la mano y contemplarían a la gente desfilando, las bandas de música, las carrozas y los políticos marchar en tropel bajo el radiante sol. Comerían perritos calientes y nubes de algodón azucarado, y a las niñas les compraría banderas de Buckingham y camisetas. El proceso de curación empezaría entre los platillos, el clamor de los tambores, las trompetas y los gritos de entusiasmo. Estaba seguro de que aquel proceso se iniciaría cuando estuviesen en la acera, celebrando la creación de su barrio. Y cuando la muerte de Katie les entristeciera de nuevo durante la noche, y sus cuerpos flaquearan un poco a causa del dolor, como mínimo tendrían la diversión de la tarde para compensar su sufrimiento. Sería el inicio de su curación. Se darían cuenta de que, al menos por unas pocas horas, habían disfrutado, o de que incluso se habían sentido alegres.

Se apartó de la ventana y se mojó la cara con agua caliente; a continuación se cubrió las mejillas y el cuello con espuma, y al empezar a afeitarse se le ocurrió que era un hombre malo. En verdad no fue una gran revelación: no estalló en su corazón ningún gran repique de campanas. Sólo fue eso: una idea, una conciencia repentina que le acariciaba el pecho con dedos suaves.

«Sí, lo soy.»

Se miró en el espejo y apenas sintió nada. Amaba a sus hijas y a su mujer. Y ellas le querían. En ellas encontraba una gran seguridad. Pocos hombres (poca gente) disfrutaban de eso.

Había matado a un hombre por un crimen que, con toda probabilidad, no había cometido. Por si fuera poco, apenas sentía remordimiento. Y hacía mucho tiempo había matado a otro hombre. Había sujetado a los cuerpos de ambos un peso para que descendieran a lo más profundo del río Mystic. Además, los dos le habían caído bien: Ray le caía un poco mejor que Dave, pero les tenía simpatía a los dos. Aun así, los había asesinado. Por principios. De pie sobre un saliente de piedra cercano al río contempló cómo la cara de Ray se volvía blanca y desaparecía a medida que se hundía bajo el agua, los ojos abiertos y sin vida. Y a lo largo de todos esos años no se había sentido culpable, a pesar de haberse repetido a sí mismo que lo era. Porque, de hecho, lo que había considerado sentimiento de culpa, era miedo de tener un mal karma, de que alguien le hiciera a él o a alguien que amaba lo mismo que él había hecho. Suponía que la muerte de Katie podía haber sido el cumplimiento de ese mal karma. El cumplimiento más importante: Ray había regresado a la vida a través del útero de su mujer y había asesinado a Katie, sin ningún motivo excepto el karma.

¿Y Dave? Habían pasado la cadena por los agujeros del bloque de hormigón, se la ataron fuerte al cuerpo y anudaron los dos extremos. Después levantaron el cuerpo trabajosamente los veinticinco centímetros necesarios para poder echarlo por la borda, y lo habían lanzado al agua. A Jimmy le había quedado la imagen inconfundible de Dave de niño, no de adulto, mientras descendía hasta el lecho del río. ¿Quién podía saber con exactitud adónde había ido a parar? Sin embargo, estaba allí abajo, en las profundidades del Mystic, mirando hacia arriba. «Quédate ahí, Dave. Quédate ahí.»

La verdad era que Jimmy nunca se había sentido muy culpable de todo lo que hizo. Sí, claro, había hablado con un tipo de Nueva York para que mandara quinientos dólares mensuales a la familia Harris durante los últimos trece años, pero eso más que culpa era un buen sentido comercial: mientras creyeran que Simplemente Ray estaba vivo, nunca mandarían a nadie en su busca. De hecho, ahora que el hijo de Ray estaba en la cárcel, qué coño, dejaría de enviarles el dinero. Lo usaría para algo bueno.

Para el barrio, decidió. Usaría el dinero para proteger a su barrio. Mirándose en el espejo, se dio cuenta de que eso era exactamente lo que era: suyo. A partir de aquel momento, sería suyo. Había estado viviendo una mentira durante trece años, haciendo creer a la gente que era un ciudadano honrado, cuando en realidad sólo veía a su alrededor cómo desaprovechaba las buenas oportunidades. ¿Que querían construir un estadio en el barrio? «De acuerdo, pero vamos a hablar de los trabajadores a los que representamos. ¿No? Muy bien, pero más os valdrá vigilar de cerca toda la maquinaria, chicos. No me gustaría nada prenderle fuego a algo tan valioso.»

Tendría que sentarse con Val y Kevin para hablar de su futuro. La ciudad estaba a la espera de que alguien la pusiera en marcha. ¿Y con Bobby O'Donnell? Jimmy decidió que si Bobby seguía empeñado en permanecer en East Bucky, no le aguardaría un futuro muy prometedor.

Terminó de afeitarse, y observó su reflejo en el espejo por última vez. ¿Que era malo? Pues muy bien. Podía vivir con ello porque en su corazón albergaba amor y se sentía seguro. ¡No le parecía una mala combinación!

Se vistió. Atravesó la cocina con la sensación de que el hombre que había hecho creer que era todos aquellos años había bajado por el desagüe del cuarto de baño. Oía a sus hijas gritando y riéndose, porque el gato de Val seguramente las estaba lamiendo sin parar, y pensó: «¡Qué sonido tan bonito!».

Sean y Lauren encontraron aparcamiento delante de la cafetería Nate & Nancy. Nora dormía en su cochecito y lo colocaron a la sombra bajo la marquesina. Se apoyaron en la pared y se comieron los cucuruchos mientras Sean miraba a su mujer y se preguntaba si serían capaces de lograrlo, o si el distanciamiento de ese año habría causado demasiados estragos, si habría acabado con su amor y con todos los años buenos que habían pasado juntos antes del desastre de los dos últimos años. No obstante, Lauren le cogió de la mano y la apretó, y Sean contempló a su hija y pensó que se parecía a algo que merecía ser adorado, a una pequeña diosa tal vez, que le llenaba.

A través del desfile que avanzaba ante ellos, Sean vio a Jimmy y a Annabeth Marcus al otro lado de la calle; sus dos preciosas hijas estaban sentadas sobre los hombros de Val y Kevin Savage, y saludaban a todas las carrozas y descapotables que desfilaban frente a ellas.

Sean sabía que habían pasado doscientos dieciséis años desde que construyeran la primera cárcel de la zona, a lo largo de las orillas del canal que acabó llevando su nombre. Los primeros habitantes de Buckingham habían sido los vigilantes de prisiones y sus familias, además de las mujeres e hijos de los hombres que estaban encarcelados. Nunca había sido una situación fácil. Cuando liberaban a los prisioneros, éstos estaban demasiado cansados o eran demasiado viejos para trasladarse a otro lugar, por lo que Buckingham bien pronto fue conocido como el vertedero de la escoria de la sociedad. Aparecieron miles de bares por toda la avenida y sus sucias calles, y los carceleros se mudaron a las colinas, literalmente, y construyeron sus casas allí arriba para poder seguir controlando a la gente que antes habían vigilado. El siglo XIX trajo consigo una prosperidad repentina del sector ganadero, y empezaron a aparecer corrales de ganado en el lugar en el que por entonces se encontraba la autopista, y se instaló un raíl de mercancías a lo largo de la calle Sydney para que los novillos no tuvieran que recorrer el largo camino que los separaba del centro de lo que en ese momento era la ruta del desfile. Generaciones de presos y de trabajadores del matadero, junto con sus descendientes, extendieron las marismas hasta las mismísimas vías del tren de mercancías. La cárcel se cerró tras algún movimiento de reforma luego olvidado, la prosperidad del sector ganadero tocó a su fin, pero los bares siguieron brotando. Una oleada de inmigrantes irlandeses siguió a la de los italianos, doblándola en número, y se construyeron las vías elevadas del tren, y aunque se dirigían en tropel al centro de la ciudad para trabajar, siempre regresaban al final del día. Uno siempre regresaba al barrio porque lo había construido, conocía sus peligros y sus placeres y, lo más importante, nunca se sorprendía de nada. Había cierta lógica en la corrupción y en los baños de sangre, en las peleas de los bares y en los partidos de béisbol callejero, y en las relaciones sexuales de los sábados por la mañana. Nadie más veía aquella lógica, y ésa era precisamente la gracia. No acogían con agrado a nadie más.

Lauren se apoyó en él, con la cabeza bajo la barbilla de Sean, y Sean sintió sus dudas, pero también su resolución, su necesidad de volver a confiar en él.

–¿Hasta qué punto te asustaste cuando ese niño te apuntó con la pistola en la cara?

–¿La verdad?

–Por favor.

–Estuve a punto de perder el control de mi esfínter.

Asomó la cabeza desde debajo de su barbilla y se le quedó mirando.

–¿De verdad?

–Sí –respondió él.

–¿Pensaste en mí?

–Sí –contestó–. Pensé en las dos.

—¿Qué te imaginaste?

—Esto mismo —respondió Sean—. Este momento que estamos viviendo ahora mismo.

—¿Con desfile y todo?

Sean asintió con la cabeza.

Lauren le besó en el cuello, y añadió:

—No te lo crees ni tú, cariño, pero me gusta oírlo.

—No te estoy mintiendo —protestó él—. ¡De verdad!

Lauren se quedó mirando a Nora, y exclamó:

—¡Tiene tus ojos!

—¡Y tu nariz!

Miraba al bebé fijamente cuando dijo:

—Espero que esto funcione.

—Yo también.

Sean la besó.

Se reclinaron juntos contra la pared, mientras ríos de gente pasaban sin parar por la acera; de repente, Celeste se detuvo ante ellos. Tenía la piel pálida y el pelo cubierto de pequeñas motas de caspa; no paraba de tirar de sus dedos, como si deseara arrancárselos de los nudillos. Al ver a Sean parpadeó, y dijo:

—Hola, agente Devine.

Sean alargó la mano, porque Celeste tenía toda la apariencia de irse a la deriva, si no tenía contacto físico.

—Hola, Celeste. Llámame Sean.

Le estrechó la mano. Celeste tenía la palma de la mano pegajosa, los dedos calientes y se soltó tan pronto como le hubo rozado la mano.

—Ésta es Lauren, mi mujer —dijo Sean.

—¡Hola! —exclamó Lauren.

—¡Hola!

Durante un momento, nadie supo qué decir. Permanecieron allí, incómodos y violentos, y al cabo de un rato Celeste miró al otro lado de la calle. Sean le siguió la mirada y vio a Jimmy; éste tenía el brazo alrededor de Annabeth, los dos tan relucientes como el mismísimo sol, rodeados de amigos y familiares. Parecía que nunca jamás fueran a perder nada.

Jimmy miró con rapidez a Celeste y clavó la mirada en Sean. Movió la cabeza en señal de reconocimiento y Sean le devolvió el saludo.

–Ha matado a mi marido –declaró Celeste.

Sean sintió cómo Lauren se quedaba helada junto a él.

–Ya lo sé –respondió–. Todavía no puedo probarlo, pero lo sé.

–¿Lo hará?

–¿El qué?

–Probarlo.

–Lo intentaré, Celeste. ¡Lo juro por Dios!

Celeste se volvió hacia la avenida y empezó a rascarse la cabeza con una lenta ferocidad, como si escarbara en busca de piojos.

–Últimamente soy incapaz de concentrarme –se rió–. No me está bien decirlo, pero no puedo. De verdad.

Sean alargó la mano y le tocó la muñeca. Ella le miró, con sus castaños ojos furiosos y envejecidos. Parecía estar segura de que Sean iba a abofetearla.

–Puedo darte el nombre de un doctor, Celeste, que es especialista en tratar a gente que ha perdido a familiares de forma violenta –dijo Sean.

Celeste asintió, aunque las palabras de Sean no parecieron servirle de consuelo. Retiró la muñeca de su mano y comenzó a tirarse de los dedos de nuevo. Se percató de que Lauren la observaba, y se miró los dedos. Dejó caer las manos, las levantó de nuevo, cruzó los brazos por encima del pecho y escondió las manos bajo los codos, como si intentara evitar que salieran volando. Sean se dio cuenta de que Lauren le dedicaba una sonrisa pequeña y dubitativa, una breve muestra de empatía, y le sorprendió ver que Celeste le respondía a su vez con una diminuta sonrisa y que le expresaba cierta gratitud con el parpadeo de los ojos.

En ese momento amó a su mujer con la misma intensidad de antes, y se sintió humillado por la habilidad que tenía de establecer una afinidad inmediata con las almas perdidas. Entonces tuvo la certeza de que su matrimonio se había ido al traste por su culpa, por la aparición de su ego de policía, por su desprecio paulatino a los defectos y la fragilidad de la gente.

Alargó la mano y le acarició la mejilla a Lauren; el gesto hizo que Celeste desviara la mirada.

Se volvió hacia la avenida al tiempo que una carroza con forma de guante de béisbol avanzaba poco a poco ante ellos, rodeada por todas partes de jugadores de la liga infantil y de los equipos de béisbol infantil; los chavales sonreían radiantes, saludaban, y se volvían locos por las muestras de adoración.

Había algo en la carroza que hizo que Sean se estremeciera: quizá fuera porque el guante de béisbol parecía envolver a los niños por completo, en vez de protegerles, y los niños, inconscientes de lo que pasaba, sonreían como locos.

Salvo uno. Parecía deprimido y observaba las ruedas de la carroza. Sean le reconoció de inmediato. Era el hijo de Dave.

—¡Michael! —Celeste le saludó con la mano, pero él ni siquiera se volvió a mirarla. Continuó mirando hacia abajo a pesar de que Celeste le llamó de nuevo—. ¡Michael, cariño! ¡Amor mío, mírame! ¡Michael!

La carroza siguió avanzando, Celeste no paró de llamarle, y su hijo se negó a mirarla. Sean identificó a Dave en los hombros de Michael y en la inclinación de su barbilla, en su belleza casi delicada.

—¡Michael! —gritó Celeste.

Volvió a tirarse de los dedos y bajó de la acera.

La carroza se alejó, pero Celeste la siguió, avanzando entre la multitud, agitando los brazos, llamando a su hijo.

Sean sintió cómo Lauren le acariciaba el brazo con suavidad, y miró a Jimmy al otro lado de la calle. Aunque tardara la vida entera, iba a arrestarle. «¿Me ves, Jimmy? ¡Venga! ¡Mírame otra vez!»

Jimmy volvió la cabeza y le sonrió.

Sean alzó la mano, con el dedo índice hacia fuera, y el pulgar ladeado como el percutor de una pistola; a continuación dejó caer el pulgar y disparó.

La sonrisa de Jimmy se ensanchó.

—¿Quién era esa mujer? —preguntó Lauren.

Sean contempló cómo Celeste trotaba a lo largo de la hilera de gente que presenciaba el desfile, haciéndose cada vez más pequeña mientras la carroza seguía avanzando avenida arriba, el abrigo ondeando tras ella.

–Alguien que ha perdido a su marido –respondió.

Y le vino a la cabeza Dave Boyle, y deseó haberle invitado a una cerveza, tal como le había prometido el segundo día de la investigación. Deseó haber sido más amable con él cuando eran niños, que su padre no les hubiera abandonado, que su madre no se hubiera vuelto loca y que no le hubieran sucedido tantas calamidades. Allí de pie, junto al desfile con su mujer y su hija, deseó un montón de cosas para Dave Boyle. Pero, principalmente, paz. Más que nada en el mundo, esperaba que Dave, dondequiera que se encontrara, consiguiera un poco de paz.

Índice

Título de la edición original: *Mystic River*
Traducción del inglés: Maria Via,
cedida por RBA Libros, S. A.
Diseño: Eva Mutter
Fotografía de la sobrecubierta: © Warner Sogefilms
Foto de solapa: © John Foley/Opale

Círculo de Lectores, S. A. (Sociedad Unipersonal)
Travessera de Gràcia, 47-49, 08021 Barcelona
www.circulo.es
3 5 7 9 3 0 1 2 8 6 4 2

Licencia editorial para Círculo de Lectores
por cortesía de RBA Libros, S. A.
Está prohibida la venta de este libro a personas que no
pertenezcan a Círculo de Lectores.

© Dennis Lehane, 2003
© de la traducción: Maria Via, 2003
© RBA Libros, S. A., 2003

Depósito legal: Na. 2880-2003
Fotocomposición: PACMER, S. A., Barcelona
Impresión y encuadernación: RODESA (Rotativas de Estella, S. A.)
Navarra, 2003. Impreso en España
ISBN 84-672-0426-5
N.º 33126